フラットアースからの突破

99.9% 隠された歴史

支配層は
これを知るのを
絶対に許さない

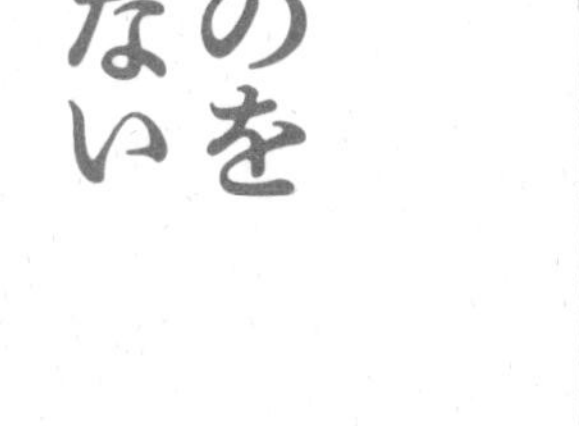

レックス・スミス

ヒカルランド

私たちはとにかく朝起きてから夜寝るまで、
支配層の洗脳の数々にさらされながら生きています。

テレビやインターネットのニュース、
エンタメコンテンツ、小説や漫画、映画、
西洋医学の罠、学校の教科書、歴史の嘘など、
書き出したらキリがありません。

中でも「球体説」は、
世界の歴史上で支配層が仕掛けた、
おそらくは最も大胆な嘘であるため、
一旦その虚像が崩れると、
いろいろと見えてくるようになります。

洗脳が解け、
フラットアースに気づいた人は、
嘘まみれのこの世界でフラットアースは
〝嘘の登竜門〟でしかないことにも気づきます。

真相を追究する人間として
前に正しく進めるか、
結局は支配層の用意した
世界観の中で踊り続けるだけなのか。
フラットアースが、その分かれ道にある
〝リトマス試験紙〟のような
位置づけにあると思っています。

コロナパンデミック　↓　ロックダウン
↓　経済悪化　↓　グレートリセット　↓
デジタル通貨とベーシックインカムによるＡＩ超管理社会
↓　トランスヒューマニズム。

彼らの理想郷（スマートシティ）が完了する頃には、
我々は皆、順応したトランスヒューマニズム的
バイオロボットになってしまっている、
という筋書きです。

SDGs※（エス・ディー・ジーズ）の
「誰一人取り残さない」
というキャッチコピーが身にしみますね。

※「Sustainable Development Goals」の略。２０１５年9月の国連サミットで採択された「持続可能な開発のための２０３０アジェンダ」に記載の国際目標。

もくじ

第2章 深層心理と洗脳とゲマトリア

第3章　人類の起源と歴史

第4章　エンターテインメントと洗脳プログラミング

第5章 プランデミックとグレートリセット

エピローグ

ボーナス

本書は、著者レックス・スミスが管理人を務めるFacebookグループ「フラットアースジャパン」への自身による投稿記事を大幅に加筆編集したものです。

カバーデザイン　三瓶可南子
カバーイラスト（双眼鏡を持つ人）©iStock
校正　麦秋アートセンター
本文仮名書体　文麗仮名（キャップス）

まえがき

２０１６年にフラットアースについて初めて知り、その後６ヵ月間かけてこの主張がナンセンスであることを証明しようとリサーチし続けましたが、逆に地球球体説の矛盾ばかりに突き当たってしまい、２０１７年には、晴れてフラットアーサーに転身。最初は主に英語圏のＳＮＳなどで情報のリサーチや共有、球体説論者との議論をしていました。

そして、日本語でフラットアース情報を発信している人がいなかったことから、Facebookで「フラットアースジャパン」を２０１８年に立ち上げました。当初は閑古鳥が鳴く状態でしたが、徐々にメンバーが加わり、今では１５００人以上のグループとなっています（２０２２年２月末時点）。日本語でのフラットアース情報発信者もどんどん増え、少しずつ盛り上がってきている実感があります。

２０２０年にヒカルランド主催の「フラットアース入門セミナー」を行い、翌年２０２１年には『地球平面説【フラットアース】の世界』『究極の洗脳を突破する【フラットアース】超入門』、そしてエディ・アレンカさん著『緊急着陸地点が導く【フラットアース】ＲＥＡＬ　ＦＡＣＴＳ』の合計３冊が出版されました。今回はシリーズ第４弾ということで、「フラットアースジャパン」で毎日投稿してきたフラットアースやその他の幅広いジャンルの真相論の記事を、本書用にかなり加筆編集しました。

もともと、このグループでの投稿が、最初の書籍出版にもつながりましたので、きっと皆様にもご納得いただける内容が多いかなと思っております。本書を読んで、パラダイムシフトを何度も起こしてほしいところです。ご納得いただけないトピックでも、こういう意見や論理的帰結もあるのかということで、同じ真相を追う奴隷階級の真相論者として大目に見ていただけたらと思います。

またフラットアース関連の書籍が、大ヒットするようなものでは決してないコンテンツでもあるにもかかわらず、本書を含む４冊の出版を刊行してくれたヒカルランドには感謝しております。言論の自由の下、マスメディアが決して取り扱わない不都合なトピックについて、今後も情報を発信していけたらなと思うところです。残念ながら紙媒体の書籍は斜陽コンテンツであり、今後は森林に優しいという大義名分の下、いつでも後から改ざんや削除が可能なデジタル書籍のみになっていくでしょう。その流れに抵抗するような形で、本書のような紙媒体の書籍を今後もあえてご購入いただけたら嬉しいです。

本書ではタータリアの隠蔽《いんぺい》を筆頭とする歴史の嘘、ゲマトリアや宗教などのオカルトや人類の起源に関するもの、映画の予測プログラミングやトランスジェンダーアクターなどのエンタメに関するもの、支配層が仕掛ける洗脳の手口など、他では読めないようなコンテンツが満載です。また時事ネタのコロナワクチン、地球温暖化詐欺、グレートリセットなどの他でも読めるネタにも触れています。ワクチンパスポートの導入とそれに伴う行動や移動の大きな制限も囁《ささや》かれている中で、あとどれくらいの時間が残っているかはわかりませんが、引き続き皆様に情報をお届けできたらなと思います。

また2018年夏より毎日毎日、いろいろなトピックを投稿しているため、記事の数は膨大であり、本書に掲載できなかったコンテンツもたくさんあります。本書を読み終えましたら、ぜひとも私のグループやその他インターネットの隅々、書籍などで情報収集を続け、またその中からフェイクな情報を精査し、自分なりの分析をして、できるだけ多くの真実にたどり着いていただけたらなと思います。本書には思考や論理展開の方法のアドバイスも掲載していますので、参考にしていただけたら幸いです。「人生は死ぬその日までが勉強である」、そんな気持ちでこれからも真相追究をしていってくだされば嬉しい、そういう思いで本書の執筆を決意した次第です。

本書を読んで気をつけていただきたい点として、真相論は、フラットアースなど物理的現象や観測で直接確認できるもの以外は、基本的に私の「意見」と「考察」という立ち位置になります。死後の世界などは特に、実際に死なないと何が起きるかわからないし、死んでもわからないかもしれないため、断言など一切いたしません。フラットアースについても、南極条約がある限りは一般人が行けないわけだから、南極の先に何があるのかも推測の域になります。フラットアーサーの間でも意見が分かれるところですし、現在も議論が盛んに行われています。本書を含めた様々な書物を読み漁り、納得した答えに各々が進めばよいと思います。

本書を、自分の意見と同じものと読んでいただいても、参考程度に読んでいただいても、ちょっとしたエンタメとして読んでいただいても構いません。リラックスした気持ちで読んでいただけたらな、と思います。またイギリス生まれが故にかなりの皮肉ジョークも書いていることをご了承いただけたらと思います。逆境や揶揄《やゆ》の中にユーモアを見つけられる行為こそ知性の証だと個人的に思っており、これについては自分の持ち味として今後もやめるつもりは一切ありません。

本編に進む前に、この大地が球体ではない、わかりやすい10の根拠を述べたいと思います。

（1）地球の曲率は観測できない
（2）地球の曲率は計測できない
（3）地球の自転、公転、その他諸々の動きを全く感じられない
（4）重力が実験により証明されたことはない
（5）真空（宇宙）と大気が均衡を保って隣り合う現象は再現されたことはない
（6）振り子は力を加えないと動き出さない
（7）冷戦時代から南極大陸に行くのは世界的に禁止されている
（8）コンパスの動きが、球体では、矛盾だらけである
（9）南半球のみの海底ケーブルが基本的に存在しない
（10）NASAの映像には合成加工の証拠が相当見つかっている

それでは、真相論の世界への旅立ちをお楽しみください。

プロローグ

アインシュタインの神秘科学

アインシュタインについての話。球体説推進の代表格である彼を知らないフラットアーサーは基本的にいない。球体説信者もみんな知っているか……。例えば「現実は今の連続である」という考え方。これは確かに正しいです。アインシュタインも言っていた、現実というのは今この瞬間も常に変わっている、という発言。デイビッド・アイク（イギリスの陰謀論系作家、思想家）も似たようなことを言っています。「今」と認識した瞬間には、それは「過去」の現象であり、未来は逆にまだ起きていない、存在しないものであるという考え方。確かに理にはかなっているし、現象としては正しい。

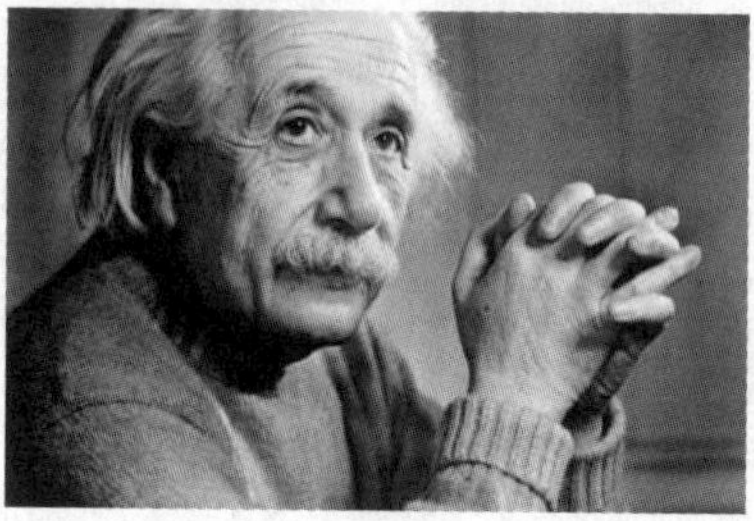

アインシュタイン

では、アインシュタインの現代科学における役割について語っていきましょう。

難しい方程式や概念で煙《けむ》に巻き、知らないことが恥ずかしいというインテリコンプレックスによる聞き手の萎縮を利用して、様々なフラットアース潰しの仮説をまるで当然存在するかのように主張する、という役割を演じていたのは言うまでもありません。しかし本質的には、それまでにあった、現在よりも発達した時代の極めて論理的、効率的、物理的だったであろう科学の発展を止めるために**「神秘的な現象と現代科学をつなげる」**橋渡し的な役割を果たしていた、と言えます。論理科学に神秘性を入れることで、不確かさや不明瞭さを混ぜ込み、なおかつうまく説明できなかったことは全て異次元や霊、宇宙の知的生命体がやっているから「論理的に追究しなくてよい」という科学者の思考停止を促していた、ということです。

この辺の神秘性は、現代ニューエイジの基盤となっている神智学からくる発想です。思弁や幻視、瞑想、啓示などの神秘性を取り入れることで、これらの神秘的な現象を「科学的な境地」にまで昇華したのがアインシュタインである。そしてアインシュタインとその仲間たちが唱えていた異次元空間やタイムトラベル、ビッグバンなどの現実世界で再現できない擬似科学に「再現できないのは神秘性のおかげだ」という認識が加わり、アインシュタインの仮説に次ぐ仮説が、支配層の後押しにより既成事実として学校の教科書などにも載るようになりました。

　そして、この再現されなくてもよい、神秘なんだからしょうがない、みたいな一種の退廃的主張は、現代科学がタータリア（239ページ参照）などの、より優れた時代よりも現場レベルで俄然発展しない大きな理由の一つとなりました（もちろん単純にロックフェラーあたりにすぐに潰される、という別の理由もありますが……）。

　この神秘性の導入が実に巧妙で、そんな神秘的な科学（＝魔法）を使えてしまう（当時あたりから売り出し中だった）宇宙人という存在を神の領域にまで昇華させるという役割もありました。宇宙人にロマンを感じてしまった人たちが「フラットアースを認めるくらいなら死んだ方がマシ」と認知的不協和を起こすのもこのためです。なぜなら彼らにとっては宇宙人が球体教というカルト宗教の神様だからです。神様を侮辱された、くらいの気分になるのでしょう。ちなみに「原子力爆弾」の爆発の原理となっている「量子力学」による「波動」も神秘的な要素がベースの科学になります。テレパシーからワープから思考の現実化まで何でもありの世界になります。この量子力学という「神秘的な」概念を既成事実としたい支配層の思惑がある限り、原爆茶番は続くし、間接的に言えば原子力発電も「量子力学は科学であるという印象」のために残し続ける必要がある、ということになります。支配層が家畜の反感を多分に買っている「原発」というコンテンツをなかなかやめられないのは、このためでしょう。

　話を「現実は今の連続」に戻しましょう。確かに現象としては既出の通り正しいです。ただし現実「的」ではありません。未来は確かにまだ訪れてはいません。だから「今」の決断や行動によって未来は変えることができます。本来の科学的な見解はここまで。

　ここにアインシュタインが提唱してきた神秘性を入れると（この場合は量子波動により）良い未来を「引き寄せる」という発想になります。これは先ほど申し上げたように、いたって退廃的な発想になります。なぜか？　例えば、あなたが線路の上で寝ているとしましょう。電車が迫ってきてしまい、3秒後に轢《ひ》かれるまでになりました。「今」轢かれていないから問題ない。轢かれることは起きない、となりますか？「引き寄せの法則」で電車の進行を止めるポジティブシンキングをしますか？　それで電車を止められますか？

　こういうシチュエーションを用意するだけで、非論理性が露呈しますね。本当にやらなければならないことは未来に起きることを「予測」し、そして行動をする。この場合は「線路から出る」です。3秒後の**未来を予測し、適切な行動を取る**。アインシュタインの神秘科学を信仰している状態ではこれすらできなくなります。つまりその人が**現実世界において無力化され、支配層の脅威ではなくなる**ということ。先ほどの見本が極論だとは理解していますが「3秒後の未来は現実ではないから電車を避けなくてよい」という思考回路になります。端的に言うとただの現実逃避です。

　例えばこれからやってくるかもしれないワクチン強制。実際に強制になるまで「強制は現実」ではない、という思考回路になるということ。予測をしなくなり、退廃的で未来を考えない状態になります＝無力化につながります。この辺の神秘科学を捨てきれない陰謀論者が日本にはとても多い印象です。そして彼らは「予測」をせず、現状の「マスク族」だとか「ワクチンの接種率」だとか「政治家のテレビでの発言」にリアクションするだけのコンテンツや、巨大球体説のような穴だらけのフラットアース説が見て面白そうだったからという理由で、あまり論理的に考えずに「神秘的」な印象だけで受け入れて、そしてよかれと思って周りに広め、真実に少し目覚めたばかりの新人の真相論者の無力化を意図せずして手伝っているということには一切気づかない。

　こういった考え方を浸透させることで、科学でも予測をきちんとする科学者が減ってしまい、皆、既成事実を鵜呑《うの》みにする従順な家畜科学者に成り下がりました。支配層は大笑いです。予測をする、という行為自体は、動物にはできません。人間だけができる高度な思考プロセスです。アインシュタインがこれを削ぎ落とした功績は大きく、支配層は今日も「予測もできない獣《けもの》め」と私たち家畜をコケにしているのだろうと簡単に想像できます。フラットアースに気づいた皆様なら、ぜひこのトラップに落ちないようにしてほしいところです。

ニューエイジ＝NASAの精神版

支配層が仕掛けたニューエイジムーブメント。アインシュタインの役割である「論理科学に神秘性を取り入れることで仮説の既成事実化を容認する体制を作り、科学の退廃を促してきた」という話にもつながってきます。NASAの月面着陸計画と同じくらいの時期にヒッピー文化でメインストリーム化したニューエイジムーブメントの役割を見ていきましょう。

それぞれの役割を以下に分けることができます。球体説を発端とする科学の退廃を促すにあたり、それぞれ明確な棲み分けがされています。

NASA ↓ 物理的な観点での球体説と宇宙論
ニューエイジ ↓ 精神的な観点での球体説と宇宙論

NASAは、球体説を物理的に説明する機関。フラットアーサーなら誰もがネタにするコンテンツ。なんてったって宇宙や球体説は物理的な矛盾がわんさか出てくる。ポカミス動画もたくさんあり、それらのミスがとてもわかりやすく、それが故《ゆえ》に題材にしやすい。フラットアースジャパンでも投稿が多数の人から寄せられている。

ニューエイジは反対に精神的な部分を担当しており、実態がないが故に抽象的で、役割がわかりづらい部分がある。現にフラットアースジャパンにはニューエイジ思想が強いメンバーも少なからずいる。でもNASAのファンは基本的にいない。このファジーで概念的な球体説と宇宙論はとても厄介で、個人的な思い入れが強くなりがちな精神性のコンテンツでもあるため、認知的不協和は下手したらNASAのファンよりも強

1960年代に登場したニューエイジムーブメント

く現れます。だからこそ訴えていかないといけない、という論理的帰結から、この辺の啓蒙記事も増やしています。

　アインシュタインは論理科学に神秘的で不確定の要素を取り入れただけでなく、その逆の神秘性に科学的な要素も追加しました。

　科学的な神秘性という概念は、アインシュタインの主張を通して、実際に違う意見がむしろ奨励される哲学や精神的な話だけでなく、明確な根拠を持った論理科学にも、この概念が持ち込まれるようになりました。ニューエイジの「皆それぞれの世界がある。違う意見でもいいじゃん」ととてもうまく合致していて、特に一般人レベルの意識が退廃化／愚民化し、球体説の「水平線が平らなのに曲率がある」「動きを全く感じないのに自転している」などの「雰囲気科学」が学校の教科書にも掲載されるようになり、じわじわと我々の脳内を侵していくこととなります。

　論理科学と神秘性の曖昧化は、20世紀における支配層の最も強力な武器であると言えます。この流れはニューエイジや、あり得ない正義のクルセーダーQアノンなどとして多くの人間の脳内を今日も退廃させ続けています。

　勘違いされがちですが、〝spirituality〟は〝精神性〟という意味で、本来誰もが持っているものであり、死ぬその日まで追究するべきものだと思いますが、その手段として、いわゆるニューエイジを基盤に用いるのは、フラットアーサーが大地の形や大きさを知るためにNASAのホームページを読み漁るようなもので、時間を無駄にする行為であると、一《いち》フラットアーサーとして申し上げたいのです。

行動や言葉からわかる陰謀論者の種類

その人が発する表面的な言葉から人となりを判断し、あまりその人の本質を理解できずにいる人が多い印象なので、こちらで取り上げたいと思います。

　世の中には大きく分けると4種類の家畜がいて、ここではどれが良いか悪いかという話は一切せず、こういうタイプの人はこういう発想になりやすいということを見本とともに紹介します。逆に言えば、こういうことを言う人はこのタイプの人の可能性が高いと、表面的な言葉だけでその人の深層心理までたどり着けるので、プロファイリングをする際に役立つと思います。満面の笑みで優しく、表面的には素晴らしいことを語りかける悪魔も世の中にはたくさんいます。フラットアーサーの皆様が騙《だま》されたりしないためには、以下のことを常に頭の中で巡らせなくてはいけません。ただし以下の例は全てマクロ的な傾向であるため、当然全員がそうと言うわけではありませんのであしからず。

まず4つのタイプとは？

1）羊人間

群れの中の方が安心安全♪

世の中の家畜の圧倒的多数。カルト宗教的に学校の教育やテレビを妄信し、支配層が用意したスポーツや政治コンテンツにハマっている場合には、マジョリティの方を応援する傾向にある。例えばマンチェスターに行ったことがないのにサッカーチームのマンチェスター・ユナイテッドを応援しているなど。

彼らの主な性質としては、羊らしいと言えばらしいですが、圧倒的な臆病さが挙げられます。学校教育で権威コンプレックスを植え付けられ、インテリぶって強がっているものの、彼らは本質的には自分の意見には全く自信がありません。ただ単に多数決の多数に入っていることで安心感を得ているため、コロナパンデミックをデータとともに茶番だと示しても、茶番に気づいている人の方がマイノリティのため、羊人間は論理などお構いなしに全否定してくる。サンクコストの概念などもってのほかです。ひたすらこれまでの生き方や知識にすがることで自分たちのアイデンティティを確立させています。ひたすらマジョリティでいることに絶大な安心感を覚えているため、そこから脱することは場合によっては死よりも辛いと感じるでしょう。

地球の形について → マジョリティが球体説だから球体。

死生観 → マジョリティが無神論ならば無神論、仏教ならば仏教徒、キリスト教ならばキリスト教徒。

陰謀論 → 陰謀論など戯言《ざれごと》だと思っている。面白いのが、それまで陰謀論として扱っていたものでも、マスメディアが新たに扱えば即座に、陰謀論として捉えずあっさり受け入れる。つまりマスメディアが神様である。

2）古代宗教家の陰謀論者

自分たちの宗教の教義や文献を忠実に守り、実施するタイプになります。教義は深く追究するが、教義で悪いものと教えられているものや教義の内容に反するものは、論理的な根拠が強いかどうかは関係なく即嫌悪感を抱く。つまり彼らは論理と感情論が混ざった状態にある。神が絶対的なものであるとする宗教もあるし、多神教などでも神は少なくとも人間よりは上であると考えられているため、神という「お上《かみ》」の命令として教義に逆らうことは基本的にしない。過激な思想の者だと、神の教義に逆らった者は死で償ってもらうと考える。当然、陰謀論は教義に合うものは受け入れやすく、合わないものは断固否定する。

地球の形について → 個々の教義の解釈による。所属している宗教の中ではマジョリティの考え方を採用する傾向にある。宗教にもよるが、概《おお》ね羊よりはフラットアースは受け入れられやすい。

死生観 → 教義の通り。教義に反していることが論理的に正しいとしても、自分の神に合うもの、合わないものという善悪二元論で感情的に片付ける場合が多い。

陰謀論 → 教義に反してないものを選択的に受け入れる。古代はフラットアースが当たり前だったため、フラットアースは古代宗教家には受け入れられやすい＝相性が良い。

3）ニューエイジ／新興宗教家の陰謀論者

古代宗教のような明確な教義がない場合が多く、なおかつニューエイジの場合は自分自身が神様の宗教みたいなところがあるため、ある意味何でもありの世界。アインシュタインの神秘科学というルーツがあるため、この辺の「何でもあり」は疑似科学という形で受け入れられることが多く、結論は論理的に道筋を立てるよりも、結論の雰囲気やそれが自己肯定につながるコンテンツであるかどうかの方が重要な要素となる。陰謀論に関しては、対立軸にあり、なおかつドーパミンが出るようなワクワクコンテンツであるかどうかが基準になります。フラットアースのような明確な物理的解答が用意されているコンテンツはむしろ相性が悪いように思えるが、きっと対立軸であるから惹《ひ》かれる部分があるのでしょう。また各陰謀論への解釈がどんどん時間とともに、独自性が増す傾向にあるため、一年の月日が経つと、だいぶ違うことを言っている陰謀論者が多い。

地球の形について→球体で宇宙人がいる、フラットアース、空洞説、巨大球体説、マトリックス説、異次元パラレルワールド説などのマジョリティの対立軸にあるものから、あとはその個人が一番ワクワクするものが選ばれる可能性が高い。

死生観→何でもありが故に、独自性が高い傾向にある。疑似科学を用いる場合が多い。

陰謀論→陰謀論を選ぶ基準は二つ。対立軸にあるか、そしてワクワクするか。当てはまらない陰謀論は、論理的に正しくても時間の無駄のためほとんど存在しないものとみなす。右から左である。

4）論理的な陰謀論者

彼らのキーワードは「論理」と「根拠」である。しかし信仰心が全くないわけではなく、そこは個の解釈次第で、論理的に一番あり得そうなものを信仰している人が多い。基本的にはマクロで物事を捉え、小さな犠牲は仕方がないと思っている節もあり、真相論を前に進めるという一種の全体主義が彼らにとっての正義のため、個々の気持ちをいちいち気にしていない。そのため、場合によっては他のタイプの陰謀論者に冷たく感じられてしまう部分もある。陰謀論で言えば、意見がマジョリティだろうがマイノリティだろうが「客観的に正しいものが正しい」というブレない軸があるため、特に長期的な予測が当たることが多い。感情論ではほとんど考えない。こういう人は残念ながらポピュリストにはなれない／なりたくないため、本人の淡々とした口調も伴って、熱狂的な支持を受けることは少ない。

地球の形について↓フラットアースが科学／論理的に正しいため、本来の相性はすこぶる良い。

死生観↓個に依存する部分があるが、各人の根拠は「これが一番論理的に正しいと思う」。

陰謀論↓マクロ目線で俯瞰するため、それぞれの陰謀論の相関関係が見えやすく、論理的にたどり着いたマクロ的な答えから逆算して個々の陰謀論のあり／なしの可能性を探る。例えばムーンショット計画の観点からコロナ茶番を考える、など。

以上、大きく分けるとこの4種類の家畜がいるとわかっていただけたかと思います。ぜひ、オンラインでも実世界でも人と接する時には、この4つのタイプに留意して、彼らの発言を一つ一つ分析していっていただけたら嬉しいです。

現代人はディベート力を削ぎ落とされた

とあるSNSの「フラットアース」というオープンチャットのグループで珍しくやりとりしていたのですが、まぁ今どきは海外の人たちもあまり変わらないとは言え、日本人のディベートできない病は壊滅的でした。詰め込み、暗記、実際は真実をどう思っていてもテストの正解を書くことが正義みたいな教育の悪意を感じてしまいます。その辺のツィッターアカウントならまだしも、フラットアースに関したプライベートルームでこれだから正直困りました。

●フラットアースという名前のオープンチャットに参加している球体説論者なのに、フラットアースの基本知識すらない。学びの姿勢がない。質問攻め。

これがオンラインだからなのか……会議室のセミナーに土足で上がり込んでヤジを飛ばしているようなものだと気づかないのでしょうか。

●謙虚さがない。こちらが答える必要のないことを無料で答えていて、彼らはそれにより自分たちのフラットアースに関するリサーチ時間が数時間短縮されたという自覚もないし、もちろんお礼も言わない。またフラットアースのオープンチャットなのに、私たちはそちらにも球体説の情報を提供している、となぜか上から目線。まるで私たちフラットアーサーは義務教育すら受けていない物言いである。

◉長い洗脳の賜物なのか、結果ありきでの議論。理由とかはその結果に向かうためのただの辻褄《つじつま》合わせなので、何を言っても基本的には無駄。結局、私もめんどくさくなってディベートをやめてしまう。

◉ディベートを論破とか勝ち負けだと思っている。進化論の弱肉強食と現代の競争社会が染み付いてしまっているのでしょうか。ディベートとは本来意見を言い合い、検証により新たな事実を生み出し、答えを導き出す一種の弁証法です。

◉人にはたくさん質問しておいて、人の質問は基本スルー。これが一番めんどくさいかも。

◉基本的には「何かが存在すると言う人に証明義務がある」ことに気づいておらず、「ISS（国際宇宙ステーション）が時速約2万7000㎞で動かない証拠は？」みたいなトンチンカンなことを言ってくる。有神論者が無神論者に「神がいない証拠は？」とは聞かないだろうと……。

◉自分の認知的不協和に一切気づいていない。認知的不協和は論理破綻が基本だからすぐにわかるのですが、指摘してもさらに論理破綻を被せてくる……。

◉仮説と実証と再現の繰り返しという科学の基本理念をわかっていない。誰でも同じ条件で再現できて初めて事実となる。球体説の人は大抵権力者の受け売りばかりである。

◉球体説を声高々に叫ぶ人ほど、球体説にきちんと虫眼鏡を当てて精査していないという矛盾。

こんなのでリアル世界で友だちなどできるのでしょうか？

議論の仕方を学ぶ

例えばある学者が同じトピックを扱った本を数冊読み、そこから得た知識を組み合わせて分析し、点と点をつなげる形で自分なりの解釈を構築する。

その学者はその解釈をベースにした本を新たに出し、別の人がそれを読みまた解釈を発展させていく。科学、哲学、思想といった（動物の世界にはない）人間特有のコンテンツは全てこうして進化している。

議論も同じで、これは議論をあまりしたことがない人が勘違いしてしまいがちですが、議論をする主目的はこうした「発展」を促すためであり、議論相手との闘いとかでは決してない。むしろ真実を追究していく仲間である。

ただし、議論というものは相互の協力がないと成り立たないものであるため、参加者が守るべき最低限のルールというものが存在します。

以下にその5つを記載します。

①真実を追究するという目的を忘れてはならない
②できるだけ中立的にバイアスのない状態で臨む
③相手の質問に答えるなど、建設的な議論を心がける
④（特に相手に求められた場合には）論理的な根拠を提示する。何かが矛盾している主張があれば間違いであるとすぐに認める
⑤議論とは関係のない誹謗中傷の禁止

この5つになります。これらの条件を継続的に守れない場合には「議論不能」となり、相手がしている場合には即座に議論をやめてよい。時間の無駄である。別のこと、例えばさらなる真実追究のためのリサーチ、に時間をかけるべきである。

球体説信者は認知的不協和が強いため、また蓋を開けてみると球体説が穴だらけであるために、大地の形を議論すると上記が全く守れない人が多く、健康的な議論にならなかった、という経験をされた方も多いはず。よかったら本書の読後にでもこれらのルールを踏まえて実践してみてください。

第1章 フラットアース

私の真相論の原点でもあるフラットアース。実は「フラットアースジャパン」というグループ名であるにもかかわらず、直接的にフラットアースに関連した投稿は全投稿のおおよそ半分くらいになります。それもそのはず、グループのコンセプトが以下の通りのためである。

（1）フラットアースを学びたい方のためのグループ

3年以上やっているのでグループ内でキーワード検索すると、ほとんどのフラットアース項目が見つかるかと思います。投稿や質問も歓迎。

（2）フラットアーサーのためのグループ

現実では孤独感と絶望に苛《さいな》まれるフラットアーサーたちの憩いの場、交流の場。フラットアーサーの観点で世の中の様々な真相論について議論していきましょう。

フラットアースに気づくと、世の中の他の嘘もスッと受け入れられるだけでなく、物事をきちんと論理的に検証できる着眼点も身に付きます。言うなればフラットアースは「真の真相」への登竜門です。私たちが住む大地の形という、これだけの大きな嘘にずっと騙され続けていたということに気づくと謙虚にもなれますし、フラットアースを土台にした真相論追究はそれだけで強力な武器となります。そのため、まずはフラットアースから学んでほしいということで第1章をフラットアースの章とさせていただきます。

先代を軽視した球体説

身近なところでも、知識と経験豊かであろう祖父に、「はいはい、お爺ちゃん」と家族がいなす場面が想像できるかと思います。「古い人間が何言っているんだ」ということでしょう。これはフラットアースにも当てはまるのです。近代になってからようやく球体説が普及しましたが、それまでの長い歴史、先代たちはずっと大地が平らであることは当たり前のこととして過ごしていました。文献や工芸品を見ればそれは明らかです。仏教には須弥山儀《しゅみせんぎ》というフラットアースの模型もあります。

現代人は進化論や優生学に毒されたからなのか、科

須弥山儀《しゅみせんぎ》

学の発展が必ず良い方向にしか進まないとタカを括《くく》り、なぜか現代人の方が一つ二つ前のジェネレーションよりも頭もどんどん進化していると勘違いしています。科学も頭脳も退化することがあるという発想すらない。だから球体説を信じて疑わない。「昔の人間は愚かだったから平面説なるものを信じてしまっていたんだ」という発想になるのは、最初に述べたお爺ちゃんを蔑《ないがし》ろにする気持ちに似ています。球体説信者がよく言うのは、「地球が平らだなんて信じている奴がいるのは中世以来だぜ」とまるで中世の人が頭が悪いとでも言いたげ。中世の人たちは戦いもできて、農業もわかっていて、手に職を持っているような猛者《もさ》たちがたくさんいたにもかかわらず……。

球体説信者は自分たちの思考回路が矛盾していることに気づかない。新しい考えの方が偉いと思っているようだが、普通に考えたら長く昔から浸透している考えや事実の方が説得力があるに決まっています。信憑性が高いから長く数代にわたって伝承されているのです。時々新しく、より良い考えで常識が上書きされることもありますが、そちらの方がマイナーである。「大地の形は平ら」なんて調べれば調べるほど説得力があるのに、まるで説得力がない昔の人のラリった考えとなぜか勘違いする。「フラットアースを調べてみなさい、説得力半端《はんぱ》ないから」と言いたいです。

現代人は往々にして「トヨタの車よりもテスラの車」みたいな新しいもの好きというのもあるでしょう。そもそも新しいもの好きにさせられているのも、テレビなどが宣伝目的でその新しいものを好意的に伝えているから洗脳され、「そうだ！　そうだ！」と鸚鵡返《おうむがえ》ししているだけなのでしょう。

球体説もそう。映画や漫画でこれでもかと登場してくる球体地球がキラキラとして新しいものに見えるのは当たり前、必然である。この悪い兆候、どうしたら突破できるか。ここさえ突破できたら、かなりフラットアーサーが増えるのではないかと思っております。フラットアースをキラキラとしたものに見せることが、私たち情報発信者が洗脳から抜けきれない羊たちの目を開かせるための最良の手段なのかもしれません。

宇宙は存在しない

フラットアースでは当たり前の宇宙は存在しない。一体何を根拠に言っているのか、4つのポイントに分けて説明したいと思います。NASAの動画がインチキというポイントを含めなくてもいいくらい根拠が豊富にありますが、ページ数の関係で主な4つを羅列したいと思います。

（1）真空の中に空気を入れると、空気は必ず拡散する

空気よりも密度の濃い固形（＝天蓋《てんがい》）が真空と空気間に存在しないと、空気は真空の中では必ず拡散していきます。「負圧」という状態はそういうものです。映画『トータル・リコール』の主人公しかり。地球の大気と宇宙空間のように、徐々に酸素が薄くなっていつのまにか真空状態になるのは不可能です。真空空間の中に大気がそのままとどまることを証明する実験もなければ、科学実証の基本である「誰でも同じ環境下であれば繰り返し再現できる現象」のもと、再現もされていません。宇宙論信者が「地球の場合だけはそうなんだよ！」と無理くり言っているだけです。

実験動画はかなり転がっています。以下は空気拡散をバルーンで可視化させたもの。こういう実験ができる環境にいる、例えば理系大学生などの方は、ぜひご自身で実験してみてください。

＊真空容器の中の風船、その他いろいろ（https://youtu.be/yBG43IoMPpA）

（2）人間は真空状態に耐えられない

宇宙服を着たら宇宙空間にいても大丈夫？　否、全く意味ありません。気を失う、皮膚が多大な損害を受けるなどたまったものではありません。これも映画『トータル・リコール』の世界です。しかも真空状態であることとともに宇宙自体は即座に絶対零度にもなるような壮絶な空間。そんなところに人間がいられるはずがありません。そうではないと言うのであれば、以下の実験映像をご覧いただきたい。

＊真空の中に腕を突っ込んでみた（https://youtu.be/iWGGMchu6mQ）

大空に架かるダブルレインボー

（3）虹の説明には天蓋が不可欠

虹は何でできると思いますか？

空に鏡の役割を果たす固形の何か（天蓋）があるから。試しに室内で虹を作ってみてください。鏡をまたは鏡の役割を果たす反射物（窓ガラスとか）がないと再現は不可能です。そういうものがなければ何時間かかっても虹は一切作り出せません。

＊CDを使って虹を作り出す実験（https://youtu.be/PYaMmqg67_0）

（4）星々が数千兆km先にあるなら、間に障害物がないとおかしい

支配層が崇拝しているであろう北極星を例に挙げましょう。年がら年中、同じところで見えます。距離は430光年。はい注目。1光年は9兆5000億kmとされていますからね。どうぞ計算してみてください。

地球と北極星の間に障害物がいつでも入らないのは、それこそ「天文学的確率」ですね。

＊「北極星の距離」で検索（https://www.astroarts.co.jp/news/1998/02/980205NAO1/index-j.html）

いかがだったでしょうか？

まだ宇宙が存在すると思いますか？

固定観念を捨てるのはプライドを捨てると同義でとても勇気のいること。でもこの世界についてゼロから再考察していくことは、そのプライドを捨てるだけの価値はありますよ！

宇宙服という舞台衣装

私もこの記事を書く際に初めて見ましたが、宇宙服の中はこんな感じだそうです（次図）。想像以上に質素ですね、お金がかかってない感じもします。

これで真空状態に耐え、絶対零度をものともせず、酸素も十分に供給し、太陽の破壊光線から皮膚を守るんだそうです。

深海スキューバダイブのスーツにそっくりなのは、

過酷な宇宙環境に耐え得る装備??

基本プールの中で撮影しているから！　というツッコミをするのはやめておこう……。

宇宙服で思い出しましたが、ＪＡＸＡが、宇宙飛行士（役）を13年ぶりに募集し始めました。

本書の読者から応募者が出てくれたら、これ以上に嬉しいことはないですね。条件が当てはまる方、ぜひ応募してみませんか？（追記：こちらの応募は２０２２年３月４日で締め切られました）

応募資格は以下になります（２０２１年度募集要項抜粋）。

（1）２０２１年度末（２０２２年３月末）の時点で、
　３年以上の実務経験を有すること。

（2）以下の医学的特性を有すること。
　身長　１４９・５～１９０・５㎝
　視力　遠距離視力　両眼とも矯正視力１・０
　　以上
　色覚　正常（石原式による）
　聴力　正常（背後２ｍの距離で普通の会話可
　　能）

※1：修士号取得者は1年、博士号取得者は3年の実務経験とみなします。

ちなみに、募集要項に記載されている職務内容（一部抜粋）はこちら。

（1）訓練業務
　選抜された宇宙飛行士候補者は、採用された後に以下のような訓練業務を行います。訓練には、航空機操縦訓練、ジェット機による無重力体感訓練、サバイバル訓練等、身体的にも厳しい項目が含まれます。
（以下省略）

（2）搭乗業務

選抜された宇宙飛行士候補者は、宇宙飛行士として認定され、かつ特定の搭乗業務に指名されれば以下のような業務を行います。宇宙船の搭乗をはじめ、宇宙での活動には、打上げ・飛行中・帰還時の事故、身体に対する様々な影響（微小重力や宇宙放射線等の影響）、スペースデブリ衝突などのリスクが伴います。なお、宇宙飛行士候補者として選抜されても、訓練結果の評価やISSやアルテミス計画の変更等により、宇宙飛行できない場合があります。
（以下省略）

＊詳細は、「ＪＡＸＡ　２０２１年度宇宙飛行士募集要項」で検索。
＊ＪＡＸＡのタレントブックは、「ＪＡＸＡ　宇宙飛行士募集に関する資料集」で検索。

重力は存在しない

物体は、**気体↓液体↓固体／結晶**の順で密度が高くなります。

空気中で固体（物）を手放せば、密度の低い空気を突き抜けて、密度が同じか、より高い地面まで固体（物）は沈みます。これが「重力で物が落ちるように見える」現象のカラクリ。シンプルでしょう？

反対にヘリウムガス入りのバルーンを空気中で手放せば、より密度の高い空気を突き抜けて、密度の均衡が得られる上空まで飛んでいく。これが**浮力**になります。

また、水／液体の密度は流動的であり（海とかが）深くなればなるほど正圧がより強くかかる。この水圧は水深に比例します。人間が海に入って、下まで自然に沈んでいけないのはこのためである。海中の下部にある圧力の方が上より強いため、下から上に押し上げる力が働き、人間の体は上方向に浮いてしまいます。

質量÷体積＞液体の密度の場合に物体は沈み、そうでない場合には浮く。

空気が中に入っているプラスチック製の浮き輪が簡単に浮いてしまうのはこのため。**質量÷体積**の平均値がとても低いから。

重力という計測されたこともない魔法の力は何も必

要ない。前記のみで基本的には説明できる。つまり**重力は存在しない**。重力については共同著書の『地球平面説【フラットアース】の世界』でより詳しく図とともに説明していますので、よかったら手に取ってみてください。

重力の証明にならない重力の証明

「真空空間で羽根とボウリング球が同時に落ちることが重力の証明に他ならない」とドヤ顔で言う球体説信者は墓穴を掘っていることに気がついていないのでしょうね……。空気中で落とすとボウリング球の方が当然早く落ちます。

　それは空気の密度に対して、羽根の密度の方がボウリング球よりも空気に近く、浮力が発生するから。真空状態では、羽根／ボウリング球と地面の間に媒体／流体が存在しないので、浮力が発生せず同時に落ちる。それだけの話。

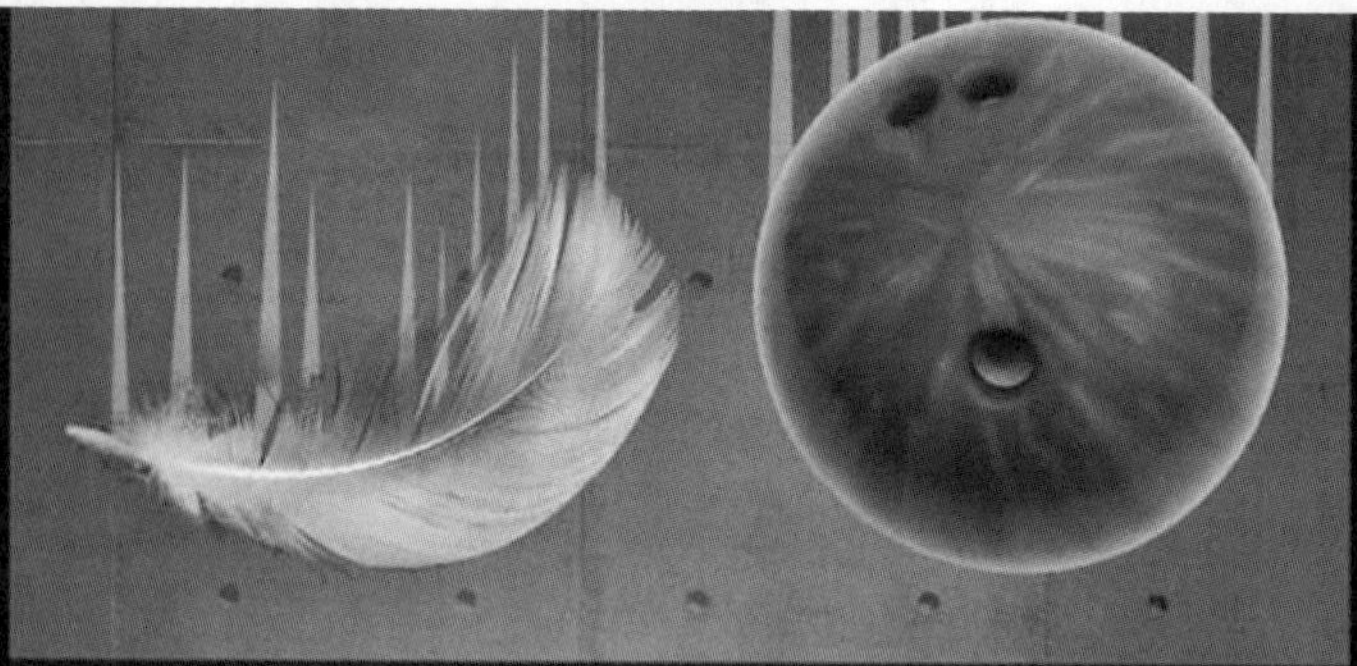

真空空間では、羽根とボウリング球を
同じ高さから落とすと同時に着地する。

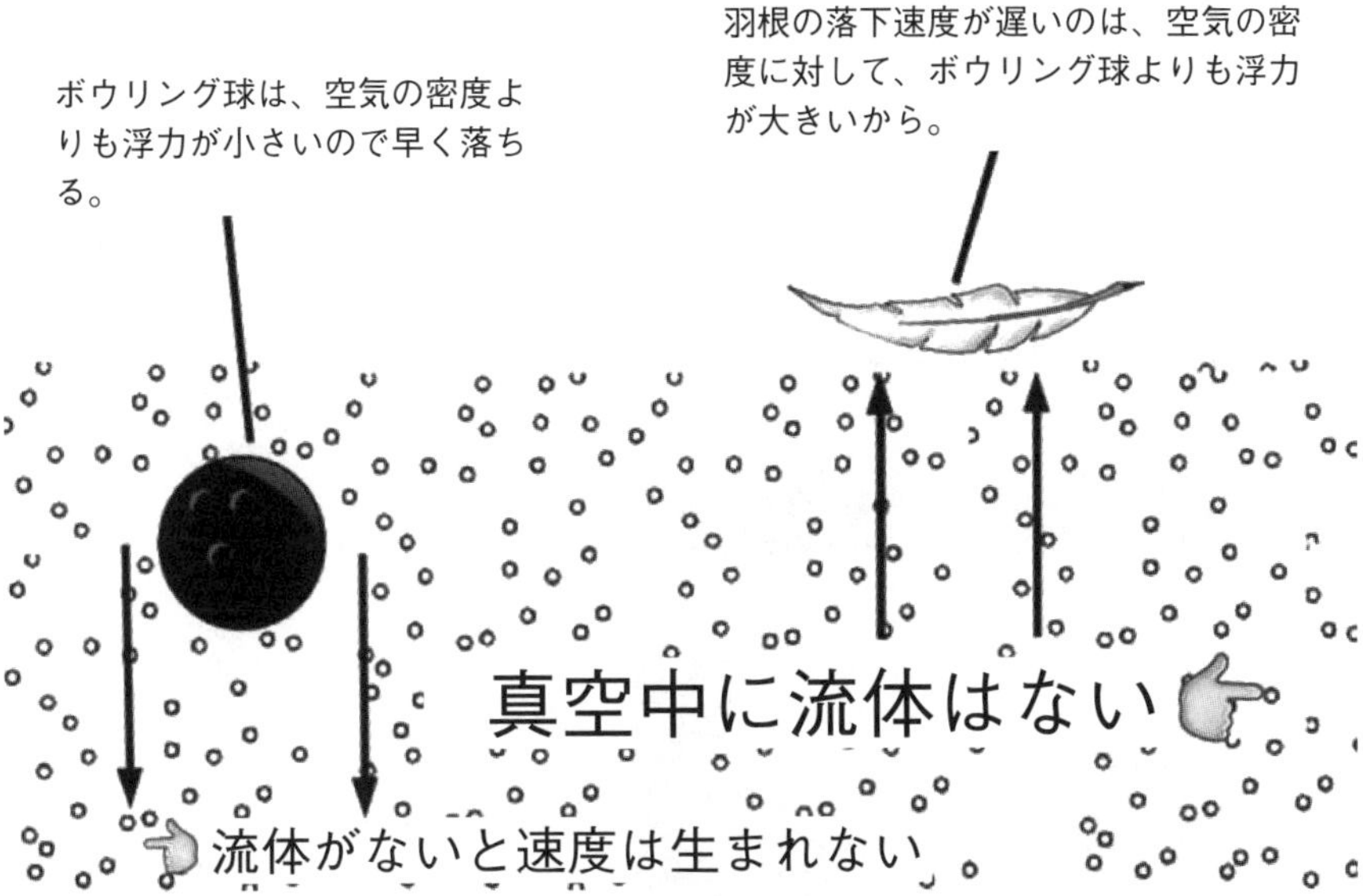
ボウリング球は、空気の密度よりも浮力が小さいので早く落ちる。
羽根の落下速度が遅いのは、空気の密度に対して、ボウリング球よりも浮力が大きいから。
真空中に流体はない
流体がないと速度は生まれない

グレアを削ぎ落としたリアルな太陽

日食眼鏡とかで見る①太陽の原型（光の眩《まぶ》しさがなく太陽がきっちり見える状態）と、②ＮＡＳＡのファイヤーガス球アニメーション。

①が②に見えているのであれば、いろんな種類の眼鏡があなたには必要だ。

心の眼鏡も。

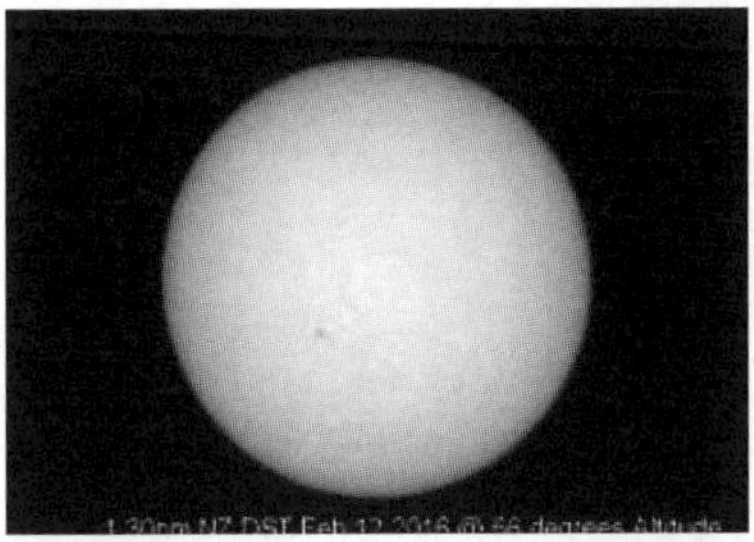
① グレア（眩しさ）のない状態で見える太陽

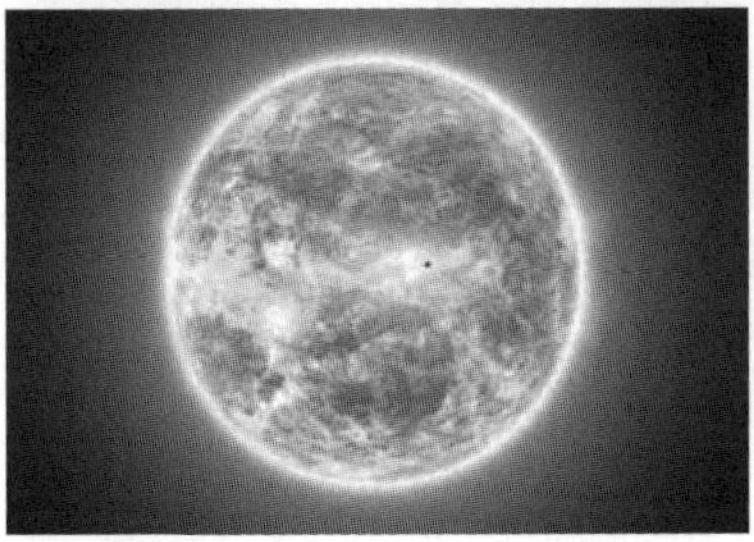
② NASA 提供の燃えている太陽

遠近法による消失点

船が、曲率によって水平線の向こう側に消えていっているわけではないことをよく表したミーム（図①）。望遠レンズ付カメラと望遠鏡を持っている方、海で船が裸眼で見えなくなったらぜひ、カメラ、望遠鏡の二段階で再び船を探してみてください。再登場します（カメラでは私も実験済み）。裸眼で船が消えて見えるのは、遠近法により視界の限界に到達したためです。曲率なんて一切ありません。

こちらは家族で行った温泉地として有名な静岡県熱海より（②）。私自身で撮影したものですが、遠近法をとても良く表現した場所を見つけました。この写真を見ると、船が水平線の奥、曲率の向こう側へ消えるのではないことがわかりますね。遠近法により見えなくなっているだけです（③）。

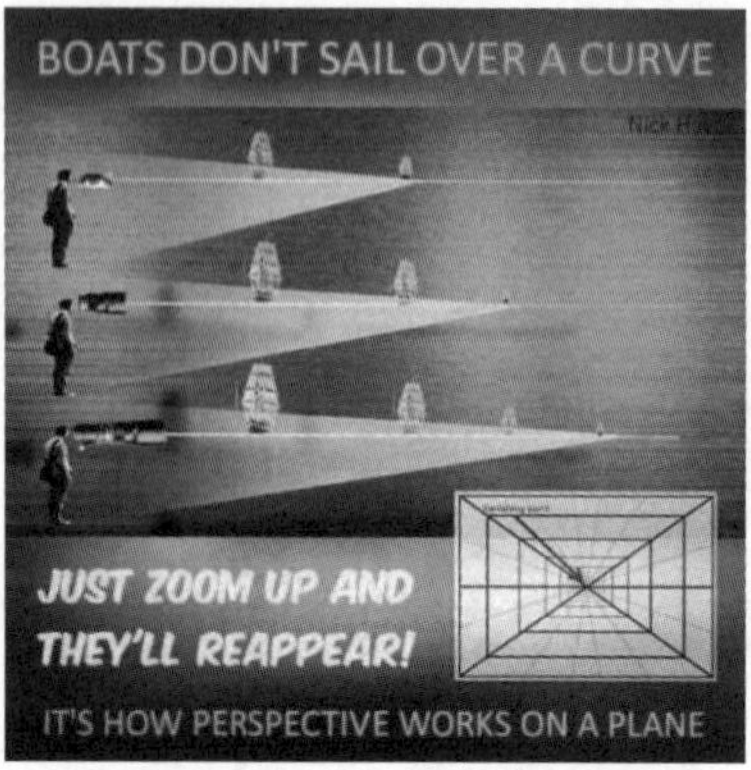

① ズームアップすると再び船が見える！

② 遠近法がわかりやすい場所を発見！

③ 中央が消失点

天道の太陽

こちらでは同じ場所から、一年かけて「沈む」太陽を撮影（図ⓐ）。

南回帰線、赤道、北回帰線の間に軌道を持つから少しずつずれて写る。

本来はこれだけで球体説はチェックメイトです。

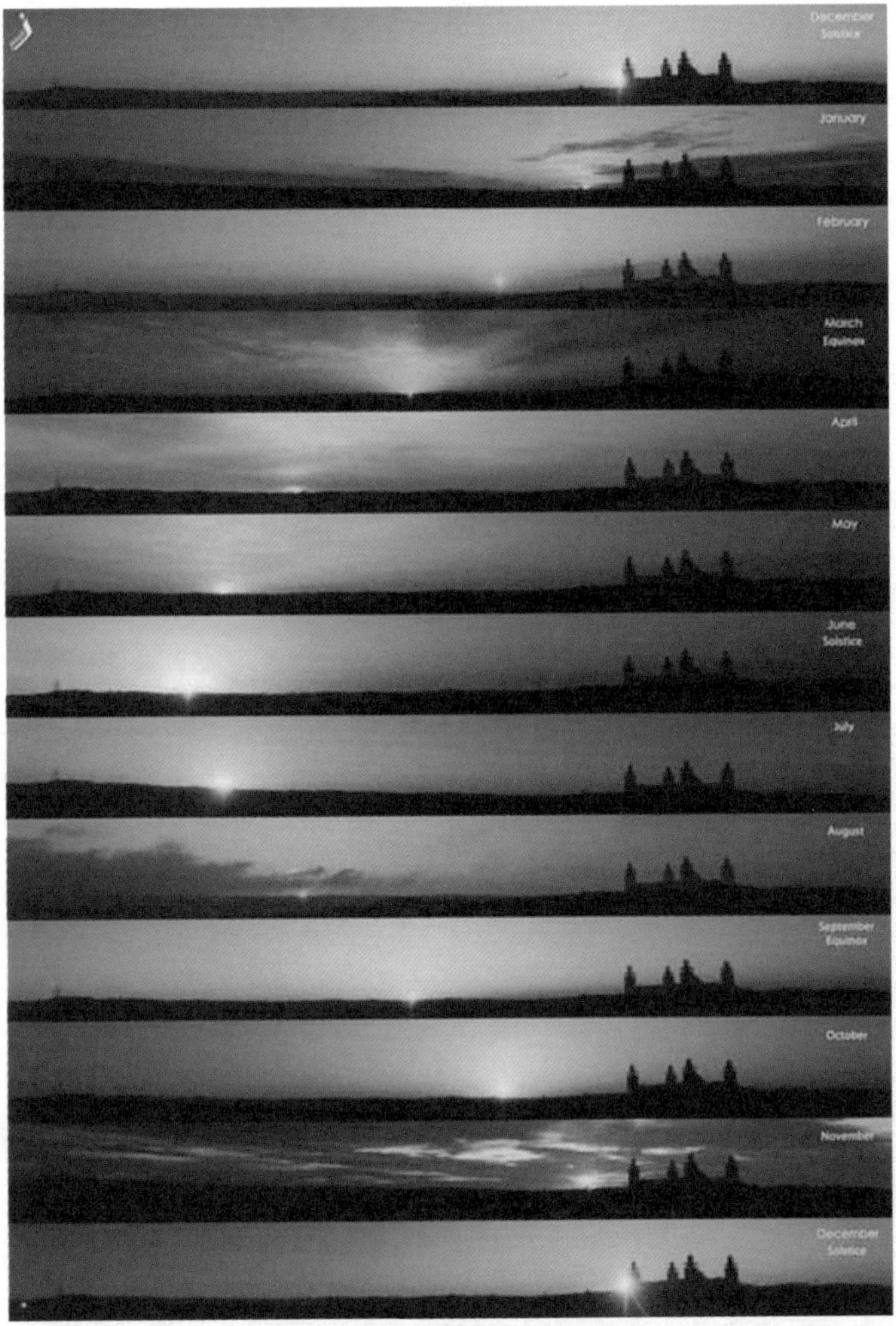

ⓐ 太陽の沈む位置の一年の変化

公転について

◎地球は太陽の周りを楕円形に公転している設定である。

↓　つまり加速と減速を伴う。この時点で慣性の法則により全く動きを感じない、という説は脆《もろ》くも崩れる。

◎地球は楕円形に公転している設定で、そもそも公転の中心に太陽がない。

↓　５００万㎞の差があるのだが、宇宙的には地球の温度に全く影響を与えないのはあり得ないことである。

↓　よって公転は嘘であり、公転していないのであれば、太陽系の中心は太陽であるということや地動説そのものも嘘であるということが必然的にわかりますね。

もう一つは公転において、毎日毎日、日中が同じ時間という矛盾。

地球が毎日24時間かけてクルッと自転しているなら

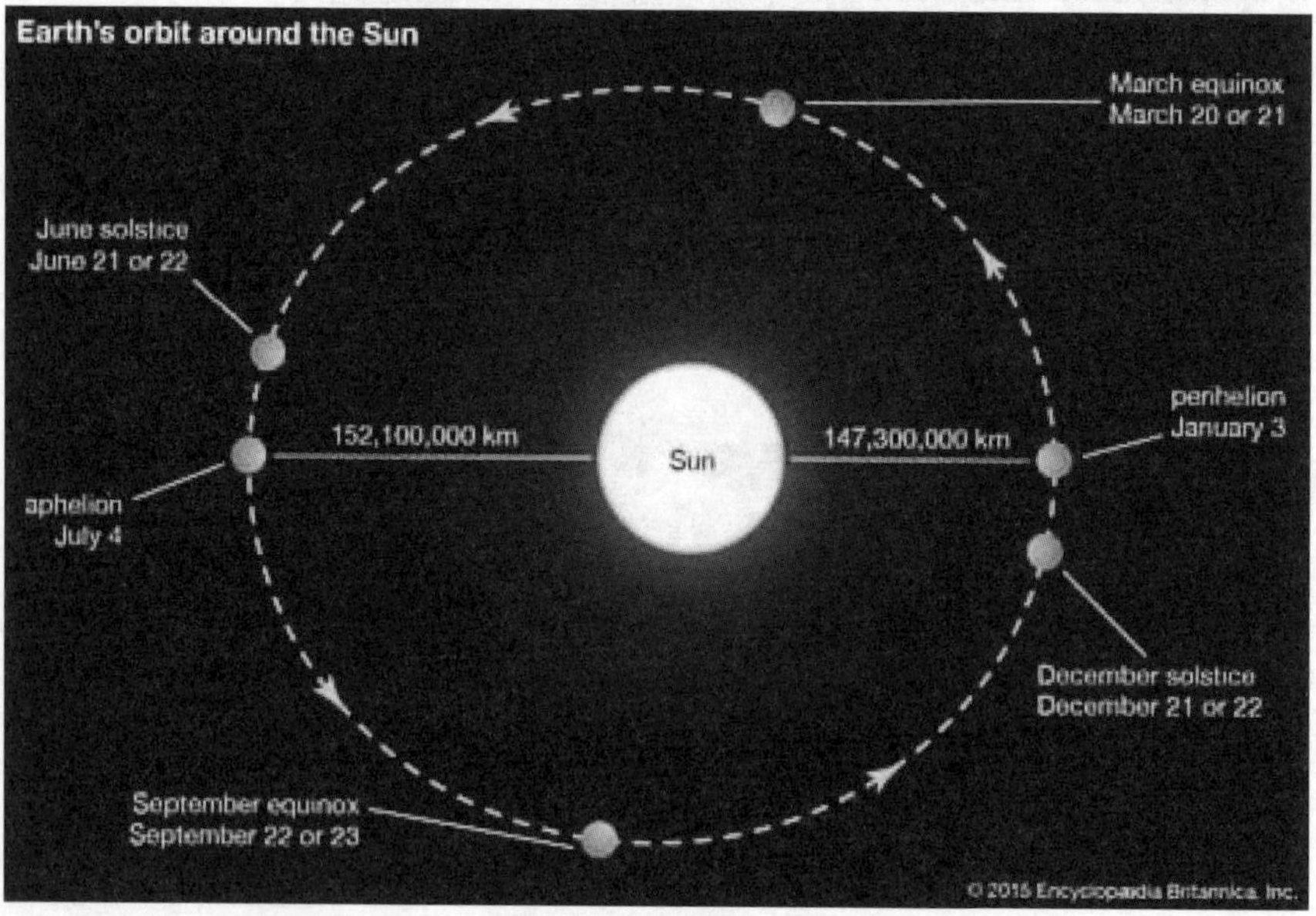

楕円軌道での公転は矛盾だらけ

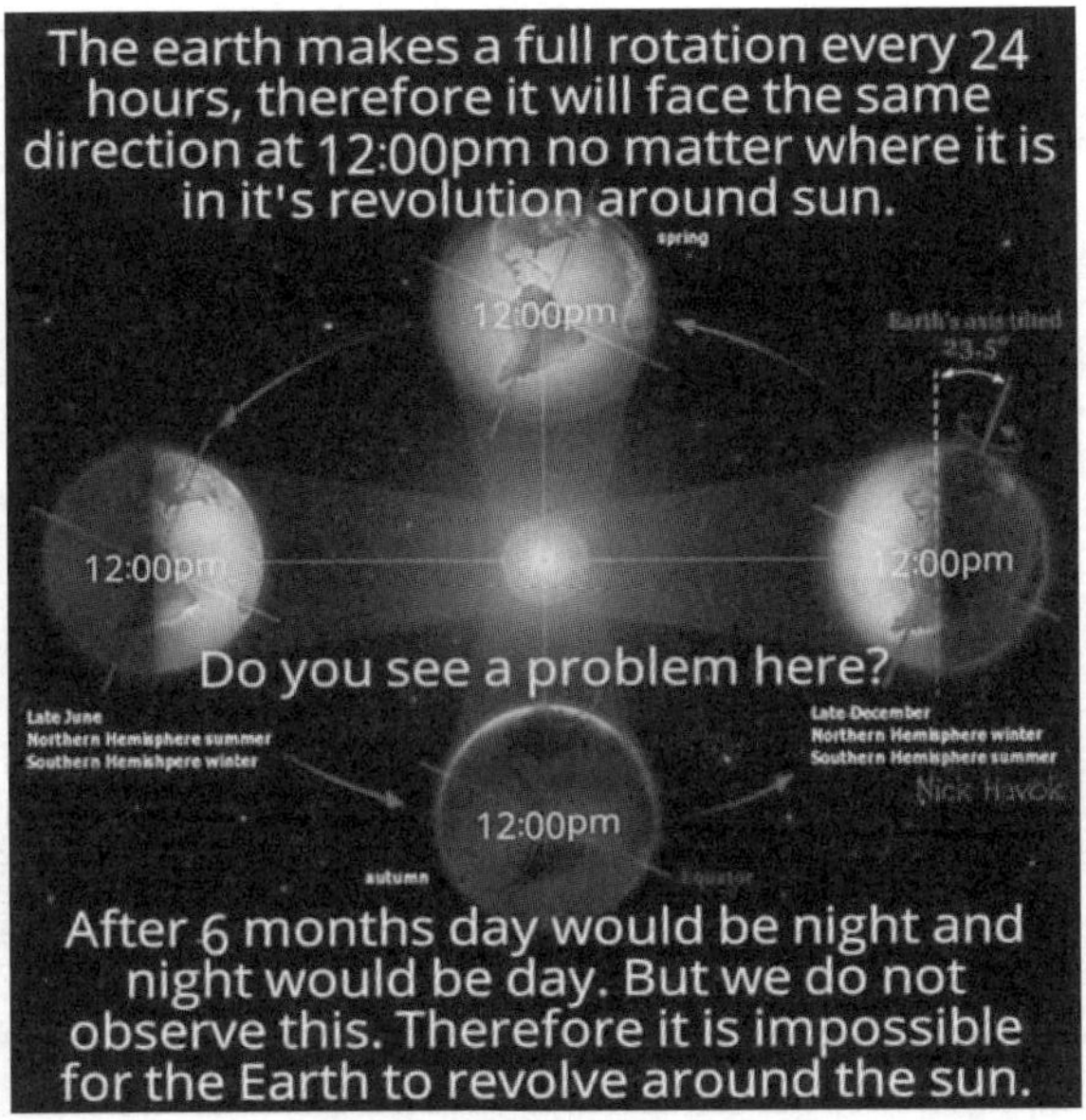
The earth makes a full rotation every 24 hours, therefore it will face the same direction at 12:00pm no matter where it is in it's revolution around sun.
spring
12:00pm
12:00pm
12:00pm
Do you see a problem here?
Late June
Northern Hemisphere summer
Southern Hemisphere winter
Late December
Northern Hemisphere winter
Southern Hemisphere summer
Nick Havok
12:00pm
autumn
After 6 months day would be night and night would be day. But we do not observe this. Therefore it is impossible for the Earth to revolve around the sun.
日中がほぼ同じ時間なのはおかしい

ば、一年中、朝と夜の時間があまり変わらないのはおかしい。公転により地球が太陽を向いている方向が季節ごとに90度変わるのであれば、時間も6時間ずつずれるはず。北極星も年中同じ位置にあるので、地球がちょっとずつ傾きをずらせているという根拠は当てはまりません。

水星と金星が見えているのは無理

夜間に光り輝いている水星と金星を見ること自体が不可能なのがわかりますね（次図）。

光の角度で、一番ギリギリのところでも夜の地球に太陽の光が反射されて地球に届くことはありません。特に水星。太陽系における太陽と水星と地球の位置関係を考えれば簡単にわかることですが、それでも太陽系は存在すると思いますか？　自分の感覚と目による観測に従いましょう。

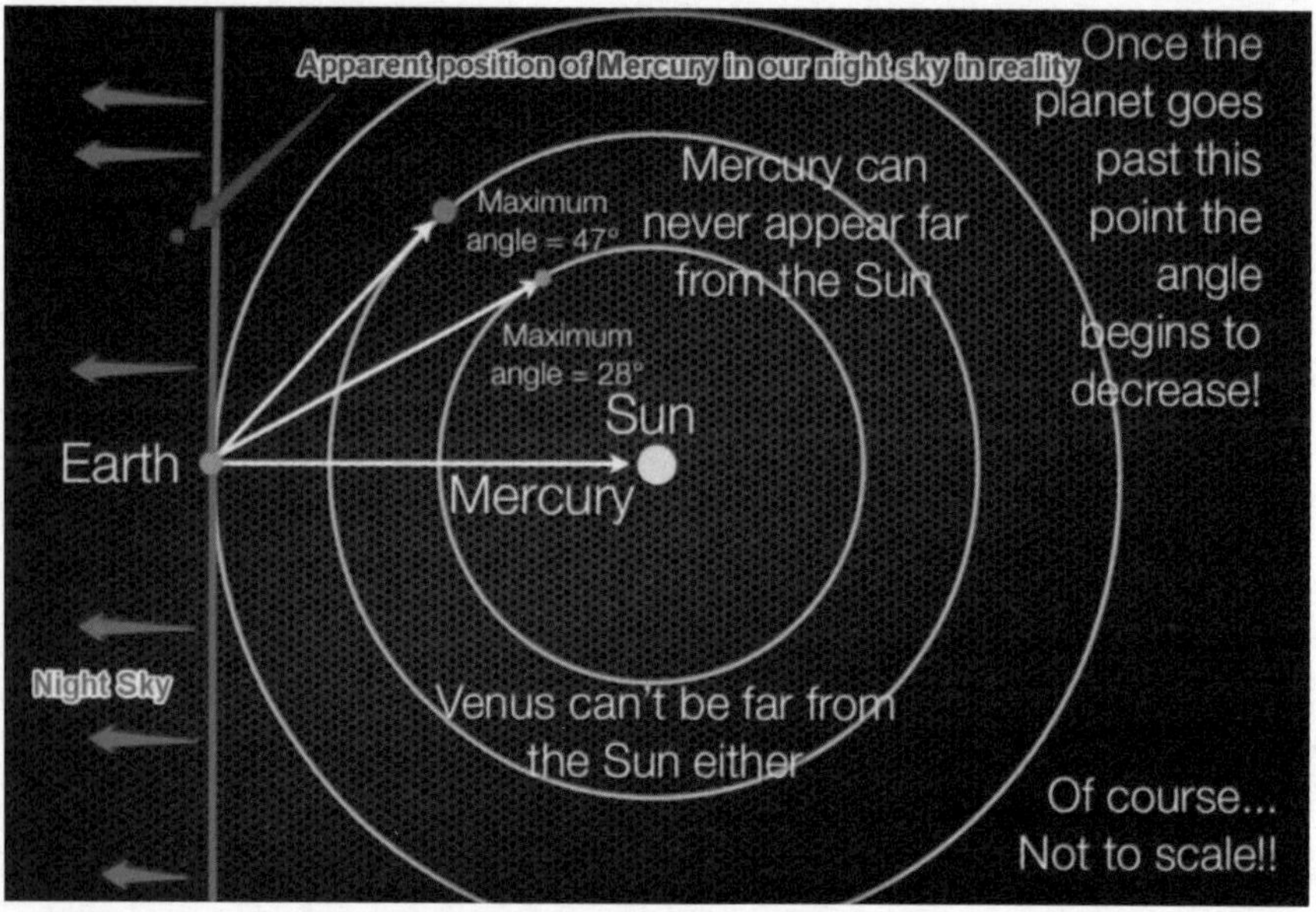

太陽と地球の間にあるとされる水星と金星が夜に見えるなんて無理！

地球の傾きの矛盾

地球は23度ほど、太陽に向かって傾いているということになっていますが、この仮説は矛盾だらけです。それでも大衆は鵜呑みにしますが……。

いくつか記載いたします（詳細はイラストをご参照ください）。

◎地球の傾きが夏と冬の気温差を生み出すらしい。だが、公転の中心点は厳密には太陽ではない。ならば太陽から遠いところを公転中に地球全体が冬にならないのはなぜだろうか（図①）。

◎このちょっとした傾きが、地球の天気が真夏から真冬に変わる原因とされているが、そもそも太陽が1億5000万km先というとてつもない遠いところにあるのならば、地球はほとんど影響を受けないはずなのでは？

◎公転で（地球から見る）太陽の位置は相当変わるのに、北極星が年中、何千年も全く同じ場所から動かないのはどうしてだろうか（②）。しかも

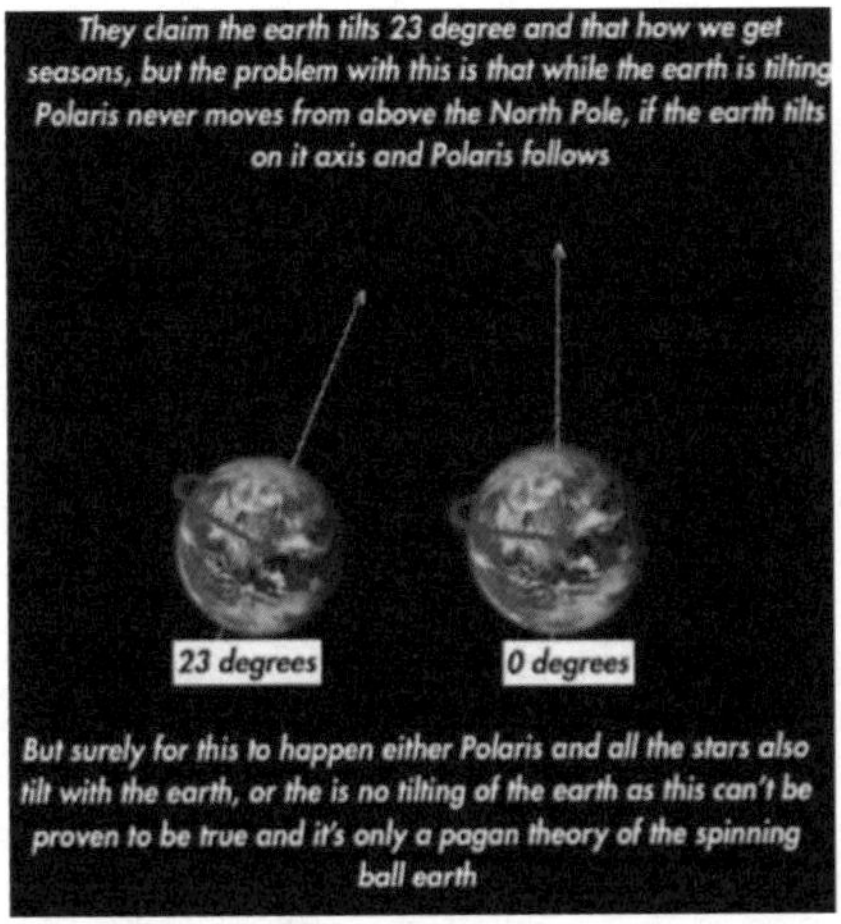

② 北極星が一年中、同じ位置に見えるのはなぜ？

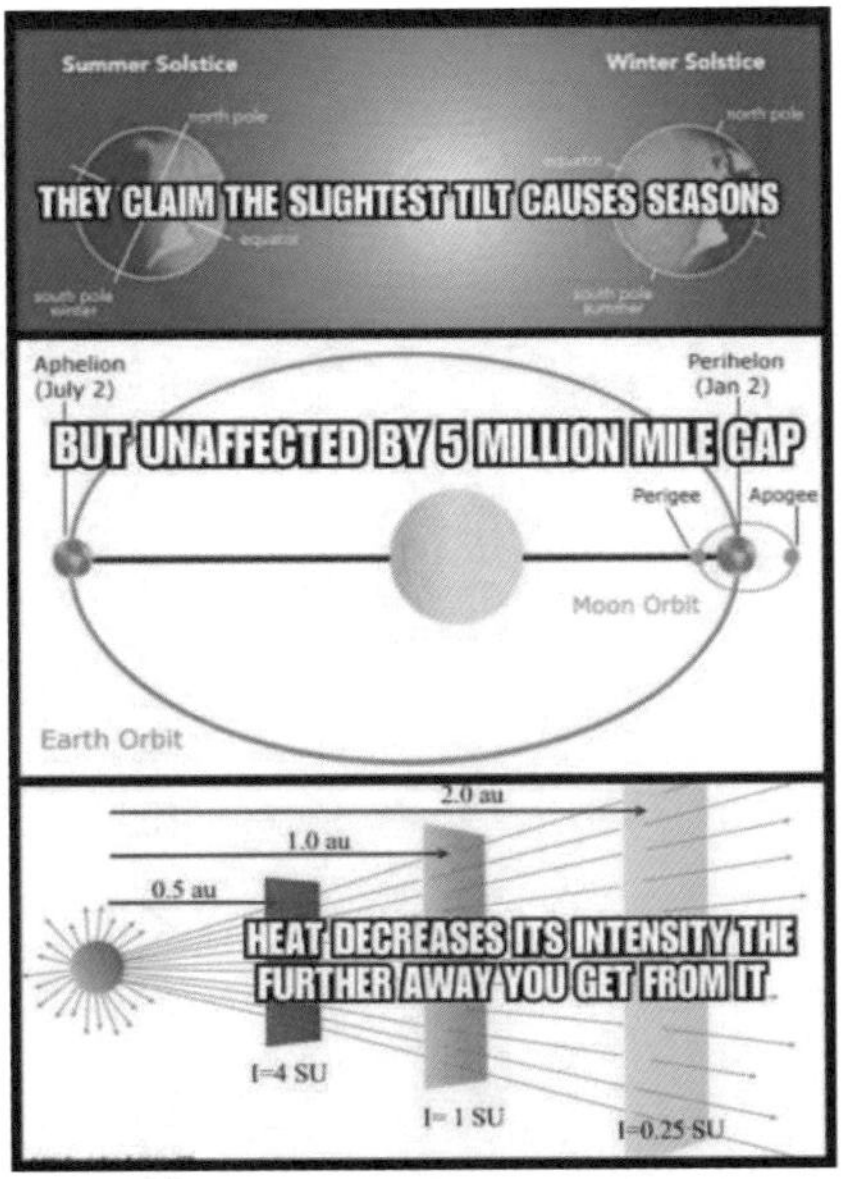

① 地球が太陽から遠い時が夏で近い時が冬なのはなぜ?

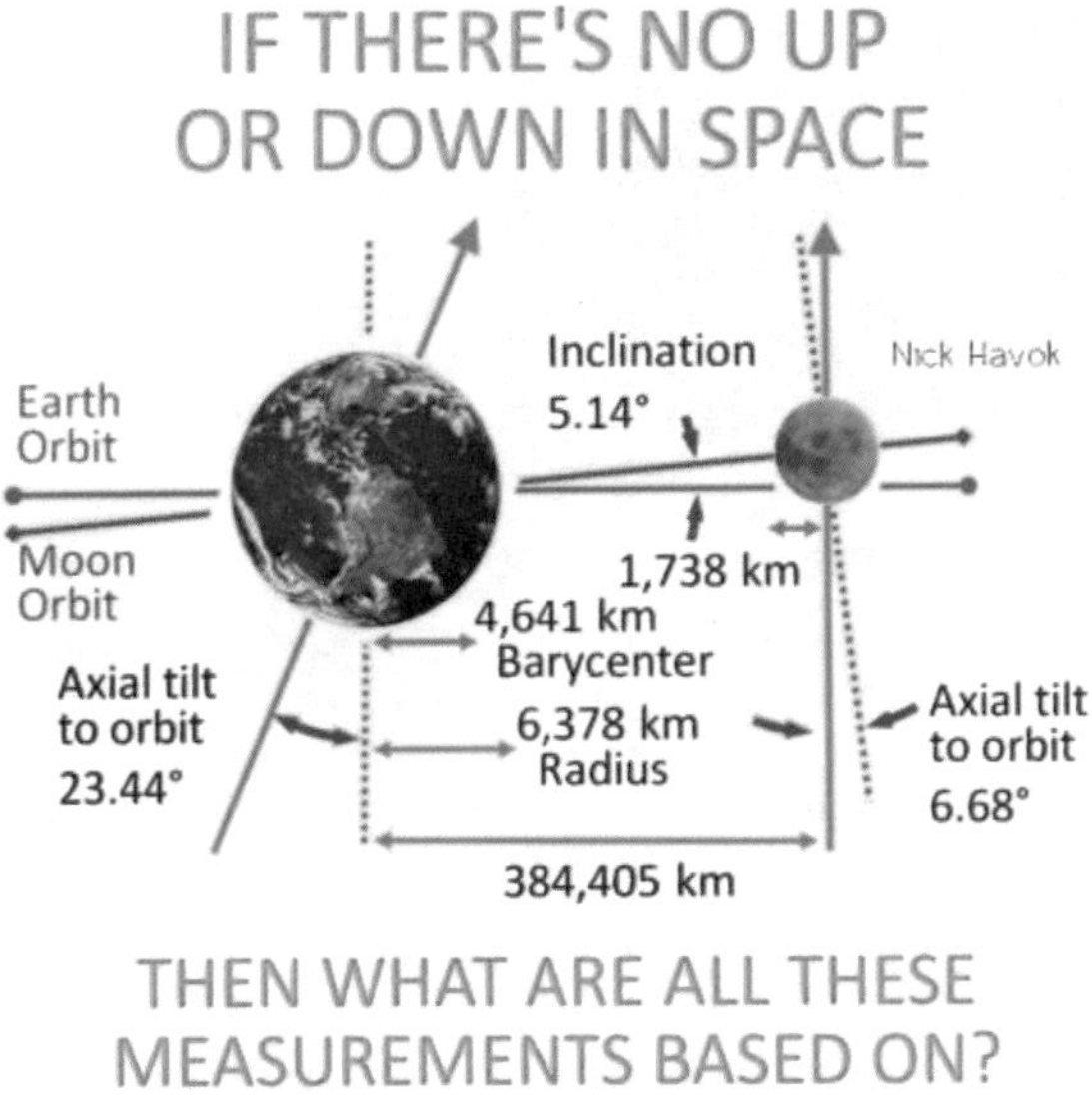

③ 宇宙空間では上下がない。何を基準に傾いている??

地球は傾いているわけだから、一年間常に異なる位置にないとおかしい。

◎そもそも宇宙は無重力空間で上下が定義できないのに、どうやって23度という結論にたどり着いたのだろうか（③）。

◎古代ギリシャ人が木の棒二本で地球が球体であること、地球が傾いていることをドヤ顔で証明しましたが、地球の軌道ではなく地球の上を走る太陽の軌道が傾いている（太陽が近づいたり遠ざかったりしている）だけでは？　そうすると前述の矛盾が全てなくなります。

「コリオリの力」※というインチキに効く5つの反論

地球の自転によって発生し、水洗トイレの渦を半球によって逆転させ、スナイパーが撃つ弾に絶大な影響力を与えるとされる魔法の力。これも支配層が作り出したファンタジーです。ただ、よく持ち出してくる球体説論者がいるのは確か。そんな人にはこう切り返しましょう。

北半球では真北に撃った砲弾が標的よりもわずかに東（右）にずれるとされている

（1）まず渦巻の件。どっち方向から水を入れるかで決まります。容器の傾斜や斜面の凸凹なども影響しますが、どの「半球」にいるのかは関係ありません。

（2）ライフル。自転など考慮しているスナイパーはいません。高度と風だけです。本当に自転によるものであるならば、自転のスピードにより途方もないズレが発生するはずです。

（3）ライフルを分解しましょう。中には抉《えぐ》りがあり、単純にそれで弾は回転をしています。

（4）なぜライフルの球だけにコリオリの力が発生し、ヘリコプターには一切発生しないのでしょう？　コリオリの力はヘリコプターに敵わないのでしょうか？　乗り物酔いでもするのかな？

（5）コリオリの力の証明義務、というか「何かがある」と主張する側に証明義務があります、証明してください、と返しておきましょう。

こうやりとりすれば相手の羊度合を1％くらい減らせるかもしれません。

※「地球は東向きに自転しているため、低緯度の地点から高緯度の地点に向かって運動している物体には東向き、逆に高緯度の地点から低緯度の地点に向かって運動している物体には西向きの力が働く」というもの。

真空フラスクと熱湯

ピクニックやハイキングで使用するために持っている人も結構いるかと思います（図①）。あったかい飲み物は長時間あったかく、冷たい飲み物は長時間冷たく保持してくれる便利なツール。では真空とされている宇宙はそうなのでしょうか？　否、温度が瞬時に数百℃変わる死の世界。そして太陽の光は温度を保持する真空に囲まれているわけだから、地球に熱が届くわ

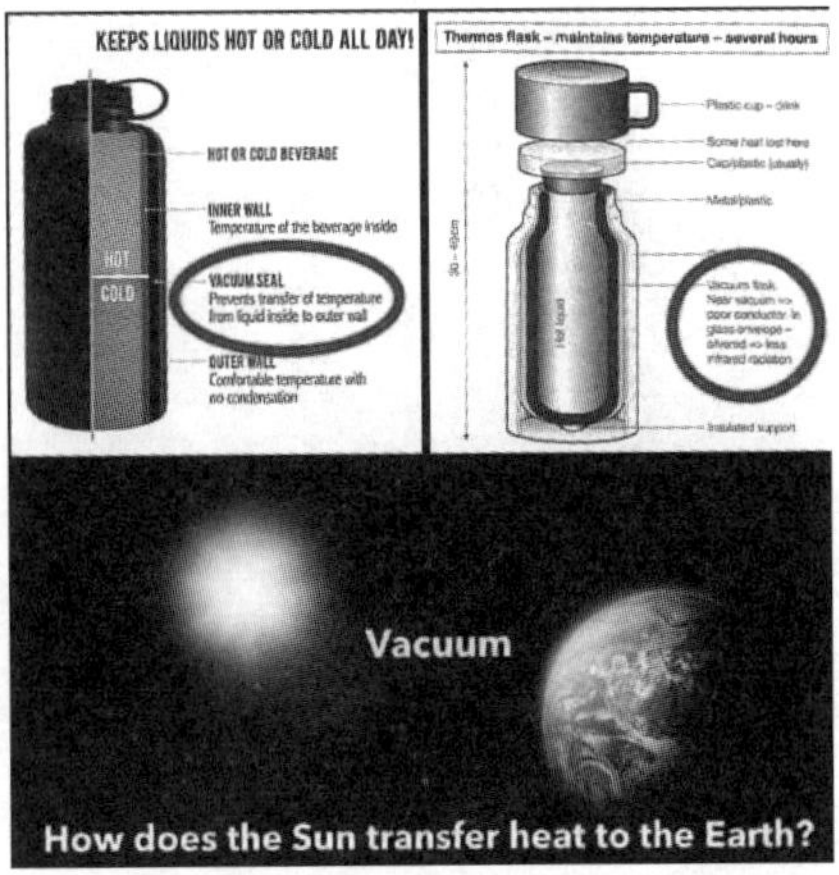

① 真空宇宙で太陽の熱は地球に伝わるのか??

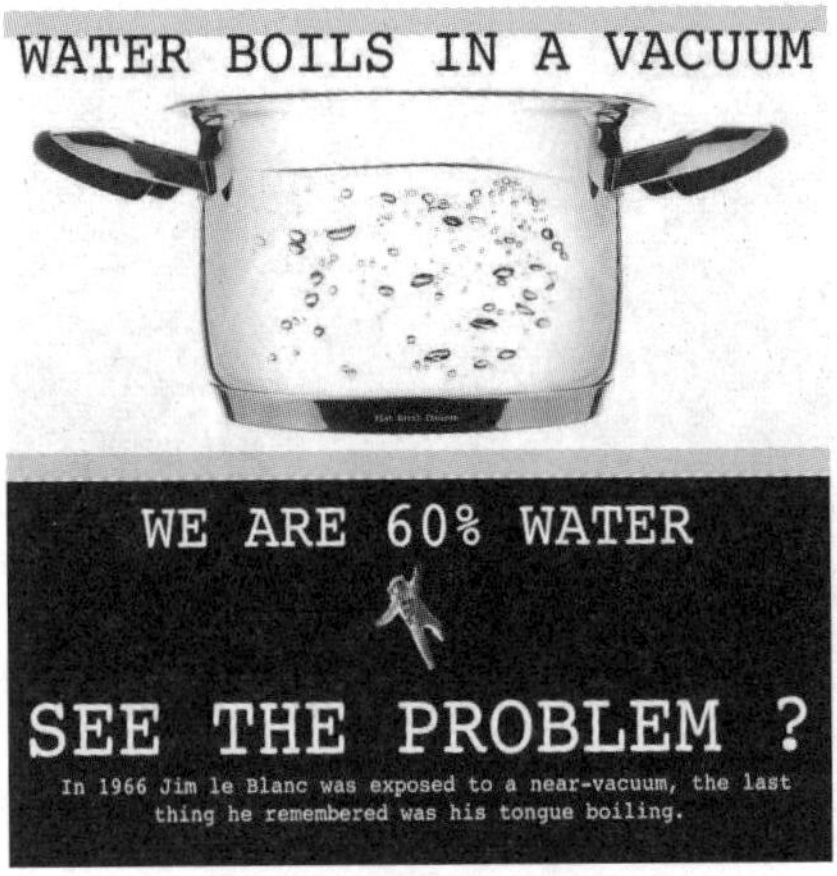

② 水は真空で沸騰する

けがないのですが、球体説支持の方はどう説明するのでしょうか？　「宇宙は現実世界のフラスクの真逆を行く」ということが明らかですね。

また、水は真空で沸騰するという現象（②）。人間の身体は、少なくとも6割以上は水分です。すなわち人間は「宇宙」では沸騰するはずである。1966年、NASAのエンジニアであるジム・ルブロンは宇宙服を着て真空チャンバーの中に入りほぼ真空状態を経験しましたが、卒倒しました。最後の記憶は……舌がボコボコいって沸騰しそうだった、とのこと。

宇宙の大気が真空で拡散しない現象

○ 負圧（真空）の中では正圧（大気）は必ず拡散します。繰り返し実証されている現象。

× 負圧（真空）と正圧（大気）が均衡の取れた状態で隣り合うことは、現実世界では一度も実証されていません。

○ 実証されていないのであれば、宇宙そのものがただの仮説となるということを特に球体説論者はご理解いただきたい。

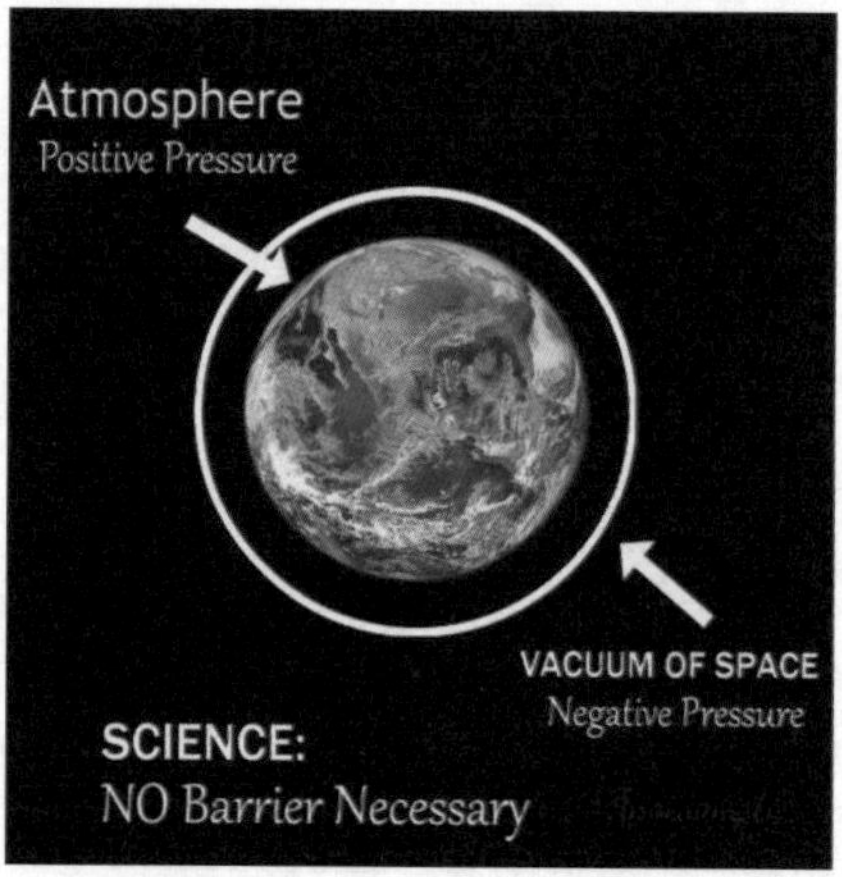

真空と大気の間に壁が必要ない!?

○ フラットアースは観測至上主義です。なので論理的帰結は、仮説止まりの現状を既成事実として唱える宇宙は、実際には存在しないとして捉えるべきです。

大気がないのに……

地球の大気に囲まれた人間が、自転している地球と慣性でぴったりとくっついているから自転を感じないのであれば……。

RED BULL'S FAKE SPACE JUMP
FELIX BAUMGARTNER SUPPOSEDLY ASCENDED
OVER 23 MILES WHICH TOOK 2.5 HOURS
Nick Havok
HE LAUNCHED FROM NEW MEXICO AND
LANDED IN NEW MEXICO, 55 MILES AWAY
DID THE EARTH FORGET TO SPIN?
レッドブルのフェイクスペースジャンプ

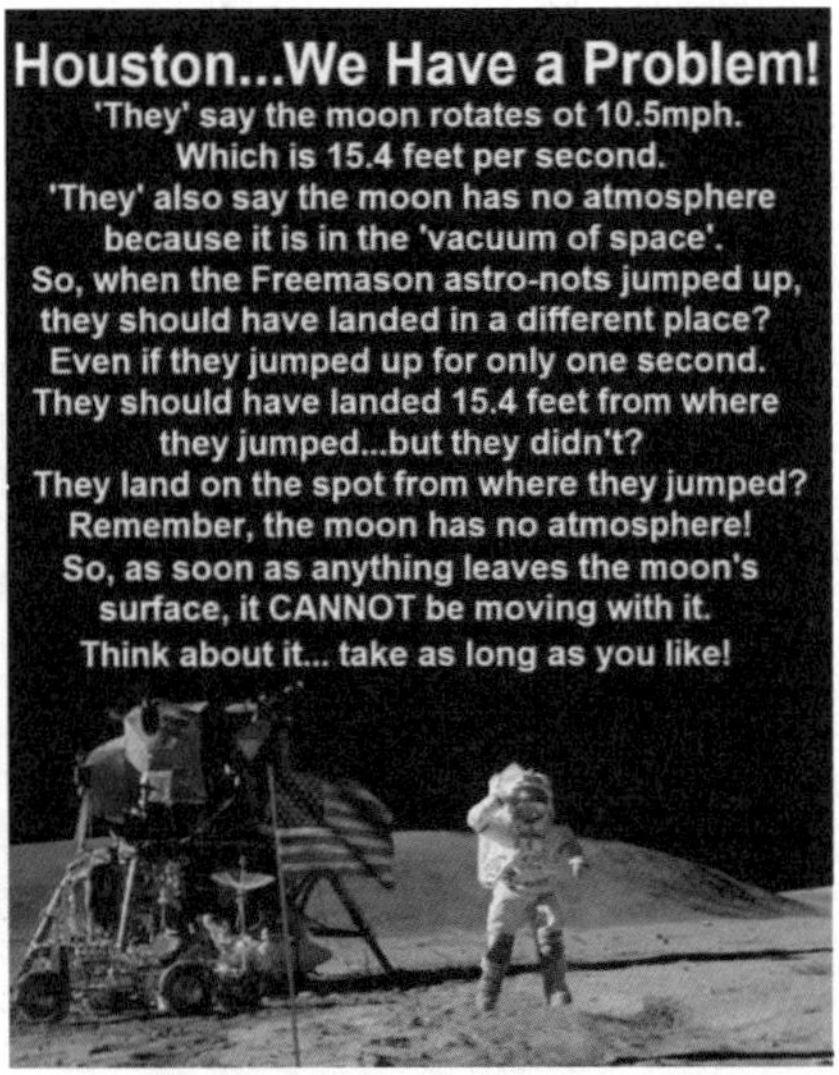
Houston...We Have a Problem!
'They' say the moon rotates ot 10.5mph.
Which is 15.4 feet per second.
'They' also say the moon has no atmosphere
because it is in the 'vacuum of space'.
So, when the Freemason astro-nots jumped up,
they should have landed in a different place?
Even if they jumped up for only one second.
They should have landed 15.4 feet from where
they jumped...but they didn't?
They land on the spot from where they jumped?
Remember, the moon has no atmosphere!
So, as soon as anything leaves the moon's
surface, it CANNOT be moving with it.
Think about it... take as long as you like!
月は秒速約4.7m で自転している??

では、なぜ大気が存在しない自転する月で、宇宙飛行士がぴょんぴょん飛んでも同じ場所に着地するのでしょうか？「大気の自転とのシンクロにより自転を感じない説」が簡単に崩れ去りますね。ぜひ周りの球体説信者をこの事実で助けてあげましょう。

またレッドブルのスペースジャンプについて。上空約35㎞から地上にジャンプした企画。地上を出発し、再び地上に到着するまで2・5時間を要しました。ニューメキシコ州の上空からジャンプした彼は……そのまま無事再びニューメキシコ州に着陸しました。地球の自転はどこにいってしまったのでしょう？

火山灰について

○地上から空に火山灰が浮いているのは、地上の空気よりも火山灰の密度が低いから。

×地球には自転による遠心力があるとされているが、どこにいってしまったのやら。火山灰はきれいな形を形成。

○遠心力も働いていない、動作も感じないのであれば、自転など存在せず、大地は全く動いていないという論理的帰結となる。洗脳がないと瞬時にたどり着くわかりやすい結論。

火山灰はきれいに上昇している

潮の満ち引きは電気の陰陽で作り出されている

淡水の中で沈む卵が、塩水の中で浮いてしまう時点で重力という仮説は崩れます（球体説論者で最も多い言い訳が、「浮力の方程式にGが入ってるんだから重力が関係しているに決まってるだろ～」です。本当に多いです）。

さて塩がもたらす水中の電磁波への作用について。

塩水の中では卵が浮く

塩水は電気を通すので電球が点灯する

まず、淡水湖では全然潮の満ち引きがないことが不思議ではありませんか？　これは潮の満ち引きは磁気浮遊で移動している太陽や月から流れる電磁波、またドームを這《は》う星の動きにも関係しているというお話にもつながっていきます。

塩水の特性について。塩を水に溶かすと、イオン化されて電気を通すようになります。ちょうど良い「塩《あん》梅《ばい》」の塩水と電池で実験をすると上図で説明している状態になります。これは塩水の中で正電荷※が起きている、という現象になります。

※正電荷（正電気、陽電気、陽電荷とも言う）は簡単に言うと、＋（陽）

の電気が多い状態。

ちなみに淡水は電気を通すと＋（陽）と－（陰）が同じ量の「中性」となります。淡水で満ち引きが起きない理由がこの中性状態であるとするならば、電磁波の塊であり、電池の役割を果たす月などが、遠ざかったり近づいたりして、正電荷、中性、負電荷と状態を変えていることが潮の満ち引きの正体ではないかと推測できるようになります。

以前どこかでタイダルノームという海中に点在する渦巻が潮の満ち引きに関係しているという考察を述べた？　記憶があるのですが、今では、その渦巻は正電荷による現象なのかな、と思うようになりました。

ちなみにフラットアースジャパンでこれを投稿した時に寄せられたコメントの一つをご紹介します。

『大鳴門橋にある「渦の道」という施設に、鳴門の渦潮を見に行ったのです。どうせ行くなら渦が大きく回っている日に行こうと思ってホームページを確認して日にちを決めたのです。その際ホームページには、「意外と思うかもしれませんが、実は潮の満ち引きは月の満ち欠けと関係ありません」というような内容が書かれていて、「なんだ月の動きと関係なかったのか」と驚いたのです。

それから数年後にフラットアースを知って、その時のことを思い出して、そう言えばあの時何て書いてあったっけと確認したら、全く新しいホームページになってしまっていて、その上説明文は、太陽や月の引力によって潮の渦が発生するという内容に変更されていて、うわぁ、って思いました。潮の満ち引きの話を読むたびに思い出します。』

ちょっとした認知的不協和くらいへッチャラさ

月と地球の大きさがてんでバラバラな次の画像をツイッターにアップしたところ、レンズの距離やら倍率でこれくらい変化する、というわけのわからない回答をいただいた。月の大きさがあまり変わらないのに、地球が何倍も膨らんだり、むしろ縮んだりもしている時点でアウトだという、フラットアーサーなら3秒で気づくことも球体説信者は認知的不協和によりシャットアウトしてしまうようだ……。今日も頑張って真実の種を撒《ま》いていきましょう！　いつか芽が出ることを願って。あなたも私もきっと報われる。

DSCOVR - LUNAR TRANSIT 2016
探査機 DSCOVR

Apollo 17　AS17-134-20384
アポロ17号

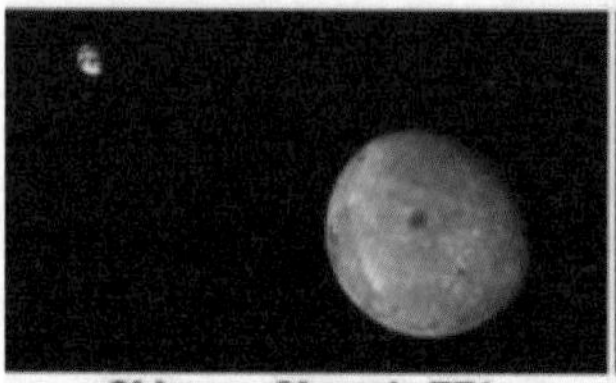
Chinese Chang'e 5T1
中国の嫦娥５号 T1

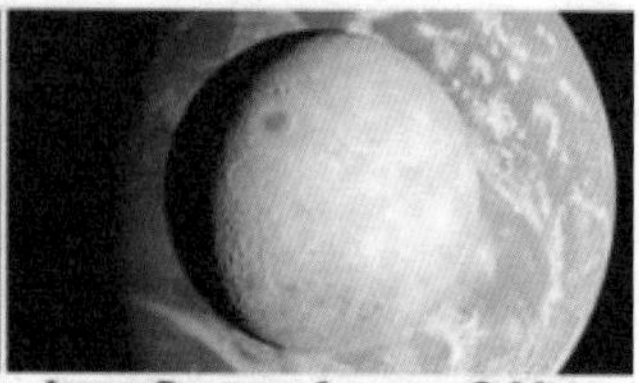
Lunar Reconnaissance Orbiter
月周回衛星

ＩＳＳで私服↓宇宙服に着替える↓真空室に入る↓宇宙に出る

という一連の流れを連続的に映した、カットなしのビデオを公開したことがないのはご存知だろうか？　実は難しいのです。ＩＳＳの中の撮影はスタジオか、ゼログラビティ飛行機で、外（宇宙）でＩＳＳを修理しているシーンはスイミングプールで撮っているからです。ドアを開けたら水がドバッと入ってきちゃいま

THINGS NASA NEVER SHOWS US
International Space Station
Pressurized internal area
Door
Airlock
Exit
Vacuum
fb.com/aterraeplana
NASA has never shown an Astronaut leaving the pressurized area, putting on the space suit, entering the airlock and going into the vacuum of space in a single, uncut shot. I wonder why?
宇宙飛行士が宇宙空間に出動していく場面が見たいですね！

すね。全てCGで作る必要があります。なので、地球球体説支持の皆さん、ぜひNASA（JAXAでもいいけど）に問い合わせて、何でその動画ノーカットでないんですか？　って聞いてみてください。どんな回答が返ってくるのやら。

それともNASAやJAXAが国関連の「偉そうな」機関だから、どんなに論理的に理不尽な答えが返ってきてもとりあえず信じちゃう感じですか？

また余談ですが、あの巨大なISSを宇宙で建設している動画が一切ないのはなぜなんでしょう……。

もし月が本当に球体で、本当に太陽の光を反射していたら

こういうふうになるはずです（下図）。だって曲面なんだもん、お月様。これはボールと懐中電灯で誰でも自宅で簡単にできる実験。つまりエビデンス。どんなに距離を変えても、たとえ懐中電灯のサイズを変えても、再現可能。満月時は特に光の中心点から徐々に暗くなっていくはずです。

懐中電灯とその球体の間に地球にたとえたボールをもう一つかざしてみてください。それでも中心点から外側へとだんだん暗くなります。満月でも満ち欠け時でも、光っているところがまんべんなく同じ光度にはなりません。

満月ってぼんやりしていますか？

球体にライトを当ててみよう！

ガリレオ・ガリレイについて

当時最新型の30倍ズーム可能な望遠鏡で木星を覗い

「天文学の父」とも呼ばれるガリレオ（左）

飾り台にセットされたガリレオの望遠鏡

ガレリオによって発見されたとされる木星の４つの衛星は「ガリレオ衛星」と呼ばれる

たら、近くに衛星を複数見つけ、「コペルニクスの球体説の証拠だ、ほらみろ！」と息巻いたらしい。ＮｉｋｏｎＰ９００は83倍ズーム。この衛星という名のプラズマたちが見えないのはなんでだろう。30倍ならなおさら……。

ちなみにガリレオですが、「潮の満ち引きは地球の公転速度が上がったり、下がったりして水がグランとなるから」という謎の理論を展開していました。まだ設定が定まっていなかったのでしょう……。

ＩＦＥＲＳ（国際地球平面調査協会）とＦＥＳ（地球平面協会）について

「International Flat Earth Research Society（ＩＦＥＲＳ）」という組織があります。意訳すると「国際地球平面調査協会」になるのだろうか。この組織がイギリスのドーバーで設立されたのが１９５６年。フラットアースをそれなりに効果的に広めていたらしく、また普通に論理的で科学的な主張しかしない組織だったそうです。

学術界のようなところでフラットアースに関連した

ことも発表していたそうですが、1971年に創設者のサムエル・シェントンが亡くなると、アメリカに住むチャールズ・K・ジョンソンという人物がこの団体を引き継ぎ、それまで科学一筋だったグループを「聖書に書いてあるから平面」というスタンスに切り替えました。科学でフラットアースを追究していたメンバーからは当然不満が出ますが、ジョンソンはめげずにフラットアースのニュースレターを始め、メンバー数も3500人にまで増えました。しかしながら1997年にジョンソンの自宅で火災が起き、シェントンの時代から集めていた様々な文献やエビデンスが消失してしまいます。そして2001年にはジョンソンが没します。

グループは一旦ほぼ活動休止になるのですが、2004年に（サムエルの親族ではない）ダニエル・シェントンという人物により突然復活しています。名前も「フラットアースソサエティ：FES（地球平面協会）」に改名され、オンラインの書き込みサイト中心のコミュニティに変貌しました。[https://www.tfes.org]

この辺りから、地球が上方向に加速することで重力を得る「ユニバーサル・アクセラレーション説」や「宇宙空間に浮く円盤」のイラストが登場して、雲行きが怪しくなっていきます。言い換えれば、実世界で活動するフラットアーサーたちの考えと全く合致していない、フラットアースをトンデモ論に仕立て上げるためのコンテンツへと変貌を遂げます。

IFERSについては、現代フラットアース・ムーブメントのパイオニア的存在であるエリック・デュベイにより、こちらもオンライングループとして復活しています。英語に自信のある方はぜひ覗いてみてください。[http://www.ifers.info]

月の自発光と冷光はセット

月をよく観察しているフラットアーサーならば知っている。**月は岩でできた固形ではなく、部分的にやや透き通るルミネセンスの一種**であることを。ルミネセンスの別名は**「冷光」**。簡単な実験でわかることですが、夜空の月光が当たる地面は、月光が当たっていない地面よりも1~2℃低いのは月の冷光により起きる

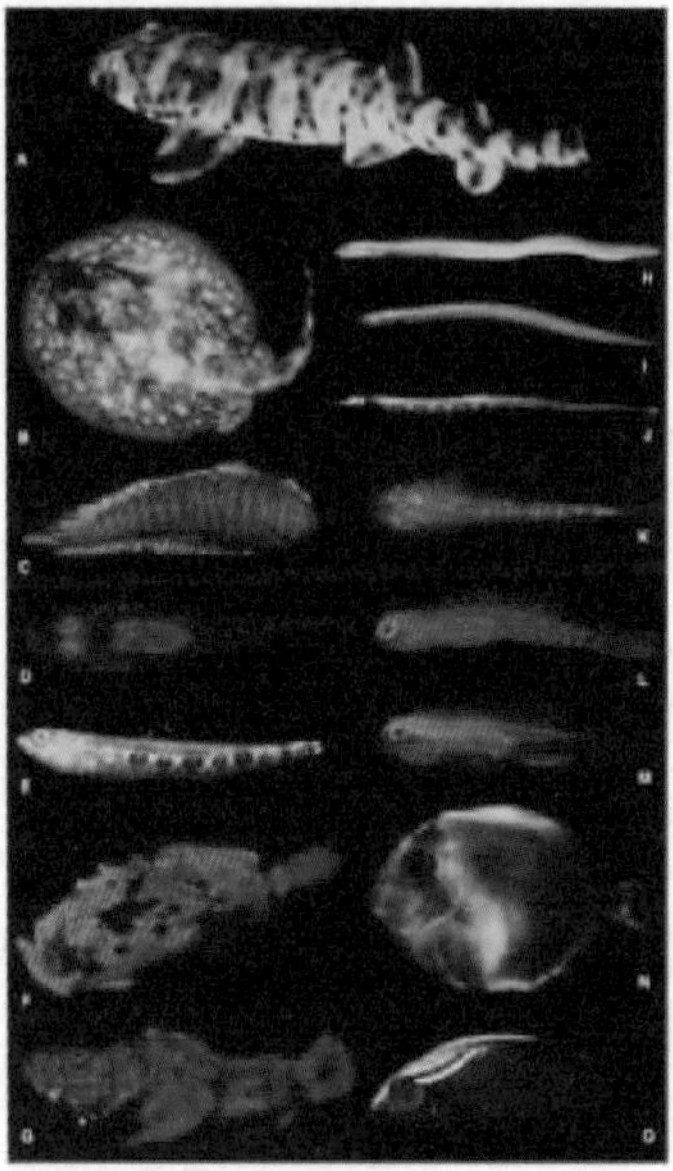

蛍光海洋魚（バイオルミネセンス）

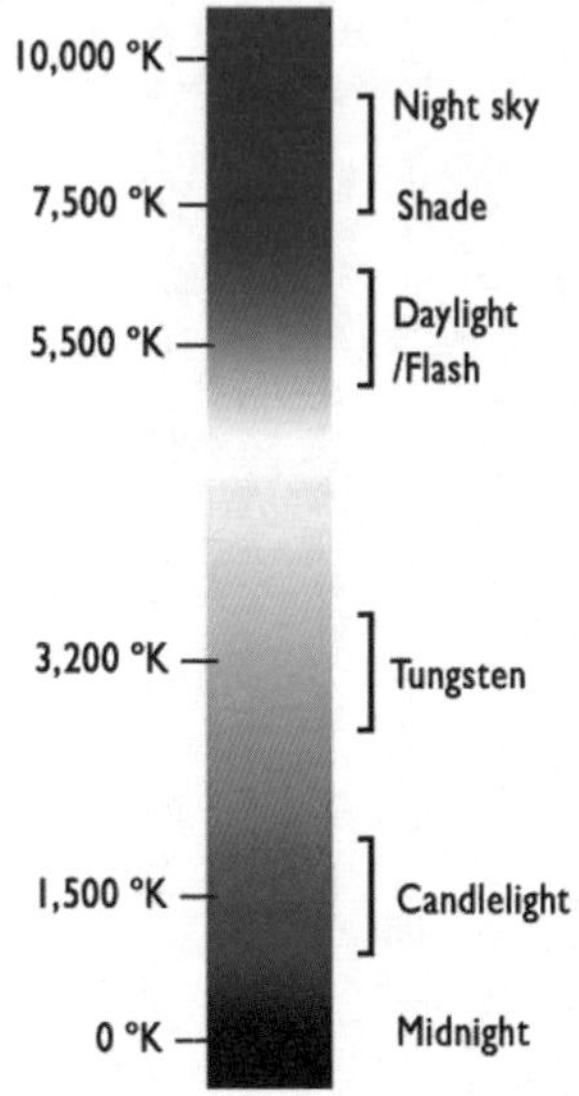

光は青いほど色温度が高く、赤いほど色温度は低い

赤、黄、白、青など様々な色合いが見られる月の光

現象であるとわかります。

この世界に存在するルミネセンスには、以下のものがあります。

実用的なところでは、テレビ画面の液晶バックライトやプラズマテレビの画面などがルミネセンスとなります。古いブラウン管テレビもルミネセンスを使っていました。「月＝まるでプラズマテレビのような仕組み」であるとも言えますね……。

以下はWikipediaより抜粋。

◎光（電磁波）によって励起するフォトルミネセンス：蛍光灯、液晶ディスプレイのバックライト（冷陰極管）、プラズマディスプレイ、ネオンカラーなど
◎電界によって励起するエレクトロルミネセンス：発光ダイオード、有機ELなど
◎電気による放電発光：水銀灯、ネオン管など（気体の放電に伴う発光）
◎電子線によるカソードルミネセンス：ブラウン管など
◎熱による熱ルミネセンス：熱ルミネッセンス線量計など
◎音響波によるソノルミネセンス
◎摩擦によるトライボルミネセンス：氷砂糖（破砕することによって摩擦ルミネセンスを生じる）など
◎化学反応によるケミルミネセンス：ケミカルライトなど
◎生物の酵素反応によるバイオルミネセンス：蛍や蛍光海洋魚の発光など

月の（ケルビン）温度が通常よりも低くなると、いわゆる月食時のレッドムーンになります。この時、月の膨張も見えるので、中でなんらかの**エネルギーの溜め込み**と**放出**が起きると推測できます。マウリシオさん（『地球平面説【フラットアース】の世界』の共同著者でYouTube『一人ひとりがサイエンサー』チャンネル局長）の説明では、**黒体**と呼ばれる普段は目に見えない物体が月を通過する時にこの**エネルギーの「受け渡し」**が起きる。

また、光の色は温度が上がっていくにつれ「赤↓黄↓白↓青」へと変化していきます。幸運の印と言われているブルームーンについてはケルビン温度が上がっている時に出現する色となります。

星にはアルゴンが含まれていると思われる

星はプラズマであり、光り輝いている。はるか遠くにある超巨大なガス球でないのは市販の天体望遠鏡で覗けばすぐに気づく。さてその星に**アルゴン**という物質が含まれているのではないかという考察。

コトバンクにおける**アルゴン**の説明より抜粋。

「1894年に発見され、不活性なところから怠け者を意味するギリシア語αργοσをとって命名された。元素記号Ar、原子番号18、原子量39・948。周期表18族、希ガス元素の一つ。無色、無臭の気体。化学的には**不活性**である。天然には安定同位体アルゴン40(存在比99・6%)、36(0・337%)、38(0・063%)が存在する。空気中の存在量0・93%。融点マイナス189・2℃、沸点マイナス185・87℃。

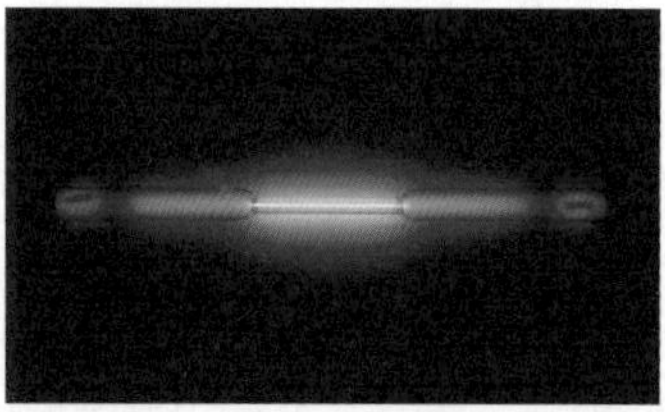

アルゴンは蛍光灯や白熱電球にも利用される

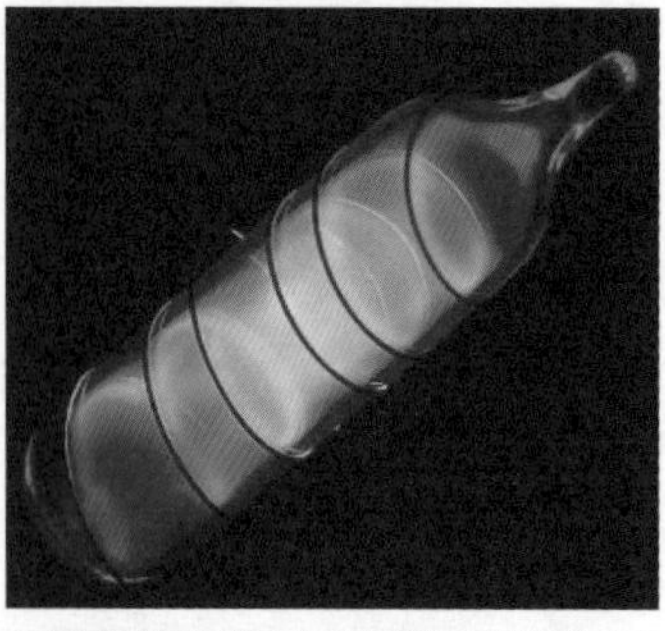

高圧電場下に置かれると紫色の光を発する

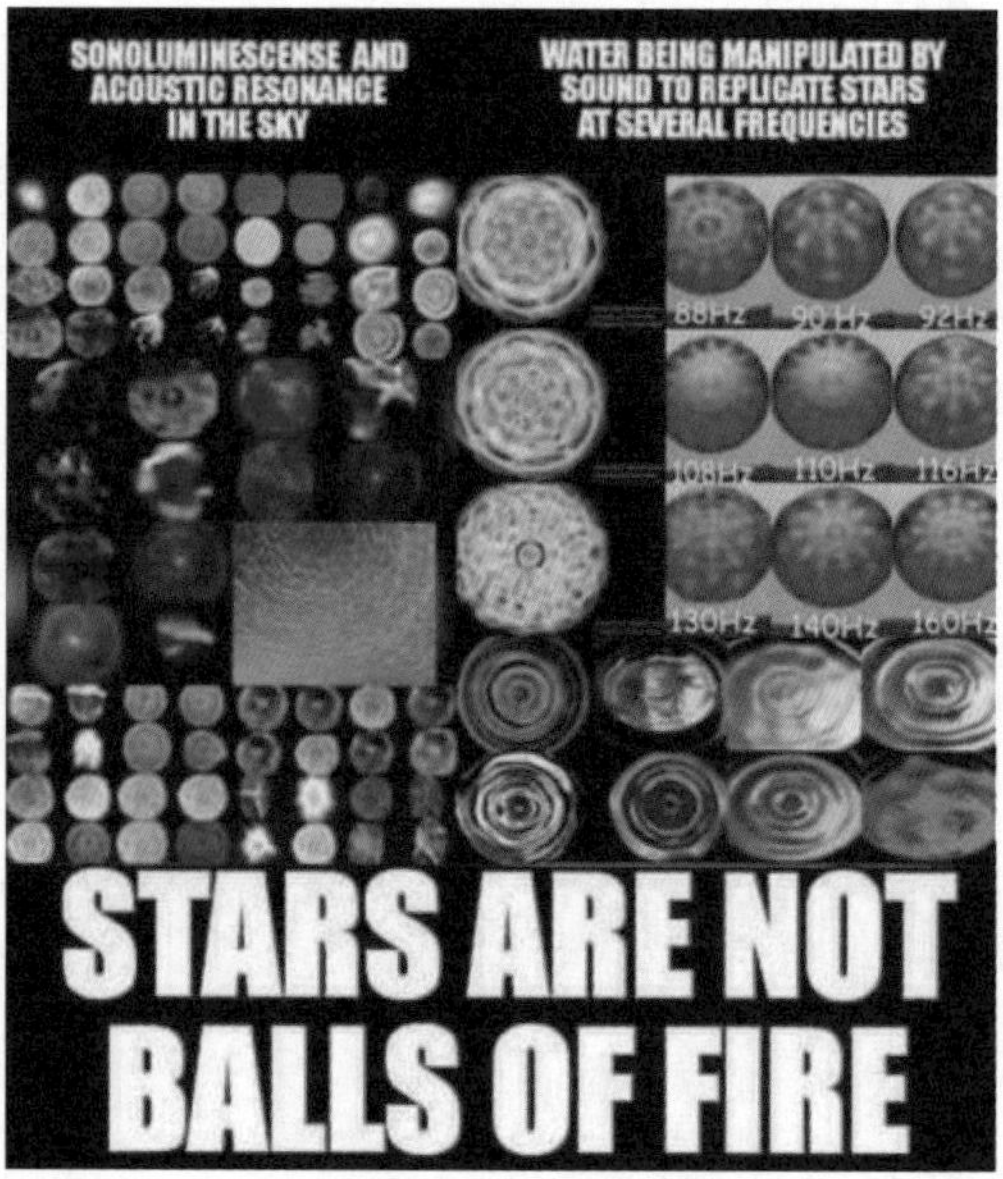

星はガス球ではない

水、有機溶媒に可溶。アルゴン40はカリウムを含む鉱物中に生成し、カリウム40との相対量から鉱物生成の地質学的年代が計算される。アーク溶接、チタン、半導体用ケイ素、ゲルマニウム結晶製造の際の不活性雰囲気、白熱電球、蛍光灯充塡ガスとして用いられる。液体は高エネルギー物理学用検出器の媒質に使われる」

融点が低く、多彩で、真空に強い。ドームを這うプラズマの物質としては最適なのではと思っております。

太陽光と日光は異なる

太陽光（直射光と呼ばれている）というのは、太陽から直接出ている黄色い光（日本ではなぜか太陽は赤いと習いますが、朝日や夕日が基準なのでしょう……）。いわゆる太陽光とは、太陽を目で直接見ると見える光。地上の影を作る原因。

日光（間接光）とは、地上から12～18マイル（19～30㎞）のところにあるオゾン層に含まれる様々な色の神秘的な（ヘリウムやネオンなどで構成される）不活性ガス層に太陽光が当たることで、地上に光子を拡散して照らす光。こちらは、太陽光のように直接見ても目を痛めることはありません。

フラットアーサーに人気の「自転していない平らな大地を確認できる」高高度バルーンの動画について、「一定の距離をバルーンが上昇すると、太陽に近づいて明るくなっていくはずなのに、いつも急に太陽のところ以外真っ暗になるのはなぜだろうか？」という疑問を投げかけていた方がいましたが、この理屈によるということですね。

また熱についても太陽と地上の距離ではなく、地上付近で日光がどれだけ作られるかで決まります。でないと、太陽に近づいているにもかかわらず上昇すればするほど大気の温度が下がる説明ができません。

天蓋は液体酸素や液体窒素

何てことはない、オッカムの剃刀《かみそり》で考えればすぐにたどり着く仮説である。

【オッカムの剃刀】
ある事柄を説明するためには、必要以上に多くを仮定するべきでない

では本題。空気は主に窒素と酸素と少量の二酸化炭素でできている。

酸素は、上空や雲にあるヘリウムやネオンとは化学反応（酸化）を起こさないから、そのまま天蓋のすぐ下の場所まで浮く。その上空では気温は著しく下がる。そして気温がマイナス１８２℃に達すると酸素は液化を起こす。つまり**液体酸素**になる。逆に、空気の温度がマイナス１８２℃になったところが天蓋自体の一番下の部分である、とも言えます。

ちなみに**液体窒素**はマイナス１９５℃でできるので、もしかしたらこの二つの間くらいの温度のところで天蓋がもっとしっかりとした形になっているのかもしれない。

液体酸素は、フラットアーサーには有名な摩訶不思議なスカイストーン（トルコ石やターコイズと呼ばれるパワーストーン）や『ブレイキング・バッド』（アメリカのテレビドラマシリーズ）に出てくる覚醒剤（クリスタルメス）のように綺麗に青く（図Ⓐ）、また**常磁性**（paramagnetic）を持ち、強い磁石（強い磁場）に引き寄せられる。

図Ⓑの②を見てわかるように電磁力は液体酸素を通過するようにできています。つまり星というプラズマが通過するにはうってつけの環境。

星々は、天蓋の内側や外側部分というよりは、天蓋の「中」を通過しているということです。また天蓋が

Ⓐ 液体酸素は明るく鮮やかな青色

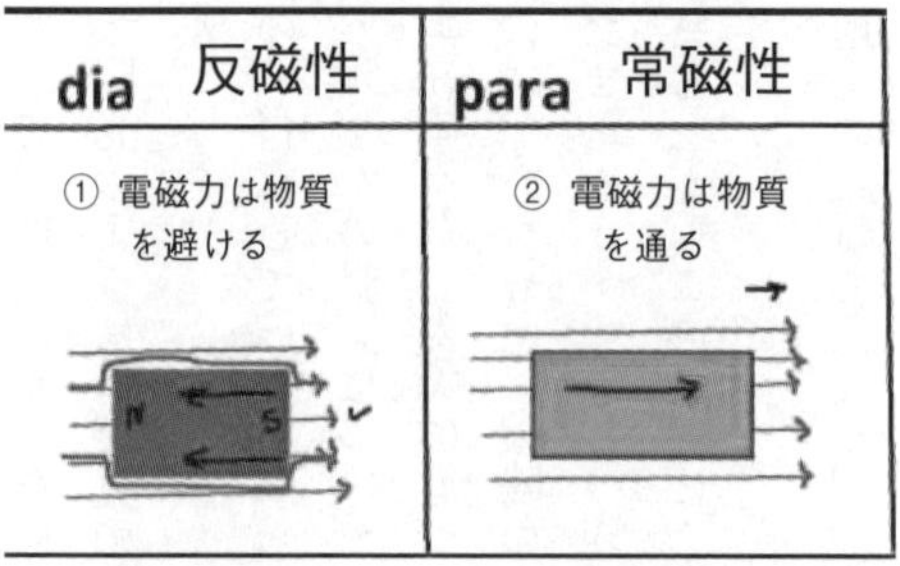

Ⓑ 電磁力は常磁性の液体酸素を通過する

液体酸素から成るとすると、言われている自己修復能力も根拠がしっくりくる。だって液体だから。「オッカムの剃刀」がピタリと当てはまる説明。

「地上に存在しない／地上で再現できない」物質でもないし、天蓋のすぐ下にある空気を構成する物質からできていると考えるのは至極シンプルながら真っ当な考え方である。

あとは、天蓋がなぜアーチを描いているのか、液体酸素ならどういう作用でそうなっているのか。

これについての私の仮説は、星々が出す電磁力によって支えられている可能性が高いということ。つまり地上にどっしりくっついてはいるが、天蓋もまた**星のプラズマによる常磁性により均衡を保っている**のではないか、ということ。

絶対零度のところで常磁性の高い物質が形成される。温度は太陽からの距離で決まるため、絶対零度は綺麗にドーム状に分布、天蓋がドーム状に形成される。そして常磁性があるから星はその中を這う。その星が作り出す電磁の均衡が液体部分のドームを空中に留め、形を維持する。

こんな相互に頼り合う物理システムが我々の世界を維持しているのです。まるで人間は一人では何もできず、皆で力を合わせて共生していかなければ生きていけない仕組みにとても似ていますね。

星が止まることがあれば、様々な均衡が崩れ、ドームごと地上に落ちてくるのかもしれません。

天蓋は絶対零度である

天蓋が絶対零度と考えると、いろいろとパズルのピースがハマります。できるだけ要点をまとめると……。

◎上空に行けば行くほど寒くなり、最終的には絶対零度となる。その間に酸素→窒素→ヘリウムなどの順番で、つまり重い物質から先に液化／固体化。

◎空の色は、ちょうど液体酸素の真っ青と固体ヘリウムの白の間のような色である。

◎ヘリウムが天蓋の最上

天蓋の最上層部は超固体ヘリウムで構成される

層部（天蓋そのものとも言える）を構成し、以下の特性からその他全ての元素を閉じ込めている。また地上を回る太陽から一番遠いところにある絶対零度（マイナス273℃）に近い超低温で形成される物質である。
◎天蓋という地上から一番遠いところにいく物質は最も軽い気体である必要がある。
◎天蓋という密封性の高い蓋として、その他の物質を留めるため、いわゆる分子サイズが一番小さい必要がある。
◎人間の生命維持に不可欠な大気を閉じ込める必要があるため、可燃性でも毒性でもない不活性な物質である必要がある。
◎天蓋は上空でも、南極の外側（つまり地上の太陽から最も遠いところ）でも、絶対零度にたどり着いた時点で自然と物理的に構成されるのであれば、超固体ヘリウムが最もしっくりくる。
◎超固体化したヘリウムが液体酸素を天蓋内（地上に）閉じ込めていて、固形化された窒素から液体酸素まで、電磁波を通すにはうってつけである。
（※参照サイト）

◎北極から渦巻状に上がる電磁力が天辺の（物質主義の頂点として崇《あが》められている）北極星地点に到達し、その手前にある液体酸素や上辺の固体ヘリウムなどにより傘や噴水のように天蓋に沿って散らばる。そこから生まれるのが星という小さなプラズマである。
◎当然ヘリウムや酸素は圧力を加えたり、温めたりしたら元の気体に戻る。高速で地上に落ちれば一気に固形化するのかもしれない。
マウリシオさんが主張する「地磁気逆転の際に南半球にドームの破片が落ちてくる」というのはこういうカラクリだからかもしれません。その際、「圧力が上空で加わることで北半球の人が上空へと押しやられる」というマウリシオさんの意見には納得。
＊マウリシオさんの考察
YouTube『一人ひとりがサイエンサー』チャンネル内の動画『62－地磁気逆転について3モデル紹介』
※参照サイト：強力な磁場と超電導状態と絶対零度の関係については、「大東医療ガス ヘリウムの性質と用途」で検索

さて、液体ヘリウムが絶対零度近くまで凍らないことがわかったとして、そんな極限的な低温は何のために必要なのでしょうか？

それは、**超電導状態**を作り出すのに必要なのです。超電導状態とは、簡単に言えば金属の電気抵抗が0になるような状態です。例えば、リニアモーターカーは強力な磁場の力で車両を浮上させて走りますが、その磁場は超電導状態によって作り出されます。

電気抵抗が0になる超電導状態は強力な磁場を作るのに不可欠です。磁場というのは電線の中に電流を流すと発生させることができ、電流をたくさん流せば流すほど磁場は強くなります。よって、超強力な磁場を作るには大量の電流を流す必要があります。しかし、電線には電気抵抗があり、大量の電流を流そうとすると抵抗により熱が生じ、またそれだけたくさんのエネルギーが必要になり、普通の電線では一定以上の磁場を発生させることができません。しかし、電線を絶対零度近くまで冷やして超電導状態にすると、電気抵抗が0になるため、余計な熱を発生させずに大量の電流を流すことが実現できます。そうして通常の状態では発生させられなかった**超強力磁場**を生み出すことができるのです。

まとめると、強力な磁場を発生させるために超電導状態にする必要があり、超電導状態を作り出すために絶対零度近くまで冷却する必要がある、ということです。

天蓋は絶対零度から考える流れ星

隕石は存在しない。だが流れ星は子供の頃から誰もがおそらく一度くらいは見ている。だから存在する。その前提で流れ星とは何かを考える。当然数京km離れたグルグル回るガス球ではない。では何か？

単純明快。圧力が変わった、または温度が一時的に絶対零度より高くなったために、天蓋を構成する（液体のような性質の）超固体ヘリウムが、ぽろっと取れて、周りにある固体ヘリウムの中を、場合によっては、より暖かい温度の地面に近い地点にある液体窒素や液体酸素まで下がり、ジェットスキーのように駆け抜けて、そして落ちながら徐々に元のヘリウムに戻るのではないかと推測できます。そうすると流れ星が青白いのも説明できる。プラズマを帯びた白の超固体ヘリウムが、青色の液体酸素の中を猛スピードで進んでいるから。

元のヘリウムに戻れば、空気より軽いのでまた上昇し、天蓋にたどり着けばドームは自然と、また固体ヘリウムと化した周りにあるヘリウムで自己修復される。こういう天蓋エコシステムができているから、アメリカ軍がドミニク作戦の一環で1962年に実行した、大気中に「核」ミサイルを何発も放ったフィッシュボウル作戦ごときでは天蓋を打ち破れなかったのも納得できます（フラットアーサーの間ではフィッシュボウル作戦は天蓋を破壊する／強度を確かめるための軍事作戦だったという意見が多いです）。

そして、もう一つ。たまに巷《ちまた》を賑わせている火球。きっと「地上に落ちる」という印象づけをすることで、超固体ヘリウム↓ヘリウム↓超固体ヘリウムという「地上に全く落ちることのない」流れ星の特性を隠したかった意図があるのではないでしょうか。

超固体ヘリウムの類稀《たぐいまれ》な流動性についてはこちらを参考にどうぞ。

＊「ヘリウムの「超固体」状態を示す論文の中身」で検索

https://wired.jp/2019/02/27/researchers-find-super-solid/

抜粋「流れるためには、原子が現在の位置を離れて新たな位置に移動することを可能にするうえで十分なエネルギーをもつ必要がある。温度が低下するにつれて原子のもつエネルギーは小さくなり、もはや移動できなくなる。これは、流量が温度とともに低下するはずであることを意味する。

だが、物質が超固体状態にある場合は、超流動状態の量子的性質が、空孔がどこにあるかを原子に知らせ（正確な表現ではないが）、原子の移動を可能にするため、原子は空孔から空孔へと移動できる。この量子効果は、温度が低下するとともにより強力になるため、温度低下に伴って流量が増加する」

天蓋のすぐ外に海洋は存在できない

天蓋が絶対零度の固体ヘリウムであることから推察できる派生推測のご紹介。

こちらの地図の「ドームごとに大陸や海洋がある」

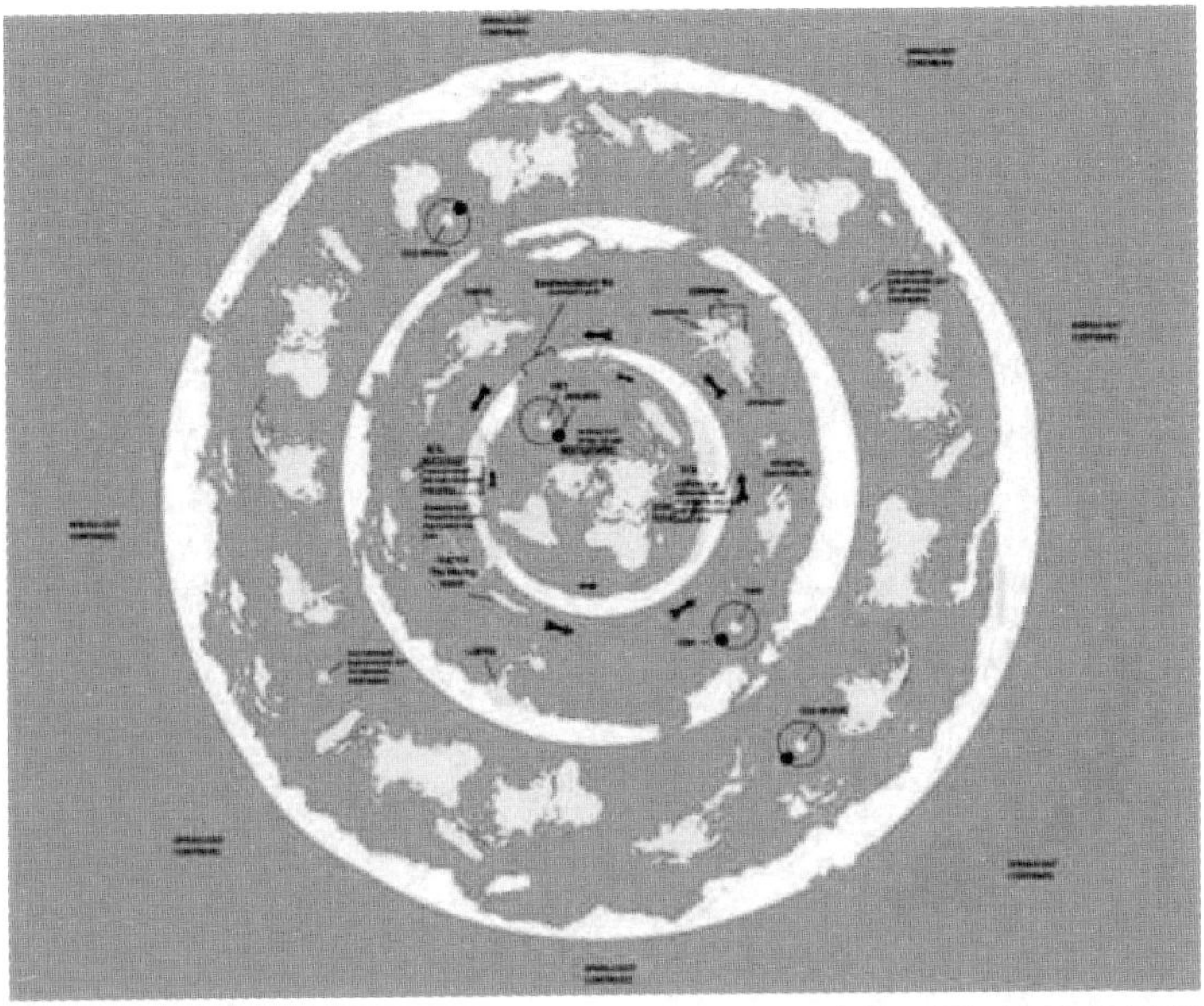

中央に私たちの住むフラットアースがあり、その周りにもさらに別の海洋や大陸があるとする地図

説が崩れます。誰かのファンタジーか支配層が意図的に攪乱《かくらん》させるために用意したフェイクということになります。

存在できない理由は至って単純。

天蓋が絶対零度ならば、そのすぐ近くに水は存在しない。なぜなら水の氷点は約0℃。そんな急激に温度は270℃も下がらない。現実的に不可能。

また、この地図のような構造は物理的に不可能。なぜなら天蓋が真ん中の面積のエリアでちょうど絶対零度の真円になるから。二番目、三番目のドームは真ん中に一旦絶対零度区域（内側の天蓋）があるのに、また綺麗な真円で絶対零度に偶然戻るとするのは確率的に考えて現実的ではない。また北極からの電磁波の渦巻の真上の頂点であり、電磁波の左右への分岐点である北極星が、二つの絶対零度天蓋を貫いて、三番目のドームの頂点にまで昇りつめられる理屈もよくわからない。

以上のことから、フラットアースの世界は思いのほかシンプルかつ狭いと推測できます。本当にまるで創造された限定的な箱庭のような存在なのでしょう。

相対性理論という仮説がわかりやすいですが、支配層は単純な動機や構造、秘密を複雑難解に見せることが大得意のため、私たち家畜も物事を必要以上に複雑に考えるよう調教されてしまっている節があり、シンプルに物事を考えない、という罠にハマりやすいのでしょう。

支配層は地下にしか逃げ場がない

天蓋が絶対零度という環境で作られる超固体ヘリウムや酸素などのレイヤーによって構成されているのであれば、そこは到底人間というか生物が生き残れる環境ではないし、ましてやドームを貫くような大がかりな機械を作動させられる環境でもない。

南極の先（横／南）や上空がダメだと、支配層としては、我々家畜がそこら中に住む地上から離れて「暮らす」「企てる」「逃げる」ことのできる場所は、消去法的に「下」しかありません。

つまり、支配層は旧文明時代からあると推測される地下帝国から防空壕、イーロン・マスクのハイパーループで必要とされている地下空間まで、広大な面積ではあるがそれでも限界があるというか限定的である地下に必然的に行かざるを得ない、ということです。

人類が正式に地下を12㎞しか掘っていないことになっているのも地下に目を向けてほしくないからの可能性が高い。メディアでも地下が話題になることは基本的にないことからも、この説はかなり「当たり」だと個人的には思っています。

支配層が巣くう地下は、古代地下文明の既存のインフラで、既にかなりでき上がっているのかもしれません。

また、近年は特に活発になってきている人工災害、地磁気逆転、ＣＥＲＮ（欧州原子核研究機構）その他の施設による世界的な電磁波災害などが起きた時、確実に安全なのは地下だけです。地上はジョージア・ガイドストーンの如し、地獄絵図になる可能性もあります。太陽光を遮断された日には、支配層も地上になどいたくないでしょう。我々家畜が支配層の仕掛けにより間引きされるのを、彼らが地下でケラケラ笑いながら「高みの見物」をする絵が思い浮かびますね。

カッパドキアの地下都市

超高速輸送システム「ハイパーループ」計画が進められている

ロンドン南部のクラパムにある避難トンネル

1957年にフランス政府主導で作られたシェルター施設

世界は球体である

この世界は、北極点から無数の電磁波エネルギーが上空に渦巻のように舞っている。そして、電磁波は上空の気温の寒さ／条件がマッチしたところでできる青い液体酸素、白い液体窒素、白い超固体ヘリウムという電解質に当たり、上空をそのまま貫いた少しの電磁波は北極星、残りの大半の電磁波は、ドームの左右に噴水のように散らばり、私たちが見る星々を形成する。

そして舞い散る星々はドームに沿った**トーラスフィールド状**となり、地下に潜りクルッと回って、北極点の真下からまた上空に向かって伸びる。

こういう**永遠のエネルギーループシステム**で、この世界は成り立っているのではないでしょうか。

ここで注目したいのが、水は反磁性（磁力をかざすと水が緩やかに遠ざかる）、また石油も反磁性であるということ。

ここから読み取れることは、はるか地下に流れる電磁力により、石油は地上へと噴射しているのではない

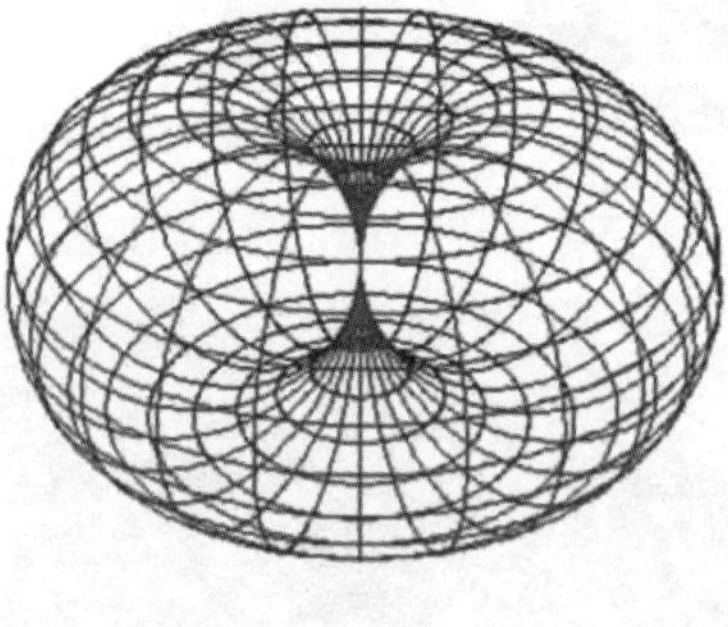

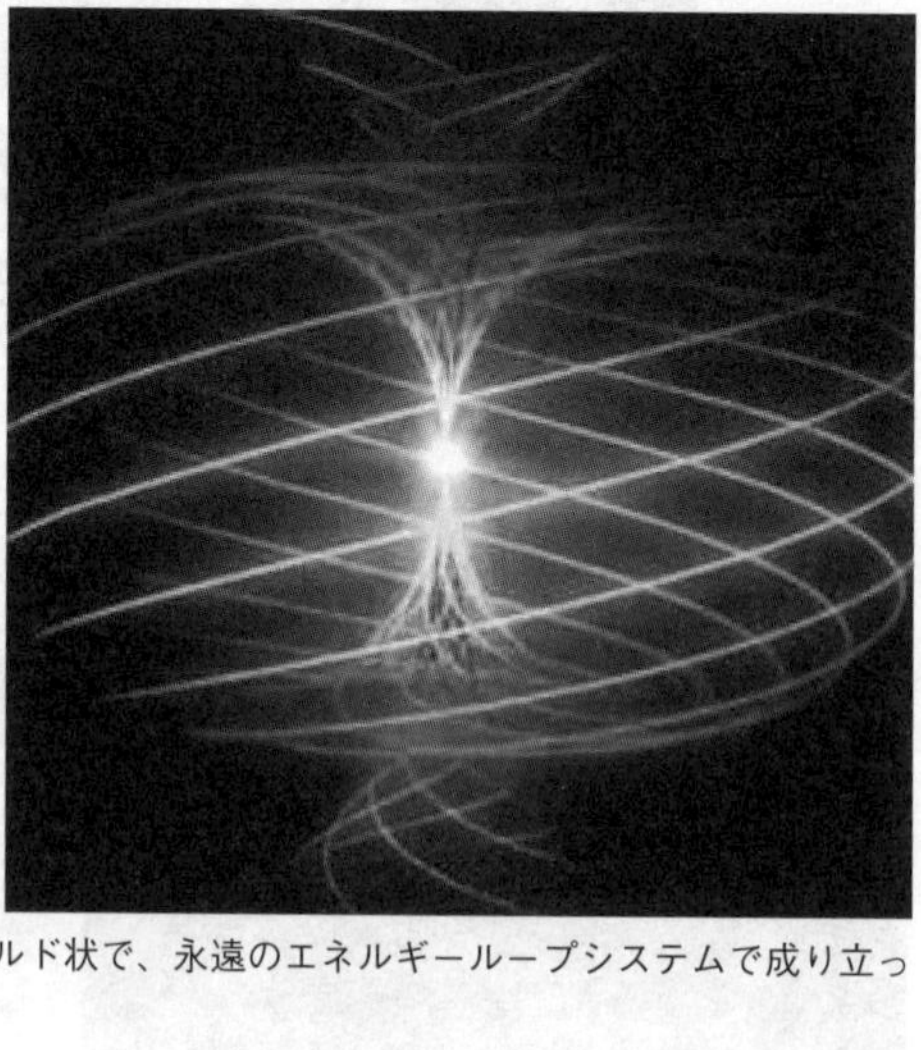

この世界は北極点を中心とするトーラスフィールド状で、永遠のエネルギーループシステムで成り立っている

かということ。つまり、フラットアースの仕組みに気づくと、私たちのはるか地下にある「基盤」は、反磁性の水と石油ではあり得ないこと。なぜなら巨大なトランポリンの如し地上世界がぼこぼこと下から反発力を食らい、倒壊してしまうから。北極点までエネルギーが戻るのには、常磁性の何かが大地の下部を構成していなければならない。

ここで登場するのが「オッカムの剃刀」。物事は必要以上に仮説を立てる必要はない。

つまり天蓋を構成する固体ヘリウムを伝って、電磁力が流れているのであれば、固形ヘリウムがそのまま北極点の真下まで延びている、と考えるのが単純かつ論理的に正しい。したがって天蓋は一つの球体であり、その中にある平面な大地に我々人間は住んでいるという結論に至ることができます。つまりはこの世界は球体である。

きっと支配層もこの事実からあえて「地球球体説」という現実に全く準じていない論理を展開して、家畜を真実からさらに遠ざけてしまおう、という発想に至ったのではないでしょうか。性悪な支配層ならではの発想ですね。

生命の樹について

フラットアースでないと全く現実味がわかない、北極から出ているとされている生命の樹。

カバラ数秘術にも登場する生命の樹は、北極に巨大な本物の木があったというより、北極から出るプラズマエネルギーが天蓋に当たり、そして星となり天蓋に沿って左右に散らばっていく比喩のように思えてなりません。

また木が上へ、つまり天を向いているものと同時に、下を向いている禍々《まがまが》しいものもカバラ数秘術のシンボルでは対としてあり、これは天に還れない腐敗した魂を指すのだろう。余談ですが、トーラスフィールド状の微力の電気は人間からも出ており、半径2mほど、いわゆる「気」や「オーラ」として放たれている。ソーシャルディスタンスをしている人間が精神的にバイオロボット化していることからも、他人の「気」と交わることが生きる本質には欠かせないことが推測できますね。

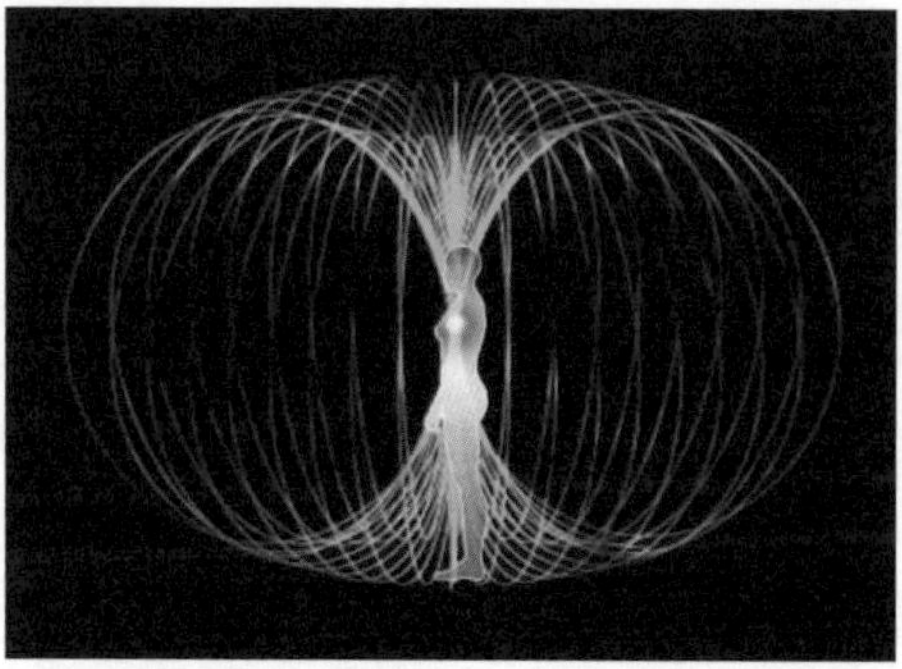

人間からも「気」や「オーラ」が出ている

北極から出ているとされる生命の樹

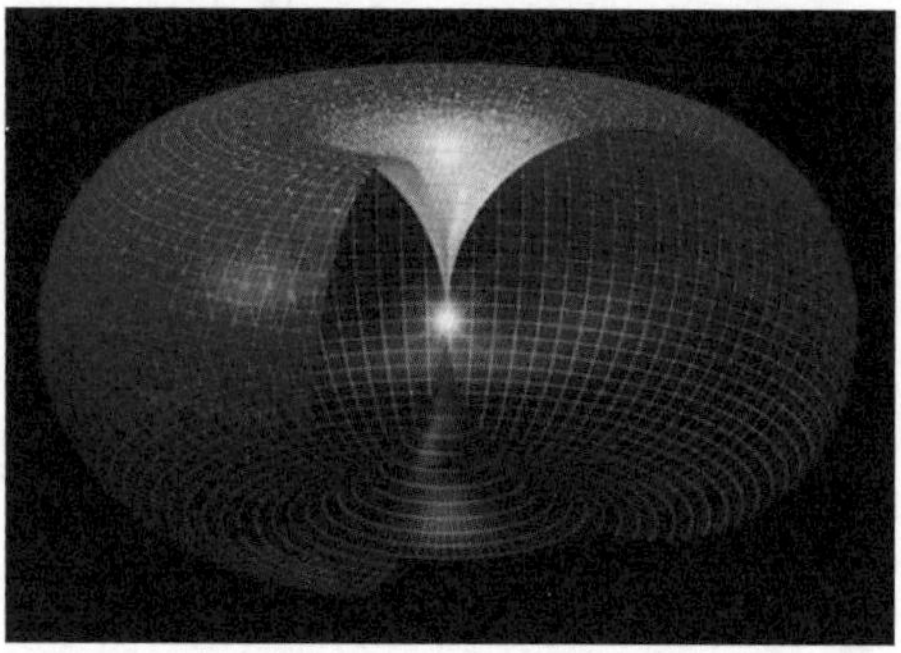

トーラスフィールド状にエネルギーが循環する

カバラ数秘術のシンボルでもある

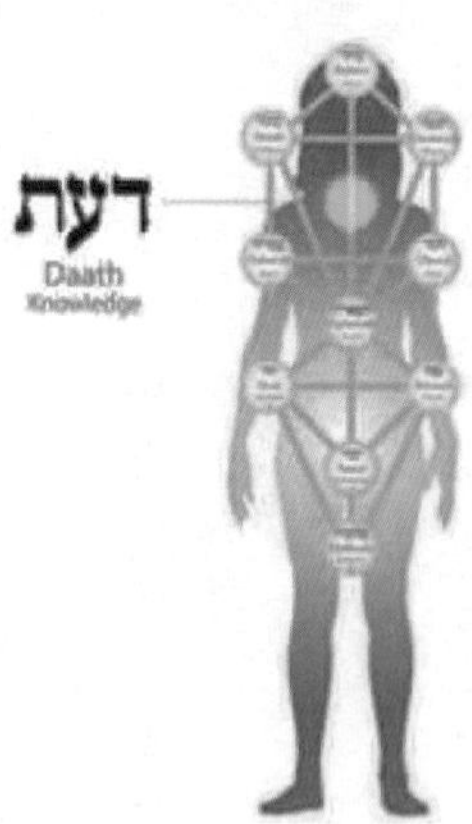

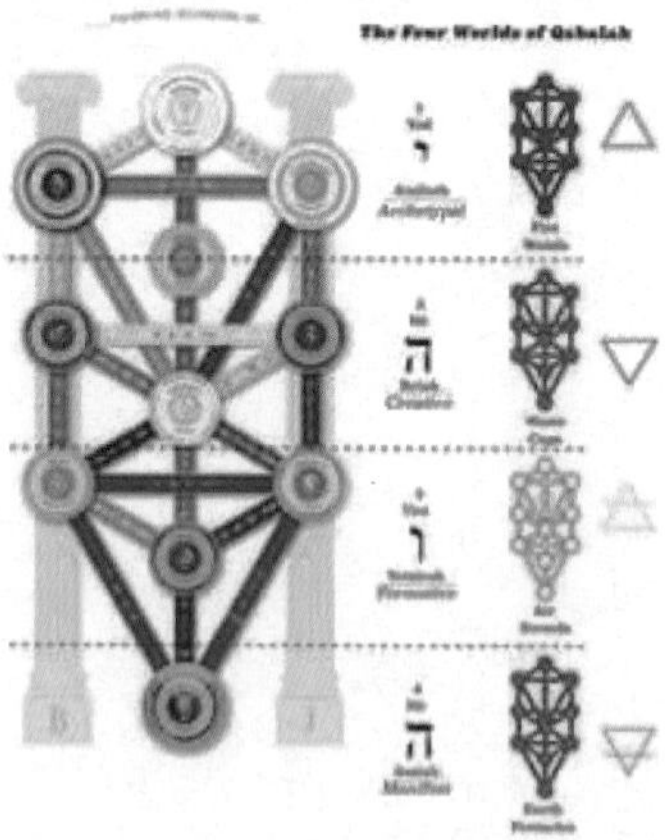

古代ユダヤ発祥とされるカバラ数秘術にも登場する「生命の樹」。私たちの存在するこの世界を表しているとも言われている

フラットアースは永遠の循環エネルギーシステム

我々が住むこの世界は、北極から出る電磁力の渦巻が星を作り出し、星々が太陽を動かし、竜巻などの天気を作り出していて、また充電することで、もう一度北極から放出されるエネルギーを作り出している無限循環のエネルギーシステムである、ということがここまでわかっていただけたかと思います。

また正電荷と負電荷をバランス良く常に変動させることで、潮の満ち引きを起こす規則性はこの原理から生まれているともお伝えしました。

太陽については、中央新幹線などのリニアモーターカーの原理をヒントにすると、潮の満ち引きを作り出す正電荷と負電荷の変動のゆりかごが、逆に太陽を動かしているのかなと思います。リニアモーターカーは液体ヘリウムの常磁性を利用している構造になっているので、本書69ページの「天蓋は絶対零度である」の記事と併せればいろいろとしっくりくるのではないでしょうか。

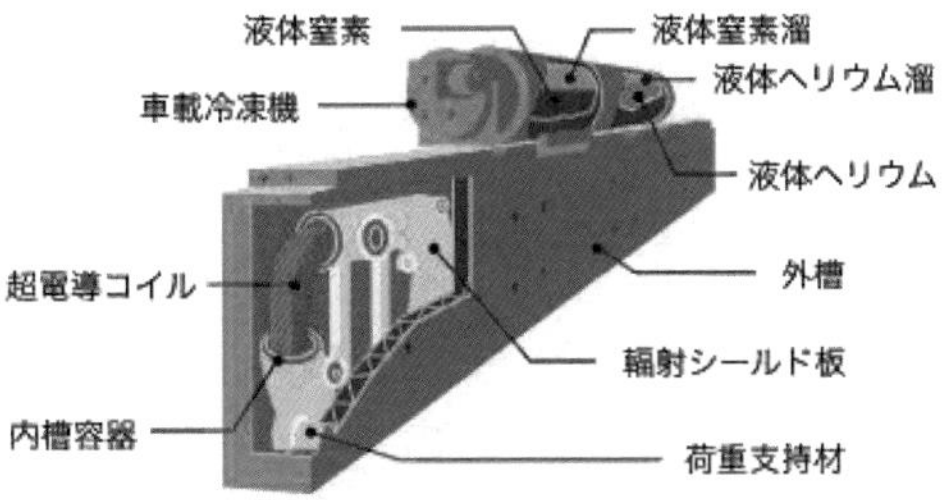

リニアのガイドウェイ（レール）の仕組み。電気抵抗０の超電導状態を作り強力な磁界を発生させる

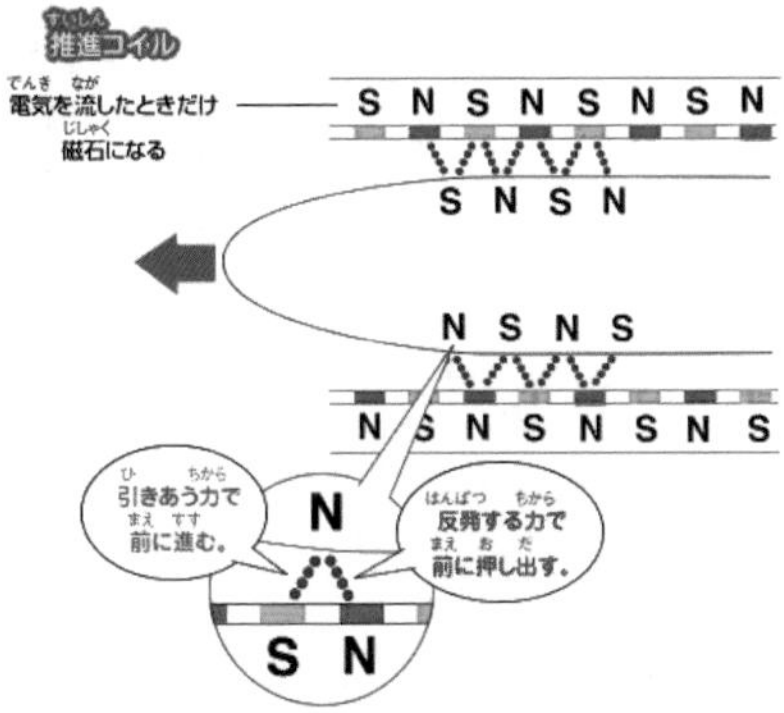

磁石の力が引き合ったり反発したりを超高速で繰り返し、浮上・前進する

月も潮の満ち引きでリニアモーターカーのように進んでいるのかもしれませんし、太陽自体に反発して動いているのかもしれません。

簡単に言うと、**プラスとマイナスの反発で自然界のほぼ全てのものは動いている、**ということ。考えてみると、あまり複雑ではなくわりとシンプルかつ効果的な構造ですね。言うなれば、フラットアースは効率のすこぶる良い電気基盤みたいなものです。ますますフラットアース唯一の本当のパワースポット、北極に行ってみたくなりましたよ。また、こんな大掛かりなシステムが自然に、ランダムに、いつのまにかできるはずはありませんね。

天王星と海王星は存在しない

まだ確信にまでは至っていないけれど、ネタとして大変興味深いトピックですので、ここでご紹介させていただきます。

コペルニクス（太陽中心説のペテン師フリーメイソン）の球体説が（彼の死後に）発表される以前の古代の世界マップを友人などにもお願いして収集しておりました。それらを見ると、どの地図にも天王星と海王星が描かれていないのです。古代の地図や宗教の本を見ても全く登場しません。

球体説信者はきっと、

「何を言っている？ それはその頃の天体望遠鏡が未熟で見えなかったからだ」

と反論するかと思います（天王星の「発見」は1781年、海王星は1846年と球体説がだいぶ浸透してから、とされている）。

しかし、天蓋が何層かの物質（液体酸素〜超固体へリウム）で構成されていると考えている私に言わせると、この天蓋の物質階層と北極星の秘密を隠したかったフリーメイソンらが後からでっち上げたからではないかと申し上げたい。

「肉眼では確かに見えないが、アマチュアによる天王星、海王星の天体望遠鏡での撮影はいくらでもあるじゃないか？」

そう反論する人もいるかもしれません。ではそんな人のために、いくつかのポイントを記載します。

◎天王星、海王星は等級が低すぎて肉眼では全く見えない。

◎市販の高性能な天体望遠鏡の多くはデジタルである。天王星が見たい場合には、座標を打ち込めば、計算して天王星のところに導いてくれる。

◎アナログの天体望遠鏡では、座標地図やソフトウエアを頼りに探すことになるのですが、先ほども言いましたように7~8等級レベルの星などごまんとあります。土星の輪みたいな、明らかな特徴がなければ基本それが本当に海王星かなんてわかりやしません。

◎綺麗な青色のくっきりとした海王星と天王星の写真は、基本支配層側のPlanetary Society（アメリカの惑星協会）やNASAによるものばかり。

以上により、この二つの惑星をでっち上げることなど、地球は丸いとでっち上げ、人類は月に行ったとでっち上げることのできる支配層には、そんなに難しくないと言えるのです。

創世記から読み解く球体説以前の世界観

聖書が作られた当時の当たり前の世界観が文章に落とし込まれた創世記（実際、正確にいつ作られたかはまた別の議論。球体説が蔓延《はびこ》る以前の時代のどこか、と捉えてください）。

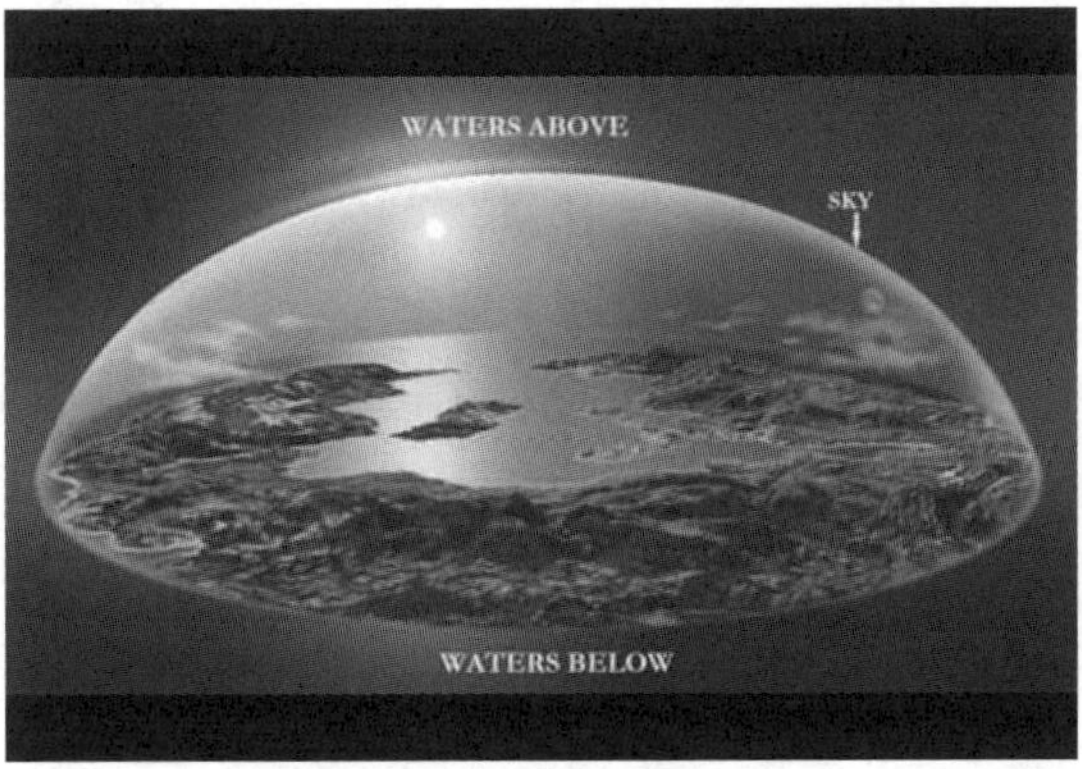

天蓋（ドーム）の上にも水、下にも水

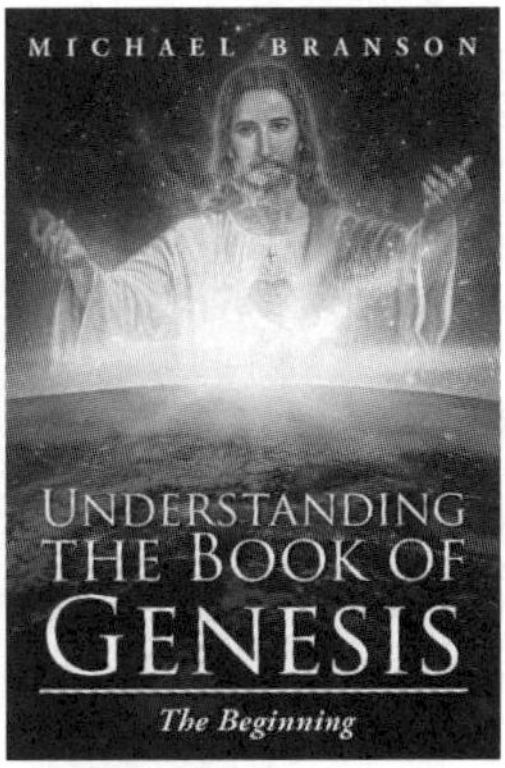

『創世記を読み解く：始まり』
Michael Branson 著（未邦訳）

ユダヤ教でもキリスト教でもない方は、宗教としての本という位置づけは一旦おいておいて、どちらかというと「当時の時代の価値観を伝えた文化的な要素が強い本」という感じで読むとよいかもしれません。そういう意味では聖書はよき参考となる書物かなと思っています。それでは実際に見ていきましょう。

光と闇

1日目：神は、光が地表に届くようにしました。その結果、昼と夜のサイクルが生まれました。（創世記1章3－5）

宇宙空間をくるくる移動するガス球の太陽が光ビームを地球に届けているのではないことがわかります。1日目に作るということは、光は一番「神」にとって身近であり重要であるというのがわかります。イエズス会の**太陽／ルシファー崇拝**にもつながっているのでしょう。聖書が作られた時代の人間が光の性質をきちんと理解しているということは、フリーエネルギーは普遍的にあったとも想像もできますね。

空と海

2日目：神は、地表の水と上空の水との間に空間が生じるようにしました。（創世記1章6－8）

「上にも下にも水」は、これでもかというくらいのフラットアースを思案する記述。大地と隣り合ういわゆる「海」のことと、天蓋に支えられた天上の水なるものを指していると思案できます。つまりバリアの役割を果たす天蓋を設置したことを意味します。宇宙空間は相変わらず登場しません。

乾いた陸地と植物

3日目：神は、乾いた地面が現れるようにし、植物を造りました。（創世記1章9－13）

3日目の記述により、水→空気→陸の順番でこの世界が形成されたことがわかります。植物→魚→鳥→動物→人間の環境の順に徐々に形成されていったと考察できます。ここは進化論とほとんど同じ順番ですね。そしてこれが5日目、6日目へとつながる。

地上からはっきり見えるようになった太陽と月と星

４日目：神は、太陽と月と星が地上からはっきり見えるようにしました。（創世記1章14－19）

フラットアースをわりとはっきり示している記述の一つですね。はっきりと見えると書いてあるのはそれだけ近くにあるということでしょうし、太陽と月とその他の星が明らかに区別されているのがうかがえます。ちなみに球体説では太陽もただの恒星であり、距離も大きさも月とは全然異なる設定です。太陽と月も大きさが同じに見えるのは偶然なのだそうです……。

水中の生き物と空を飛ぶ生き物

５日目：神は、水中の生き物や、空を飛ぶ生き物を造りました。（創世記1章20－23）

植物の次に魚と鳥ですね。ちなみにファンタジーである恐竜は当然登場しません。

陸上の動物と人間

６日目：神は、陸上の動物と人間を造りました。（創世記1章24－31）

動物や人間を創る記述。優生学に基づいたダーウィンの進化論が提唱されていない時代ですし、人間は動物とは明らかに違う生物であると考えられていたとわかります。またいわゆる６６６という獣の数字も「６日目に動物と人間」を同時に作ったことからも６＝動物と変わらない低俗な人間という揶揄が込められているのがわかります。

６日目が終わると、神は創造の仕事をやめ、休みました。（創世記２章１、２）

神は創造の仕事をやめますが、１週間における７日目は当然存在します。

週休１日で昔の人たちは大変だったなという一般的な感想は一旦おいておいて、神が休みを取る日が今でいう「土曜日＝Saturday（語源は休息を意味するSabath)」であるとされています。また土曜日が「Saturn／土星」を意味する曜日であることから、７

日目は創造神以外のなんらかの介入がこの世界に入っていたことを示唆しているようにも思えます。そして、休息日に働く者は、聖書的にはかなりの刑に処せられたことからも、土曜日（7日目）には何か別の大きな秘密があったのかもしれません。

この世界の頂上にある北極星の位置づけも気になるところです。ちなみに一部のクリスチャンの間では、獣の刻印は日曜日を休息日として崇拝するものに押されるものであるという主張があり、今回のグレートリセット後に世界統一宗教が制定されるのであれば、日曜日を休息日に設定されてしまうのかもしれません。

フリーメイソンは北極星崇拝

北極はフラットアースの地図では中心点にあたる場所になります。古代からは「須弥山《しゅみせん》／Mount Meru」という山があると言い伝えられています。そして天界の頂点に光り輝く星が**北極星**になります。

つまり、この世界で最も高いところにある物質が北極星であるということです。ある意味、**物質界の頂点**ともいえる存在。これは球体説では決してたどり着けない結論にあり、支配層がフラットアースを隠す最大の理由の一つでもあるのでしょう。徳川家康が日光東照宮を建てたのは、北極星信仰のためとも言われていますし、日本イルミナティもフリーメイソンの坂本龍馬も北極星を崇拝していたとも言われています。

＊『日本イルミナティ協会』北極星信仰と北斗七星とスカイツリー

https://ameblo.jp/llumi-jp666/entry-12435171260.html

またギザのピラミッドも、下から天井を覗くと北極星がずっと見える設計です。

北極星がこの世界創生の鍵を握っていると言っても過言ではないと思いつつあります。思考のプロセスとしては、太陽崇拝は本当の崇拝対象が北極星と悟られないためのフェイクであるという可能性に達した次第です。

聖書からのヒントも見ていきましょう。

詩編［53：2］

神は天から人の子を見おろして、賢い者、神を

尋ね求める者があるかないかを見られた。

イザヤ書［40：22］
主は地球のはるか上に座して、地に住むものをいなごのように見られる。

これらを読むと、聖書に書かれている神が（天蓋の）中心点である北極の上から我々を見下ろしているというふうに解釈することができます。

続いてこちらはどうでしょう。ヨブ記には、北の天において天地創造をされたと読める記述があります。
↓北がとても重要であり神の御座があるのではと考えられます。

ヨブ記［26：7］
彼は北の天を空間に張り、地を何もない所に掛けられる。
(He stretches out the north over empty space; He hangs the earth on nothing.)

別の聖句では北に王の都（つまり神の国）がある様子も書かれています。

ヨブ記［48：2］
シオンの山は北の端が高くて、うるわしく、全地の喜びであり、大いなる王の都である。

天界と言われるおそらく天蓋と北極星の上の世界、つまり「創造主の世界」が北にそびえ立っていますよという記述ですね。

次はサタンに関する記述。
天から落とされたサタンが「北の果てなる集会の山」に戻ろうとしている様子が書かれています。もともと神が座られている場所を知っていたサタンが、北の果てである神の場所へ戻ろうとしているという記述。北によって、神は北の果て（中心点／北極点の上）におられる、と読み取れます。

イザヤ書
［14：12］黎明の子、明けの明星よ、あなたは天

から落ちてしまった。もろもろの国を倒した者よ、あなたは切られて地に倒れてしまった。[14：13] あなたはさきに心のうちに言った、『わたしは天にのぼり、わたしの王座を高く神の星の上におき、北の果なる集会の山に座し、[14：14] 雲のいただきにのぼり、いと高き者のようになろう』。

まず明けの明星が金星であるというのもすり替えであるでしょう。なぜなら球体説だからこそ説得力のある金星のニックネームであるから。フラットアースだと、ただ朝は大きく光っている星、というところまで格落ちします。

むしろ、常にその他の星の中心、そして最も高い部分にある**北極星こそ「明けの明星」**である、と言えるのではないでしょうか。

サタンは、創造主により天から物質世界に落とされたが、北極点の上にある天の王座よりもさらなる高いところに返り咲くことを狙って、いろいろと計画を練っている、というふうに解釈できます。

何はともあれ、これらもフラットアースに気づいていない人間だとたどり着かない発想ですね。

支配層は明治天皇が被差別部落出身じゃないと絶対にダメだった

太陽はある意味カモフラージュで、**北極星こそ物質主義の象徴／反創造主／反精神世界**としてフリーメイソンリーやその他の宗教における崇拝の対象という話からいろいろと考えました。

フラットアースに気づいている皆様ならご存知かと思いますが、いわゆるイルミナティ主導の明治維新が成功した際には、明治天皇は被差別部落出身者にすり替えられました。ご存知だと思うので詳細は割愛します。

まず驚愕したのがゲマトリア関連です（ゲマトリアについては第2章でもご紹介します）。

以下はYouTubeにもよく登場するゲマトリア変換サイト。支配層にとっては、我々が使う音素文字は下品極まりない何の意味のないものであり、数字やシンボリズムが音素文字の代わりに神聖なコミュニケーション手段として愛用されています。

＊ http://www.gematrinator.com/calculator/index.php

Word or Phrase	English Ordinal	Full Reduction	Reverse Ordinal	Reverse Full Reduction
Naruhito	106	43	110	47
Polestar	106	34	110	47

Word or Phrase	English Ordinal	Full Reduction	Reverse Ordinal	Reverse Full Reduction
Buraku	74	20	88	43
Jewish	74	29	88	34

ゲマトリア変換サイトで入力すると見事に一致！

　これに基づいて、北極星の重要性を鑑みて、NaruhitoとRR北極星を意味するPolestarを入力すると見事に一致します。今まで力は、例えばエリザベス女王に及ばないと思っていた天皇の重要性が一気に増しました。

　次に部落という単語に着目しました。なぜ部落と呼ばれたのか、なぜ部落という扱いを受けたのか。ゲマトリア変換で試しにBurakuとJewishと入れてみると、これまたほぼ数字が一致。被差別部落は「ＧＨＱの書き換え教育により、当時の権力への怒りの矛先を変えるために江戸幕府により当てがわれた身分だ」と刷り込まれていましたが、このゲマトリアによる一致で、現実はかなり違ったと推測できます。実際には「権力を蓄えていた大陸から渡ってきたユダヤ系のルーツを持つ日本人が、その権力を隠すために弱者を装う」というユダヤのパターンを踏襲していただけかもしれません。

　だからこそ、ユダヤルーツを主張するイルミナティによる明治維新以降の日本支配の象徴である「天皇」というコンテンツは、自分たちの血筋でないといけなかった。だからあんなにバレバレの強引なすり替えでも行う必要があった。支配層にとっては、被差別部落出身じゃないと明治維新はやる意味すらなかったのかもしれない。

悪魔崇拝者の三位一体《さんみいったい》

支配層を語る上でよく登場してくるピラミッド（図①）。球体説のはしりとも言われているピタゴラスも三角形大好きでしたね。

このピラミッドは「三位一体」でも使われているシンボル（②）。キリスト教では頂角に父なる神、底角に聖霊と子がいます。古代宗教では父と母が上にいて、下に子供がいる三位一体なんかも存在します。アメリカの1ドル札にもピラミッドが堂々と表示されていますね（③）。フラットアースのドーム的な観点でみると北極星を頂角、太陽と月を底角にできると思いませんか？　このように複数の解釈ができる三角形。

例えば、日本にスパイとしてやってきたイエズス会創始者の一人、フランシスコ・ザビエルの絵（④）。彼は三角形の左底角のところにあたる場所で太陽を手に持っています。そしてこの頂角にあたる場所にキリ

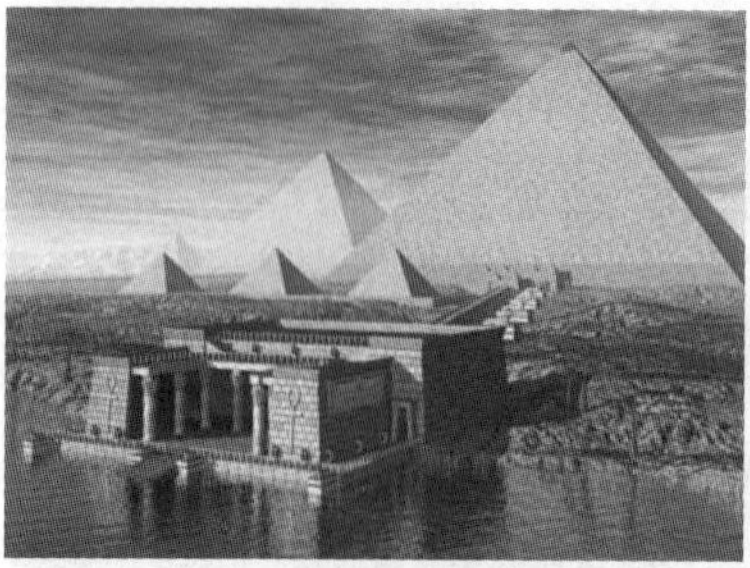

① 様々なシンボルとしてよく登場するピラミッド

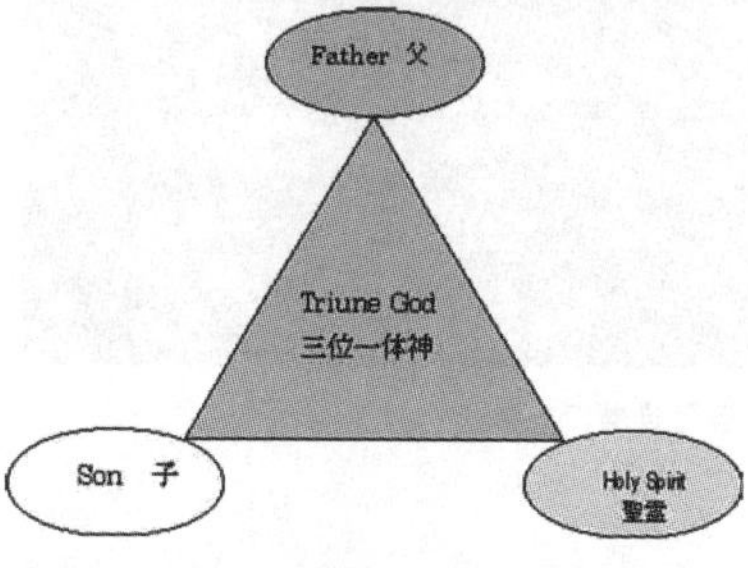

② 「三位一体」を表すピラミッド

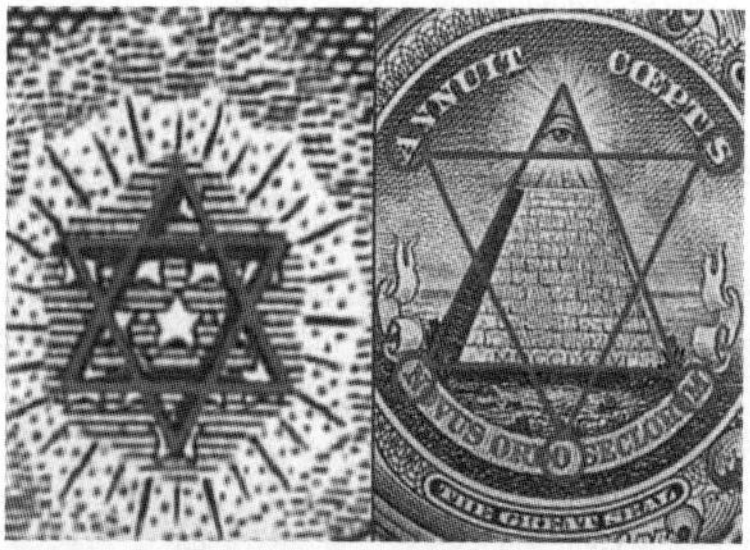

③ 1ドル札のピラミッド

④ イエズス会創始者フランシスコ・ザビエル

千円札を透かして見ると…

ストが磔《はりつけ》にされています。これは一見すると「キリストの愛をハートで受け止める」みたいに見えますが、北極星がイエズス会の崇拝対象だと考えると「物質主義の象徴である北極星に囚われた（彼らにしたら祝福された）キリスト（十字架）」というメッセージが露《あら》わになる、という見方もできます。

先述したように、エジプトのギザのピラミッドは中から真上を見ると北極星が常に見えるようになっています。宇宙を超高速で常に移動する球体では不可能な現象です。

スワスティカ（卍）の真実

スワスティカについて、学校の洗脳教育によりナチス・ドイツのイメージが強く、あまり良いイメージを持っていない方が多いのではないでしょうか。

本来は幸福、繁栄、安全祈願用のシンボルとして、インド、中国、日本などで親しまれていました（90ページ①）。ヨーロッパでは今でも北極星の周りを北斗七星やその他の星のように人が踊ってまわる「メイポールダンス」という伝統的な踊りも各地で残っています（②）。この踊りは球体説だと北極星も北斗七星もはるか遠くにあるただの星であるため、「その辺の星」を崇める意味不明な祭りになってしまいますね。また、日本でもスワスティカは安倍晋三というキャラクターの「思想」の源となっている（とされている）吉田松陰の家紋にも含まれています（③）。

さて、今回着目するのは北極星と、ドームの天辺の方で一年をかけて北極星の周りを回転する北斗七星。この図が卍マークにそっくりなんですよね（④⑤）。

スワスティカは太陽十字であるという説もあり、フリーメイソンの信仰対象同様、これもカモフラージュなのでしょう（⑥）。支配層や昔の人々が、一年中の繁栄や安全祈願を、天蓋の上から我々を見守る一番高いところにある北斗七星にちなんだシンボルに託しているという方がよっぽどしっくりきます。

① 本来は幸福のシンボルであった

② メイポールダンス

③ 吉田松陰の家紋

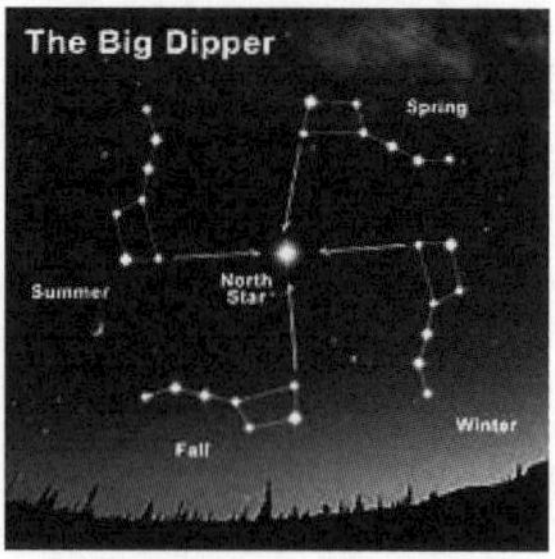

④ 北斗七星の一年の動き

⑤ スワスティカの起源は北斗七星?

⑥ 太陽十字という説もある

⑦ ナチス・ドイツの国旗

⑧ ナチス・ドイツの国章

そうなると興味深いのは、フリーメイソン以外の宗教でも、北斗七星ないしその中心にある北極星をありがたいものとして拝めていたという現象。北極星に秘密があるのか、現代宗教そのものに秘密があるのかははかりかねますが、今後さらに注目していきたいと思います。

＊ https://ja.m.wikipedia.org/wiki/ 卍

スワスティカの起源は、フラットアース証明の代表格、北斗七星。これをナチス・ドイツのマークとし、大衆に悪のものだと刷り込み、ある意味さらにフラットアースから遠ざけた支配層（⑦）。

ナチス・ドイツの（ローマ帝国起源の）鷲が北斗七星の上にいるマークは「私たち支配層は（世界の真理を）全て把握している。お前ら家畜には教えないけどね」と言っているようにも見えます（⑧）。

＊ https://ja.m.wikipedia.org/wiki/ ハーケンクロイツ

アルファベットのモノグラム

全てのアルファベットが含まれています（下図）。

フラットアーサーの皆様なら、「あれ？　ルシファーの紋章、日食、そして松果体にも似ているな」と思った方もいるかと思います。支配層がライフワークのようにカバラ数秘術にこだわるのは、何らかのおまじないや縛り付けが数字にあるのかな、とも思っております。そうなると、文字を使い続ける私たち家畜はある意味自分で自分の魂を締め付けるおまじないに加担していると言えるでしょう……。

ちなみに92ページ左の日食の図。太陽のサイズがおかしいだけでなく、真空状態である宇宙において、光

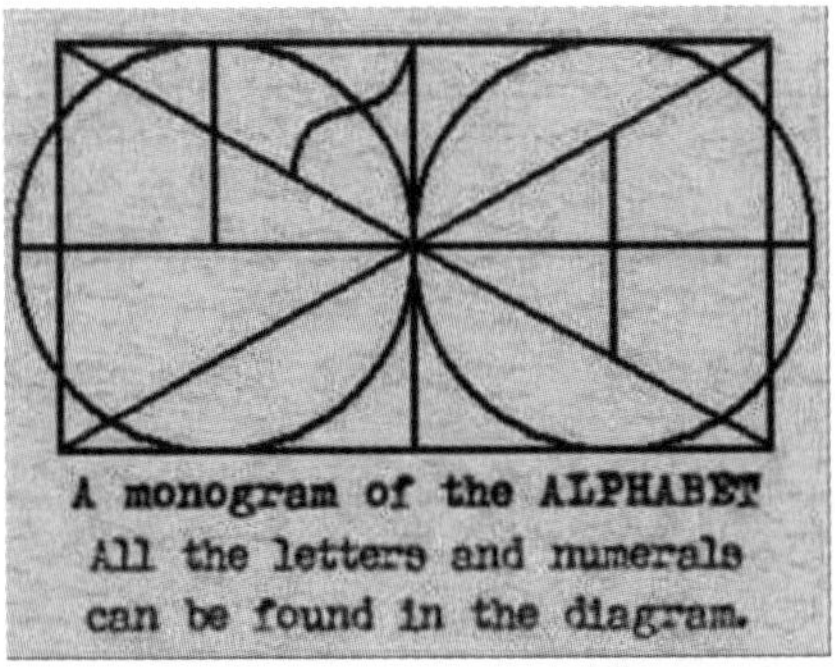

A～Zのアルファベットと0～9の数字が入っているモノグラム

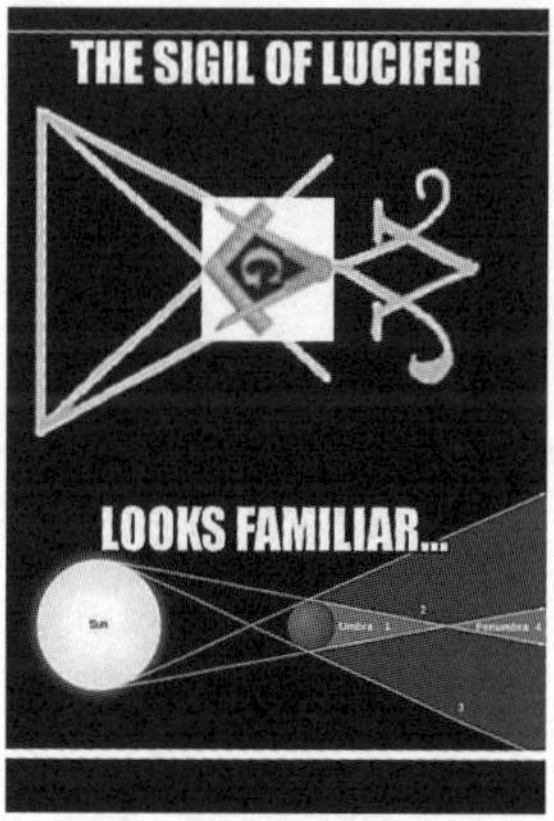

ルシファーの紋章と日食の図

松果体とホルスの目

が勝手に内側に屈折している設定の根拠は何なのでしょうね？（苦笑）

私が最も言いたいこと

フラットアースの真の醍醐味ってこういうことなのだと強く思っています。

私は宗教家ではありませんし、多くのフラットアーサーと同じように物理と論理的な観点からフラットアースにたどり着きました。でもフラットアースに気づいて物理だけで終わるのは真の意味で本質に迫っていないと考えています。

支配層がなぜこうまでしてフラットアースを私たち家畜から隠し通そうとするのか、こういった精神的な部分にこそ答えがあると皆様に強く言いたいです。

また、支配層が北極星を重要視している証拠として、こういう建物の構造がよくある（次ページ）。バチカンにもある。フラットアースに気づいた方なら、支配層は太陽崇拝だけでなく**北極星崇拝**であるということがわかっていただけるかと思う。

パンテオン（パリ）

サン・ピエトロ大聖堂（バチカン）

天蓋の頂上の光が北極星に他ならないから……。

宇宙人と交信する人たち

昔はバラエティ番組などに出ていた、座禅とかを組みながら「宇宙人と交信」する人たち。フラットアースにお気づきの皆様ならば、宇宙という前提条件がないわけだから宇宙人がいないのはもちろんご存知。彼らは一体何と「交信」していたのだろうか。以下の5つの可能性が思い浮かぶ。一体どれなのだろうか。

①はるか彼方にテレパシーをマスターした宇宙人が実はいる
②地底人とかの類と交信していて、それを宇宙人と勘違い／騙されている
③ただの詐欺師
④ただの虚言癖
⑤本人は頭の中でそういう声が聞こえると信じ切っている

最近の代表的な例を見てみよう。こちらの（初期のデイビッド・アイクを彷彿させる）イギリス人女性は、チャネラーなるブロッサム・グッドチャイルドという人物。彼女の設定を見てみよう。

ブロッサム・グッドチャイルド

「光の銀河連合」なる「途方もない距離にある光の銀河に住む、地球人に好意的な宇宙人たち」の神聖なメッセージを発信し続ける人物とされています。「光の銀河連合」と高次元（⁉）でつながることでメッセージを受け取っているそうです。この人の場合は、第三の目だとかチャクラ的要素を含めているから路線的には古代宗教的なのか、ニューエイジなのか、科学なのかが少し曖昧である。

次に日本人。画家の横尾忠則は、自分が宇宙人とコンタクトできると断言しています。

「ある日、その仲間数人と自転車に乗って帰る途中、川向こうにある3階建ての商工会議所のやや上に、洗面器大の光体がクルクルと回転しているのを見たんで

す。まるで花火が炸裂する瞬間のような強烈な光で、驚く僕たちの目の前をスーッと尾を引くように50ｍほど川の上流で水平移動したかと思うと、次の瞬間、目にも止まらぬ速さで上空に消えてしまった」

だそうです。

どうやら**精神世界への興味**に置き変わっていたようですね。**人への興味↓**（いつのまにか）**宇宙**ヨガを習得して宇宙とつながるという「己の内側を省みる」というヨガの本来の主旨と真逆の「外側に意識を向けまくっている」思考になります。そして彼はドリームコンタクトなる「夢を媒介に宇宙人とコンタクトを取る方法」を習得していったそうです。

他にもいろいろな変わった人がいるが、結論を言うと、宇宙人とコンタクトできる人は皆、強烈な個性を放っており、コンタクト方法も様々である。また物理的に行けないジレンマとテレパシーという精神性が問われそうな方法を取っているからこその、**宇宙＝精神**のように捉えている人が多い。そんな共通点が皆あるように見えます。

「光の銀河連合」なる宇宙親友

「光の銀河連合」とは？

大半の人が聞いたことないと思うので簡単に解説すると、

「光の銀河連合（The Galactic Federation of Light）」は、ダークフォースから銀河を守るため、4億5000万年前に設立されました。現在では20万を超える文明が参加していると言われ、そのうち40％がヒューマノイド、残る60％は意識体です。天の川銀河に属する組織で、人類に近いとされるプレアデス星人やシリウス星人などによって、構成されているようです。またブロッサム・グッドチャイルドを通してメッセージの交信をしている。そして、どうやら「グレイ」と呼ばれる、よくある設定の宇宙人たちと争っており、またグレイとは違い、地球人には好意的な存在なのだそうです。

4億5000万年前という設定からして、進化論や宇宙人がはるか昔に地球人を作った論を堂々と肯定し

「光の銀河連合」のロゴ

ダークフォースから銀河を守っている⁉

ていて、既に赤信号ですね。ＮＡＳＡの宇宙よりもさらに説得力のない茶番として、世の中の一部のネットマニアに愛されている、実体のない宇宙人コンテンツとなります。正直ロゴや設定からしてバレバレで、こんなのに興奮しているフラットアーサーは眼鏡を急いで買ってくれ、と個人的に思ってしまいますが、解説させていただきます（そもそも何光年も離れたところからテレパシーができる高度生命体が目と三角形という地球の支配層を意識したロゴを作るのか、という疑問は一旦おいておきましょう）。

まず光。とにかく支配層側のコンテンツによく登場する。この世界を照らす光の存在は、イエズス会でもフリーメイソンリーでもルシファーとして登場し、崇められています。また光と闇という分け方は、分断を促す概念である善悪二元論でもある。フラットアーサーならすぐにピンとくるとは思いますが、天蓋の頂点にある光、北極星や、その下にあり地上に光を照らす太陽のことを言っているのだろう。

次にテレパシー。現実世界でテレパシーは実証されていません。宇宙人だから問題ない？　フラットアーサーなら失笑。宇宙という前提条件がないのに宇宙人などいません。遠い銀河のシリウス星人？　星は何万光年も離れておらず、天蓋の辺りを回っています。「光の銀河連合」にまつわる設定はこんなのばかりです。一見、耳に優しく、聞いているだけでドラッグの代わりにドーパミンを出させてくれそうだが、現実世界に落とし込むと抽象的で何を言っているのかよくわからない。

以下が良い見本である。「光の銀河連合」の発信したメッセージですが、何を言いたいのかわからない。

何光年も宇宙空間を旅できる技術をお持ちであれば、文章の書き方をもっとわかりやすくしてほしいところです。

真実とは、愛である全てのことです。
真実とは、愛の究極の状態です。
真実とは、あなたそのもの。

（文章としては意味不明。単語レベルだと愛とか真実とか究極とか聞こえだけは良く、思春期の女の子が好きそうなコンテンツ。大の大人が真剣に受け取るものではない）

書籍『The Galactic Federation of Light（光の銀河連合）』（未邦訳）

またみんなに優しいはずの「光の銀河連合」には厳密なピラミッドヒエラルキーが存在します。人間関係が完全なるトップダウンの三角型である。個人的な意見としてはカルト宗教を彷彿させます。

「その昔、『スピリチュアルヒエラルキー※による神聖なエメラルド団（the sacred Emerald Orders of the Spiritual Hierarchies）』と呼ばれる組織により、『光のグランドスピリチュアル評議会（Grand Spiritual Council of the Light）』が作られました。ここから派遣された光の存在が、リラ、かに座、双子座などの星々にコロニーを作り、やがて『光の同盟（League of Light）』を組織し、それが大きくなって『光の銀河連合』となりました。」

※スピリチュアルヒエラルキーとは、要するに宇宙の階級序列です。

本書にもたびたび登場するカバラ数秘術で見ていきましょう。数字で読み解くとわりとストレートに、イエズス会によるヨハネの黙示録に模した茶番のコロナプランデミックを連想させるために生まれたコンテンツであるとわかります。

以下はほんの氷山の一角。

『The Galactic Federation of Light（光の銀河連合）』という本（未邦訳）が登場したのは東日本の３・11から４４４週後→１０２ヵ月後。本の総ページ数は１０２（出版日は２０１９年9月18日）。

１０２＝Magic（アレイスター・クロウリーの暗示）

１０２＝２０１＝イベント２０１

２０１＝The Jesuit Order（イエズス会）

２０１＝イグナチオ・デ・ロヨラ（イエズス会の創始者）

２０１＝QAnon（Qアノン）

２０１＝Nephillim（ネフィリム）

２０１＝Apollo（宇宙冒険アポロ計画）

２０１＝Catholic Pope（ローマ教皇）

２０１＝ＣＩＡ（Central Intelligence Agency-United States of America）

２０１＝Jorge Mario Bergoglio（現ローマ教皇の本名）

２０１＝José Joaquín de Ferrer（はじめてイエズス会出身であるとカミングアウトした教皇）

２０１＝The seven churches（新約聖書ヨハネの黙示録で言及されている教会。「黙示の７つの教会」や「アジアの７つの教会」としても知られている）

ゲマトリアで0はカウントしてもしなくても構わないので、

Agenda 21の21＝Jesuit（イエズス会のメンバー）

おまけ。ヘブライ語のゲマトリアでは、

光の銀河連合（The Galactic Federation of Light）＝１３７＝Kabbalah（カバラ）

これも氷山の一角。

30分間調べるだけでこれだけ出てくるコンテンツになります。フラットアーサーでありながら、こういうコンテンツに引っ掛かるようでは球体説信者とあまり変わりません。

「僕は球体説信者。ＮＡＳＡは好きだけど、宇宙や宇宙人は存在しないし、地球は自転していないと思います」

「僕はフラットアーサー。でも宇宙はあるし、大地はくるくる回っていると思っています。宇宙人も何万光年先から交信してくれています」

本質的には、この二つは似たようなものです。Identity Crisis（自己認識の危機）と呼ばれる状態であるということをご理解ください。

フラットアースこそ「オッカムの剃刀」そのものである

フラットアースに気づくことの利点として、テレビや教育、その他の様々な嘘も受け入れられる心理状態になるということがありますが、もう一つ大きな利点を挙げられます。それは「オッカムの剃刀」が手に入れられることです。

【オッカムの剃刀】
ある事柄を説明するためには、必要以上に多くを仮定するべきでない。

フラットアースは、まさにこの思考回路を養うための最高の触媒です。私もフラットアーサーになってからは、オッカムの剃刀をほぼ全ての考察にあてるようになりました。そうすると余計な雑音がかなり省けます。シンプルに物事が考えられますし、世の中が意外とシンプルにできていることにも気づきます。

支配層はこの辺のことが既によくわかっていて、わざと複雑に物事を見せようとします。ゲマトリアなどのカバラ数秘術を取り入れているのも、支配層のやりたいことを実際よりも複雑に見せる（私たちのやっていることは超難解な数式に基づいているんだ！）という役割なのでしょう。

では、話を元に戻しましょう。

オッカムの剃刀が役に立つわかりやすい例の筆頭は「宇宙は存在しない」。

手始めにドバッと宇宙人、重力、引力、ビッグバン、ブラックホール、自転、公転、ダークマター、時空、隕石落下、超新星爆発などが頭の中から省けます。あらスッキリ。ここまできたら、あとはもうなし崩し的にやってくる。

時空や次元が存在しないとわかると、アインシュタ

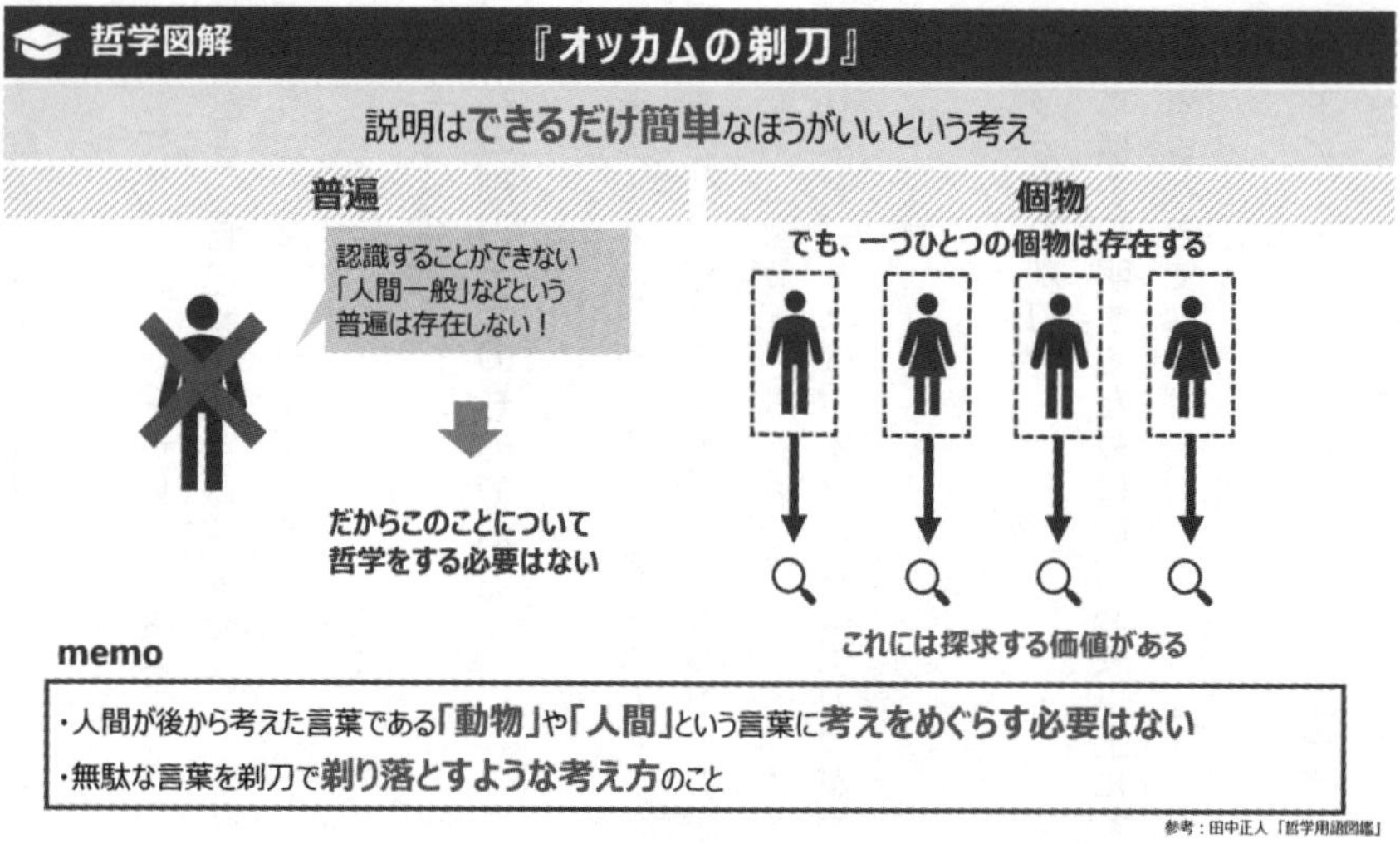
哲学図解
『オッカムの剃刀』
説明はできるだけ簡単なほうがいいという考え
普遍
個物
認識することができない
「人間一般」などという
普遍は存在しない！
だからこのことについて
哲学をする必要はない
でも、一つひとつの個物は存在する
これには探求する価値がある
memo
・人間が後から考えた言葉である「動物」や「人間」という言葉に考えをめぐらす必要はない
・無駄な言葉を剃刀で剃り落とすような考え方のこと
参考：田中正人「哲学用語図鑑」

インがペテン師だと気づけます。相対性理論もいまだにただの仮説だし、タイムマシンなどは作れず時間は絶対に取り戻せないともわかる。光速がまだ仮説であることにも気づく。次元関連のスピリチュアル的次元上昇や異次元からやってきた異種族、マンデラ・エフェクトなどのコンテンツが嘘だとわかる。逆に、**アインシュタインの宇宙論がインチキ↓次元は存在しない**、という切り口でもよいでしょう。とにかくいろいろとスッキリします。

オッカムの剃刀はまだまだ、さらに使えます。

宇宙が存在しない
↓天蓋の下と上には広大な宇宙など広がっていなくて、天蓋の下の大地とその上の空間（天）だけである。すごくシンプルだ。

宇宙人は存在しない
↓恐怖の大襲撃や誘拐に怯える必要が全くない。起きる可能性がある宇宙人来襲もホログラムとテレビの自作自演であることがわかる。

次元は存在しない

↓　変なスピリチュアル祈りもする必要ないし、別次元から知的生命体がUFOに乗ってきて我々をいたぶる可能性に怯える必要もない。自分自身、周りの人間、大切なペット、そして我々を作った何か（創造者）との関係だけを考えれば良いのである。物質的豊かさや名誉、権力などは重要ではないと気づける。また、

次元は存在しない　＝　時間が巻き戻せないとわかる

↓　一度した決断は振り出しに戻せない。私たちは、よく考えながら責任をもって一つ一つ決断と行動をしていかないといけない。一度選択したらもう取り戻せないことが理解できるので、選択には慎重になる。

ここまでくると、考え方や捉え方がかなりスッキリするかなと思います。でも、せっかく余計なノイズが取れたので、さらに簡潔にしていきましょう。

「私たちは創造者が作った天蓋に覆われた平らな大地に住み、自由意志を与えられ、一つ一つの選択と周りの人々を大切にしながら生きていくことを使命としなければならない」

オッカムの剃刀だけでここまでたどり着けるのではないでしょうか。

この辺がまさに生きる醍醐味というか真髄であると言えると思います。

支配層により、この世界は複雑にされ「競争だ」「他人を蹴落とせ、金を稼げ」「自分のことだけ考えろ」「戦争は正義だ」と植え付けられた多くの家畜人間が、この人生の醍醐味／真髄に気づける一番の方法がフラットアースに気づくことであり、それと同じくらいに思考プロセスを効率的にしてくれるのがオッカムの剃刀である。

そう、フラットアーサーなら逆にあらゆる面でオッカムの剃刀を使っていかないのは極めてもったいない。私は今日もオッカムの剃刀万歳である。

フラットアースから学べる「根拠」の大切さ

根拠 ＝ 貴重な武器です。

フラットアースに限らず、主張というものは根拠という下地があってこそです。特にフラットアースを学んでから、何事も根拠をもって、という大切さをさらに実感しました。根拠のないことを言うと球体説信者などは猛烈に噛《か》みついてきます（根拠のあることを言っても噛みついてくる場合が多いですが）。

　そもそも、人々が球体説を信じ込んでしまうのはこうした「根拠」を考えないから。

　球体説信者の場合は、ＮＡＳＡなどの宇宙機関や何年も通った学校、疑似親のように信用してしまっている政府などに性善説を当て込むという、実態には全く則していない根拠なき楽観により球体説を頑《かたく》なに信じるという残念な結果を招いています。

　また、多数決に安心感があるのでしょう。マジョリティが必ず正しいと思うのは、ただの全体主義であり危険です。世の中の意見として球体説が当たり前になるのと、実際の大地の形がどうなのかは本来は全くの

根拠とは/なぜ根拠が必要なのか

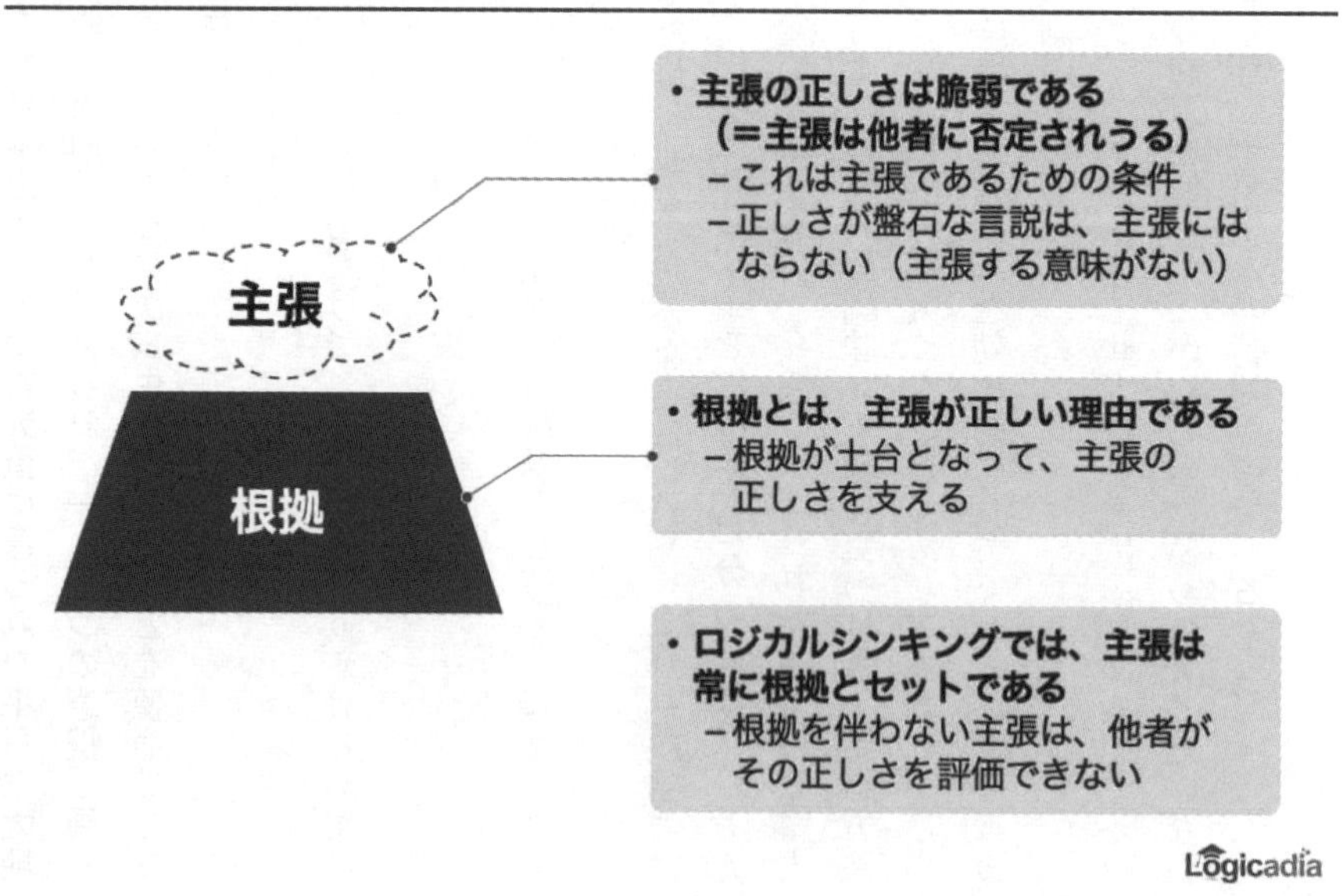
主張
根拠
・主張の正しさは脆弱である
（＝主張は他者に否定されうる）
−これは主張であるための条件
−正しさが盤石な言説は、主張にはならない（主張する意味がない）
・根拠とは、主張が正しい理由である
−根拠が土台となって、主張の正しさを支える
・ロジカルシンキングでは、主張は常に根拠とセットである
−根拠を伴わない主張は、他者がその正しさを評価できない
Logicadia

別物である。

現実とファンタジーの境目は非常にグレーです。球体説の実行部隊とも言えるフリーメイソンは、読者の皆様が想像しているよりも洗練された様々な方法で普遍的にあらゆる場面で私たちを洗脳し、無力化していく。もちろん私も例外ではありません。

そんな中、私たちが様々な主張を人々に啓蒙する上で使える最大の武器がこの「根拠」であり、皆様が啓蒙している相手がどっち（この場合は球体説かフラットアース）に傾くかの最大の要因となると言っても過言ではないと思っています。

根拠のない主張は、表面的な二元論思考で物事を考えているようで陳腐だし、正直、このプランデミックな時世では（特にそういった考えの羊たちは）今後精神的にキツくなっていくと思います……。結果的に思う通りにいかず、「なんで？　なんで？」になるわけですから。いつのまにか、しくじります。しくじって、終わりです。

また日頃から根拠を常に考えることで、表面的な不安ではなく、潜在的な不安も逆に取り除けると考えています。根拠を突き詰めることは、「短期的には辛いが、将来的なしくじりがなくなる分、長期的には精神的に楽になる」と言えるのではないでしょうか。根拠なき楽観主義が、「短期的にはよいが、長期的には損をする」考え方のわかりやすい例ではないでしょうか。

フラットアーサーは、球体説を確固たる根拠で潰し、大地の形はもとい、この世界に私たちが住まわされている（産み落とされた）根拠すら考え始めている方々もいるとお見受けしています（その根拠があっているかはさておき）。

死ぬその日まで、思想や願望、空想に惑わされず、この根拠という武器を今後も使って突き進んでいただけたらと思う次第です。

特に今のコロナウイルスから始まった一連の茶番で浮き彫りとなったテレビの嘘の数々ですが、何かを適当に「主張」しているだけでは彼ら「テレビ人」や政治家と変わらない。

我々が住むこの世界は、漫画でも映画でもなく現実であり、支配層がひたすら（多少の妥協はありながらも）勝ち続けてきた箱庭です。

二元論の両端が「何もしない」と「破滅的になる」ことであれば、この間のグレーゾーンでどうかこれからも足掻《あが》いていってください。残念ながら足掻いて行動しても結果がついてこない場合もあります。この辺の諦《あきら》めも心のどこかに小さく留めておいてください。その時に落胆しすぎないためにも……。

皆様がフラットアース以外で根拠をもって解決した良い見本などがあれば、ぜひ「フラットアースジャパン」グループ投稿などで教えてください。

余談ですが、この「根拠」を考えるにあたって、「ロジカルシンキング」は不可欠なスキルになります。お時間のある方はこちらも調べて、そして実践してみてください。

フラットアースじゃないといけない8つの理由

（1）フラットアース自体は実は陰謀論でもなんでもなく、ただの自然科学であり、何百時間も検証した後の私や、その他のフラットアーサーたちの論理的帰結である。啓蒙する際の主要ツールとして個人的にフラットアースを選んだ理由は、ネットの不確定な二次情報でなく、（啓蒙した）各個人が一次情報として自分の目と手で直接確かめられるからです。これはとても重要であり、真相論の中ではフラットアースくらいなものです。偉いとされている人間の二次情報を絶対のものとして信じ切っている球体説信者に「地球は平ら」というフレーズを言うだけで、「幼い頃からずっとそんな壮大な嘘をつかれているわけがない」という重度のストックホルム症候群からくる発想を言う人が実に多い。この一種の洗脳状態になければ、フラットアースは本来、とてもシンプルに理解できるコンテンツであると気づいてほしいところではあります。

（2）球体説は世界の歴史上で支配層が仕掛けた、おそらくは最も大胆な嘘であるため、一旦球体説の虚像が崩れると支配層のことがいろいろと俯瞰的に見えてくるようになります。少なくともカルト的な新興宗教、コロナウイルスというプランデミック、謎の楽観主義であるニューエイジのスピリチュアル系コンテンツなどには引っ掛からなくなる。フラットアース以外の真相論ではなかなか達成できないことです。

例えばワクチンの悪さを誰かに伝えて、そしてある程度伝わっても話が製薬会社の闇くらいのところで思考がストップしてしまう人が多い。「製薬会社の闇」が、日常的に過ごしている中では「予想や常識の範囲内の悪意」であるため。フラットアースという「規格外」の事実でも突きつけないと心の中にある様々な認知的不協和の壁は破れないのでしょう。

（3）フラットアース自体は、幼少の頃からの洗脳さえぬぐい捨てることができればすぐにわかるものです。**フラットアースを否定する「陰謀論者」=陰謀系の情報を表面的に捉えている**ところがあり、本質的にはマスメディアを妄信する羊人間とあまり変わらない部分がある。ドナルド・トランプのクルセーダー秘密組織であるQアノンなんかが良い例。実態が伴っていないし、存在そのものが論理的にあり得ないが、正義感にあふれた聞こえの良いコンテンツであるため、YouTubeなどで観ているお気に入りの陰謀論者がそう言っているからとついついQアノンを妄信してしまう。

つまり**フラットアースが理解できない人=きちんと論理的に考えられるほど洗脳が解けていない人**でもあるので、何を言っても意味のない場合がある。

コロナウイルスやワクチン、歴史の嘘、進化論の矛盾、シオニズムや世界連邦という仮面ライダーのショッカーのようなわかりやすい善悪二元論をプッシュする「政治」コンテンツは全て茶番で本質的にはエンタメであり、テレビニュースは基本的にはクライシスアクターを使ったヤラセであると伝えても、半分くらいの「陰謀論者」はこれを全くわかってくれない。そういう人は放っておくのが一番良い。ある意味自分の自由時間から淘汰すべき相手（啓蒙しても意味がない人）が浮き彫りになってくれるので、啓蒙の効率が良くなる側面もある。

（4）フラットアースが論理的、観測的、直観的、自然科学的に正しいとわかると、「真相論を語っているにもかかわらずフラットアースを否定する情報発信者」について、工作員であるか、表面的なことを言っているだけか、二次情報を信じ切って言っているだけかの人である可能性が高いとわかるので、情報を収集すべき人から除外するという選択肢が生まれる。

（5）この世界がとてもシンプルにわかりやすくできているということが理解できると、オッカムの剃刀的考え方がしやすくなります。天蓋の下の世界と天蓋の上の世界だけを考慮すればいい（地下／地底をもう一つの世界として認識している人もいますが……）。

時間も絶対に巻き戻せないし、宇宙人も当然いない。次元移動／上昇とか時空、進化論もビッグバンも根拠のない仮説なので考慮する必要はない。あるのは毎日時を刻む太陽と月と星々、私たち人間、動物と自然、そして私たちを作った何か。それ以外は基本どうでも良くなるのではないでしょうか。

思考回路の効率性が上がり、次々といろいろなその他の隠れた事実にも気づけて、そして周りにそれを効率よく伝えられる。現在の羊の過半数がきちんとした真相論者に変わるには、このフラットアースから派生した高効率な思考回路がないと難しい。

（6）フラットアースは世の中の人たちの関係を文字通りフラットにしてくれます。人間が皆平等に創られたことが改めて理解できるし、だから他人にも優しくなれる。小さな日常の出来事で幸せを感じられる。

（7）意外と気づかれないことなのですが、フラットアースは我々が住む大地の話であるため、一生なくならない／ずっとそこにあるコンテンツでもある。

例えばNASAやJAXAなどの宇宙関連機関、CIA、CDC、世界連邦、世界経済フォーラム、国家、中央銀行といった様々な「組織」は、あくまでも支配層の目的を果たすための「手段」であり、その組織の存続事態が「目的」ではないので、組織が用済み、または与えられた役割ができないくらいにイメージが悪くなってしまうと即座に解体され、過去の産物となってしまう。政治家の入れ替えもこの原理でリセットされていることが多い。そうなると、これまで積み重ねてきたその組織や人物に関する情報発信の大半が、その組織や人物がいなくなってしまった時点で効力が半減してしまう。ある意味フリダシに戻る、である。

しかし我々が立つ大地は、人間誕生から今の今までそこにある事実として変わることはありません。フラットアースについては安心していつまでも情報収集や発信ができるというわけです。

歴史上の有名な球体説論者たちの肖像画

（8）球体説は宇宙論やダーウィンの進化論など、とにかくフリーメイソンによるフリーメイソンリーまみれの仮説ばかりである。これはフリーメイソン球体説論者のコンパスやチェッカーボード付きの肖像画などを見せることで簡単に伝えることができるし、肖像画を見せられて納得してくれる人も多い。そうすれば新たなフラットアーサーの誕生である。歴史上の有名な球体説論者がほぼ全員偶然フリーメイソンである確率はそれこそ「天文学」的である。

大衆の意識を根本的なところから変え、支配層の牛耳る世の中をひっくり返す一番有効なツールは宗教でも政治でも思想でもなく、誰にでも納得してもらえるポテンシャルがあるフラットアースではないか思っています。最初はなかなか受け入れてもらえないことも多いけれど、一旦フラットアーサーになった人の多くは（自分の周りのフラットアーサーを見ても思うが）知性にあふれたとても心強い人たちが大半である。フラットアーサーの人口は現状、特に日本ではまだまだ少ないので「量より質」とも言い換えることができる

物事の真偽を見極める際、フラットアースが判断基準や手掛かりとなり得る。まるでリトマス試験紙のようである

かもしれません。

　これからもフラットアースを啓蒙し続ける意義は高いと思いますし、アンチなんかは二次情報鵜呑み人間、工作員または地球の形などどうでもよいという奴隷精神まっしぐらな人ばかりだから面倒くさくなったら放っておけばよい。他のフラットアーサーとつるめばよい。

　そして、フラットアースに気づき、洗脳がさらに解けた人は、嘘まみれのこの世界ではフラットアースが〝嘘の登竜門〟でしかないことにも気づきます。フラットアースをずっと疑問視しているような人は、根拠のない陰謀論だか何だかと思っているのかは知りませんが、もう少し無の心で（子供心に戻るでもよいです）素直な気持ちで改めてフラットアースを先入観なしで調べ直してほしいと思います。

　真相を追究する人間として前に正しく進めるか、結局は支配層の用意した世界観の中で踊り続けるだけなのか。フラットアースが、その分かれ道にある〝リトマス試験紙〟のような位置づけにあると思っています。

フラットアーサーが裁判で勝訴

　アメリカのフラットアース裁判でフラットアーサーが勝訴しました（２０１９年の話。ジョージア州の裁判登録番号は２０１９－ＭＶ－１１０４）。

　アメリカ南部ジョージア州での実際の出来事。裁判に関する正式な書類が次ページの画像です。

　ことの発端ですが、数年くらい前にＳＮＳなどで堂々と、「地球が球体であることを証明できたら1万５０００ドル支払う」と言い広めていたアメリカ人フラットアーサーがいました。名前はZen Garciaさん。

　そうしたら（当然かもしれないけど）証明したぞ、

MAGISTRATE COURT OF BARROW COUNTY
STATE OF GEORGIA

NOTICE OF HEARING

CASE NUMBER: 2019-MV-1104

WILLIAM MENKE THOMPSON **VS.** ZEN GARCIA
915 BONNIE BLUE DR — 520 EMBASSY WALK
OXFORD, MS 38655 — WINDER, GA 30680
PLAINTIFF — **DEFENDANT**

YOU ARE HEREBY NOTIFIED THAT A HEARING REGARDING THE ABOVE CASE NUMBER HAS BEEN SET FOR THE **11th** DAY OF **June**, **2019** AT **09:00AM**.

SAID HEARING WILL TAKE PLACE IN THE MAGISTRATE COURT OF BARROW COUNTY, WINDER, GEORGIA.

ALL PARTIES, WITNESSES, BOOKS, RECEIPTS, WRITING, OR OTHER ITEMS AND INFORMATION YOU WISH TO ENTER AS EVIDENCE MUST BE BROUGHT WITH YOU AT THAT TIME.

BOTH PLAINTIFF AND DEFENDANT MUST BE PRESENT, IF YOU ARE THE PLAINTIFF AND YOU FAIL TO APPEAR AT THIS HEARING, THE CASE MAY BE DISMISSED FOR LACK OF PROSECUTION. IF YOU ARE THE DEFENDANT AND YOU FAIL TO APPEAR AT THIS HEARING A DEFAULT JUDGMENT MAY BE ISSUED AGAINST YOU.

YOU MAY COME WITH OR WITHOUT AN ATTORNEY.

CERTIFICATE OF SERVICE

THE CLERK OF MAGISTRATE COURT, BARROW COUNTY, GEORGIA DOES HEREBY CERTIFY THAT THE DATE OF MAILING AND THE DATE OF NOTICE TO THE PARTIES IS May 16th, 2019

JAIME CROWE
COURT CLERK
BARROW COUNTY MAGISTRATE COURT

BARROW MAGISTRATE COURT
STATE OF GEORGIA

Plaintiff(s)

vs.

Defendant(s)

Civil Action No.

[✓] **JUDGMENT** [ ] **CONSENT JUDGMENT** [ ] **DEFAULT JUDGMENT** [ ] **DISMISSAL**

The above case having come on regularly to be heard, the Court makes the following findings: (check only if applicable)

[✓] Defensive pleadings filed by Defendant(s)
[ ] Counterclaim filed by Defendant(s)
[✓] Plaintiff(s) appeared [ ] Plaintiff(s) failed to appear
[✓] Defendant(s) appeared [ ] Defendant(s) failed to appear

[ ] Voluntary dismissal without prejudice-Statement of Claim *(can be re-filed)*
[ ] Voluntary dismissal - Counterclaim
[ ] Stipulated settlement and dismissal
[ ] Contested hearing held

IT IS ORDERED AND ADJUDGED that:

[✓] **Plaintiff(s)' statement of claim**	[ ] **Defendant(s)' counterclaim**
[ ] Dismissed for want of prosecution, without prejudice *(can be refiled)*	[ ] Dismissed for want of prosecution, without prejudice *(can be refiled)*
[✓] Judgment is entered in favor of [ ] Plaintiff(s) [✓] Defendant(s)	[ ] Judgment is entered in favor of [ ] Plaintiff(s) [ ] Defendant(s)

[ ] **Judgment** *(net judgment when a claim and counterclaim have been considered)* is entered in favor of [ ] Plaintiff(s) [ ] Defendant(s)

against [ ] Plaintiff(s) [ ] Defendant(s)

$ principal $ attorney's fees future interest at the legal rate

$ interest $ court costs

[ ] Other [ ] premises

[ ] Said judgment shall, by [ ] the consent of both parties, [ ] order of the Court, be paid to [ ] Plaintiff [ ] Defendant, as follows:

[ ] periodic payments in the sum of $, commencing

payable monthly, on the of each month.

[ ] in full on or before

[ ] as attached/ follows:

at the following address:

No Fi.Fa. shall issue and no garnishment or other action may be taken on this judgment so long as payments are timely paid. Should the judgment debtor(s) fail to make a payment or should payment be made more than 5 days beyond the due date, the Clerk of Magistrate Court is authorized to issue a Writ of Fi.Fa. in the amount then outstanding upon written affidavit/notice from the judgment creditor that payments have not been made as agreed and upon payment of the applicable Fi.Fa. fee by the judgment creditor.

Duties of judgment creditor: Upon payment of the entire debt upon which a judgment or Fi.Fa has been issued, the judgment creditor shall timely (within 60 days) direct the clerk(s) of the appropriate court(s) in writing to: (1) cancel the writ of Fi.Fa, if a writ was issued; (2) mark the judgment satisfied. Failure to timely comply may subject the judgment creditor to monetary damages. O.C.G.A. § 9-13-80.

SO ORDERED, this 11th day of June, 2019

Magistrate

Consented to by:

Plaintiff

Defendant

フラットアーサーが勝訴した裁判に関する書類

っていう球体説論者が登場してきて「お金払え！」「いや、証拠にならねえから払わねえ！」の押し問答になり、そのやりとりはプライベートチャットに移っていきました。その後、なんとジョージア州でその球体説論者が支払いを求める訴訟を起こしました。自信たっぷりに球体エビデンスを引っさげて。

当然フラットアーサーも平面エビデンスをたくさん用意して、裁判に臨みました。裁判官は、地球が球体であること、曲率があることを一切証明できていないとして、球体説論者側の敗訴の判決を言い渡しました。

球体説論者側の主張は、エビデンスが全て方程式や机上の空論で、現実世界での実験結果ではないものとして、全て裁判官に却下されたそうです。

このように裁判レベルでの争いになると、球体説はことごとく崩れます。なぜなら球体説は机上の空論と幼い頃からの洗脳で成り立っているナンセンスだから。これで裁判に関わった球体説論者も少しはフラットアースに気づけたのかもしれません。

アメリカはコモンロー※採用国なので、過去の裁判決定事例が法律以上に適用される場合がほとんどです。一旦こういった前例が作られると、フラットアーサー側の勝利が今後も起きる可能性はあります。皆様にとってこちらは、嘘のようで本当の話、にあたるのかな？　疑っている人はぜひ該当の裁判記録を調べてみてください。次は重力裁判あたりがあれば面白いな、と個人的には思っています。

※コモンローについては382ページ参照。

＊裁判に関する書類はこちらからアクセスできます。
https://www.facebook.com/notes/377143260124586/

フラットアーサーの特徴

少し大雑把ではありますが、フラットアーサーの大まかな特徴をまとめてみました。SNSなどでいろいろなフラットアーサーとやりとりしていると、日本だけではなくおおむね世界共通であるとわかります。本書を読んでいるフラットアーサーの皆様も少なくとも一つ以上当てはまるのではないでしょうか。

(1) 謙虚である

フラットアーサーは「偶然できたアミノ酸から誕生し、アメーバや猿を祖先に持ち、壮大な宇宙をぐるぐる駆け巡る回転する重力ボールの上に海洋とともに引っ付いている」という洗脳状態にあったことを非常に恥じており、自分は何でも勘違いしている可能性がまだまだある、広い視点で物事を見よう、という心構えがあります。

（2）孤独である

友人たちとの付き合いが減ります。向こうが認知的不協和により、こちらのことをクレイジーだと思っているから離れてしまうという場合もある。逆にフラットアーサーはそういった羊との会話がものすごくつまらなくなり、表面的な付き合いや、興味がなかったり、違うと思っていることに相槌を打つのが嫌になり、自然と自ら離れるという現象が起きる。

（3）人間愛にあふれている

洗脳状態にある大衆にどんなに心ない言葉を投げかけられても、どんなに絶望感に苛《さいな》まれても、それでも世に現状を一生懸命伝えるフラットアーサーは自己犠牲の愛に満ちあふれているのかもしれません。ある種の博愛主義者。いや、もしかしたらただの隠れドMかもしれない……。

（4）打たれ強い

もともと打たれ強い、というか、攻撃を食らい続けるため打たれ強くなる。何を言っても奇人変人扱いされ、いろいろと心ないことも言われる。言われすぎて麻痺《まひ》しているのかもしれないし、相手がどんなに偉そうなことを言っていても、どうせ球体説というナンセンスを信じている人の意見だから心に響かないだけなのかもしれません。

（5）仕事へのモチベーションを保つのに一苦労《ひと》

自営業や本当に好きなことを仕事にしている人なら話は変わるかもしれませんが、一般的な給料奴隷（サラリーマン）は、日々の生活のために支配層の様々な思惑に間接的に加担している場合がほとんどです。デジタル化を促進させるIT企業しかり、西洋医学を進める製薬会社や病院、個人店を潰す大型スーパーの店員など、支配層が用意したグリッドに乗っかっている企業に勤めるということは往々にして支配層の間接的な僕《しもべ》になるということです。この事実は虚《むな》しくもあり、自分の社会における立ち位置に嫌悪感を抱く要因。当然支配層に加担しているとわかると、仕事のやる気もあまり出ず、キャリアの階段をのぼる行為が馬鹿らしく、奴隷が奴隷磨きをしているだけの行為にしか見えなくなります。

フラットアースと水平思考推理

どんなに自然科学や論理や観測的事実を教えても、羊たちがなかなかフラットアースに気づいてくれないという事象が皆様の間でも起きていると思います。

私が思うには、フラットアースに気づける人は、水平思考推理ができる人が多い。こういう柔軟な型にはまっていない考えができて初めて地球の形が球体ではないと受け入れられる。

実際、私も羊時代から『ウミガメのスープ』など、4冊の水平思考推理に関する本を持っています。こういった柔軟な思考を求められるゲームが好きだったのがフラットアースに気づけた理由の一つなのかもしれません。

代表的なものを一つ。皆様も聞いたことはあると思う『ウミガメのスープ』。私個人のバージョンなので、正式なものとは少し違うかもしれませんが基本的には同様の設定。

七人の男がヨットに乗って海へ行きました。しかし残念ながら途中で遭難。
一人ずつ餓死していく極限の状況に。五人が死に、死体は海に捨てられる。
残った二人はなんとか救出される。しばらく入院したら良くなり、二人は快気祝いで高級レストランへと赴く。そこでウミガメのスープを注文したが、一口食べた後、一人がレストランの外に出てそのまま拳銃で自殺をした。なぜでしょうか？

という問題。

この回答がわかればご納得いただけると思いますが、フラットアースこそ水平思考推理の一つの壮大な問題である、と言っても過言ではありません。

ただの陰謀好きの思考停止の尖った羊と、真相論者の差はここにあるのかもしれない。

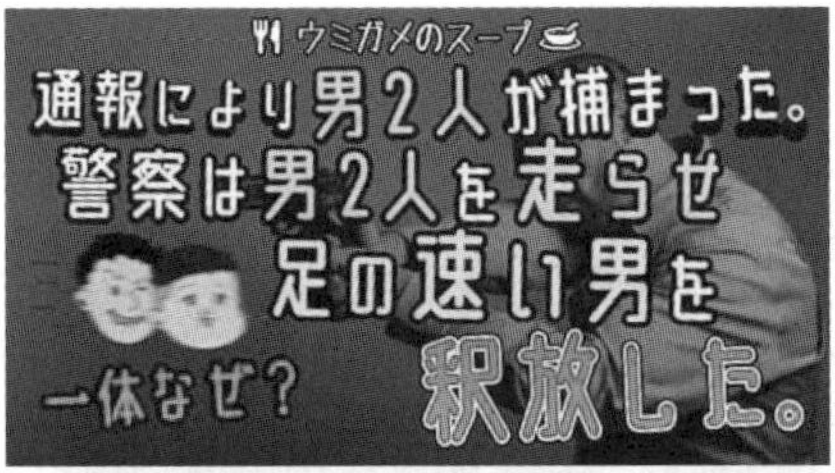

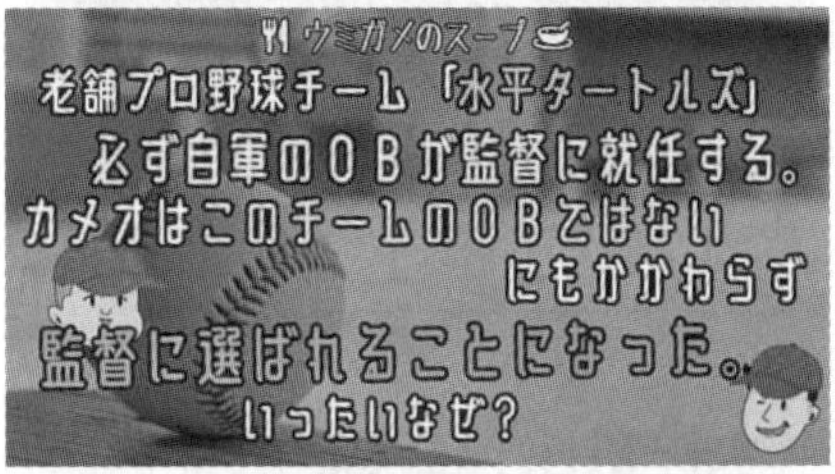

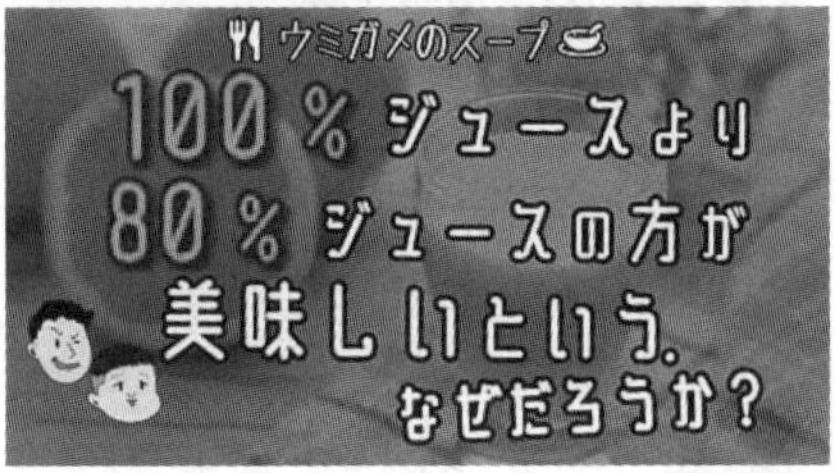

水平思考推理ゲーム「ウミガメのスープ」

『ポール・スローンのウミガメのスープ』
著者：ポール・スローン 他

「根拠」と「論理的思考」で真相を追究しよう

日本教育は罪深く、「根拠」だとか「論理的思考」だとかを確信犯的に全く教えてこなかったこともあり、言葉として脳に入っても、なかなかきちんと理解はされていない印象があります。フラットアースというツールを通じて、こういうスキルを日本人の皆様にも養っていただき、権力者たちが少し疎《うと》ましく思う人間がたくさん存在してくれたらな、と思い毎日投稿しています。

宗教やニューエイジといった信仰をベースにしたコンテンツからフラットアースに入る人も、信仰にプラスαで大切にすべき「根拠」を学んでいただければと思います。「論理」や「根拠」は人間と獣を棲み分ける「考える」という行為に必要不可欠な土台であり、フラットアースに気づいた方なら潜在的には誰もが持っているスキルだと思います。あま

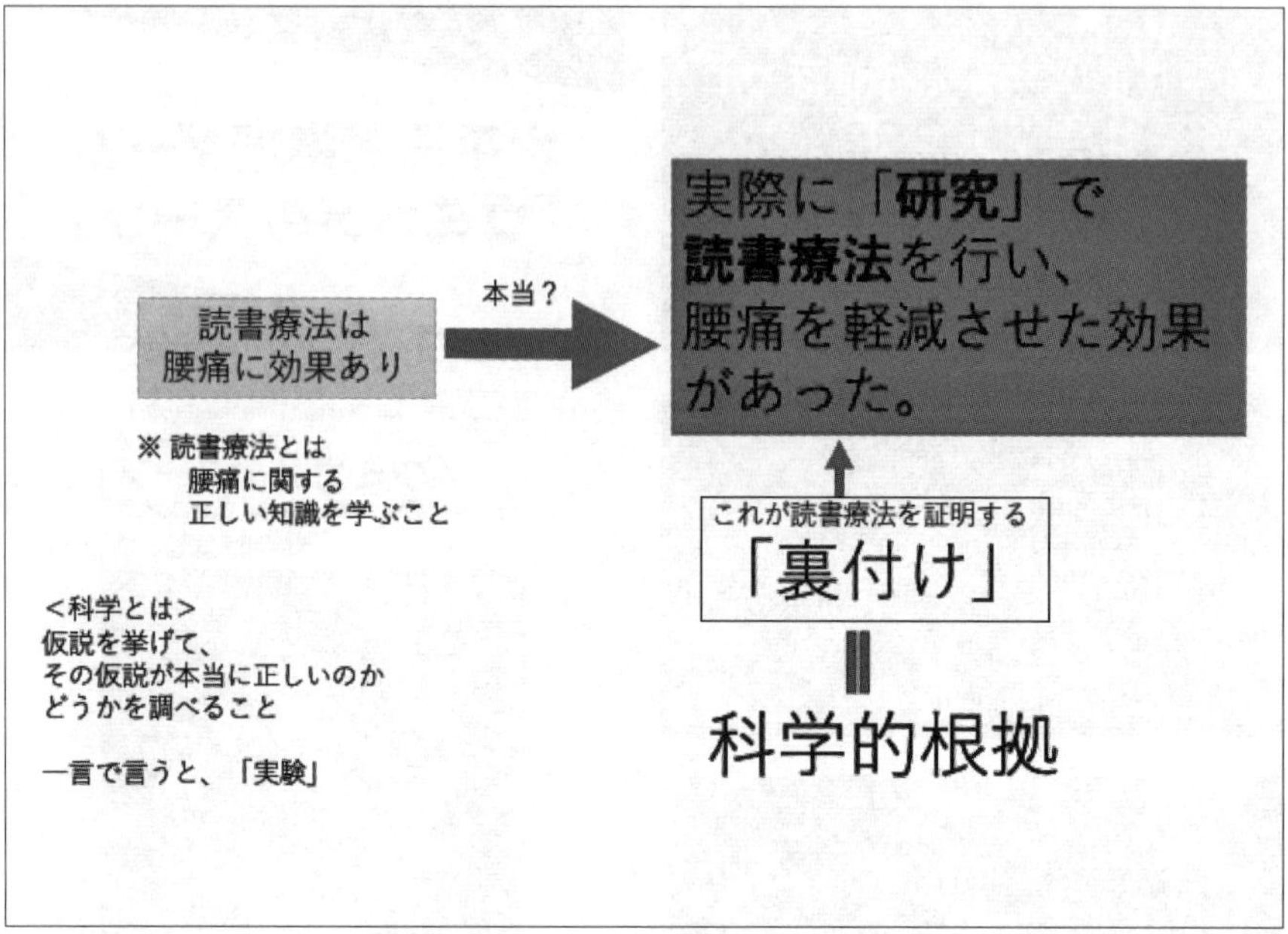
読書療法は
腰痛に効果あり
本当？
実際に「研究」で
読書療法を行い、
腰痛を軽減させた効果
があった。
※ 読書療法とは
腰痛に関する
正しい知識を学ぶこと
これが読書療法を証明する
「裏付け」
＜科学とは＞
仮説を挙げて、
その仮説が本当に正しいのか
どうかを調べること
一言で言うと、「実験」
科学的根拠

り考えずになんとなく言葉を発するのではなく、道筋を立てて考えて発言をする。あとで回答が異なるとわかったら、「根拠」が新しい答えを示しているのであれば、考えを軌道修正する。

また現実世界でも、その場その場でリアクションするのではなく、「根拠」を持って予測をする。自分に起きていないから他人にも起きない、というミクロ目線ではなく、「根拠」を持ってこういう理由で起きる可能性が自分にはなくとも他人にはある、というマクロ目線が必要。こういう人が増えれば、洗脳ツールであるマスメディアを束ねる支配層にとってはかなり脅威なはずです。なぜならニュースの見出しに「根拠」もなく反応することがないから。

さらに、日本語にはいわゆるアルファベットが3種類あり、敬語の種類も複数あるからか、日本人は感受性が大変豊かな代わりに「わびさび」だったり「言い方」だったりにすごく執着している印象があります。人口がそれなりに多いわりに、それほどたくさんの日本人が世界で活躍できていない理由もここにあるのかな、というのが個人的な印象です。つまり「根拠」や「論理」がしっかりしていない人は世界ではあまり通用しない、ということ。

「言い方」を気にしすぎではと言うと、「わびさび」などを大切に思う方に誤解されがちですが、Facebookのグループルールにも明確に示しているように、（グループ内で）誹謗中傷を容認しているわけではありません。厳しく対応しています。ちなみに誹謗中傷の一番いけないこと＝それは（言っていることの）根拠がない、または薄いことです。

見本　「お前は○○人だからクズだ！」

言い方は手段であり、目的ではありません。目的は、知識を得る↓真実を知る、です。わざわざ言い方のレベルを落とす／酷い言い方にする必要はないですし、それこそ意味のないことですが、受け手がそこ（言い方）に固執してしまうのも非生産的ではあります。まず大切なのは、言い方よりも根拠のあることを言っているかどうかということ。言い方の優先順位はその次です。この辺のことがわからない人は、特にフラットアースに気づいた人ならば、宝の持ち腐れと言わざるを得ません。

想像できますか？　学会で誰かが、根拠のしっかりした大変画期的なことを熱弁して、「あっ、でも言い方があんまり良くないので採用しません」と返す学者たちを？

フラットアースジャパンは、こういう学会で語られない、もっと確信に迫ったことを語り合う場であり、その辺の学者でもやらないようなことをしてほしくないところです。一種の日本人特有の「出る杭《くい》は打たれる」とも感じてしまいます。出る杭は打つは、本質的には全体主義以外の何ものでもないです。多数決が正義、みたいな。

また、断定的な表現について。こちらはマクロとミクロの混同が起きがち。「断定」は本来絶対的な価値観ではないです。言っていること次第であるということ。

見本　「私の名前は間違いなくレックスである」

これに対して「断定するな！」と言いますか？　言いません。なぜなら、私自身がレックスであるという明確な根拠がたくさんあるからです。つまり根拠

ないということ。

なことについては、断定的な言い方をしても何も悪く

がたくさんあり、真実たりうる可能性が99％あるよう

見本

「あの森にはユニコーンが間違いなく住んでいる」

反対に、根拠のないこと／一見ないように見えることを断定的に言うのが問題であることがわかる文章ですね。これを断定的に言うならば、聞いた人は「根拠は？」となるのは当然だし、提示できないのであれば「じゃあ断定的に言わないでね」となります。

またこれで勘違いされるのが、「もう何かを指摘されそうで怖くてコメントできない」と思われること。そんなことはなく、根拠さえあれば良いのですから、誰でもコメントも投稿もできます。投稿する前に少し考えようね、ということを言っているだけです。誰でもできますよ。フラットアーサーならなおさら。

根拠と敬意があれば、反対意見や批判的思考による意見はむしろ視野が広がって学びになるということであり、人間はこれまでずっと弁証法という反対の意見の人とあえて議論する方法で学問や科学の成長や発見をしてまいりました。そういうことができるアカデミックなグループをずっと目指してきました。わからないことがあれば、まずは「フラットアースジャパン」のグループ検索などで調べて、そしてそれでもわからなければ聞く。シンプルにそうしてください。

根拠や論理、マクロ視点についても、グループ検索でいろいろとキーワード検索してみてください。過去投稿も参考になるかと思います。

純粋に、論理的に、フラットアースをこれからも追究してみませんか？

第2章

深層心理と洗脳とゲマトリア

読者の中にはもうお気づきの方も多いとは思いますが、私たちはとにかく朝起きてから夜寝るまで、支配層の洗脳の数々にさらされながら生きています。フッ素の入った歯磨き粉や水、テレビやインターネットのニュースやエンタメコンテンツ、小説や漫画、映画、電車の中吊り広告、空から撒かれるケムトレイルに含まれているアルミニウムやバリウムなどの重金属、ワクチンをはじめとする西洋医学の毒、学校の教科書、歴史の嘘、無神論、テクノロジーは素晴らしいという煽動による自由と便利さの引き換えなど、書き出したらキリがありません。心理的に私たちをコントロールするということが、支配層の唯一の武器であると言っても過言ではありません。

家畜に「マスクをつけろ！」と言えば大多数が問答無用にマスクをつけてしまう世の中だからこそ、彼らの支配の秩序は保たれ、私たち家畜の世界はいつまでも混沌としていて、そして管理から抜け出せない。まさにフリーメイソンリーのモットーでもある「Order out of chaos（混沌から秩序を生み出す）」である。

実生活で啓蒙しているとひしひしと感じるのが、誰かを1日1時間啓蒙して少し突破口が見えても、その人はその後の睡眠を除く全ての時間において、いろいろな手段で再び洗脳が施されてしまうということ。この普遍的な洗脳はそれだけ厄介であり、啓蒙を頑張ったところでマスクをつけなくなる人がほとんどいないのもこのためである。また、洗脳はかなり前から潜在的に少しずつ時間をかけて行われているため、洗脳された側には気づかれにくい。まさか自分が洗脳されているなんてあり得ない、と普通に思っている。

シルヴェスター・スタローン主演の1993年公開の映画『デモリションマン』を観ていただくとわかりやすいですが、同映画は世界経済フォーラムが主導するコロナウイルス茶番からのグレートリセット後の世界観そのものであり、これほど前からそういったディストピアなデジタル監視世界が計画されていたということを意味しています。

つまり私たちは少なくとも30年前から潜在的にこういった世界観を受け入れるよう調教されてきたということです。支配層の計画はそれだけ用意周到で、それだけ繊細に実施されている。こういった手の込み具合では大多数が洗脳から目を覚ますことなどは基本的に不可能で、この本を手に取ったような奇特な方は、ニッチでクレイジーな陰謀論者として、むしろ煙たがれる存在になる縮図なのだろう、今も昔も。

支配層が仕掛ける心理戦を理解することは、身内や友人の洗脳解放に直につながる可能性を秘めており、多少の妥協はありながらも支配層のかなり思い通りにことが進む、という歴史の常をひっくり返すには不可欠な要素であると考えております。ぜひこちらの読後に家族や友人の啓蒙に引き続き勤しんでいただけたら幸いです。

洗脳されている27の兆候

全部個人的な経験で語っています。皆様もご自身が感じた「あ、この人洗脳されている」という瞬間をいろいろと思い起こしてみてください。私の考える27の洗脳兆候は以下になりますのでご参考にしてください。

①　明確な答えや根拠があるトピックにもかかわらず、あなたの意見に対して条件反射的に「いやいや」「違う」「そうじゃなくて」などと即座に返してくる。

②　こっちが確固たるデータを提示してもスルー（これはコロナ脳に多いですね）。

③　ネットなどで私たちの意見にうまく言い返せない場合には、ただただ無視する、または雲隠れ、あるいは言い返せないコメントに「笑」マークをつけて逃げる。論理的な議論をそもそもさせてくれない。

④　ソースが基本的にマスメディアや偉そうな名前の機関。彼らが嘘をつくという概念が基本的に欠如している。

⑤　フラットアースを馬鹿にしてくるが、「では球体説の証拠は？」と聞くと、「いや調べてないからわからない」などと返してくる。

⑥　観ているわけでもないのに、よくテレビがつけっぱなしである。

⑦　今の自分の洗脳にマッチした、聞こえの良い情報を提供してくれる記事には瞬足で飛びつく。

⑧　基本感情論である。またはただの論理破綻。そして自分のその状態に気づいていない。

⑨水平線が「気のせいか曲がって見える」らしい。
⑩陰謀論でも何でもないものを、自分の洗脳（多くの場合マスメディア情報）と違う情報であれば「陰謀論」と一括りにする。
⑪そもそも論としてビッグバン、進化論、球体説、西洋医学を絶対的事実として信じ切っている。
⑫中絶や戦争の「殺人」に限ってはなぜか正当化している。
⑬一般的な話題において、正式なストーリー／洗脳されて信じ切っている事実と異なることを唱えればなぜか個人的に受け取られ、そして縁を切られる。
⑭結論ありきで語っており、全てはそこにたどり着くための辻褄合わせである。
⑮政治傾倒がある。投票や与党が世の中を変えると信じている。一種のストックホルム症候群であることに気づいていない。
⑯生活のためだから仕方がないとは言わず、仕事のためだから仕方がないと言っている。生活のための仕事であるはずなのに、仕事をすること

政府は国民が従順で物事をあまり考えない羊であってほしい！

コロナ脳も多い！

が主目的になっており、奴隷根性丸出しである。

⑰世の役に立つ仕事（介護士、保育士、農家、トラックの運転手等）は馬鹿にして、本当はこの世界にとって必要のない仕事に憧れる。**収入が多い＝正義**だと思っている。

⑱球体説クルセーダーのアインシュタインが適当に言っていた、現実世界での次元の存在とそれに関連した様々な怪しい根拠なき情報を信じている。

⑲「消去法で論理的に確かにそれが正しいね」とはならず、そんなに多くの人が嘘をつき通せるはずがないという感情ベースの思考で止まる。支配層と家畜が同じ性善説だと思っているのでしょうし、多くの人は嘘に加担していることにすら気づかないで行動をしてしまっている複雑な人間社会の模様に気づいていない。大企業の平社員が社長の思惑など知るよしもないのと同じ。

⑳『1984』を読んでも、現実世界に全く当てはめることができず、ただのSF小説という感想で終わる。

㉑日光を浴びたり、体に良いものを食べたり、運動をすることよりも、薬で治療する方が大切だと思っている。

㉒「違法である」というだけで大麻やキノコなどの自然植物に関して相当な偏見を持っている。

㉓基本的にきちんと物事を調べようとしない。情報を一方的に受け取ることだけを美徳とし、その情報をベースに自分なりの思考と考察による広がりを作り出せない。

㉔税金という制度そのものよりも、まずは増税といった身近な話題などについて考えてしまう。

㉕自然が身近にありスペースに余裕のある場所より、三畳一間でも良いから大都会に住みたい！と都会にすがりついている。

㉖貧乏人は努力が足りないから貧乏である、という教科書通りの資本主義を本気で信じている。あらゆる環境的要素を考慮していない。自分が貧乏じゃないから、という基準で物事を考えている。

㉗働かざる者は食うべからずだと本気で思っている。

また、おまけとして「根拠なき自信やプライド」というのもあるかなと。ただし洗脳されていなくてもそういうところは誰にでもあるかもしれないので含めませんでした。

ぜひ皆様のご家族、友人を洗脳から目覚めさせる際の参考にしていただけたらと思います。

魔法ほど地味なものはない

『ハリー・ポッター』（に限らずエンタメコンテンツ全般の話ではありますが）の魔法は見た目も効果も派手だ。光のビームや稲妻が出て、相手を木《こ》っ端《ぱ》微塵《みじん》にしたり、カエルに変身させたりする。エンタメの大きな役割の一つが、世の中がわかりやすくシンプルな**正義のヒーロー**と**悪の権力者**や**魔物**の**善悪二元論**でできているという**バイナリー**な印象づけ（支配層が真実とは真逆の嘘をつく法則。実際の世の中は非常に複雑怪奇で全てがグレー）であるならば、もう一つの大きな役割は、魔法や魔術というものが軍隊のミサイルのようにわかりやすいものであるという印象づけである。

現実世界では魔法や魔術（ようは洗脳や暗示）ほど地味なものはありません。なのでこの派手なものであるという印象づけは、白黒チェッカーボード大好きな支配層らしい対局のバイナリー洗脳であるといえます。

この世界は数字、文字、シンボルで表現される「物理」でできています。いわゆる錬金術やゲマトリア（ゲメトリアと表記される場合もある）なども物理と同様に数字、文字、シンボルでできあがっています。錬金術が数字、文字、シンボルで表現される「物質の法則」であるならば、ゲマトリアは「精神の法則」のような位置づけです。

錬金術については今回割愛しますが、ゲマトリアについてはカラクリを説明すると、数字を文字に変換して単語に特定の数字を割り当ててシンボルのような役割を与えています。文字の合計が同じ数字になる単語は、私たちの脳内で潜在的にお互いを連想させる潜在意識レベルでの洗脳であり、洗脳を受けている方の人間（私たち大衆）が表面的にその洗脳に気づくことは基本的にありません。特に英語のアルファベットは、ゲマトリアのために作られた言語といっても過言ではなく、英語圏は特にゲマトリアで洗脳しやすいと言え

光のビームは派手でわかりやすい魔法だ

魔法の杖や呪文を唱える魔術などが盛りだくさん

ます（ちなみに神を意味するＧｏｄという単語の文字の合計は26である。アルファベットの合計数と同じ）。

「洗脳」という行為自体は、繊細かつ地味に常に受け手の意識スレスレのところを狙って行われています。そして日常生活のちょっとした決断の中に常に洗脳との闘いがあります。

例えば、「ここでマスクをしようかなぁ、しないでおこうかなぁ」という「マスクをするタイミング」なども洗脳による潜在的な「暗示」を払拭《ふっしょく》できるか屈《くっ》してしまうのか（＝魔法が効いてしまうのか）というくらいの微々たる変化が本来の魔術／魔法の効果であり、アブラカタブラでビームが飛び出てドカンというものとはほど遠いということ。

例えばそれなりに知られている情報発信者みんながみんな、

支配層「うへへへへ。大衆を騙してくれたらお金をガッポガッポあげるぜぇ。うへへへ」

発信者「うへへへ。ありがたや、ありがたや。ちょうど可愛い姉ちゃんとフェラーリがほしかったところでやんす。うへへへ」

というやり取りをしているわけではないということ。

実際は支配層がそんなあからさまなことをする必要はなく、ちょっとした虚栄心や自己満足、支配欲、物質欲、性欲、知的承認欲求をくすぐってあげれば「あ

シンボルによる暗示や印象づけなど、潜在意識レベルで洗脳を仕掛けられている

ちら側に落ちる」とまでは言わなくても、支配層の安全牌の箱の中に留まってくれる情報発信者が実に多い。みんな結局はお金がほしいであったり、注目されたいであったりという動機で真相論を発信しているだけである、ということ。物質的なものを大切にする洗脳（＝魔法）が完了しているということ。

ハリウッド俳優も主演をはれるんだからと目を瞑《つむ》っているだけの人も多数でしょう。間接的に支配層の思惑に加担しているその辺のサラリーマンと本質的にはあまり変わりありません。なんとなく「別にいいじゃないか、自己実現だ！」「お金が入るんだ！」「人気が出るんだ！」という暗示により、結果工作員と変わらないことをしてしまっている人が、先ほどの「うへへ」タイプの確信的工作員よりもだいぶ多いのが現状です。その結果、本人に悪気はなく、そういった微妙な心の変わりようで判断しないといけないため、日頃から支配層の思惑を見破るのは難度が高くなってしまっているのです。ある意味「魔が差して」信号が赤だから渡るか渡らないかと同じような小さな判断の違いがその人のことを決めてしまうため、観察していてもなかなか気づくことができません（ちなみに人と車がいなければ渡る方が一番良い行動でしょう。赤信号の「同調圧力」に負けていない証拠です＝支配層に屈していない）。

どうか私たちは常にこうした「暗示」という心理的な武器を常に仕掛けられながら生活を送っていると自覚していただけたらなと思います。非常に知的であり、高度であり、緻密《ちみつ》である。支配層とはそういう戦略を仕掛けてくる人たちなのです。これからもさらに気を引き締めていかなければいけないですね。

洗脳における潜在的な「同意」の重要性

「マジックは、意識に変化をもたらし〝意見の誘導〟を誘発させる科学であり芸術でもある」

アレイスター・クロウリー

私たちを創造した何かが私たちに与えてくれた「自由意志」。自由意志からは選択を誤った時の苦しみもあります。支配層もこの自由意志をとても重要に考えている節があり、何かを仕掛ける時には私たちの同意を得ることを重要視しています。コロナワクチンの接種が良い見本ですね。

支配層のやっていることは、何かを仕掛けては、私たちが自由意志でどのように反応するかを見ています。彼らが自分たちの計画の「本来ならば不都合な真実であるはずの」情報を私たちに事前に示しているのは一種の契約項目の開示のような感覚です。支配層の感覚では、私たちが潜在的に**契約合意＝服従を誓っている**状態にすることで、共犯のような心理状態に仕立てて、ある意味彼らのせいではなく、「契約したお前らが悪い」と責任を私たちに押しつけているとも言えます。

ゲマトリアを通して数字と単語を連想をさせることで、Coronavirus（コロナウイルス）とAnthony Fauci（アンソニー・ファウチ）が同じ数字（＝56）の合計になるなど、常に同じ数字の単語をニュースのスクリプトで繰り返しキャスターが言うことで、潜在意識レベルでテレビを観ている人にどんどん洗脳を施していきます。多くの人間がテレビに洗脳されて、ただの「羊」と成り下がっている現状を見ると、暗示は思いのほか強烈な「マジック」であると言えますね。

母国イギリスをはじめ、各国の政界やエンタメ界からも絶大な信頼を寄せられていた暗示のエキスパートで大魔術師、アレイスター・クロウリーが暗示による洗脳についていろいろと説明していますので、良かったら彼の本を手に取ってみてください。

映画やニュース、アニメ（特に予測プログラミングの代表格である『ザ・シンプソンズ』）などで取り入れられている予測プログラミングは、観る人の潜在意識に事実を受け入れやすくする洗脳でもある**「同意」**の暗示をかけています。予測プログラミングによる「心の準備」をさせて、同意にもっていくという状態を作っていきます。そのような「心の契約」を締結し

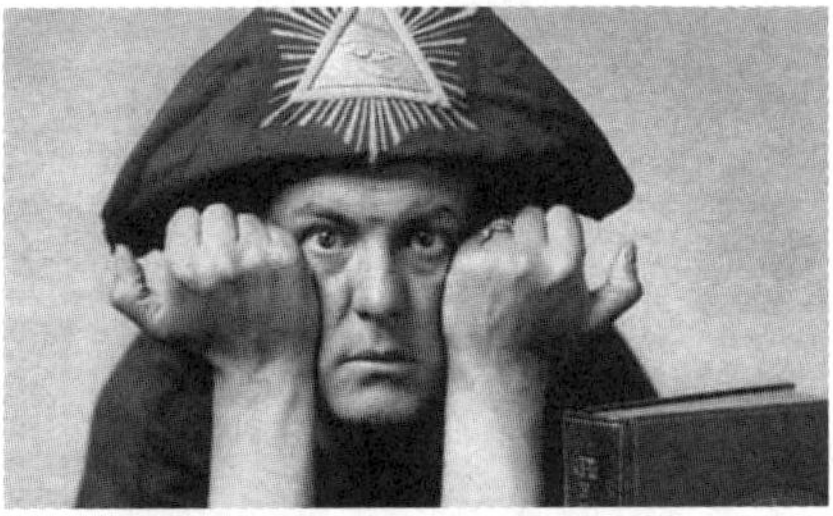

大魔術師アレイスター・クロウリー

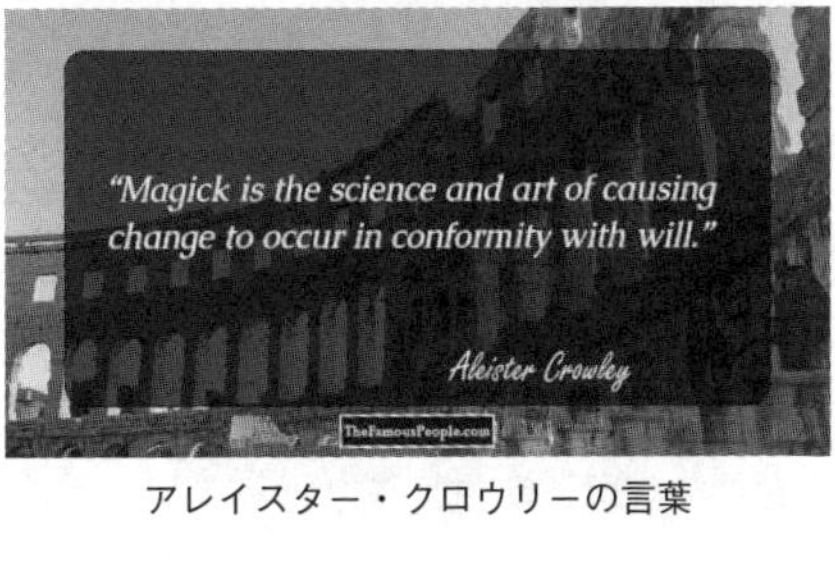

"Magick is the science and art of causing change to occur in conformity with will."
Aleister Crowley
TheFamousPeople.com

アレイスター・クロウリーの言葉

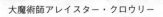

てから私たちがどのような反応するかも魔術師たちは熟知しています。私たちは「暗示」により「契約をしちゃったからなぁ」と心が潜在的に折れます。この心が折れた状態になると、人間は行動をしなくなります。行動をしなくなるとどうなるか。潜在的に契約を結ぶ↓契約だからとそれに反する行動を取らなくなる。こういう状態の「暗示」をかけられているということ＝支配層の理想の状態にさせられているということです。

だからこそ支配層は一生懸命そして正々堂々と「本来は不都合な」ヒントをあちらこちらで与えてくれます。NASAやスペースXがポカミスだらけなのも（ポカミスをそのまま放送までしていることが不自然。最低でも編集で気づくはず……）、コロナウイルスやワクチン、PCR検査が矛盾だらけなのも、逆に羊たちの「契約により後戻りできない」という潜在的な「暗示」をより強くしているということです。羊たちは、潜在的にコロナウイルスに関するマスコミ情報がインチキだと理解しています。ただし潜在意識での話であるため、表面的には「政府が悪だと怖い」という臆病さが故に**認めない＝恐怖に支配されている**からこそ逆に洗脳が解けない。ある意味（契約により）共犯者みたいな気分にさせられることで、何も行動しなくなるよう仕向けられているということです。

日常生活では、誰もが何らかのことに対して「契約だからしょうがないか」という状態を経験したことがあるかと思います。これのさらに潜在意識に働きかけるバージョンとして、羊たちは、例えばワクチン接種に（潜在的に）合意をして、「契約は神聖なものである」という認識のもと（潜在的にあるが故に）認知的不協和を起こし、喜んでワクチンを接種するだけでなく、「ワクチンというありがたい神からの贈り物」をワクチン非接種者に強要しようとするまでに心理状態がおかしくなる。洗脳された羊はそういう屁理屈での行動を始めます。

日頃の生活からこの下地はあらゆるところで固められていて、車を運転するにも免許証という契約を結ばないといけなかったり、道路交通法に従わなかった場合には罰金や懲役が科せられたりといった「契約」が至るところで導入されています。この辺は本書382ページに掲載しているコモンローに関する記述を読むともう少しわかりやすいかもしれません。

また、これはコモンロー採用国以外にも当てはまることですが、子供を産んで役所に届ける行為も一種の契約にあたり、私たちは自分（または妻）が産み落とした未成年の子供の保護者であっても、厳密には彼らの所有者ではありません。最終的な所有者はあくまでも国であり、政府です。出生届とはそういう契約なのです。だからこそ「この親はこの子供に危険だ」と思えば、国は子供を簡単に取り上げる権利があります。各国のプランデミックに関連した新たに制定された緊急法では、場合によっては簡単に親から子供の取り上げができるようになっています。「お前はウイルスに感染しているから、ワクチンを接種していないから、このままでは虐待になってしまう。そうならないように子供を隔離する」という強行手段が可能です。最悪、感染の疑いがあるだけで子供と一緒にいることが虐待と認定され、子供と隔離されてしまうということが起きてくるでしょう。

現在のところ国が親から子供を取り上げてこない理由は、これがせっかく築き上げてきた政府性善説を基盤としたマクロ的な「暗示」が解けてしまうくらいの嫌悪感を抱かせる行為であるからに他ならない。そのうちメディアを使って羊たちにさらに強い「暗示」をかけるか、さらなる混乱期にひっそりと実践するかはわかりませんのでご注意ください。

洗脳とは、基本的に潜在意識に働きかけるような小さな「暗示」を連続的かつ普遍的に仕掛けてやっと効果が期待できるものであり、「気づいている」家畜が真相を訴え続ければ、中には「暗示」が解ける人が必ずいるということが言えます。だからこそ具体的な行動でまだまだ啓蒙を頑張っていく必要があるのではないでしょうか。

次はこの「潜在的な暗示」という洗練された超高度な「魔術」テクニックを利用した、俗っぽく、実は物質的で似非科学満載のニューエイジスピリチュアル系というミスリードのコンテンツについてご紹介したいと思います。

スピリチュアル系というフリーメイソンリー

いわゆるニューエイジのスピリチュアル系の発祥は、神智学のヘレナ・ブラヴァツキーと言えるでしょう。ヒカルランドから書籍が何冊か出版されているイギリ

ヘレナ・ブラヴァツキー

ス人陰謀論者のデイビッド・アイクもその傾倒がみられる人物である。神智学は、世の中の不思議な超自然現象を解明する目的で登場したムーブメントになります。プラセボ療法で病気を治す、などの概念もこの時研究されたようです。

このニューエイジの概念を一躍メインストリームに持ってきたのがナポレオン・ヒルというアメリカ人男性。この辺りからどんどん何でもありの多彩な方向性が生み出されました。

このナポレオン・ヒルがどんな人物か見ていくと、身も蓋もない言い方をすればただの詐欺師である。

彼はAutomobile College of Washingtonという「大学」を立ち上げ、生徒たちに車の製造方法を教えていましたが、実は裏で製造された車を売り払って莫大な利益を手に入れていたことが後にバレます。なんとか難を逃れたヒルは、すぐさま１９０７年にアラバマ州で The Acree-Hill Lumber Company という会社を立ち上げます。この会社は1年後に潰れ、ヒルはこの会社で行った詐欺行為の数々により起訴されました。ちなみにヒルはこんな事件や茶番をたびたび起こしています。俺は大統領のアドバイザーだなんて吹聴もしていたようです。まさにフリーメイソンリーでは正義として捉えられている「人を騙してでも自己実現」という理念にぴったりの利己主義でないと、とても取れないような行動の数々です。ナポレオン・ヒルについては叩けば叩くほど埃《ほこり》が出ます。ぜひご自身でもいろいろと調べてみてください。

次に日本でも一時期大流行した「**引き寄せの法則**」を世の中に一番広めた立役者、ジェリー&エスター・ヒックス夫妻に着目してみましょう。この夫婦は、似たような内容の書籍を9冊も出版しています。

エスター・ヒックス

エスターは過激な発言でも知られてい

て、参考動画（132ページ）の中で本人が直接言っているものもあります。

◇自分はアブラハムの神が宿る霊媒師である
◇通名もアブラハム・ヒックスに改名
◇強盗にあった人間は、その人間の思考に責任がある
◇5歳で餓死した貧困の子供は、その子供が一番の原因（思考が足りない）

人格的に破綻していることがわかります。

また病気はその人のせいと言いながらも夫のジェリーが癌で亡くなっています。「引き寄せの法則」の師匠的立場でありながらも、自分自身はポジティブを全然引き寄せられていないという結果です。ちなみに、この夫のジェリーはアムウェイの元トップマーケターでした。自分で独立した方が儲《もう》かると思って新たなピラミッドスキーム感覚で始めた可能性が高いですね。

参考動画の中には、「引き寄せの法則」を謳《うた》う多くの「先生」方が多数登場します。ぜひご覧になってみてください。賢明な皆様なら共通したものがたくさん見えるかと思います。


そもそも「引き寄せの法則（Law of attraction）」は、フリーメイソンリーの信仰にかなり類似しています。自己愛を大切にする（自分の物質的豊かさ／肉体的豊かさを追求することが正義であり、そのために大衆に嘘をつくのも正義である）という教義にそっくりである。平和ボケしてしまった羊が聞いて共感できるような聞こえは良いが中身がほとんどないコンテンツであり、案の定、聞こえが良いが故に、世界中で「引き寄せの法則」にある程度のフォロワーがつきました。

深掘りしていくと「引き寄せの法則」で主張されている量子力学的な観点での「思考の物質化」という主張／概念はただの「進化論の助長」に他なりません。量子力学は、「我々がビッグバンを経て偶然と拡散エントロピーによりなんとなく偶然できた三次元の物質的な存在に他ならない」という進化論の主張を後押ししています。この世界が、何かによって意図的に創造されたものであると気づいているフラットアーサーなら、なおさら考察してほしいところでもあります。

ポジティブシンキングなんていう概念も、病気をプラセボで治す、何かをできると本気で思えば少し実力

が上がる、のような「自己暗示」を示すことはあっても、思考の三次元物質化という飛躍の間には論理のブラックホールがたくさんあります。ポジティブに考え、自分に暗示をかけることでのストレス軽減は全て自分の意識の内側で心理的に行う行為であり、「言霊《ことだま》」だの「引き寄せ」といった（根拠ゼロの）ビームのように体内から出ていく外的物質になぜか置き換えるのは、特に球体説を払拭できたフラットアーサーなら、なおさら取るべき思考プロセスでないということです。

そんなことができるならば「世界中の人と同時にテレパシーができるよ」と言っているようなものです。根拠なき論理破綻であり、現実世界で一度たりとも再現されていない絵空事です。「物が下に落ちるのは重力という（中心に引き付ける）魔法の力のおかげさ」と主張するのと変わりありません。むしろまだ物が下に落ちるという目に見える現象について説明している重力の方が幾分かまともなくらいです。

そもそもマクロ的に考えると、環境的要因が強すぎて、個人個人では自分たちの現状をどうしようもできない場合がほとんどである。こういった要因が圧倒的であり、思考が足りないから、というのはとても表面的な意見で薄っぺらな思考回路である。ある程度適当にやっても人生なんとかなってきた人の個人的な印象でしかありません。そういう人は、自分の思考のおかげという自分の手柄みたいに考えるのではなく、支えてくれた周りの人々や自分の環境や持っている運に謙虚に感謝しましょう。

日本だと創価学会の「祈れば願いが叶う」もそうですが、こういった聞こえの良いものは、か弱き羊人間たちの間で人気が出る鉄板コンテンツなのかもしれません。スピリチュアル系が日本で本格的に流行り出したのは3・11の後と言われていますし、不安が強くなると、論理的に物事が考えられなくなるという私たちの性質を支配層は利用しているのでしょう。

また危険なのは、自分が潜在的にスピリチュアル系に傾倒していることに気づいてもいない人が結構多いということ。良いことを言われたり、ポジティブな未来を想像するとドーパミンが体内で作られて気持ちが良いですし、だからこそポジティブな思考に傾倒してしまいがち。お酒とドラッグ同様、依存性が高いが故にドーパミンが出るニューエイジのコンテンツにハマる人が多く、その後は寛解はしても完治しない人が多いため、一度ハマると生涯無力化されたようなものです。表面的には好意的が故に、羊がカルト宗教にいつのまにかハマってしまう心理にも似ています。そういう意味では、ニューエイジは嫌悪感を抱かれやすい宗教色を取っ払ったカルト宗教であると言えるでしょう。

　支配層は心理学的に**正常性バイアス**という現象を利用しています。「ポジティブ思考＝裏を返せば自分にはネガティブなことはなぜか起きないと思いたい」という「臭いものに蓋」をする思考の性質のことを指しています（ギャンブルにハマる人はこの傾向がありますね）。

＊正常性バイアス
https://ja.m.wikipedia.org/wiki/ 正常性バイアス

　スピリチュアルとは、ヨガしかり、本来（古代宗教の時代から）己の内側にあるものの追究であり禁欲を美徳としています。肉体の外側に存在するものを外から体内に「引き寄せる」ことは、そもそもこの概念に逆行しています。

　スピリチュアル系は人々のコンプレックスをうまく突いているコンテンツであり、知っていることによる優越感やアインシュタインの疑似科学のように、わざと難解で理解されづらいことをたくさん並べて、聞き手にわからないことが恥ずかしいからわかったふりをするように仕向けているようにも見えます。

支配層によるニューエイジ普及の目的は？

人間とＡＩの境界線が極限なまでに曖昧なＶＲ世界を作ること、と言ったらわかりやすいでしょうか？

　支配層は、「思考の現実化」という存在しない未来へ期待を抱かせ「きっと大丈夫だよ。なんとかなるさ」という根拠のない具体的な期待を持たせ、具体的な行動を起こさないようにして**現実世界で無力化させる**。このような無力化コンテンツが日本で蔓延っているようでは、東京

自己暗示により現実世界と仮想世界が曖昧になっていく…

で50~100万人のデモは、ロンドンのようには起こせないでしょう。

これらは一見良いコンテンツに見えることから、実に繊細で実に頭が良い支配層の戦略であると言えます。羊を知り尽くした「支配するために生まれた」IQが恐ろしく高い支配層ならではの高度な戦略です。聞こえが良く、インテリ心をくすぐる「適度に難しそうな単語や理念」の必勝パターンで羊たちは気づかずにどんどん騙されていく。

＊参考動画：『The Dark World of New Age Gurus: Documentary（ニューエイジ・グルの暗黒世界：ドキュメンタリー）』
https://www.youtube.com/watch?v=yyktccr5apU

＊こちらでも詳しく解説
『The Law Of Attraction: Fact Or Fiction?（引き寄せの法則：事実か虚構か？）』
https://youtu.be/OHz4slbIRyE

自己啓発については以下の動画。自己啓発セミナーというものは「名刺を作っただけなのに、受注を勝ち取った」みたいな気分にさせる聞こえの良いニューエイジと同じ系統のコンテンツ。

＊『The Toxic World of Self Help: Hustle Culture, Toxic Positivity, Addiction, and Fake Gurus.（セルフヘルプの有害な世界。ハッスルカルチャー、有毒なポジティブさ、依存症、そして偽のグル。）』
https://youtu.be/dmLTLkCBSN8

神智学のロゴについて。自分で自分の尻尾を食べる愚の蛇、ウロボロスが永遠に北斗七星の下から抜け出せない模様を皮肉ったロゴになります。**十字架＝魂**が六芒星の支配から逃げられず、地上／大地に閉じ込められている模様を表現しているのでしょう。

神智学のロゴ

日本の陰謀論者に蔓延《はびこ》る「ニューエイジ思想」

ロック音楽から漫画まで、多くのコンテンツの中にニューエイジ思想は入り込んでおり、私たちは子供の頃から影響／洗脳を受けていいます。日本ではなおさらこの傾向は強く、いわゆる陰謀論者の世界にまでニューエイジの影響力は浸透しきっています。

今回紹介するものは少し極端な例になります。実際は以下の例よりは弱めに、このような傾向が出ている人がほとんどだということをご理解の上お読みください。

神智学 ↓ アインシュタインの神秘科学
↓ NASA／ニューエイジ

という思想の流れがあります。

支配層は**快楽主義**、**物質主義**による大衆の思考の退廃を促しました。家畜はあまり何も考えない方がコントロールしやすいから、が主な理由になります。

退廃ぶりは1960年代のヒッピーが一番わかりやすい。ヒッピームーブメントは、**酒**、**ドラッグ**、**セックス**、**働かない**といったコンテンツは「カッコいい」ものという刷り込みを行いました。またビートルズを筆頭とする、タビストック研究所主導の1960年代ロック音楽ムーブメントも、ヒッピーほどわかりやすくはないけれども、ニューエイジ思想を根付かせる目的で普及されました（ビートルズも途中からヒッピーになっていましたね、インドのドラッグ大好きなグルに傾倒したり……）。

ニューエイジでは「自己実現」をはじめ「自身の幸福の追求」行為を通して、体内でドーパミンを出し続けているような状態が理想とされており、そのために以下の要素が重要視されています。

特別感

例えば、「コロナパンデミックの嘘を知っている」という特別感。メインストリームの反対意見が正しいと思うから主張するというよりは、反対意見を唱えるポピュリストになることが目的となってしまっている人が多い。ポピュリストが一部のファンに熱烈に支持され、注目されるためである。ドーパミン出まくりである。

ライブでの一体感と高揚感

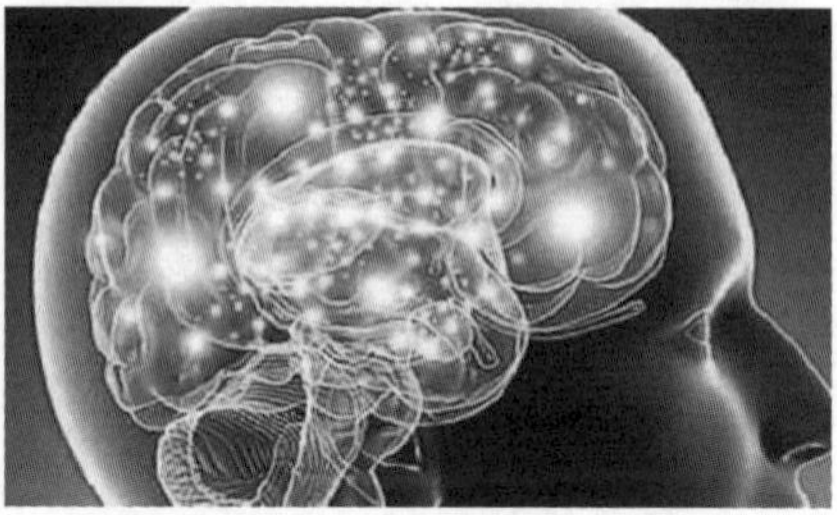

ドーパミンが脳内にあふれる

主流でない対立軸を支持する自分に酔いしれる人も

ビートルズもヒッピーに傾倒

「考えるな！　感じろ！」深刻にあれこれ考えて思い悩むなんてダサい！　という傾向のニューエイジ思想

同意と肯定

一種のポジティブ同調圧力とでも言いましょうか。

彼らは自分の発言に対して同意や肯定をしないならば、発言自体をしてほしくないと思う傾向にあります。肯定されるとドーパミンが出ますが、否定は反対に体内の「波動を下げる」行為のため彼らには好まれない。

一体感と仲間意識

少し前述と被りますが、否定や反対意見、悲観、論理的に考えることは自身の中にある「波動が下がる」要因と捉える傾向にある。否定的な意見は集団の「和を乱す」であったり「ワンネス（一体感）の邪魔」であったりするという発想のため、嫌悪するし、自分たちも他人には決して言わない。

注目されること

多くの人に注目されるほどドーパミンがどんどん体内で作られるため、どんな情報を発信しているかより、注目されること自体が目的となってしまう。これもいわゆるポピュリスト思考ですね。

次にドーパミンとは直接関係ないかもしれないが、以下のことも好む傾向があります。

対立軸がある状態

ポピュリストが故に、メジャーの対立軸にある二番手を応援する傾向にあります。よく光と闇が出てくるのもこういう対立軸を好む心理からでしょう。アメリカで言えば大統領ながらメディアにひたすら叩かれていたトランプ、日本ならば山本太郎、もう少し真相に気づいている層なら平塚正幸あたりに傾倒する人もいるでしょう。また対立軸でいることが自分の存在意義の一つとなっているため、なかなか政治自体がただの茶番だと認めたがらない。政治というコンテンツ自体を捨てきれないところがある人が多い。

人気があること

「人気がある＝注目される（ドーパミンが出る）」だけでなくYouTubeの登録者数が増えるなど、収入を通して物質的豊かさをもたらしてくれます。また、収入が増えたことによる余裕から、やりたいことがよりできる状態、つまり「自己実現」がしやすい状態になるため、多くの情報発信者は「お金のためなんだから仕方がない」と、間違っていると薄々気づいている情報を流している自分を正当化する傾向にあるため、悪質である。この辺の感覚は、「自己実現のためならば大衆を騙しても良い」と考えるフリーメイソンリーにとても似ている。「嘘をついてでも自己実現」という寸法である。

今が何よりも大事

「過去も未来も存在せず、あるのは〝今〟だけだ」という、ある意味現実至上主義であるため、過去にはあまり拘《こだわ》らず、それまでの思想を躊躇《ちゅうちょ》なく変えることがあります。よく言えば柔軟性があります。「すぐに球体説論者→フラットアーサーに変わる」が良い見本。球体説は過去の考えとして簡単に捨てられるという発想。

未来については「まだ実際に起きていないから」という理由で考えることそのものを放棄している節があります。ニューエイジの影響下にある人は「未来予測」の類は基本的にせず「今」にリアクションする生き方を選択。

また、その生き方をカッコいいと捉えている節があり、過去に未練がある人間や未来を心配する人間は彼らからしたらむしろ「今」に集中しておらず、現実逃避をしていると考えます。そういう人は悲観的でダサいみたいな発想にもなる。そして、そんなダサい人の意見も「ダサい」と感じるが故にその人の意見も、意見の真実味にあまり関係なく、ダサいという感覚で決して参考にはしない。

古典的な一神教が苦手

「自分が自分の世界の神様（＝自己シムシティ理論）」という考え方のため、神が自分とは関係のない全知全能の存在であるという信仰が彼らには全く合いません。強いて言えば、彼らに好まれる宗教は、哲学または疑似科学要素の強い宗教。仏教やヒンドゥ、幸福の科学、サイエントロジーなどであり、キリスト教などのアブラハム系の一神教はかなり相性が悪い。

これらの特徴から分析できることは、ニューエイジの影響下にある陰謀論者は、本来の目的（真相を伝える）が別の何かに徐々に変わってしまう傾向にあるということ。人気を出すことが目的になってしまっている節があるため、たとえ低俗なコンテンツでも人気が出るのであれば、上記で述べた要素に当てはまる場合には、正しくない情報の発信を正当化してしまう傾向にあります。

もっと身も蓋もない言い方をすると、いわゆる工作員には何種類かいまして、あちら側に頼まれて知っててやっている「ビジネス／思想工作員」よりも圧倒的に多いのが、悪気はなく「自分が誤誘導していることにも気づかない」、「自分が工作員化していることに気づいてない」情報発信者。本人は悪気がないので、本人も周りもファンも、なかなかニューエイジの罠にハマっていると自覚できない。しかも宗教と違い、ニューエイジはロック音楽から擬似ヨガ（ヨガは本来禁欲。ニューエイジは開欲）まで様々なコンテンツで打ち出されているため、「アイツらはニューエイジだけど、私たちは違う」と本人が傾倒しているコンテンツがニューエイジだとすら気づいていない場合が多々あり、とても厄介です。ここまでくるとＮＡＳＡの球体説信者よりも洗脳解放が難しいかもしれません……。

ハイヤーセルフという誘導コンテンツ

フラットアーサーが反面教師にすべき非論理的な誘導コンテンツについてご紹介いたします。〝ハイヤーセルフ〟という自己啓発セミナーとかで使われる言葉について。

ハイヤーセルフとは？（以下サイトの引用）

ふだん気づくことはありませんが、すべての人の魂にある「高次元の自己」と呼ばれる高次の神聖な存在です。ハイヤーセルフは輪廻転生をしてもあなた自身の魂の成長を見守り、導いてくれる存在です。

ハイヤーセルフに従うことで後悔のない人生を送ることができる。

ハイヤーセルフにつながることで直感やインスピレーションを得やすくなり、その声に従うことで魂が望む人生を形づくることができます。頭で考えた理想とは違うことが多々ありますが、自分らしく後悔のない人生を送ることができるでしょう。

まずこういうタイプの概念にありがちな「何を言ってるかよくわからない」が当てはまります。根拠もなく概念的かつ抽象的な「大きい」言葉が使われている、というのが理由でしょう。その辺はフラットアーサーにはお馴染み（？）の（次元つながりの）アイシュタインの相対性理論のように「難解なことを言って煙に巻き、質問したら馬鹿だと思われるのでとりあえず受け入れてしまう」というインテリコンプレックス的劣等感から発生する心理状態を利用して、ゴリ押しで理解させるという必勝パターンになります。この辺の自己啓発だとかニューエイジだとかの類は、現場レベルではお金儲けで収まりますが、マクロ目線で見た時には、グレートリセット～トランスヒューマニズムの一連の流れにおける、民衆を無力化するために用意されたコンテンツであるとわかります。

俯瞰的な話はここで終わり、ハイヤーセルフについて、端的に言うと、

ハイヤーセルフ＝子供回帰／魂の退廃化／偶像崇拝

まず子供思考に回帰させることは、最も簡単にできる洗脳方法の一つ。

子供思考だと、政府や教祖という擬似親に従順になるから操りやすいのです。親が子供を操りやすいのと同じ感覚です。学校でも論理的思考を教えず、ディベートをやらせないのは従順で操りやすい人間を作りたいためです。つまり支配層は、私たちが何でも彼らを頼ってくるようにしたいのです。

そして〝ハイヤーセルフ〟というもう一人の高次元の存在とは、まさに〝ライナスの毛布〟の大人版である。架空のお友だち。ないと不安。また引用文に「ハイヤーセルフの言うことを聞こう」とあるように、政府という印象の悪い疑似親を「自分が自分に語りかけている」と置き換えさせ、暗示や潜在意識への洗脳をしていても、それは支配層による洗脳ではなく「自分の意思（自由意志）である」と勘違いさせる効果もあります。自分という存在のハイヤーセルフなる分身を「お友だち」として認識させて、いつでも孤独じゃない、と安心させる。少し大袈裟に言えば、ライナスがブランケットをチュパチュパしている状態にさせる、ということです。

ちなみに次元ですが、四次元は時間の歪み、五次元

高次元の自己とつながる??

毛布を肌身離さず持ち歩くライナス

VR世界への予測プログラミング

ハイヤーセルフに出会い従うとは？

はパラレルワールドの話で（どっちにしろインチキだが）、魂だとか死後の世界だとかと本来は関係ありません。スピリチュアルではなぜか「魂＝五次元」という解釈をされることが多い。謎である。おそらくは聞こえの良い言葉をくっつけて、なんとなく難しい単語の羅列で（インテリコンプレックスを巧みに利用して）わかった気にさせて誘導するという手段が取られているのでしょう。フラットアースをわかっている人ならば、宇宙ありきの「次元」ではなく、プラズマやエーテルが世界の本質という発想の人が多いと思うので、引っ掛かりづらいとは思いますが……。ありがとうフラットアース。ありがとう自然科学ですね（笑）。

話を私たちの未来に移すと、政府が2050年までにと発表した「ムーンショット計画」。この計画にハイヤーセルフなるもう一人の自分を考えていきましょう。「もう一人の自分的なアバター」が自分自身に代わり、VR世界や遠隔でのアバターを操ることが当たり前のこととなっていく予定です。つまりハイヤーセルフは「アバター」に対する我々の許容を作り出すための予測プログラミングであるという論理的帰結になります。ハイヤーセルフにハマってドーパミン中毒になっている人は、この洗脳誘導に気づくはずもなく、実世界で無力化していきます。正確には支配層の許範囲内でしか思考できなくなってしまう。例えば「非現実を共感してくれる人とひたすら傷の舐め合いをし、論理的に物事を考えなくなる」などの症状が出始めます。人間は元来ミステリアスなもの、謎めいた難解なものにハマりやすく、ハイヤーセルフにハマるのは、球体説信者の宇宙人や宇宙旅行への執着に似ていると言えるでしょう。

また、表面的にしか文章が読めない人には瞑想を否定していると思われるかもしれないが、そういうことではなく、瞑想するならばもう一人の自分／アバターに語りかけるのではなく、自分という「一つの確固たる個」と対面してほしい、ということを言っています。もう少し宗教的な視点から言えば、ハイヤーセルフはもう一人の自分を「偶像崇拝」させるための罠である、とも言えます。

＊「ライナスの毛布」または「安心毛布」
https://ja.m.wikipedia.org/wiki/安心毛布

建前に弱い羊の性質

歴史を振り返ると、今後起きることとして以下のことが予測できます。

まず気づかないといけないのが、世の中の大部分を占める「羊」たちに「聞こえが良い建前を容易に提供できてしまうようなアジェンダ」については（重度の催眠状態により羊たちがそれをむしろ喜んで受け入れるため）99％の確率で実現されてしまうであろうということ。

例えば、私は2030年までに生き残ったほぼ全ての人間がマイクロチップ（またはそれに準ずる何らかのもの）を体内に入れられるのだろうと考えております。理由は、マイクロチップを入れるための羊たちへの聞こえの良い建前が私でも簡単にいろいろと想像できるから。「モニターを見るだけで健康状態が常にわかって便利ですよ！」「一人暮らしでも心臓発作があったらすぐに救急車が駆けつけますよ！」「お金の受け渡しなくピッと簡単にスーパーで決済ができますよ！」「コントローラーを動かさなくても大好きなテレビゲームがプレイできるようになりますよ！」などなど。羊たちはマイクロチップにより、人生の全てを管理されてしまい、いつのまにか完全な奴隷になっちゃった……なんて微塵も考えません。権力者性善説というストックホルム症候群のような洗脳状態にあるため、そんなことなど考えられないようになってしまっているのです。羊は表面的に聞こえが良く、雰囲気さえ良ければあとは何も考えません。むしろ喜んで受け入れます。

巧みに羊を操るイーロン・マスク

支配層はイーロン・マスクというマスコットを使って、脳にマイクロチップを植え付けるなどという実際は最低極まりないことを、さもカッコいい近未来の当然の姿として紹介しているのももちろん計算通りである。メディアがイーロン・マスクのイメージをポジティブに打ち出しているのは、こういうディストピアンなテクノロジーを大衆に紹介するのにうってつけの人物になってもらうためでもある。今ではビットコインの価格変動もイーロン・マスクのひとことで操作できてしまうまでになりました。

反対に、同じＩＴ業界の重鎮であるビル・ゲイツにはテクノロジーはあまり語らせません。ああいう悪役がお似合いの人間には、もともと一定の反感がどのみち生まれるであろうワクチンを推し進めさせます。ゲイツが今積極的にやっているアメリカでの牧場の買い占めも、個人牧場主の反感を買うのでこれもイメージの良さを維持したいイーロン・マスクではなく、悪役のビル・ゲイツに買わせる。汚れ役をやってもらう。支配層はマスコットを使って、そんなふうに巧妙に役割を分けてアジェンダを「計画から事実」へと現実化していっています。

私の周りでは、マイクロチップやスマートグリッドの脅威を啓蒙しても「ＡＩデジタル管理なんてカッコいいし、便利じゃん！」と返されて困ったことがあるとおっしゃった人も複数いて、やはりなと思いました。

ですから、周りの羊人間を啓蒙される際にはワクチンや牧場買い漁り、種苗法などイメージがそもそもあまり良くないものから優先的に啓蒙した方が理解されやすいのかもしれません。ちなみにフラットアースがなかなか伝わらない理由も、宇宙やロケットがイーロン・マスク的なカッコいいものに仕立て上げられているからに他なりません……。

羊たちのダブルスタンダード

羊はなぜ普段「プロの肩書き」に絶大な信頼感を寄せるのに、政治家のことになるとこの「プロの意見が正しい」という信仰がすっ飛ぶのだろうか。プロであればあるほど正しいのであれば、総理大臣は政治家のトップなのだから、いつでも正しいという理屈になるのでは？

でも現実では……、フラットアースのことを言うと「NASAが写真撮ってるじゃん」、ワクチンのことを言うと「でも医者はワクチンを接種した方がいいと言っている」、5Gのことを言うと「それは陰謀論。docomoの人たちがそんなヤバいものをあちこちに張り巡らせるわけないじゃん」などなど……。

それが政治家の話題になり、総理大臣は国民（大衆）のことなんてこれっぽっちも気にしていないと言うと「そうだ！　そうだ！　あいつは政治家失格だっ！」とまるで政治評論家気取りである。頼むからブレない軸を持ってくれ。これからは羊の中の羊として岸田が総理大臣ってだけで言うこと全て鵜呑みにするか、他の職業にも懐疑的な目線を持ってくれ。

はっきり言ってダブルスタンダードの極みである。

フリーメイソンはなぜ無神論者禁止なのか

以前フリーメイソンのインタビューで聞いたことなのですが、フリーメイソンの入会条件の一つに、何かしらの「宗教／神」を信仰している必要があるのだそうです。これは三つの理由から必要なことではないかなと個人的に推測しております。無神論者ではフリーメイソンになるという行為がそもそも成り立たない要素もあり、だから無神論者はお断りされているのかなと……。

(1) フリーメイソンリーも宗教であるため

フリーメイソンは、「フリーメイソンリーは世界の

フリーメイソン雑誌

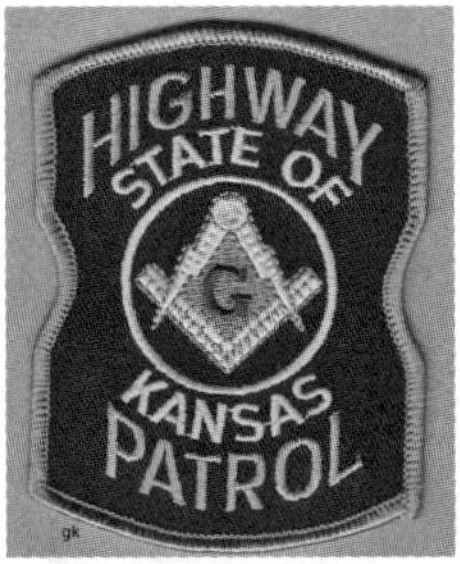

警察の腕章にもシンボル

真相を追究している組織だ」とインタビューでは言いたそうでしたが、フリーメイソンリー自体は**ルシファー**という「光の神」なるものを崇拝する宗教であるため、全ては偶然生まれたという「ビッグバンと進化論」をある意味信仰している無神論者とは根本的に考え方が異なります。宇宙と球体説を推し進めている歴史上の人物が、基本的に皆フリーメイソンだったことを鑑みると大変皮肉である。全ては偶然論というナンセンスを信じ切っているような人間がフリーメイソンになってはならない、と選別をしているのかもしれません。

(2) その他の宗教に入り込んで隠密をやってもらうため

フリーメイソンは、もともと信仰していた宗教に籍を残しつつ、その宗教に所属している見込みのある人間を巧妙にスカウトしたり、フリーメイソンリー的な思想を気づかれない程度に徐々に植え付けたり、その宗教の動向を把握し報告するなどの使命を受けることがあるそうです。宗教だけでなく警察やメディアなどもそうですが、大きな組織にはフリーメイソンが入り込んでいる可能性が高く、油断ならないということです。

(3) フリーメイソンの真実がそもそも創造論ベースであるため

フリーメイソンリーの主な信条には「ブラザーフッド」の秘密を絶対に口外せず、その秘密やフリーメイソンの兄弟たちを守るためならどんな嘘でもつく、いやむしろ「嘘をつけ！」というのがあるそうです。特に33段階目のような上級フリーメイソンは裏切ったら命に関わるレベルの報復を受ける代わりに、ずっと大衆にひた隠しにしてきた秘密の数々をいろいろと教えてもらえるのかもしれません。おそらくフリーメイソンの上層部は私たち家畜が決して知らされない本当の歴史を部分的に教えてもらっているのでしょう。

またフラットアースに気づいた皆様なら、この世が何かによって創造されたものであるという結論に至っているとは思いますが、フリーメイソンらはその創造主や世界の始まりに関する「本物」の知識を与えられている可能性があり、無神論者では認知的不協和を起こしすぎてしまいその情報を処理しきれないということがあるのかなと個人的には思っています。きっと衝撃の真実なのでしょうね……。

これらの理由から、信仰のない人間はフリーメイソンには相応《ふさわ》しくないと判断されるのだと思われます。

真相論の短中長期のバランス

今現在の歴史上に残るいろいろな出来事が起きている世の中だと、どうしても「今」、つまり短期目線における真相論を追究しがちなのは理解できます。グレートリセットが現実化していく中で、今後数年間は少なくとも「明日は我が身」状態です。グレートリセット完了後も、どんな世界が具体的に待ち受けているのかは完全にはわかりません。だがしかし、それでも私たちは中長期の真相論追究は決してやめてはいけないし、できるだけバランス良く短中長期を見ていかないと視野が狭くなったり、現実逃避に走ってしまったり、なんだか独りよがりになってしまう。

私も啓蒙活動をしていっている中でそういう人をたくさん見ています。非常に残念であり、せっかくのポテンシャルが本人のこだわりや本来は必要のない固執などでかなり潰されている例が多く、正直その状態は支配層の思う壺です。もちろん私自身も完全な例外ではありません。

ですので今後のリサーチの参考に短期、中期、長期の真相論とはそれぞれ何にあたるのか、明確に定義づけしてみました。ぜひともバランスの良い真相論追究をこれからも目指していただけたらなと思います。

まず、短中長期の定義づけ、

短期＝現在から今後1年程度の未来
中期＝3～5年程度先の支配層の計画
長期＝長期的な未来。またなぜ生まれたのかや人類の起源

短期について

コロナウイルス茶番などのせいである意味仕方のないことなのかもしれませんが、最近特に多いのが短期的にしか真相を見ようとしないタイプ。ある意味現状で起きている様々な出来事にただただリアクションしているだけの人。真相に目覚めて間もない人が結構この「短期」の罠にハマる。コロナ茶番で目覚めた人が多いから、最近はこういう人が目立つというのもある。

こういう人は、それまで幸せな生死に関わるような問題がない生活から一転して、嘘まみれの悪意たっぷりの世の中に気づいてしまうわけですから、精神的にも全ての悪意を受け入れることに耐えきれなくなるところもあるのでしょう。中長期が怖くて、蓋を潜在的に開けないようにしているのかもしれません。朝から晩まで現在起きている真相論を頭に入れ続けていたら、熟練の真相論者でもかなり精神的に参ります。いろいろな真実を知り絶望のあまり何かにすがりついたり、現実逃避して根拠もなく「皆ポジティブに考えたらきっと幸せになれるから大丈夫！」と言い出したりしてしまい無力化していく、いわば真相論のレースから脱落してしまう人が実に多い。これは本当にもったいないことです。

支配層は私たちのこういう精神的な弱さをよくわかっているからこそ、そもそもそういう脇道コンテンツを用意してきます。３・11以降に日本でニューエイジスピリチュアル系が急に台頭したのもこの辺の原理が作用したからでしょうし、最近だとＱアノンなる聞こえは良いが中身が何もない偽コンテンツにすがる人が多いですね。

リップサービスはあっても、実際には何もしてくれない（日本ではない他国の元大統領である）ドナルド・トランプというキャラクターにすがる「家畜の無力化ムーブメント」が流行っているのはこのためでしょう。こういうコンテンツにハマってしまった人は少なくとも「救世主トランプがなんとかしてくれる」とは考えているわけだから、中期的な危機である「ワクチン非接種者が、映画『デモリションマン』のように社会不適合者としてスラム街に引き出される可能性があること」など考えもしていないでしょう。

そんなことが起きた時、どう生きたいか（または生きられるのか）を現実的な実現可能な方法で考えていただきたいところです（ちなみに私は最低1時間の「ガス抜き」時間を毎日意図的に取るようにしています。くだらないYouTube動画を観たり、小説を読んだりしています）。

中期について

中期的な脅威ばかり追いかけていると、希望が何もないディストピアな未来ばかり想像してしまう傾向にある人を見かけます。どうしても悲観的になってしまうということです。私も英国仕込みの皮肉屋ではありますので、この傾向があるかなと自覚しております。そういう人は、今ある環境の中で小さな幸せを見出したり、長期的な人生哲学を築き上げることに着目してほしいところです。

長期について

長期的なテーマを哲学的に追究してばかりな人にもひとこと言いたいです。人類や我々を創った存在の起源、人間が何のために生きているのか、などを追究することは大変重要なのは承知しています。フラットアーサーなら、なおさらそういう思いが強いでしょう。これらの真実を正しく追究するための玄関こそが「フラットアースに気づくこと」と言っても過言ではありません。でも長期ばかりに着目すると、現実をあまり見ない地に足のついていない（浮足立ったような）人間になりがちなのかなと思っております。

少し尖った言い方をすれば「哲学的なことを言っている俺最高！　現実世界で悲痛に叫んでいるやつダサいぜ、何もわかってない」みたいな発想になるということ。また短期と同様に「我々を創った偉大なる何かが最終的に現状に介入して、なんとかしてくれるからいいや」みたいな根拠のない無力化思考にも陥りがちな気がします。人間は未来など完璧に読めるはずはないのだから、こういった根拠のないポジティブ思考以外のリスクヘッジもしていただきたいところです。

このような課題をクリアしてバランス良く短中長期的に考えられる人が一番精神的にも安定でき、無力化されず、良心を残しての啓蒙活動ができるのかなと考えております。ぜひ有力な真相論者としてこれからも闘っていってください。

「お金」にまつわる勘違い

正当な「取引」とは何か？

お金という概念を擁護しているのではありません。むしろお金というものは（33や666も含む）数字と同じで、この世界にある最も中立的な概念の一つになります。良いものでも悪いものでもない、真ん中。

その辺の羊もそうですが、真相にかなり気づいた人でもする大きな勘違いがあります。それは「お金」という概念と、「通貨」や「金利」という手段を混同にしていること。理由はわかりません。いろいろと潔癖症なのか、ロスチャイルド辺りへの並々ならぬ憎悪がそう勘違いさせているのかはわかりませんが、「お金＝財布の中に入っているお札」と勘違いしている人が多い。財布の中に入っているお札は、中央銀行が発行した「紙幣」であり、政府が「1万円の価値があるから！」と言ったから1万円の価値がある原価22～23円の紙です。利益率が500倍ある商品と言った方がわかりやすいでしょうか？

そしてそれを借りると、返す時には（金利として）もっと大きな額を返さないといけない銀行の融資システムであり、そのまま持っているとインフレで価値がどんどんなくなるため、ほとんど詐欺的な商品です。

そう「紙幣」はただの商品です。厳密にはお金ではありません。仕事の対価に強制的にもらっている国が保証する信用取引ベースのクーポン券です。

では「お金」とは何か？

シンプルに本来は「時間」の対価である。

例えばAさんとBさんがいます。

Aさんは自分に必要だという理由で、Bさんに「技術」「知識」「サービス」「素材」の何かでBさんに時間をお裾分けしてもらうようにお願いし、「自分がその何かを取得するための時間がない」が故に、対価としてお金を支払う。お金は対価となるものなら何でも該当し、一番価値があるとされるのが「金《きん》」なのでお金という名前がついていますが、金属でもジュエリーでもコインでもクーポンでも土でも何でもよい。つまり紙幣である必要はありません。

このお金という概念の良いところの一つが、「価値」という主観が入ってしまう概念に客観性をもたらすこと、また事前にこの○○がほしいならコインを5枚ください、と明確な約束事（契約）ができること。とても効率的であり、時間をお金で買うだけでなく、後で「ああ言った。こう言った」と揉めにくくなるという意味では、取引の際の時間効率も大幅に短縮できます。時間をお金で買うということは「あなたの○○にはこれだけの価値（お金）があります」と定量化しています。つまりBが費やした時間＝Aが支払った金額となる。対等である。同じだけ偉い。

そして、たまに「お金を取ること」自体を、上記の「お金＝通貨」という勘違いにより非難する人がいます。取引においては、時間とお金は対等な関係にあるため、Bが時間を費やしたことにAがお金を支払わない行為は「お前の時間に価値はない」と言っているのに等しいです。対等な取引というものは本来、商品やサービスが謳っている通りの「時間」を提供するものであり、価格が事前に設定されているのであれば、あとは支払う側が支払うかどうかを決めればよいだけです。いらなければ購入しなければよいだけである。問題となる場合は、謳っていることが嘘である時と支払いが強制的にされてしまう場合のみである。

「この土でできた壺は100万円です」で買うのは買い手の自由。「この精霊の魔法と宇宙人の特殊技術によりあなたは死ぬまでずっと健康であり続けることができる壺は100万円です」と嘘をついたり、「この壺を買わないとあなたを拉致します」などと脅迫してようやく問題となる。理由は対等な関係でなくなるから。良い見本がキングコング西野の体験型〝アムウェイ〟ビジネス。「私の東京タワーの個展の後片付けをする権利＝5万円」。これは実際に彼が販売した商品として有名なのですが、特に詐欺で捕まったわけではない。私個人は絶対に買わないが、一応は記載している通りの体験型商品であり、それでもよいという人は勝手に買えばよいのです。それが「取引」であり、買い手が馬鹿かそうでないかとは全くの別問題として考えなければなりません。

また私たち一人一人は（完全なオフグリッド生活をしている人を除き）支配層が用意したシステムに乗っかり、彼らが用意した紙幣を使用して生活をしています。サラリーマンであれば、働いている会社が間接的に支配層のアジェンダに加担していることもザラです。自営業でも望まずして加担している場合がほとんどでしょう。そんな「全てがグレーゾーン」なシステムの上で唯一かなり白黒に近い客観的な体験ができるものの一つが「取引」であり、ある意味神聖な行為であり、支払う側も商品やサービスを提供する側にきちんとした対価を支払わないのはむしろ失礼であり、「お前の時間は無価値だよ」と言っているようなもの。今一度この辺についてご考察いただければと思います。

支配層は常にマクロ視点

常に高みの見物をしているような、選ばれた血筋の支配層。セルリアンタワーから渋谷のスクランブル交差点を見るように、私たち家畜を俯瞰的に、そして個人的な感情を一切排除しながらまるで機械のように眺めているのだろう。

「そら家畜ども、球体説だ！　フリーメイソンのシンボルだ！　カバラ数秘術のゲマトリアてんこ盛りの設定だ！　くらえ、家畜ども。なんだって？　フラットアーサーが登場した？　何％だ？　世界の1％がフラットアーサーになってしまった？　ははは、その程度は問題ない。誤差のうちだ。日本だとフラットアーサーは0・001％⁇　さすが羊大国だな！　なおさら問題ない。ブラジルはもっと多いだって？　少し問題だな。そろそろ人口減らさないといけないかな？　よし、間引きしよう。そちらの方が管理しやすい。そらプランデミックで景気を悪くしたぞ、ホームレスになれ、刑務所行け、不妊になれ、とにかく減ってくれ家畜ども。間引きだ、間引き。ゲマトリアでガッチリハマる日に人工地震だ、ビル爆破解体だ、戦争の始まりだ！」

支配層はそんなマクロ目線で私たちを俯瞰しているのです。もしかしたらですが、様々な歴史的災害も人工的に起こされたのかもしれないし、インディアンをはじめとする各地域の先住民も（ローマ起源の）欧州人の人工兵器をくらったのかもしれない。支配層の悪意を考えるとこれらの出来事が人工でもなんら不思議ではない。

ようは支配層は我々を同じ種族として見てはいない。私たち家畜は、彼らからは別の生物に見られている。だから奴隷の象徴であるマスクがお似合いだ、とも思っているし、そのうちＩＤはアバターで十分とも考え

羊がひしめくスクランブル交差点

ている（マスクをしている人がカオナシのようになり、誰が誰だかわからない現状において、その人のリアルな顔などもはやあまり意味はなく、電子のアバターで十分だということです。メタバースのVR世界では皆アバターで活躍するでしょうから、マスクはそれのための慣らしですね）。スマートシティで管理しやすく、孤立しやすく、周りを見えなくするのがいい。それが一番支配層に都合が良い。それだけの話である。

　彼らは常に全体的に私たちを見ている。個人個人などどうでもいい。

「人権？　笑わせてくれるわ。そんなの家畜の反発をできるだけ防ぐために与えたフリをしているだけだ。家畜は家畜。奴隷だ、奴隷。獣のように哀れで馬鹿だ。個性などそもそもあってないようなものだ。私たちとは違う。私たちは光に選ばれた全く異なる種族、生物なのだ。近いのは見た目だけだ。私たちが家畜と同列の生物だなんて考えたこともないし、考えたやつをいたぶりたいと思うほど侮辱されたと感じてしまう。そんなことを言うやつは頭がおかしいのだからな」

　そんな感覚なのでしょう。私たち大衆（家畜）への侮蔑で体ができているような人たちが支配層という生き物である。

フリーメイソンはいろいろと知っている

　こういうモチーフはヒントだらけなのだと思う。読者の皆様も気づいた点があればSNSなどで教えてください。

　ドームがあり、なぜかそのすぐ上に、この世界の番人で一つ目の光である北極星、そして私たちが恩恵を受ける太陽と月。白黒のチェッカーボードは、フリーメイソンによって分断された家畜階級の世界を表している。彼らからしたら「分断を促す」さまざまな活動はゲーム感覚でやっているのもあるだろう。盤上の地面部分そのものが白黒なのがヒントで、ようは分断は

フリーメイソンのモチーフには様々な意味が込められている

何かを成し遂げるための手段ではなく、目的そのものであることがわかります。分断こそが家畜の統治への一番の近道と言わんばかりです。もっと端的に言うと彼らの考えでは、「分断＝最も効果的な洗脳」である。それを実施するチェスのポーンが、まさに嘘を嘘で固めるフリーメイソンたちの実行部隊そのものになります。

　階段部分は何だろう。分断されてしまった状態では決して登れない「天」へと通じる階段または扉なのか、フリーメイソンが北極星や「神」に認めてもらうための扉なのか。Gがgod（神）のGかgnosis（グノーシス）のGかで解釈が変わるそうです。左右にあるのは、この世界を支える柱。この世界を構成する「物理」で普遍的に使われる数字や文字のことを指しているのかなと思います。

　蠟燭《ろうそく》は光を表すものとされます。アメリカのフリーメイソンロッジには、3本の本物の蠟燭（電気照明の蠟燭で代用しているロッジもある）が置かれていて、フリーメイソンたちからはLesser Lights（より劣った光）と呼ばれているようです。つまり生物として劣っていると彼らから卑下されている私たち家畜階級を表している、ということです。

支配に欠かせない3段階の法則

　支配層は、私たち家畜を洗脳する際に「3段階の法則」とでも呼べるような方法を使っているように感じています。言わば間にバッファーを一つ入れることで、真実とメインストリームの間をさらに曖昧にしている、ということです。

　この「3段階の法則」を使う理由は、弁証法で的確に世論を彼らの思い通りに誘導する目的もあるだろうし、ある種の保険として、少し洗脳が解けた／目覚めたばかりの民衆にすかさず与える追加的な洗脳処置の

歴史上の有名人物は存在していたかも怪しい

ケネディ大統領暗殺事件も茶番

役割も果てしているのかなと思っています。

ではこの3段階とは何か。

まず支配層が用意した嘘まみれのオフィシャルストーリーが1段階目。マスメディアなどが積極的に取り上げるストーリーでもあります。

2段階目は少し不都合だがバレてもいい、またはオフィシャルストーリーとは全く異なる嘘まみれのもう一つのストーリー。マスメディアではないアルタナーティブメディアやあちら側が用意した「御用達の」陰謀論者、洗脳が少しだけ解けたSNS上で積極的に情報を発信している「一般人」などが取り上げるネタになります。

そして3段階目は言わずものがな、ズバリ「真実」。支配層はここにたどり着いてほしくないが故に、間にバッファーのように挟み込む2段階目を用意するという手間をあえて追加しているということです。

いくつか3段階の見本を記述しますので、今の説明でピンとこない方にはより直観的におわかりいただけるかと思います。一番わかりやすいのは「選挙」という政治コンテンツなのですが、フラットアースがメインの書籍なので、まずは宇宙クルセーダーのNASAを例に取っていきましょう。

1. NASAは月に行った。
2. NASAは冷戦時代に月の有人月面到着を捏造したが、宇宙開発は本当だ。
3. 宇宙は存在しないし、NASAはペテンだ。

次にフラットアース、

1. 昔はフラットアースが主流で、15世紀頃から台頭した球体説が科学的に正しい。
2. 球体説はその当時オカルト扱いで笑いの対象だった。でも今は常識。

3. フラットアースが普通に正しく、ほんの150年前までは主流だった可能性が高い。

1. エリア51（グレーム・レイク空軍基地）は軍事施設。
2. エリア51には宇宙人とUFOが隠れている。
3. 宇宙人は存在しないので、そんなものはエリア51にはない。

より高度なものになると、
1. 球体説の歴史上の人物は皆偉い人。
2. 実は皆フリーメイソン。
3. 歴史がそもそも嘘で塗り固められており、これらの人物が本当に存在していたのかもかなり怪しい。

1. 投票して世の中を変えよう。
2. （トップに立つような）政治家は皆、同じ穴のムジナで誰に投票してもあまり変わらない。
3. 政治自体が茶番劇であり、陽動作戦の役割を果たす視聴者参加型の大衆娯楽である。

もう少し現実世界に落とし込むと、
1. 選挙は公正だ。
2. 不正選挙が行われている。
3. そもそも選挙は茶番で現実世界において効力は特にない。

1. 新型コロナウイルスは脅威だ。
2. 新型コロナウイルス自体はインフルエンザより弱く、あまり脅威ではない／人工的に作られた。
3. コッホの原則により、そもそもまだ分離されていない、またはワクチンの中にこそ毒が存在する。

1. ロックダウンや政府の愚策により不景気だ、金持ちだけさらに金持ちになる縮図。
2. そのうちFRB（連邦準備制度理事会）が潰れ、新しい制度での夢のベーシックインカム生活が始まる。
3. ベーシックインカムをきちんと貰えるためなら（仕方なくでも）ワクチンでもマイクロチップ

でも何でも体に入れてしまう、デジタル管理による奴隷時代の幕開け（ベーシックインカムは最初は何も条件付けされない可能性が高いです。なぜなら貰う側を一旦ベーシックインカム依存状態にする必要があるから）。

1. 大麻は麻薬だ。
2. 大麻内のＣＢＤという成分だけはメリットがたくさん。
3. ハイになる成分のＴＨＣを含むフルスペクトラムこそ薬用である。

1. ケネディ大統領がオズワルドに殺された。
2. ＣＩＡまたはマフィアに殺された。
3. そもそも殺されていない。暗殺はただのハリウッド的ショー。

1. 日本は日本人が仕切っている。
2. 日本は在日朝鮮人が仕切っている。
3. 日本は現在のイスラエルのトップに君臨する「ユダヤ系」の血脈の人間が仕切っている。

1. インターネットは衛星が飛ばしている（これはファクトとして発表しているわけではなく、印象操作によるもの）。
2. インターネットは海底ケーブルでつながっている。
3. エーテルを利用したイーサネット（ネット回線が海中で何回も曲がっていたり折れたりしている海底ケーブルではあり得ないスピードでGoogle検索ができるため）。

などなど。

何が言いたいかというと（私も時々引っ掛かることがありますが）マスメディアが発信している情報とかなり異なる情報を手に入れた時は、一旦冷静に2段階目の情報であるかどうかを論理的に検討することが大切であるということ。また、周りに啓蒙する際は、場合によってはいきなり3段階目の真実またはそれに近いことを言うよりは、あえて2段階目を噛ませてみる方が効果的な場合もあるということ。

例えば、いきなりフラットアースを伝えるよりも、アポロ計画の嘘から言うとか、ケネディは死んでいないと言うよりはまずはオズワルドには不可能だったことを論理的に説明する、とか。

この3段階を常に意識することが効率的な洗脳解放活動に欠かせないと個人的には考えています。

豚小屋の真意

豚A「俺ら植物なみに身動き取れなくされているぞ！　あの時、豚Cみたいに逃げればよかったんだ」

豚B「何言ってんだ。まだ屋根と餌《えさ》があるだけマシじゃないか！　この状況をできるだけ満喫しなきゃ」

例えばワクチンを射ちたくないと今は思っている人でも「ワクチンを射つ／射たない」は豚Aと豚B、どちらのメンタリティかで決まると思う。残念ながらBメンタリティの人は「ワクチン接種者しか電車に乗れません」のように締め付けがかなりきつくなってしまったら射つ人がほとんどではないかと個人的に思います。日本に特に多い「いつでもポジティブシンキング！」みたいなノリの人たちは「大丈夫！　全員死ぬわけではない。生き残る確率の方が高いんだから射てばいいじゃん。みんなでワクチンパスポートがないと行けなかった商業施設行こうぜ」と脳内変換するかもしれませんが……（ただ正直、豚AやCのメンタリティの人も射つ可能性は高いと思います。現代人が突然オフグリッドで生きるとはそれだけ難度が限りなく高いからです）。

極論を言うと射つか、餓死するか。

この間で、どのような現実を想定して、どのような選択肢を取るか。全てはあなた次第であなたの自由だが、子供がいる人は子供のこともかなり考えないといけない。実に難問だ。

ワクチンを射つ豚B、餓死したかもしれない豚C。

グレーゾーン豚Aが一番良くないのかもしれない。射たれる選択をし、なおかつ現状を全く楽しめていない。現実世界のリアクション脳ばかりな現状を見ていると、それすら疑いたくなるが、人間は豚よりは物事を論理的に考え、未来に対する予測が本来はできる生物。

そういう意味では準備万端な上での豚Cが一番良く、それができないのであれば現実逃避した豚Bにさっさと転身するのがよいかもしれない。

私個人は多分AかCになるのだろう。これぱっかりはなってみないと正直わからない。皆様はいかがですか？


また話は少し変わりますが、支配層の洗練された性悪な支配洗脳術がうかがえる現象を一つ書きましょう。

読者の中には気づいている方もいるかと思いますが、これから牛などのいわゆる赤肉が大衆向けのスーパーからちょっとずつ消えて、虫肉や大豆肉ならびにラボ肉などが代替肉として用意されます。既に虫肉の加工食品は販売されています。

動物虐待反対も世論誘導に利用される

環境に優しいとして昆虫食を推奨中

牛肉が好きな人は世の中に多いので、支配層は前々から時間をかけて牛肉離れを浸透させていっています。一見全く別のムーブメントが牛肉離れの普及に利用されたり、メディアなどにより世論がうまくコントロールされ、支配層という羊飼いに私たちは「脱牛肉」へと誘導されています。

写真の養豚場の虐待も、現場は「少しでも売上を！」みたいなノリなのでしょうが、支配層的には動物虐待を推奨して心理的に私たちが肉離れを自発的に起こす（と思わせる）という狙いもあるからこそ、養豚場が結果としてこういう動物虐待歓迎な状態になってしまっている側面もあります。つまり、私たちが持つ良心やエンパシーといった「正」の感情までもが、世論誘導という洗脳行為に利用されているのです。とても包括的な洗脳のアプローチであると言えますね。

時間をかけてビーガンムーブメントを定着させたり、地球に優しいラボ肉をプロモートしたり、虫肉のフェスティバルを企画したりして徐々に徐々に私たちを思い通りに誘導。支配層はまさに羊飼いでありハーメルンの笛吹である。そういう思考回路の権力者が私たちの相手なのです。勝つことを諦め、ある程度痛み分け的に引き分け状態を考える時期にきています。

＊「虫グルメフェス」という予測プログラミング
https://mushigourmet.jp

マクロとミクロの混同

とあるフラットアースジャパンのメンバーのひとこと（多少脚色）。
「私たち（情報発信者）は、湖まで羊を連れて行くことはできるが、無理やり水を飲ませることはできない。水を飲むのは一人一人の意思であり、こればっかりは私たち一人一人が考える力を養わないといけない」

さて本題。現代のインターネット世代、特に日本人だと落ちやすい罠のマクロとミクロの混同について。具体例とともに書きますので、思考プロセスの構築にお役に立てればと思います。これがわからないと表面的に文章を単語／フレーズレベルで読み取っているということになり、とてももったいなくもある。

私が啓蒙の手段としてYouTubeなどの動画投稿ではなく、書籍やFacebookなどでの投稿という活字啓蒙を優先しているのは、活字を読み、想像と思考を膨らませることで得られるこういったスキルを皆様に失ってほしくないからというのもあります。動画は、脳への情報伝達がまるで人工の食品添加物のように「味」という情報を脳に直接吸収させる行為に近い。

マクロ（全体論）とミクロ（個人論）を混同することは、ミスコミュニケーションによる対立を生むだけですし、論点がそもそもズレているから議論にもならず生産的ではありません。相手への敬意を込めて、文章はよく読み込んで、意味をできるだけ頭で論理的に理解してからコミュニケーションを取りましょう。

身近の良い例がゲイとハーフ。
ミクロはこちら。
別に同性が好きだという個に対しては、そんなのは個人の自由だと思うので特に変な感情は起きないというかほとんど気にも留めないし、ハーフに至っては自分がそもそも日英のハーフであり、みんながみんな好きな人と子供作ればよい、と普通に思います。そもそも人種という明確な境界線は自然界には存在しません。国境みたいなもんです。正しくは民族と文化です。

マクロはこちら。

テレビに出ているゲイ率とハーフ率は、実世界でのその率を明らかに超えていると感じられませんか？

つまりはＬＧＢＴや民族分断による支配層の意図的な策略であり、性別混同の促進からの少子化、従来の父親と母親のしっかりしたサポート体制の破壊（核家族のさらに先の孤立化）、伝統文化の破壊、いじめ、対立などを促すために「積極的に」プロモートされているということです。

これらのマクロ的な思惑を誰かに指摘することと、ミクロで情報発信者がゲイやハーフについてどう思うかは全くの別物になります。正直、このマクロとミクロの視点の違いに気づかないと話も噛み合いません。議論も進みません。

先ほども触れましたが、情報は直接的な動画が主流となってしまったことで、情報発信者の真意を理解しないままインスタントにリアクションする人が本当に増えたなという印象です。ＳＮＳの「いいね！」などのリアクションもこの思考回路に拍車をかけたかなとも思います。これも支配層の意図なのかもしれません。

どうか「フラットアーサーは建設的な議論ができる人たちだ」と思われるようお互い日々精進していきましょう。私たちは死ぬその日までが勉強です。ちなみにこの辺のネタの「具体例による可視化」は、マクロ経済とミクロ経済がわかりやすい見本かなと思います。この辺りの観点をさらに養いたい人はそこから攻めてみてもいいかもしれません。

歴史はひたすら妥協である

特にアメリカ建国の父たちに対する（支配層に植え付けられた）リスペクトから垣間見られる勘違いになりますが、現代アメリカ人の多くは、まるで建国の父たちが優しく人道的で、「国民の皆様の権利を憲法で保障しますよ」と言論の自由も、信仰の自由も銃を所有する権利も勝ち取ったクルセーダーとして認識していて、歴史の教科書にも好意的な感じで載っています。そのためか現代アメリカ人は、建国の父たちの「名言」をよく引用することが多いです。

　でも実際は逆なんです。好印象が巧妙に仕組まれているだけで、本来は必要もない「連邦政府」という支配ツールを、何でも権力者の言うことを信じ込んでしまう羊たちにある程度気を遣う形で登場させました。言論の自由などの今まであったいろいろな「当たり前」はそのまま憲法に記載する形で残しつつ、連邦政府設立は、「どうかご安心ください、国民の皆様には必ず寄り添いますので！」という支配層のアジェンダを促進させるための言い訳でしかなかったのが実情です。

　こういったことはアメリカで言えば、南北戦争という茶番でも見られるもので、

合衆国市民の基本的な自由を保護するとする『権利章典』

アメリカ建国の父たち

「奴隷の解放」という羊たちの気持ちを慮《おもんぱか》った聞こえの良いキャッチフレーズを打ち出しながらも、実際にやったことは、奴隷解放を宣言して、元奴隷たちを安月給で雇っただけです。給料という対価は払うが蓋を開けてみたら激安／激務労働という、奴隷作業のさらなる体系化と合法化を促進させただけである。賃金という可視化しやすい「建前」があるが故に、奴隷たちは反論が以前よりもしづらくなってしまいます。それまで衣食住をある程度は保障されていた奴隷階級の人間が、今度はろくに飯も買えず、身体的な保障もない微々たる金額の賃金で働くように仕向けられただけ、というのが実情です。歴史の教科書にはアメリカ最大の快挙みたいな書き方をしていますが……。

　第二次世界大戦の戦争ドンパチも、結果としては国連やイスラエル、ＣＩＡの設立や、ＮＡＳＡ設立を正当化させただけ。

　つまり歴史を見ればわかるように、今回のコロナウイルス茶番からのグレートリセットも、「わははは、私たち悪者がお前たちを支配してやる！」などと、三流のハリウッド映画のようには支配層が宣言しないと

南北戦争という茶番

激安・激務を強いられた労働者

いうことです。支配層が建前として、「気候変動から地球を救え」だとか「みんなで手を取り合って一つの共通世界を作りましょう！」みたいな聞こえの良いことを言いながら世の羊たちをうまく誘導していくだろうということ（コロナウイルス用のｍＲＮＡワクチンの危険を訴えるとともに、気候変動の嘘みたいな切り口で羊たちの洗脳を解くのが、私たちにとって最も効率の良い攻略法なのかもしれませんね）。

歴史的に考えると、支配層の家畜への支配度合いは、残念ながらどんどん強くなる一方であると言わざるを得ません。この究極の形が、近い将来やってくるクラウド対応のスマートグリッドによる、**思いのままに家畜たちの感情や行動を操れる世界＝トランスヒューマニズム時代。**これこそが支配層の考える未来の最終形態であり、彼らの考える最終的な「勝利」なのでしょう。マタドール用の牛では既に脳にマイクロチップを植え付け、感情や行動をコントロールする実験が完了しているようで、これを鑑みると、トランスヒューマニズム完了はそんなに遠くない未来になるのかもしれません。

罰と刑期と支配層

奴隷主による多少なりの身体保障があった状態から、賃金以外の保障が基本的にない、超低賃金／超劣悪環境での労働を強制させ、鉄道などのインフラの急ピッチでの全国展開を可能にするためにでっち上げられた奴隷解放・南北戦争という茶番とも密接に関係しています。

日本だと江戸時代まで、各国では基本的には罪を犯した罪人には懲罰房で短期間反省してもらった後に、火傷による烙印や鞭打ち、入れ墨の刻印、場合によっ

② 労働力が豊富な時代も

①『クレイ聖書解説コレクション「レビ記」』中川健一著

③ インフラ整備に安価な労働力を徴用

⑤ 奴隷主には黒人富裕層も

④ 刑期として「ただ働き」させられる罪人

ては絞首刑や斬首刑による「罰」を与えるのが主流でした（ちなみにフランスでは1970年代までギロチン死刑が続けられていました）。

昔の当たり前を記述していた可能性が高い旧約聖書のレビ記などがわかりやすいですが、罰という概念は、はるか昔から短期的なスパンで終わるものが通常でした。レビ記では、罪人は程度により所有する家畜を生贄《いけにえ》に差し出したり、罪人自身が撲殺されたりして罪を償うというルールでした（161ページ①）。

この短期的で解決する「罰」という制度は、ある意味奴隷をたくさん所持できるような世の中だからこそ、労働力が豊富にあり、罪人を労働力として支配層の都合の良いように有効活用しなくてもよい人的余裕があるからこそずっと存続した制度であったということ（②）。

支配層とは欲深い生き物で、いわゆる奴隷という労働力だけではいろいろと物足りなかったのでしょう。アメリカでは南北戦争という茶番を起こし、建前上は奴隷の解放という正義を訴えていながらも、実質やったことは、奴隷を「ある程度」所有する「ある程度」の富裕層から巻き上げ、そして国のほぼ所有物として「のたれ死のうが関係ない」安価な労働力として普通の人がやりたがろうとしないインフラ整備の仕事などに「元」奴隷たちをあてがったのです（③）。余談ですが、今は移民たちがこういう仕事をやってくれていますね。

奴隷解放でやったことは、家畜階級の「それなりの」富裕層から資産という「富」を奪い取り、全員ユニバーサルベーシックインカムにしてしまうグレートリセット後にも通じるものがありますね。

そして奴隷「解放」された元奴隷と並んで、労働力として期待されたのが罪人（④）。刑務所という隔離施設が急ピッチで建設されたり、既に建っていた壮大な建物を刑務所として再利用したりして、それまでなかった「刑期」という概念を導入（メディアは「新しく建てられた刑務所」として既存の建物も発表）。罪の重さによって刑期を与える、例えば6年間は実質の「ただ働き」を罪人に背負わせる、新たな制度を構築しました。

グレートリセット完了時には、共産主義国家のように些細な理由で民衆がしょっ引かれるようになる可能性が高いですが、奴隷解放直後の時代でもちょっとした理由でイギリスやアイルランドの貧困層が逮捕され、そのまま船に乗せられてアメリカで強制労働をさせられるケースが後を絶たなかったそうです。奴隷は黒人だけではなく白人もたくさんいたことからも、人種に関係なく当時の一般人は酷い扱いを受けていました（奴隷主には黒人もいました〈⑤〉。あまり現代教育を鵜呑みにしないでくださいね）。

またアメリカ本国でも、急に持ち主を失った奴隷たちが食うに困って反罪に手を染め、捕まり、罪人として強制労働をさせられた事例も多かったようです。強制労働の過酷さを物語る数字として、奴隷としてならば平均20年くらい生きられたのが、最低賃金の強制労働者に転身させられた後は平均6年くらいで耐えきれず死んでしまっていたようです。

ラッパーは現代の吟遊詩人

現実世界とは似て非なるエンタメパロディとして、19世紀前半から劇場で登場し始めた黒人ミンストレルという、今でいう芸人のような職種がありました。ミンストレルは日本語では吟遊詩人と翻訳されます。ゲームのファイナルファンタジーなどに登場するアレです。

はじめのうちのミンストレルは、白人のアクターが明らかに侮蔑的な「クロンボ」の格好をして、難しい単語を言おうとして発音を間違える、水の代わりにガソリンをお酒のカクテルに間違って入れる、基本的に奇天烈な行動をするなど、白人が持つ黒人（正確には富裕層が持つ大衆のステレオタイプ）の悪いイメージを思いっきり膨らませたキャラクターが登場する風刺エンターテインメントとして人気を博していました。

時間が経つと本物の黒人が実際にこの役を演じ始めるのですが、エンタメというコンテンツは本質的には思想の洗脳ツールであるため、「黒人は間抜け」というステレオタイプが視聴者の潜在意識に残ってしまい、現実世界の黒人もピエロ役というレッテルを貼られてしまいます。正直、金と名誉のために自分の「人種」を卑下する悪意のある演技を黒人俳優がするという行為は、同志への裏切り行為であると個人的には思います。英語で言うところの「Sell Out」状態です。

この黒人ミンストレルというコンテンツは、アメリカ南北戦争を発端とする奴隷「解放後」の世界において、江戸時代のエタヒニン制度にも似た「下には下がいるよ」というメッセージ性を備えたガス抜きコンテンツの役割を果たしてきました。

金、名誉、暴力、ドラッグなどで作り上げられた黒人中心のコンテンツであるラップおよびヒップホップ。

現代のラッパーにも、このミンストレルの伝統は脈々と受け継がれており、見た目と方向性を少し変えてよりわかりづらくしていながらも「黒人は未熟な人間である」という印象を引き続き大衆に植え付けています。

彼らは風刺のキャラクターですから、実際はテレビの中でのみ存在します。刑務所に行ったふりとか、（ラッパーではないがO・J・シンプソンのように）裁判をしているふりなどでお茶の間を賑わせます。

そしてヒップホップにはガス抜きと黒人侮蔑の促進以外に実はもう一つ重要な役割があります。それは白人に対する「黒人侮蔑」の洗脳ではなく同じ黒人への洗脳という役割です。

テレビの中で暴力と破壊を繰り返すラッパーたちは、現代のハーメルンの笛吹として、支配層にとって都合が良い「黒人のあるべき姿」を根付かせ、彼らをラッパーのキャラクターと同様の末路、つまり刑務所へと誘います。

奴隷制度で成り上がったとされているアメリカという国は、南北戦後に刑務所という最高に効率の良い「わかりにくい奴隷システム」を構築しました。そしてアメリカは諸外国よりも常に労働力の補充が必要な経済システムのため、このような黙っていても労働力が手に入るシステムで服役者の数を安定的に維持しているのが現状です。だから刑務所にいる囚人の数が他の国に比べて桁違いに多い。

結論を言うと、テレビなどに出てくるラップは黒人のための刑務所宣伝コンテンツであり、もっと尖った言い方をすれば、「奴隷ハローワーク」の広告塔という役割を果たしている、ということです。

支配層は本当に悪魔に魂を売ったと言えるほど罪深いですねぇ……。


こちらでは各ラッパーのキャラクターにちりばめられたゲマトリアもお楽しみいただけます。
＊参考動画：『The Story of Kodak Black-Actors in Hip Hop-Rappers Acting Weird-Truth About Kodak Black（コダック・ブラックの物語―ヒップホップの俳優たち―奇妙な行動をするラッパーたち―コダック・ブラックの真実）』 https://youtu.be/9ybY6Bh-kso

金、名誉、暴力、ドラッグなどを謳うラッパー

ミンストレル

真の奴隷解放はされていない

暴力、ドラッグなどをファッション化し刑務所に誘う

大企業も利用している受刑者の労働力

第二次世界大戦という茶番の一つの理由

歴史上これだけたくさんの支配層的理由で実施された殺人茶番はないでしょう。

ここではたくさんの理由の中からユダヤ人に関する部分をかいつまんで述べます。ナチス・ドイツがやっていたことは、ずばりヨーロッパに散らばるユダヤ人をドイツに一旦集めること。そして行き場のなくなったユダヤ系庶民をパレスチナに誘導し、戦後すぐさまイギリス主導でイスラエルを再建国しました。敵国だったはずの英独の一心同体のコラボレーションになります。

最終目標は「大イスラエル」の設立

支配層がよくやる「真逆のことをする」にならって、ナチス・ドイツは選民思想で軽蔑しているはずのユダヤ人のためのイスラエル建国の片棒を担ぐ。イスラエルにユダヤ人難民の安住の地を約束して、ユダヤ人を誘導し、パレスチナ人からどんどん領土を奪う。

実はこのユダヤ人の子孫を世界中から「イスラエルに取り戻す」活動は今も行われていて、日本にも何回もイスラエルの団体が来て、ユダヤの末裔がいないか調査しています。

そして最終的な目標は「大イスラエル（Greater Israel)」の設立。パレスチナはもちろんのこと、シリア、イラク、エジプト東部も全部飲み込み、ユダヤ人安息の地にしようとしています。なので中東は基本的にあちこちすぐに爆破して地上げをします。ビルを倒壊させて、土地を奪って、自分たちのビルを新たに建てる。その過程で子供が爆死？　知ったことか？　という感じです。

大イスラエルが完成すれば、世界トップクラスのデジタル大国であるイスラエルを司令塔に、世界中を完全奴隷地域とし、我々をデジタル奴隷にするでしょう。大イスラエルの設立に合わせた、スマートシティやムーンショットというわけです。そういう縮図となっております。

この世界の4本の洗脳柱

幸か不幸か、偶然か必然か、フラットアースという大地を支える4本の柱とはよく言ったもので、支配層にもこの世を支配するために4つの別の柱が存在する、という考えに至っております。ゲマトリアの本質にも迫るネタであると言えます。

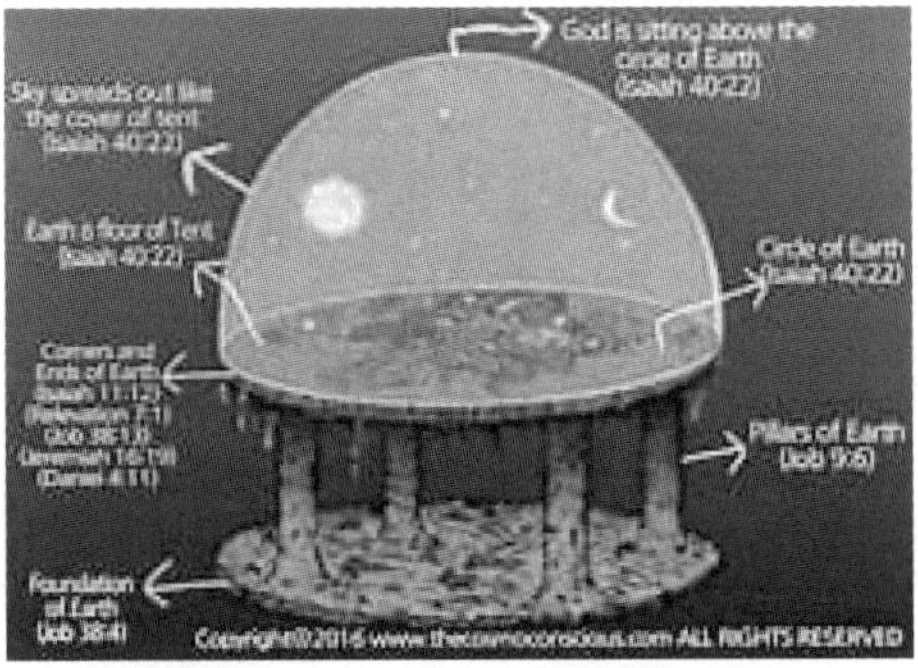

聖書には大地を支える柱の記述がある

ラッパーに限らず、支配層は様々なメディアを使って、私たちを常に洗脳状態に置くことに余念がないです。書物、テレビ、インターネット、ラジオ、新聞、小説、学校教育、宗教、スポーツ、職場の慣習などあらゆるところで洗脳は仕掛けられています。余分な事柄を省き、オッカムの剃刀で考えると、「文字」「数字」「音」「映像」の4本の柱にまで絞れると考えていまして、支配層はこれらの4つの手段で洗脳の呪文を常に私たちにかけているのです。

前述のラッパーがとてもわかりやすい例で、ヒップホップというシンプルなループで構成された音、派手な貴金属をつけたラッパー、水着姿の美女がたくさん踊るミュージックビデオ、犯罪をほのめかす歌詞、そしてもう少し表面的にはわかりづらい方法としてゲマトリアもラッパーキャラクターの設定にたくさん組み込まれています。

日本の歴史／宗教などにおけるカバラ数秘術の役割

この記述のきっかけは大本《おおもと》教の教祖である出口王仁《でぐちおに》三郎《さぶろう》が、かなり強く地球平面説を唱えていたというこ

出口王仁三郎

とを知り、そこから興味がわき、調べ始めたことにあります。そしてそこから友人知人とのやり取りで新たに学んだことを記載させていただきます。本記事は長いので、全く興味が惹かれない場合には、読み飛ばしてください。ただし、正直真相論を追究する者はゲマトリアを避けては通れないとも個人的には思っています。それほど核心的な支配層の暗号であるということ。

まず、創価学会、生長の家、三五教《あななない》と出口の大本教は同じ系列で（三五教はあまり知られてないのですが）国常立尊《くにのとこたちのみこと》を神として崇めています。三五教が設立した「公益財団法人オイスカ」の総裁だった中野良子は、日本会議の代表委員でした。

オイスカの顧問にトヨタ元社長の奥田碩、理事にキヤノン元社長の御手洗冨士夫などの名前が過去にありました。三五教の所在地をGoogleマップで見ると、建物の一部を隠して見えないようにする細工がしてあります。

友人の一人は出口王仁三郎のことを「日本のアレイスター・クロウリー」としてたとえている人がいまして、これをもとにカバラ数秘術に当てはめていくと、クロウリーが死んで１ヵ月19日後（＝１１９→９・11）の１９４８年1月19日に出口王仁三郎が死亡しています。

そして大本教の本拠地である京都府の小都市、綾部市が１９５０年に日本初の世界連邦都市宣言をしています。世界連邦運動は、ご存知の方も多いかとは思いますが「世界の全ての国家を統合した世界連邦の成立を目指す運動」で、いわゆるＮＷＯ《ニューワールドオーダー》（新世界秩序＝世界統一政府）の下準備団体。出口王仁三郎は「世界宗教統一」という本を出版していますが、大本教が仲介した綾部市が、エルサレムと友好都市の条約を結んでいます。

カバラ数秘術のゲマトリアで単語から数字に変換すると、出口王仁三郎（Onisaburo Deguchi＝81）、また八紘一宇（Hakkō ichiu＝81）は田中智学（Tanaka Chigaku＝81）が作った造語で見ての通り八と一の数字が含まれています。「天皇を中心に世界を一つの家のように平等にまとめる」＝まさにNWOのためのスローガンです。広島なんちゃって原爆の８０１０日前に関東大震災がありました。日本の国際番号が81というのは偶然ではないと思います。このように81という数字が日本と密接な関わりがあることがわかります。

天皇について

現在（２０２１年）は１２６代目の天皇（今上天皇）ですが、１２６番目の三角数が８００１ですので、徳仁と雅子の代にNWOを完成させるつもりで、この言葉を準備した可能性が高いです。戦争のあとに天皇を「人類の平和の象徴」に仕立てるつもりなのかもしれません。日本の建国記念日は2月11日です。２０１５年3月16日に三原じゅん子が国会で八紘一宇発言してニュースになりましたが、この日は徳仁が生まれて2万１１０日目でした。

出口王仁三郎の死亡日1月19日より66年後に81歳で死亡したのが船井幸雄で、彼は宇宙人の存在を主張しています。船井幸雄の息子が彼の跡を継いで『ザ・フナイ』というスピリチュアル系の雑誌を出版しています。

そして宇宙人を前面に出している有名な新興宗教団体が「幸福の科学」。幸福の科学は三五教の設立日から1万３７００日後に設立（33番目の素数が１３７）。将来「プロジェクトブルービーム」と称して、支配層が捏造した宇宙人を登場させることが濃厚ですが、宇宙がないと主張するフラットアースをなんとしても妨害したい／認めたくないでしょう。

カバラ数秘術のゲマトリアについて少し

ゲマトリアは0を無視する場合があります。広島の原爆（１９４５年8月6日）と関東大震災（１９２３年9月1日）の期間が８０１０日というのは、日本の大きな災害が81の数字で結ばれているということの証拠に他なりません。

カバラ数秘術では重要なイベントは重要な数字でつなげて、潜在意識での関連性を持たせます。例えばベルリンの壁が崩壊して７７７日後にソビエト連邦が解体したとか、９・11から５５５日後にイラク戦争開始、という感じです。

それからピタゴラスが愛した三角数というのはつまりピラミッドでもあり、１２６番目の三角数でピラミッドを作る場合、底辺が８００１＝81になります。八紘一宇＝81はそのための言葉だと思います。

そして数秘術でもう一つ重要なのが素数。

１から数えて33番目の素数が１３７ですが、両方の数字は強力に関連します。７３１部隊は１３７の逆読みですので33に関連すると思われます。また神を表す数字が26です（ゲマトリアでGod＝26）。26番目の素数が１０１ですが大本教は「おほもと」とHPで表記していて、そうするとOhomoto＝１０１となって神を表す番号にすることができます。

余談ですが「三五《あなない》」の名前の由来は何でしょうね。もしかしたら「あなない」は「イナンナ（ＩＮＡＮＮＡ）」の逆さ読み、もしくはアナグラムではないでしょうか？　イナンナは、シュメール神話における金星、愛や美、戦い、豊穣の女神でシンボルは八芒星、または十六芒星です。月の神の娘でもあります。三五教は３＋５＝８柱の神、創価学会のシンボルであるハスの八葉ともつながりますし、さらには古代バビロニアと天皇家の16花弁の紋章にもつながります。創価の鶴丸にも月が隠されていますし、関係の深いトヨタのロゴには月が入っています。ちなみにInanna＝53、逆読みすると35で三五教になる、ということも考えられないでしょうか。

「三五（あなない）」は「イナンナ（INANNA）のアナグラム？

ゲマトリアQ&A

ゲマトリアとは何ぞや？

ここまででもたびたび登場しましたが、改めて少し説明したいと思います。簡単に言うと、支配層が大好きなバイナリーシステム／変換システム。


何のバイナリーシステムかって？

文字を数字に変換するバイナリーシステムになります。


どういう役割があるの？

文字や数字を変換することで、計算で同じ数字になる単語をいろいろと関連付けしています。例えば、コロナウイルス関連では、計算すると56になる数字が多いのです（Coronavirus＝56）。

どうやって計算してるの？
正式には30種類以上の計算方法がありますが、主に使われている数種類の代表的な計算方法を覚えるだけでもかなり理解できるようになり、大体のことがわかるようになります。

計算が難しいの？
そんなことはありません。三角数や整数が絡んだりして少しややこしくなる時もありますが、例えば一番基本的な計算方法である二つは「Simple English Ordinal」（①）と「Simple English Reverse」（②）。
それぞれ
A＝1, B＝2....Z＝26
と
Z＝1, Y＝2....A＝26
と順番に数えていくだけです。思いのほかシンプルですよ。9までいったら一旦1に戻ってしまう「Reduced方式（ピタゴラス方式ともいいます）」（③）など、代表的な計算方法を次ページに掲載しています。賢明な皆様ならすぐに覚えられるでしょう。
『Channel Zoo』（カバラ数秘術のYouTubeチャンネル）はもっと複雑な計算方法を使っているようだけど？
『Channel Zoo』の計算方法は、他ではやっていない独自の方法になります。厳密にはゲマトリアではありません。ゲマトリアをよく知らない人が観てしまうと、難しいと勘違いしてしまったり、少し混乱してしまう可能性もあるかなという感想です。ゲマトリアに慣れてきた頃に興味があれば覗いてみてください。
言い換えれば、ゲマトリアの基礎を一通り学んで、慣れたら参考に『Channel Zoo』を観るのがよいかなと思います。

ゲマトリアを学んで何の意味があるの？
支配層の大きな武器として機能しているゲマトリアですので、学ぶといろいろと世の中の出来事や私たち（家畜）のとてつもなく弱い立ち位置が浮き彫りになります。少し大袈裟な言い方かもしれませんが、支配

Pythagorean English Gematria Chart:

A=1	J=1	<u>S=1/10</u>
B=2	<u>K=2/11</u>	T=2
C=3	***L=3***	***U=3***
D=4	M=4	<u>V=4/22</u>
E=5	N=5	W=5
F=6	***O=6***	***X=6***
G=7	P=7	Y=7
H=8	Q=8	Z=8
I=9	***R=9***	

③ A＝1で9までいくと1に戻る

Simple English Gematria Chart:

A=1	J=10	S=19
B=2	K=11	T=20
C=3	L=12	U=21
D=4	M=13	V=22
E=5	N=14	W=23
F=6	O=15	X=24
G=7	P=16	Y=25
H=8	Q=17	Z=26
I=9	R=18	

① A＝1から昇順にZ＝26まで

Reverse Ordinal

A	B	C	D	E	F	G	H	I	J	K	L	M
26	25	24	23	22	21	20	19	18	17	16	15	14
N	O	P	Q	R	S	T	U	V	W	X	Y	Z
13	12	11	10	9	8	7	6	5	4	3	2	1

② A＝26から降順にZ＝1まで

Reverse Reduced

	A	B	C	D	E	F	G	H
I	J	K	L	M	N	O	P	Q
R	S	T	U	V	W	X	Y	Z
9	8	7	6	5	4	3	2	1

Z＝1で9までいくと1に戻る

Jewish Reduced

A	B	C	D	E	F	G	H	I	J	K	L	M
1	2	3	4	5	6	7	8	9	6	1	2	3
N	O	P	Q	R	S	T	U	V	W	X	Y	Z
4	5	6	7	8	9	1	2	7	9	3	4	5

こちらは変則的な計算式

層は正々堂々と立てている計画をずっと私たちの目の前でゲマトリアという形で示しています。また、支配層はすこぶる頭の回転が速く、理論整然としているという事実もゲマトリアを通して目の当たりにできます。私たちが束になってもこの逆境をなかなか覆せない、という状況もなおさら実感できるようになります。

世の中を動かすような大きなイベントのほぼ全てが支配層によってだいぶ前から計算し尽くされた状態で展開されていることもわかり、ある意味ゲマトリアを知ってしまうと、支配層が用意したくだらないガス抜きコンテンツにも引っ掛かることがなくなるからお得です。なぜならこういうコンテンツにもゲマトリアが仕組まれているから。つまりは自分の無力化を防げる。

最後に、世の中で偶然はほとんど存在しない、ということもわかります。一つくらいの「偶然」なら本当に「偶然」かもしれませんが、両手の指レベルでの関連性は基本的には用意された「必然」であると再認識できます。

ゲマトリア計算サイトでいろいろ調べてみましょう。

＊『Gematria Calculator』(https://www.gematrix.org/)

こちらもおすすめ、

＊『GEMATRINATOR』(http://www.gematrinator.com/calculator/index.php)

ゲマトリアってそれでも何だかよくわからないって人が結構いるかもしれませんので見本を一つご紹介します。

コービー・ビーン・ブライアント（2020年1月26日死去）からみるゲマトリア。

元NBAのスーパースターであるコービー・ビーン・ブライアント（Kobe Bean Bryant）はピタゴラス方式の計算で54になります。娘のジアンナ・ブライアント（Gianna Bryant）も同じピタゴラス方式で54。ヘリコプターで亡くなったとされる時の年齢はコービー41歳と娘13歳、足すと54。この親子はスーパーボウル54（第54回）のちょ

コービー・ビーン・ブライアント

うど1週間前に死亡したとされています。Jesuit Order（イエズス会）もSunも54になります。犠牲を意味するCrucifyがコービーの死亡年齢の41と一致しますので、イエズス会主導の生贄儀式だったことが推測できます（実際に死んだのかは怪しいですが……）。

この見本は、コービーの死亡イベントの中でも氷山の一角で、他にもコービーにちなんだ数字合わせがたくさん存在します。とにかく様々なものがゲマトリアを通して複雑に関連付けられています。全部目の当たりにすると、支配層の恐ろしい知能も、様々な要因も偶然ではないとわかります。

ゲマトリアの観点からのスエズ運河エバーグリーン事故

こちらでは、Chiyoko Fukumitsuさんによる「フラットアースジャパン」への投稿をご紹介します。

［概要］２０２１年3月23日、「エバーグリーン」運航の全長４００ｍ超大型コンテナ船「エバーギブン」が、東西貿易の要衝であるスエズ運河のほぼ真ん中で、通航を塞ぐ形で座礁しました。一週間にわたりスエズ運河を塞いでいたコンテナ船は、3月29日にタグボート船団に引かれて離礁し、運河の通航がようやく再開されました。

3月23日は、９１１の１０１９週後。

１０１９→１１９→９１１。

コンテナ船「エバーギブン」竣工から９１１日後でした。

ニューヨークの9月11日のテロ発生時刻は8：46

Suez Canal ＝８４６　スエズ運河

Suez ＝２２２　スエズ

Order Out of Chaos ＝２２２　オーダー・アウト・オブ・ケイオス（フリーメイソンの有名なモットー）

3月29日は、フランシス教皇の誕生日から１０２日後

Suez Canal ＝１０２　スエズ運河

Port Said ＝１０２　港の名前

海外ニュースの多くで、blockageやblockという語を見出しに使っています。

＊『The cost of the Suez Canal blockage』

https://www.bbc.com/news/business-56559073

Blockage＝56　閉塞・遮断

Pope＝56　教皇

Food shortage＝56　食料不足

Climate change＝56　気候変動

Coronavirus＝56　コロナウイルス

Power Outage＝56　停電

Natural disaster＝56　自然災害

Evergreen＝54／144　エバーグリーン

Jesuit Order＝144／54　イエズス会

Suezを逆から読むと、ギリシャ神話のゼウス（Zeus）の名前になります。

ゼウスの原型は、シュメールのエンリル（嵐、天空、天候の神）です。

シナイ（Sinai）という地名に、エンリルの息子シン（Sin）の名前があります。シナイ半島は、人間の心臓のような形をしています。シナイ半島は、血液を供給する心臓のメタファー（暗喩）ではないでしょうか。また心臓（Heart）は「地球（Earth）」のアナグラムとも言われます。Heart/Earth

「エバーグリーン」：心臓のチャクラはグリーン色。

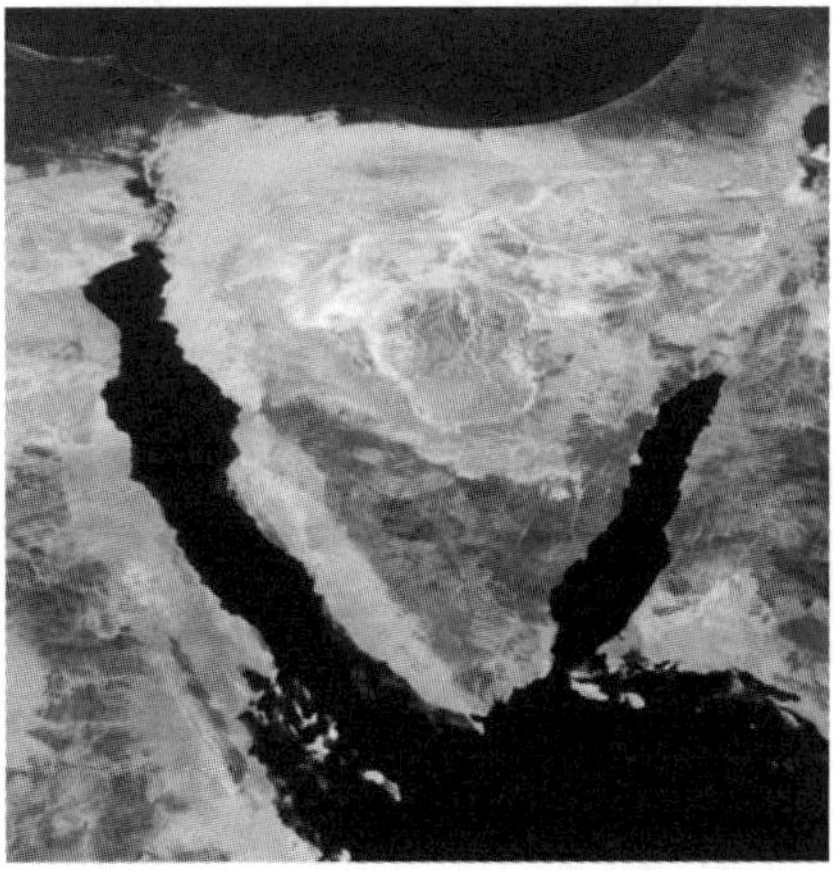

シナイ半島は心臓の形のよう

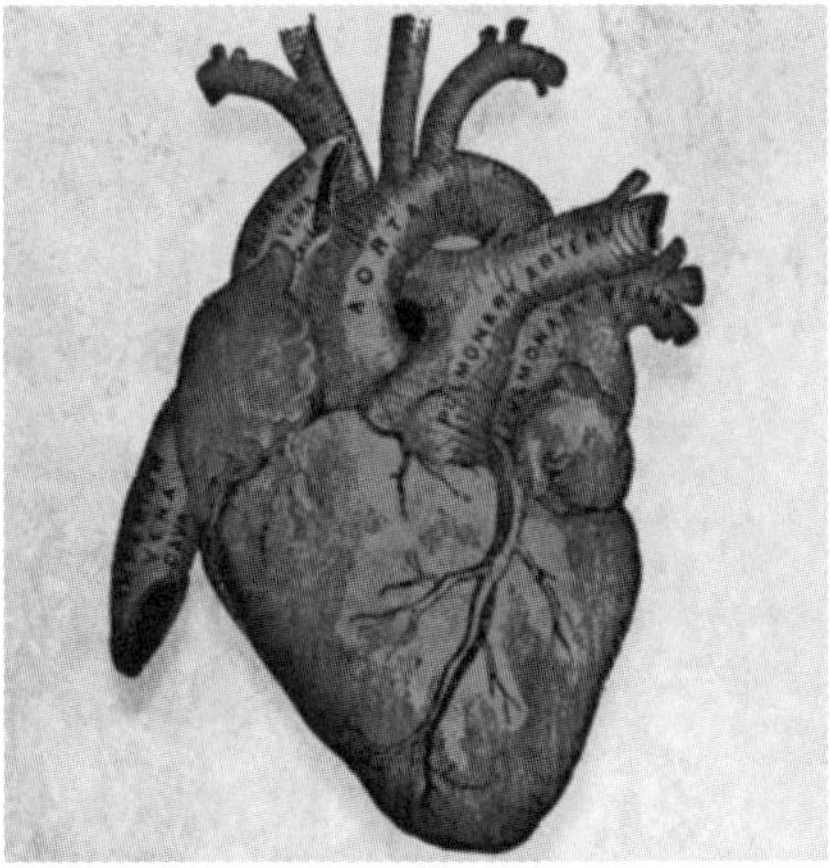

スエズ運河は経済の大動脈ともたとえられる

Heart＝52／25／83／29　心臓
Enlil＝52／25／83／29　エンリル
Sinai＝52／25／83　シナイ
※数字は、English Ordinal, Full Reduction, Reverse Ordinal, Reverse Full Reduction の順です。
創世記6：3　人間は120年生きられる
スエズ運河の長さは120マイル
経済活動を支える物資は、運河を通り、血液を通して運ばれ、生命活動を維持します。スエズ運河は大動脈と呼ばれており、心臓の動脈のメタファーになります。この一連の茶番イベントは一体何の儀式だったのでしょうか……。

エバーグリーンのゲマトリアは尽きない

前のトピックでChiyoko Fukimitsuさんの〝エバーグリーンは心臓〟という投稿をご紹介しましたが、いろいろな数字合わせが偶然ではないことを感じていただけたかと思います。勘違いされがちですが、ゲマトリアは意外と単語と単語の数字が合わない。これを書く時もかなり単語やフレーズをいろいろと試しに打ち込み、数字を調べました。なかなかヒットしないです。試しにやってみてください。
では本題。
74と読める07：40にコンテナ船が衝突した際の風速は時速74㎞。
予測プログラミングの宝庫であるアニメの『ザ・シンプソンズ』に出てくるシンプソンズファミリーの番地が742 Evergreens terrace。
あとは、
Masonic　メイソン
Jewish ユダヤ
Occult　オカルト
Lucifer　ルシファー
QAnon　Qアノン
なんとGemetriaゲマトリアまで74。
English　イングリッシュも。
余談ですが「破壊したぞ！」のI did damageも74。英語圏の先進国の経済的な「破壊」を意味しているのかもしれません。7月4日はアメリカの独立記念日でもあります。興味深いことにpeaceも74になります。

Qアノン（QAnon）も74

中東の何かを思案しているだろうか……。独立記念日とpeaceの組み合わせは意味深いのかもしれません、2020年7月4日はアメリカで盛大な花火が打ち上がりましたね。ちなみにその時3万枚のマスクが配られたそうです。「世界全員マスクしろよ」のメッセージでしょう。

またご存知の通り、マスメディアはほぼ全て洗脳機関です。ノルウェーのクルーズ船の会社が政府に嘆願「7月4日から再び船を出すのを許可してください」(このニュースが掲載されていたサイトのリンクは既に無効となりました。ゲマトリアのためだけに存在するような小さなニュースはしばらくすると跡形もなく消されていることが多いです。スクリーンショットを撮るべきだったと反省しています)。

ゲマトリアでは時々バイナリーシステムの如し、前後の番号を入れ替えることがあります。74→47というように。これを鑑みると与野党関係なくワシントンにいる政府も加担していることがわかります。

Government＝47　政府
Authority＝47　権威
Republican＝47　共和党員
Democrat＝47　民主党員
DC＝47　首都
President＝47　大統領
White House＝47　ホワイトハウス

ボケ老人設定のジョー・バイデンなるキャラクターが引退することも予見しています。第47代大統領の本命はカマラ・ハリスでしょうか。ちなみに副大統領のVice Presidentも47です。バイデンの次に支配層に選ばれた大統領が歴史的な役割を果たすことを思案しています。

また「強制ワクチン／獣の刻印の幕開け儀式」でも

あったのかもしれません。なぜなら獣を意味する beast もゲマトリアで47。

Beast＝47

トランプ（Trump）も reverse ordinal で47。QAnon＝74のクルセーダーという位置づけのトランプが所有するトランプタワーの火災があったのは2020年4月7日。トランプのミドルネームのジョンも47。トランプと47の関係は、偽救世主の Antichrist が Reduced 方式で47だからだろうと推測しています。

74と言えば、イベント201は年が変わるまであと74日の日付に開催（イベントの開催日などでは、この手法もよく使われる。反対にその年の1月1日から何日後とかも使われます）。

47は法律を表す数字のようなので、これが本当ならばワクチン強制の法律の儀式かもしれません。人間の染色体の数が46だから、支配層はその一つ上である、と言いたいのかもしれません。

このような数字の変換マジックで支配層は世界的なイベントを起こし、我々はことごとく洗脳されています。ゲマトリアを知っている人でも、イベントが起きた後にかろうじてついていくのがやっとのレベルです。

他にもたくさん。参考はこちら。

『Gematria Effect News』(https://gematriaeffect.news/)

余談だが調べたら Jesus も74だった。

Qアノンという弁証法

秘密組織を装っているのに、SNSで情報が筒抜けのQアノン。この得体の知れない組織を冷静に分析したちょっとしたおまけも本書巻末（412ページ）に掲載していますので、ぜひそちらもご一読ください。

アメリカ大統領選挙のタイミングに合わせて新たにドラマティックに登場した元軍人のホィッスルブロワー（内通者）がいたのですが、彼は元軍人なのになぜか横のつながりなどないであろうNSA（アメリカ国家安全保障局）のQクリアランス（権限）を持っていて、家族が6時38分頃（6＋3＋8＝17／Qの番号）に亡くなったとやたらと細かい設定を棒読みで告白しました。彼の動画は現時点では YouTube からなくなってしまっていて共有できないのが残念です。マスメディアの（トランプ寄りの設定である）FOXチャンネルのインタビュー動画だったのですが、「ロシアは悪魔の国だ！」という設定の幼稚な二元論などが展開されていて、くすぐるポイントが満載でした。政治や国家自体がただのエンタメだと知っているような人間には茶番すぎてしらけてしまうような内容でした。

　またトランプがスピーチで、「ディープステート」だとか「ブームブームブームブーム」などのQアノンのサイトにも掲載されている「暗号めいた」ことを言って自分とQの関連性を強調していました。正直こんなことで一喜一憂する人たちには「大統領のスピーチなど、そもそも大統領が原稿を作っていないよ」という、わりと公の事実を思い出してもらいたいところです。

Qアノンに熱狂する大衆

　この（削除されてしまった）動画では、コロナウイルス茶番をきっかけとする、そのうち起こされるグレートリセットの本番を良いものに見せかけるために、ファウチなどにあえて悪役を演じさせて偽物のグレートリセットが失敗するシナリオも用意しているという、支配層の用意周到っぷりが垣間見られました。おそらくプランCくらいの予備の計画ではあるとは思いますが、とても手が込んでいます。「FRBが解体したぞー！」「やったー！」「トランプありがとう！」みたいなシナリオになるのでしょうか。またQアノンには、信者をグレートリセット完了までの間、無力化させるための時間稼ぎ、という役割もあります。

　大衆心理は、タロットカードの上下逆転や反対向きのような二元論的で弁証法的な方法で歴史上ずっと巧みに操作されています。まるで『スター・ウォーズ』のようなわかりやすいライトサイド（光の銀河連合など）とダークサイド（ディープステートなど）の双方を仕掛け、演じることで世論をいとも簡単に操作している支配層は天才的であると言えます。

トランプが偽救世主のシナリオ

　まず偽救世主とは『ヨハネの黙示録』に登場する二

四目の獣。一四目の獣をヨイショする役割を担当。ある意味信心深い支配層は、新約聖書の最後の書である『ヨハネの黙示録』に沿って今回のコロナ騒ぎやワクチン／マイクロチップ（獣の刻印）を起こしている節があります。彼らなりの美学なのか、我々を馬鹿にしてのあえてのコピーなのか、真意はわかりません。

『ヨハネの黙示録』では偽預言者が現れ、人々を惑わし、国と国が戦争をし、地震や飢饉《ききん》が起きる、これらに耐え忍んだ後、救世主（キリスト）が現れる。そして皆救われたところで終わり……。

『キリストの名を名乗る偽者が大勢現れ「わたしこそメシアだ」と言って、多くの人を惑わすだろう』

つまり「俺が救世主だ」と言い人々に獣としての忠誠を誓わせる存在が偽救世主。騙されるほうが悪い、あくまでも自由意志の上での崇拝だという主張のもとに……。

このシナリオの根拠の一つは支配層が、今回のコロナウイルスプランデミックを実行するにあたり、明らかにいろいろと飛ばしすぎていること。サイコパスが故に計画を我慢できずに自慢しているという部分も大いにあるとは思いますが、ある程度うまくいかなくても大丈夫な保険を用意している余裕があるから飛ばしているようにも見えませんか？

もう少し具体的に言うと、ビル・ゲイツやアンソニー・ファウチを悪役に見立てたコロナウイルス劇場およびロックダウンなどの様々な縛り付けによる対策が民衆の反感を食らいすぎても、各国での暴動が手に負えないレベルに万が一なっても、最後の切り札としてトランプを救世主に見立てて投入する可能性があるのではないか？　ということ。

トランプはオペレーション・ワープスピードなどを打ち出すほどのワクチン推進キャラなので、例えば「安全なワクチンを用意した！」などといつものチャーミングな雰囲気で発表し、ワクチンを射たないと決めていた人たちを巧みにワクチン接種に誘導するのかもしれません。数年前から加熱している、現実的にはあり得ないQアノンとトランプというヒーロー物語はこのために用意されたのかなと想像できます。

もっと言ってしまえば、トランプが「ワクチンを接

コロナ茶番で大活躍のアンソニー・ファウチ

トランプは「切り札」役なのか

「獣の刻印」としてのワクチン接種

マスク姿のビル・ゲイツを見たことある？

種しないやつを捕らえろ！」と言えばワクチン非接種者を大勢のQアノン信者が取り囲み、無理やりワクチンを体内に投入する可能性もあります（これは極論であり、必ず起きるとは決して思っておりません）。

　ちなみにトランプという単語自体は英語で「切り札」という意味があります。きっと昔からこの役割を果たすことが決まっていたのでしょう。もしかすると生まれる前から決まっていたのかもしれません。ゲイツやファウチは見るからに、そして話すからに悪人風ですが、トランプのあのキャラはピエロというかまさしくトランプカードのジョーカー的なおちゃらけた感じで、役者魂なのか、そういう雰囲気を醸《かも》し出せるように最初から育てられたのかはわかりませんが、上手にこなしていくでしょう。良くも悪くも「カリスマ」とはそういうものです。人を惹きつけるのです。一度見たら印象に残り、忘れられないだろう。

シェークスピアのワクチンは２２２

　承認されたコロナワクチンを世界で最初に射った男性という（ことになっている）ウィリアム・シェークスピア（なる役名を演じているクライシスアクター）がイギリス人の平均寿命である81歳で亡くなりました。このイベントでは２２２のゲマトリアがいろいろと仕込まれていて、これから起きることを連想させているのがわかります。

　では数字を見ていきましょう。

William 'Bill' Shakespeare ＝２２２　ウィリアム・ビル・シェークスピア
Wuhan coronavirus ＝２２２　武漢コロナウイルス
Order out of chaos ＝２２２　混沌からの秩序（支配層のモットー）
Mandatory vaccination ＝２２２　ワクチン接種の義務化
Event two zero one ＝２２２　イベント２０１
Event 201のスポンサーでもある世界経済フォーラム／World economic forum ＝２２２

　ちなみに、この老人がワクチンを射った２０２０年は……、
土星と木星の惑星が約20年に1回近寄るグレートコ

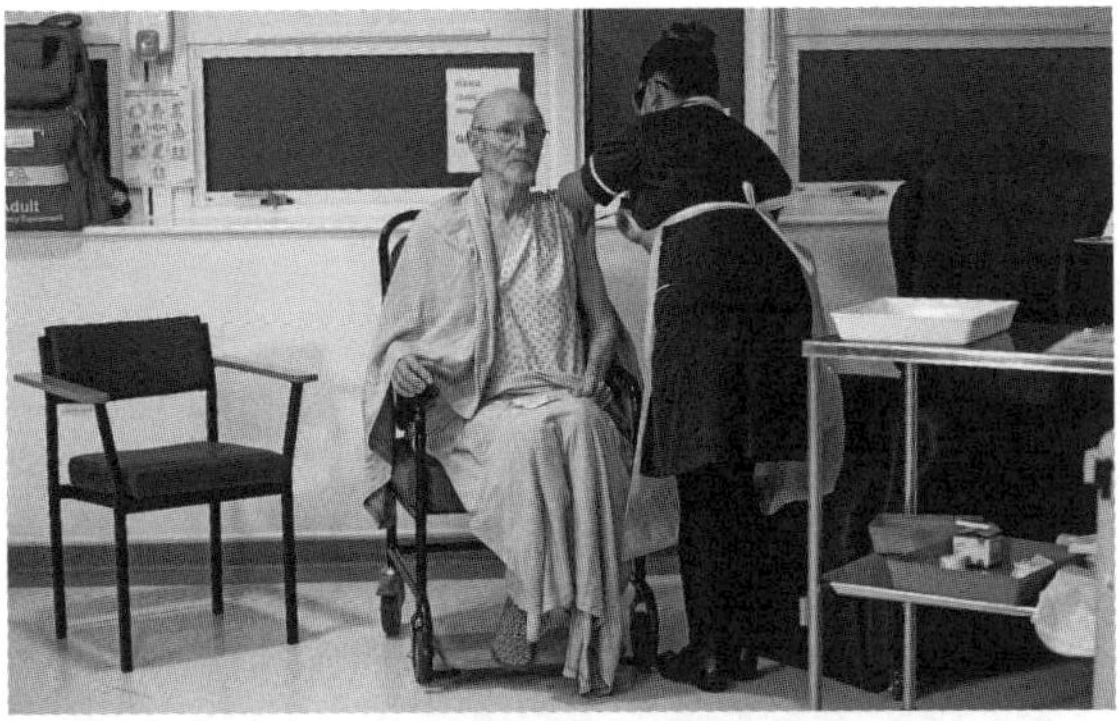

男性として世界で最初のコロナワクチン接種

Word or Phrase	English Ordinal	Full Reduction
Wuhan Coronavirus	222	78

武漢コロナウイルス

Word or Phrase	English Ordinal	Full Reduction
Event Two Zero One	222	78

イベント201

Word or Phrase	English Ordinal	Full Reduction
New York, New York	222	78

ニューヨーク州ニューヨーク市

"World Economic Forum" = **222** (English Ordinal)

W	o	r	l	d		E	c	o	n	o	m	i	c		F	o	r	u	m		
23	15	18	12	4	72	5	3	15	14	15	13	9	3	77	6	15	18	21	13	73	222

世界経済フォーラム

ンジャンクションの年／The great conjunction ＝２２２

（天然痘の）世界で初めてできたワクチンが２２２年前の１７９８年

ＷＨＯがグローバルパンデミックを宣言したのは２０２０年３月11日

２００１年９月11日→２２２ヵ月後の２０２０年３月11日

９・11と言えばニューヨーク州ニューヨーク市も２２

ドナルド・トランプが世界経済フォーラムでスピーチしたのは２０２０年１月21日

これは彼の誕生日から２２２日目

ここから読み取れることは何でしょう。みんなで考えてみよう。

個人的には、コロナプランデミックからの強制ワクチンと米中対立の加速をしていきたい支配層の強い決意が垣間見れました。

ＮＡＳＡはブルービームのために設立されたのかもしれない

ゲマトリアではエイリアン＝Alien＝94（reverse ordinal）になります。

特に１９９４年以降は、宇宙ネタには94という数字が盛り込まれていることが多いのです。宇宙以外のビッグイベントでも、ビルとメリンダ・ゲイツの結婚も１９９４年１月１日。ビル・ゲイツの母親もこの年に亡くなったことになっています。

ＮＡＳＡは何のために設立されたのか＝ＮＡＳＡ主導で宇宙茶番がずっと繰り広げられている理由は、空に宇宙人のホログラムを映し出し、宇宙人による侵略的来襲を演じる「プロジェクトブルービーム」の演出に必要不可欠だからなのかもしれません（ＮＡＳＡではなくトランプが発令したスペースフォースがこの役割を果たすかもしれません）。

つまり、ＩＳＳをはじめ現在まで繰り広げられてきた一連の宇宙詐欺は、本質的には将来実施されるプロジェクトブルービーム（ブルービーム計画とも呼ばれ

空にホログラムを映し出し、宇宙人の来襲と地球侵略を演出する「プロジェクトブルービーム」

National Aeronautics and Space Administration			Match
English Ordinal	Full Reduction	Reverse Ordinal	Reverse Full Reduction
441	171	666	261
9	9	9	9

NASA のゲマトリアは獣の刻印

ブルービーム計画へ向けてのスピリチュアルや宇宙茶番

ている）の信憑性を上げるためのただのお膳立てであるとも言え、ＮＡＳＡの皆様がやる気のない感じでポカミスを繰り返し犯しているのも頷けます。ねずみが宇宙を飛んでいるロケットの動画に映っていたイーロン・マスクのスペースＸも似たような役割なのでしょう。

本書の読者なら決して騙されないと思いますが、プロジェクトブルービームを万が一起こされたら、わけがわからずに混乱した羊人間たちにより街中がカオスになる可能性は高く、（第二次世界大戦終戦間近のように）強盗、レイプ、暴力など様々な非道が行われる可能性が高いため、前もって今のうちから防犯意識を高めた方がよいかもしれません。

ちなみにですが、ＮＡＳＡはゲマトリアで以下のようになります。いわゆる獣の刻印です。

ＮＡＳＡの正式名称National Aeronautics and Space Administration＝６６６（Reverse Ordinal）

New Mexico＝６６６（Sumerian）ニューメキシコ

Vaccination＝６６６（Sumerian）ワクチン接種

などと同じです。

話を94に戻します。94は、33番目の半素数。宇宙にはこの数字に関連する以下のゲマトリアが見つかります。

Star Child＝94（English Ordinal）スターチャイルド

「エイリアン研究家」のロイド・パイ（Lloyd Pye）は、２０１３年に誕生日から94日目に死亡

ＮＡＳＡの設立　１９５８年7月29日

（7／29／58　7＋29＋58＝94）

１９９４年、陰謀論を追いかけるジャーナリスト、セルジュ・モナスト（Serge Monast）が心臓発作で死去（プロジェクトブルービームに関する著書を書いている人になります）。

ＵＦＯとワクチン注射器をくっつけたような建物であるスペースニードル（Space Needle）は、ワシントン州シアトルにあります。アメリカ最初のコロナウイルス感染者が出たのは、ビル・ゲイツの本拠地であるワシントン州。

Seattle, Washington＝94（Reverse Full Reduction）ワシントン州シアトル

Space X＝94（Reverse Ordinal）スペースX
Roman Catholic Church ＝ 94 （Reverse Full Reduction）ローマ・カトリック教会
モデルナワクチン臨床試験における効果94％
Coronavirus Pandemic ＝ 94 （Full Reduction）コロナウイルス・パンデミック
2021年1月10日にジョージ・ブッシュ（G. H. W. Bush）の妹がコロナウイルスにより94歳で死亡
President＝110（English Ordinal）大統領
Jeff Bezos＝94（English Ordinal）ジェフ・ベゾス、ニューメキシコ州出身

ビル・ゲイツはシアトル出身、BASICインタプリンタのデモをニューメキシコのMITS（電子機器メーカー）で行う。マイクロソフトもアマゾンも、シアトルに本社を置く会社。ニューメキシコもシアトルも、UFOがよく見られる場所として有名です。

ゲイツ夫妻「5月4日」に離婚

ゲマトリアは実にいろいろと教えてくれる。「離婚」という行為なんて法律の上にいるような特権階級の人間にとっては何の意味もないため、ただの儀式である。今回は何の儀式？　以下を読めばわかるかと思います。

Jesuit Order＝54
イエズス会の（正々堂々とした）スタンプが押されたマーキングなのだとわかります。

本書で既にお伝えしているように、コロナウイルスのプランデミック幕開けの儀式という位置づけのコービー・ブライアントの「死」もこの54だらけです。ビル・ゲイツの太陽光を遮断する計画（太陽＝54）がニュースなどでも報道されました。ちなみにその記事の日付も4月5日（＝54）。

ゲマトリアを理解すると、マスメディアのニュースは全てアジェンダ、政治はただの大衆分断とガス抜き用のエンタメ、プロスポーツはおおむねヤラセであることがわかります。また少なくとも、ゲマトリアのために作られたと言っても過言ではないアルファベットと、現代英語を作った時からの支配層のやる気と、強烈な私たちに対する悪意もわかります＝ゲマトリアを知らない「陰謀論者」は、支配層の悪意と計画性を過小評価してしまう傾向にあります。

メリンダ＆ビル・ゲイツ元夫妻

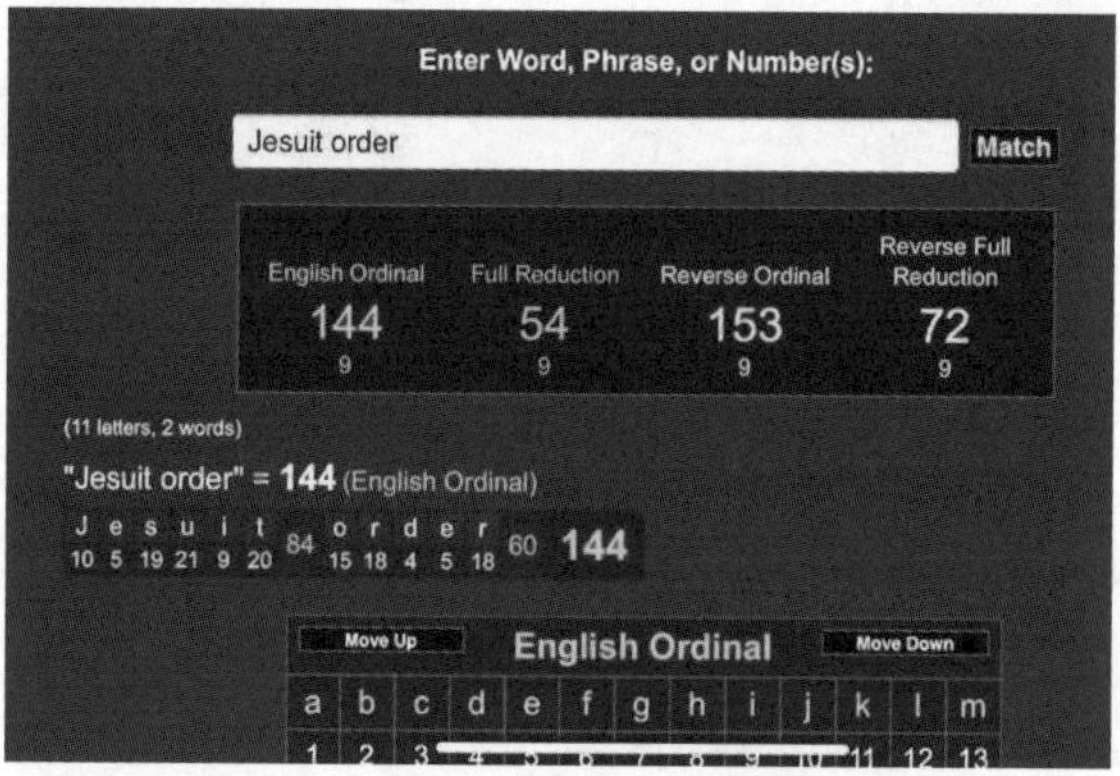

イエズス会も54

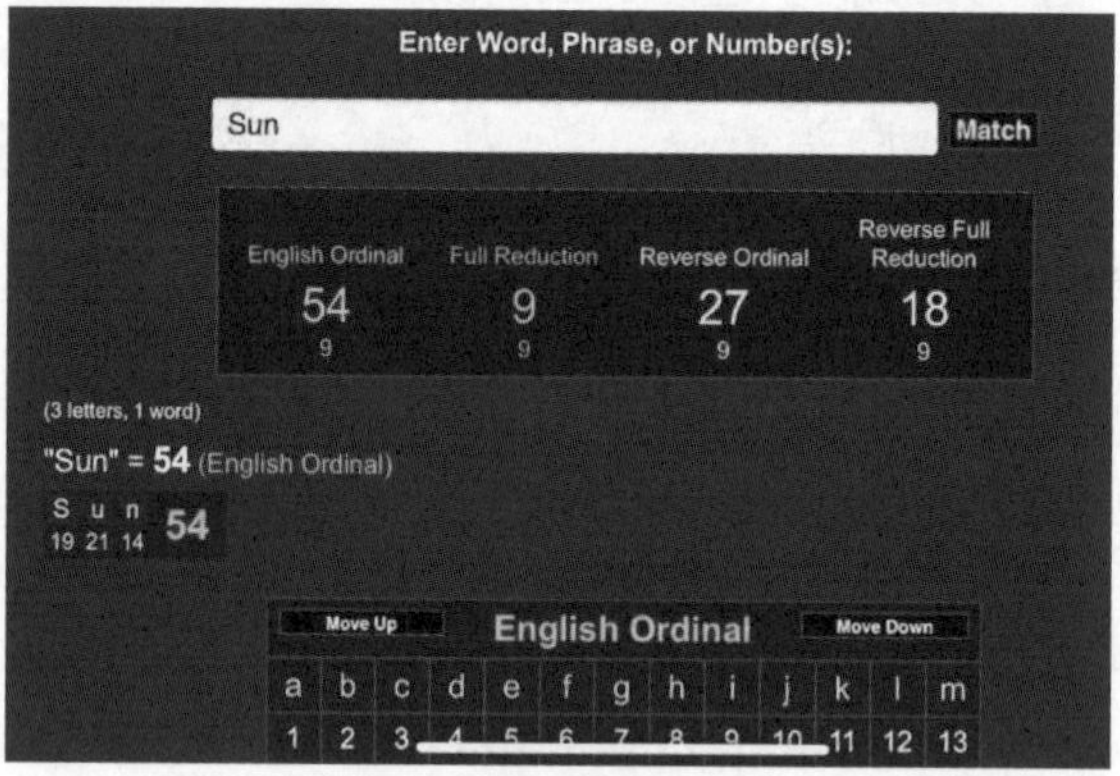

太陽も54

ゲマトリアを知らないと、ディズニーランドのイッツアスモールワールドのように歪んだ世界観の巨大な人間牧場で飼われている家畜である、ということが本質的には理解できないとも言えます。数字が嫌いだからとか、ゲマトリアはよくわからないからとかという「めんどくさがり屋」な理由で端っこに寄せてしまうのはもったいない。私自身も数字が普通に苦手です。でも解読に努めています。皆様も解読してみよう。

現代の男女平等＝究極の男尊女卑

ゲマトリアからは別のネタに移りますが、「女性が社会に出る＝男女平等」という性悪な印象のバイナリートリックについて書きたいと思います。現代の女性が主体的に外に出て働きに出ることとは、支配層の思惑通りの洗脳として、近代における大衆に浸透してしまったことは、我々家畜の歴史上の大きな墓穴の一つであると言えます。球体説というインチキの浸透という墓穴に近いと思います。

人間という生き物は、得意なことをやっている時はストレスが少ない。男と女は太古の昔から「お互いが得意な分野」を自らの意思で担当してきました。ストレス少なめである。男は力があり体の構造がシンプルで、論理的思考に長《た》けているので畑を耕したり、村の方向性を議論してきたり、家畜を飼い慣らしてきた。女性はこの世界で一番やり甲斐があり、大切な仕事である子供を産み、育てる仕事、家庭を切り盛りする仕事。気配りが上手で子供と心を通わせられる感受性が豊かであるからできる仕事であり、男性はこの辺が基本的に不得意。世の多くのサラリーマンがやっている、「電気が通ったプラスチックの箱に向かって8時間ひたすらカチャカチャとキーボードを打つ」ことなど、子育てに比べたらもってのほかの無意味さ。なくても困らない。子育てはなくなったら私たちは滅びます。この辺が理解された上での男女平等は普通にずっと成り立っていたし、この概念を基盤とする社会では男性の給料だけで家族まるまる養えた。

ところが、この順調で理にかなったシステムが近代に入って崩壊していきました。根本的には「男性のやっている、外に出る仕事の方が偉く、それができない女性はふがいない」というかなりの男尊女卑的な考え

●待機児童数及び保育利用率の実績の推移

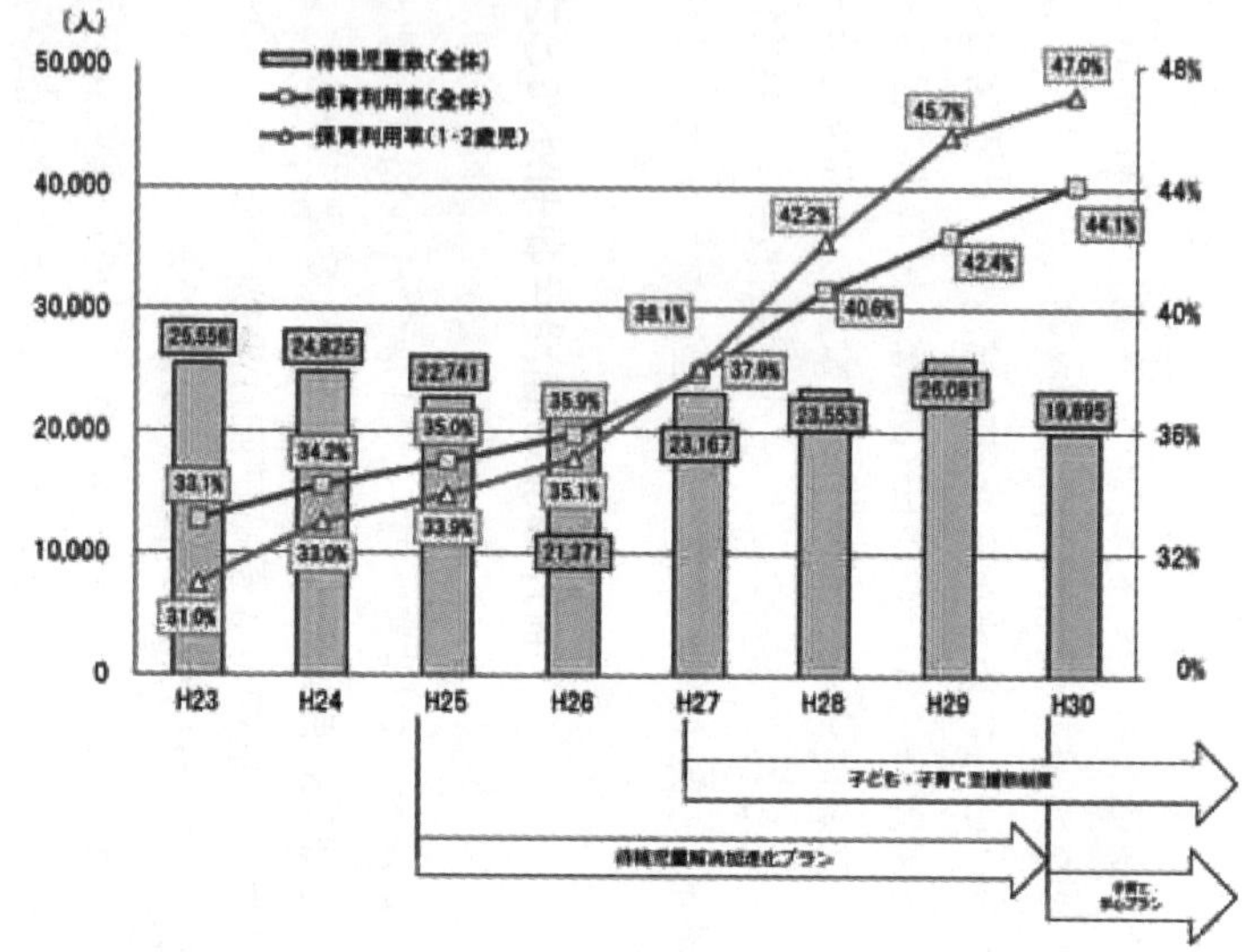

待機児童問題を通して子育てが困難であるイメージが喧伝される

を、実際とは真逆の綺麗ごと（男女平等！　女性にも権利を！）に言い換えて、女性の立ち位置を一気に男性側に持っていったのがイッツアスモールワールドのように屈折した現代の男女平等であり、本質的には不平等極まりない主張である。まるで子供を産んで育てることが大切ではないと言わんばかりの主張であり、それまでの女性の役割を半ば踏みにじった男尊女卑であると言える。

支配層がなぜこのなんちゃって男女平等という思想を大衆に仕掛けたのかには次の理由があります。

（1）少子化を促す

共働きは「忙しいから」「大変でそれどころじゃないから」と子供を産まない夫婦が増えるため少子化を促します。

核家族の共働きだとどうしても保育園に預けないといけなくなりますが、保育園のキャパシティ分しか最大で子供を預けることができないわけですから、政府などがその意図に気づかれないよう注意を払いながらキャパシティを意図的に下げてしまえば、「保育園に入れられないから」という理由で子供を産まない方が良いと考える夫婦が増えます。「待機児童がこんなにも！」とメディアが煽《あお》れば子供を産まない選択をする人が増えるのは当然と言えば当然で、支配層は長期的にではあるが人口の調整が容易に可能。

（2）男性の給料を相対的に下げる

女性が社会に積極的に進出することでそれまでの労働の需要と供給のバランスが崩れ、男性の給料はどんどん下がりました。前は可能だった男の稼ぎだけでやっていくことができない家庭が当たり前になってしまい、それは相対的に家庭が貧困に近づいたことを意味します。得をしたのは安い給料で社員を買い叩けるようになった経営者のみ。それも大企業の経営者。なぜなら給料が下がったことで「ほら、もっと安く商品を提供できるだろう？」と大企業が中小企業を買い叩くようになったから。

（3）子供の洗脳教育を容易にする

共働きで子供につきっきりの教育が実質不可能になり、ある程度学校や保育園に任せきりになってしまうのが共働きの現状。フラットアースに気づいた読者の方なら当然ご存知ですが、学校教育では支配層にとって都合の良い嘘が教科書の至るところにちりばめられています。親の監修がほとんどない状態だと、子供たちを都合の良い社会奴隷に育てていくのが、支配層にとってそれだけ容易になるということです。

（4）性別を曖昧にする

映画や小説などのエンタメメディアにおけるＬＧＢＴの猛プッシュもそういう狙いがあるのですが、男性と女性という揺るぎない個別の性の境界線をぼかすことで支配層が得られる利点は多いです。男性的な女性（いわゆる肉食女子やバリキャリなど）が増え、性の違いが曖昧になると性別ではなく一個人同士として恋愛を始める人が増え、同性愛では子供が産めないため少子化にもつながる。また様々な性別的属性を主張する人が増えれば、支配層が一番お望みの「大衆の分断と対立」も効果的に成し遂げられる。そう、大衆同士が罵《のの》り合っている分には、どんな主張が展開されていようと支配層の思惑通りである。

（5）支配層は嘘をつく性分だから

これだけ世の中に満遍なく嘘を展開する支配層は、嘘をつくことが手段ではなく目的となってしまっている節があります。いわば私たち家畜に嘘をつき、欺《あざむ》くことが一種の快感／生きがいになっているということです。支配している人間は、きっとある意味退屈で物質的で無機質な毎日に「ちょっとしたスパイスを足そう！」という感覚もあるのでしょう。

私たち家畜にできること

周りの子育て世代にはさらに優しさをもって接していくなど、この流れを断ち切るためには、私たち一人一人が次世代を育てるために立ち上がらなければならないのです……立ち上がるとは、次世代の生活のために同調圧力などに屈してマスクをしないなども含まれています（じゃないといつのまにか法律化されるかもしれませんよ?）。

ただ、こんな世の中の状況で子供や孫が新たに生まれるのはその子たちに申し訳ないと思う気持ちがあるのも理解できます。これこそが支配層の狙いかもしれません。私たち家畜が新たな子孫を残したくなくなるような生きづらい世の中を作り、家畜たちを勝手に自発的に人口減少に加担させていくことが頭の良い支配層たちの裏の思惑なのかもしれない。

政治傾倒が出そうな方は選挙ニュースを全て無視しよう

政治というコンテンツや選挙というイベント、投票という行為が好きな方は、認知的不協和を起こしながらでもよいのでお読みいただけたら幸いです。

オッカムの剃刀を使えば、今後の展開はこれだけシンプルに削ぎ落とせます。

コロナウイルス↓ロックダウン↓大衆がキレて暴動↓経済の大停滞↓経済破綻↓ベーシックインカムなどによる超デジタル管理社会の実現↓人間とAIの融合（トランスヒューマニズム）という大まかな計画があります。全部が計画通りに実現するかはわかりませんが、おおよそこんな想定でよいでしょう。

では本題。

例えば「選挙票がゴミ箱に捨てられた！」と一喜一憂している皆さん。本当に不正があり捨てたかったら、

投票なんてやめよう！　不正茶番選挙で誰が勝とうが意味がないから

共和党も民主党も元は一緒である

裏で焼却するか、最低でも細かくシュレッダーしてバレないように捨てます。わざわざそのまま監視カメラが近くにあるゴミ箱に捨てて、それがその自宅近くの監視カメラにうまく拾われ、動画が漏れて、瞬く間に世界中のSNSで拡散されると本気で思いますか？

選挙戦はただの家畜のための民主主義体験型イベントです。本当に票を数えて、その結果で何かを決めていません。数百～数千年かけて今の支配構造を築き上げてきた、支配層が4年に1回方向性を変えられるリーダーを家畜の投票で選出するシステムなど許容するはずがありません。2020年のアメリカの不正選挙など、騒いでいる陰謀論者がクレイジーだと羊たちに印象づけるためのコンテンツなので無視してください。というか選挙自体無視してください。前回のアメリカ大統領選挙は特に対立と暴動を生むために、二元論をいつも以上にメディアを通して放っています。大衆は思いのまま操られ、対立と暴動は経済破綻を招き、ベーシックインカム導入の新しい管理世界が構築されつつあります。

何度でも言いますが、我々をずっと管理してきた支配層が、家畜に世の中を変える手段を与え、しかも投票というランダムな方法で自分たちの権力がなくなっていくのを許すはずがないのですが……。権力者は権力に取り憑かれている、という事実を甘く見ない方がいいです。支配層は権力の維持のためなら命だってかけるでしょう（かける状況にはなかなかならないと思うけど）。

そう、先入観を冷静にできるだけ捨てて、論理的にこの辺を改めて考えてみましょう。

論理的思考の障害となるワクワク脳

こういう思考回路のバグを起こしてしまう「陰謀論者」は日本で特に多く、フラットアーサーにも見受けられてしまうのは非常に残念です。端的に言うと「真相論という真実の追究」という主目的がいつのまにか「ワクワクする陰謀コンテンツを追いかけること」にすり替わってしまっている状態を指します。

この状態になってしまうには様々な原因が絡んでいると考えています。一つには、この世界で普遍的に蔓延る様々な嘘を追究するうちに、様々な恐ろしい真実を目の当たりにし、そして怖くなり（多くの場合は無意識的に）現実逃避してしまうこと。次に、真相を探している内にたどり着いた特定のコンテンツに強い思い入れを抱いてしまい、それにのめり込んでしまうパターン。

または、そんな恐ろしいコンテンツを自分だけが知ってしまったという絶望感と優越感の奇妙な同居による「自分には悪いことは起きない。幸せになる、自分を特別に感じられるコンテンツを〝信じよう〟」という正常性バイアスとナルシシズムが合体したような気分になってしまう人もいるでしょう。こうなるとかなりの重症で、いろいろな矛盾にも目を瞑ってしまい、論理破綻を生みながらも、矛盾に気づくこともなく認知的不協和を起こしてしまい、もともと持っていた「真相を追究する意思／心」に蓋をしてしまいます。真実の追究どころではなくなり、心やいわゆる魂の成長が止まり、ワクワクコンテンツのみを追求し、結果として無力化されていきます。支配層の思惑通りです。

漫画やアニメを子供の頃からたくさん「消費」している日本人には、戦闘する孫悟空のような「オラ、ワクワクしてきただぁ」の精神になおさら落ちやすいのかもしれません。人間は、ワクワクするとドーパミンが出ますので、一種のドーパミン中毒に陥るのでしょう。もうそこまでいくと、体はワクワクドラッグを求めることが主目的となってしまい、真実など二の次どころか、ワクワクしないものは嘘だ、くらいの都合の良い脳内変換になってしまう人もいるでしょう。

今はいろいろと辛い時期ですが、どうか不都合、またはつまらなくシンプルなワクワクしないコンテンツでも、論理的に「真実」である可能性が最も高いのであるならばその「回答」を受け入れ、そうでなければワクワクしようがなんだろうが「真実」ではないと論理的に判断できるのであれば、笑い飛ばすかゴミ箱に投げ捨てるかしてほしいところです。じゃないと無力化されて、ふと気づけば、いつのまにかコロナワクチンを接種せざるを得ない状況になることでしょう。

ネットで叫ぶ意義

世論操作、情報統制、人間の孤独化やアバター化以外に支配層がインターネットを作った理由の一つは、ニュース記事の投稿や様々な仕掛けをネットで打ち出し、ビッグデータなどのテクノロジーにより我々の反応を細かにうかがい、分析し、次の策を立てること。むしろこれがインターネットが作られた一番の理由かもしれません。

イスラエルのネタニヤフ元首相が言っていた「子供たちが学校に戻るにはマイクロチップを必須にする必要がある」や「２０２１年、カナダでワクチンを射たないと隔離地に強制送還」といったニュースがありましたが、支配層はまだ実際に決まってもいないことを「意見」として発表し、我々の意識に植え付けていきます。これらのニュースに対して、世の中に一定数いる真相論者の皆様がそれなりの数で切り込んでいくからこそ、支配層は多少妥協を強いられ、軌道修正をしてまたさらに家畜受けの良いニュースや伝え方を練りだしていきます。

つまりネットで誰も叫ばなかったら、我々家畜は鎖につながれた状態まですやすやと持っていかれるということ。ネットで反発しているからこそまだそうなっていないし、支配層もネット規制に特に最近かなり力を入れているのは「ネットで叫ぶ」ことをある程度脅威に思っているからに他なりません。

支配層は過激なニュースをいろいろ発表することで、

羊たちの（洗脳が解けないギリギリの）臨界点を常に模索している、とも言えます。だからこそ真相論者が声を高々に上げる意味は大きい。私も、誰も聞いてくれず、まるで壁に向かって叫んでいるような気分になりながらもネット投稿をすることが多いですし、ネットにもわんさかいる羊たちに馬鹿にされたり心ないことを言われたりすることも多いですが、最近はこういう羊たちは正直放っておいた方がいいのだなと思うようになりました。「和歌山から富士山が見えるのは平面だからではなく屈折と蜃気楼が原因だ」と主張するタイプの現実逃避型の球体説信者は気にせず放っておけばよいのです。

大事なのは、ネットを通して支配層に、私たちのような声を高々とあげる人間が多くいて、好きなようにはさせないぞ、とわかってもらうこと。つまりネット上の啓蒙活動は、ある意味羊への啓蒙というよりは支配層への抗議である性質が強いのです。

ただしネットばかりでの啓蒙になり、現実での行動を一切しないというのもあまり望ましくはないでしょう。ネットでの啓蒙は、閉鎖的空間内でのコミュニケーションの繰り返しであるため、周りがどんどん見えなくなり、限られたグループ内だけで情報発信が収まってしまうエコーチェンバー現象という状況を生み出す可能性があります。そのため、皆様には積極的に現実世界でも啓蒙し続けてほしいと強く思っています。

現実世界での抗議活動も大変有意義であり、さらにはネットで叫ぶことも思いのほか支配層へのビジビリティは高いので、自信を持って啓蒙を続けてほしいところです。

ネットで叫ぶ意義は大いにあります。

我々は業《カルマ》を積まされ機械化により創造主から遠ざけられている

「創造主」なんて書き方をすると「こいつはきっと〇〇教だな」とか思われることがありますが、ようは「我々を作った何か」と思ってくだされば よいです。

支配層の一番の目標は**地球の浄化**だと何回かあちらこちらで伝えております。じゃあ、その動機はなんだ？　と問われると、彼らがそれを成功させることで自分たちが創造主より上であると証明した気になれるからです。言うなれば究極の（創造主に対する）権威コンプレックス。この辺の話の深掘りはまた本書ではなく、どこかの機会で発表できたらなと思いますが、とりあえずは話を元に戻します。

その創造主を超える手段として、彼らは我々「人間」（＝支配層は明らかに自分たちと私たちは違う生物という認識です）を完全なる支配下に置きたい。コントロールしたい。

そんな「人間やめますか？」的な精神的バイオロボット時代の幕開けをわかりやすい形で聞こえ良く具現化しているのが国連のアジェンダ21／2030アジェンダ。

彼らが人間の機械化（コンピュータ、スマホ、ウェアラブル端末、ワクチンに伴う自閉症化、ケムトレイル、5G、スマートグリッド、工業自動化、ナノ粒子、そして液体マイクロチップやマグニート・ジェネティクス）を推し進めるのは、我々がどんどんコンピュータやクラウドと一体化し、創造主が作った人間という存在とは言い難いものに変化させることで、創造主に対して中指を立てながら、「貴様の作った人間は俺たちの手中に落ちた。だから俺たちは貴様を超えたぞ！」と言いたいのでしょう。

この非人間化の流れに私たちが逆らうことが、真の幸せへの道ではないかと感じております。

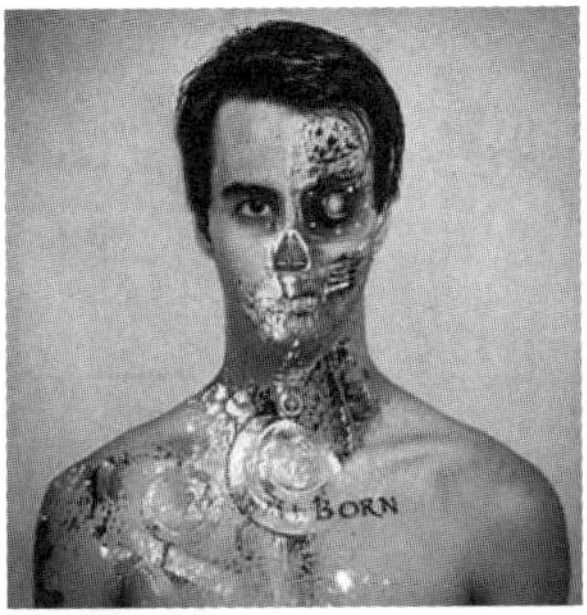

人間のバイオロボット化が粛々と進行中

プロレスと支配層は正々堂々としている

"The real world is faker than wrestling."

「実世界はプロレスよりフェイクさ」

ミック・フォーリー（元ＷＷＥ世界チャンピオン）

支配層はシンボリズムやサイン、ゲマトリアなどでこれでもかというくらい正々堂々と自分たちの計画を私たちに示しています。そんなに難しくない、やり方さえ習得すればすぐに目につくレベルで。支配層の、「学ばない、見ない、分析しない、行動しないお前たちが悪い。そんな奴は人間ではなく獣だ、家畜だ！」という気持ちは、正直わからないでもない。かなり性悪ではあるが……。

プロレスについて。

フェイクエンタメの代表みたいな扱いを受けるプロレスも同様に堂々とフェイクであることを認めており、「低俗ですけど何か？」というスタンス。これほど清々しいガス抜きは他にあまりないですね。私がいまだに多少まだ観ているエンタメの一つである理由でもあります。

えっ、スポーツや政治は本物だって？

まず気づこう、そろそろ。政治もプロスポーツも本質的には全く同じ。そういう意味ではプロレスもスポーツである。全部一緒、茶番。

プロレスが真剣勝負であるという意味ではなく、プロスポーツも茶番であるということ。ゲマトリアに気づくと特にそれがよくわかります。私もずっと生まれた場所の地元サッカーチームである、プレミア・リーグのアーセナルのファンだったから少し認知的不協和を起こしたけど、今はもう完全に理解できました。

今度は話を少し政治に。

左翼対右翼、自民党対民主党、マンチェスター・ユナイテッド対リバプール、プレミア・リーグ対セリエA。これ全部同じです。フリーメイソンの最大の目的である家畜の分断を促すための白黒のチェッカーボードの一環。ただの分断コンテンツです。はい、政治もです。基本的には無視しよう。時間を2時間割けば1時間58分以上の無駄です。

有名サッカーチームのマネージャーが「負けて悔しいっす」と言ったからってその試合が「真剣」勝負とは限らないのと同じで、政治家が何かポピュリスト的な熱いこと言ったから、または恐ろしく冷たいことや馬鹿げたことを言ったからって本質的には全く関係ないです。全ては世論の動向をうかがい大衆の分断を促すための茶番。ただのエンタメです。そう、時間をいつのまにか消費される、それだけです。テレビと一緒でそれがわからない人は捨てた方がよい。スポーツも政治も我々が分断されるだけ。エネルギー使うだけなので、もっと有意義に時間を使おう。

政治なんかは特に中途半端にインテリ風のコンテンツとして、関心を持っている私は頭が良い、とインテリコンプレックスが強い家畜を刺激してしまい、感情移入がしやすい、のめり込みやすいものとなっている。

「あの政治家はダメだ！」と熱弁する自分に酔いしれている老人と言えば想像しやすいだろうか？

どうしてもガス抜きがしたい場合は、プロレスなどに代表される低俗でわかりやすい何かをそういうものだと割り切って観ましょう。

例えばプロレスはそういう類の（思想や主義などによる）分断はほとんどない。低俗が故に、みんなそこまで熱くならない。でも楽しむ。少なくともガス抜きにはなる。

ある意味、自分に正直なプロレスが一番純粋に楽しいのである。正々堂々としている。アートだ（笑）。

飛行機や落下する人を合成した9・11の画像

プロレスではリアルに落下している

例えば9・11のフォーリング・マンはただの合成動画だが、プロレスでは本当に落ちる。下にマットがあるだけだ。本当に落ちている。

そしてほどほどのプロレスもよいが、本当に大切なことは、己の内側にある様々な葛藤と対峙《たいじ》したり、家族など大切な人たちとの時間を大切にすること！（私も調べものばかりしていて、そこは反省点だらけではありますが……。）

最後にまとめると（言葉尻だけ取る人がいる可能性があるため）、

「ガス抜きをするなら低俗で感情移入しないものにしよう。そしたら明日もスッキリと頑張れるよ！」

という主張になります。そんな皆様にとって、私のプロレスに匹敵する正々堂々と馬鹿を演じきったコンテンツとかありますでしょうか？

テレビという無意識

戦後に台頭したテレビは、大衆の洗脳をいとも簡単に達成しました。私たちはテレビを通して、サブリミナルにいろいろな情報、思想、感情を幼い頃から植え付けられています。子供は特に脳がスポンジのように柔軟が故にテレビからの情報の吸収率が大人の比ではなく、NHKのEテレが基本宇宙人、球体説、恐竜のオンパレードであるのがとてもやっかいであると言わざるを得ません。洗脳は小さいうちから……、なんて言われていますしね。

大衆の洗脳マシン

心地良い周波数でコントロール

　例えば少し疲れている時にテレビを観ていたら、急に寝てしまうことありませんか？

　あれはテレビの周波数が催眠状態になりやすいような居心地の良い周波数を出しているから、眠い一歩手前の人はころっと本当に眠くなる。観てもいないのにテレビをつけっぱなしにする人の心理もこれ。テレビの周波数が出ている状態に安心しているということ。特に洗脳か行き届いている人にはテレビの音や映像が居心地良いから「電波中毒」といっても差し支えないでしょう。

　サブリミナルのため、本人たちは洗脳が施されたことにも気づかず、テレビと違う意見が誰かから出ると自分の意思だと勘違いして猛烈に批判してくるのはこのため。なんてったってテレビの向こう側からすっかり感情移入してしまった「大好きな芸能人が、時には笑顔をはさみながらそう語るのだから、きっと間違いない」という親近感が論理的思考の邪魔をする。

　このカラクリは、私たち家畜に様々なチャンネルという「選択肢」を与えることで「自分の意思によって観たいテレビを観ていて、周りにも自分の意思で意見を言っている」と、さもコンテンツを選択している自分がいるという錯覚を与えることにより可能となる。実際はどのチャンネルをつけても言ってること、やってることは一緒なので何の意味もないのですが……。このチャンネルは保守寄りだ、とかリベラル寄りだ、とかで見せかけの差別化を強調するのも、この「選択肢ではない選択肢」を気づかれずに成立させるためである。

だからなのかテレビでは決してフラットアースを肯定した番組は放送されません。よくてNetflixで配信されているフラットアースを扱ったドキュメンタリー映画『ビハインド・ザ・カーブ』のようにフラットアースを小馬鹿にしたものが放送されるだけです。映画『インセプション』ではないが、潜在意識の暗示という極めて強力な武器を知っている支配層が、フラットアースという真実のコンテンツを、テレビを通して大衆に植え付けても何の得にもならないということ。そんな暇があるならば洗脳を続けているでしょう。

テレビについては、この辺を全てわかった上で観るか、それができそうにないなら捨てるかの二択になるかと思います。さぁ、決断しよう。

羊は既成事実に思考回路を当てはめている

ふと思いました。いろんなタイプのたくさんの羊を見て、薄々気づいていたことが確信に変わりつつあります。

昔の自分もそうだった可能性が高いですが、「羊」は基本的に常に現実逃避をしていて、テレビやネット、学校教育による洗脳などにより自分の頭の中に築き上げた世界観を先に決めて、あとは無理やりテレビなどで得た既成事実をつなぎ合わせて自分の「現実」として認識している。これでニューエイジのスピ系などをはじめとする現実逃避型人間の脳内の9割以上が説明できるのかななんて思っています。

だから「目的（真実／答えを知る）」と「手段（情報を手に入れて、精査する）」が入れ替わってしまっていて、私たちが彼らを助ける「手段」として、例えばＮＡＳＡの嘘やフラットアースの証拠などの新しい情報を与えても、彼らは決められた「現実」を肯定する情報しか脳にインプットしないため、フラットアースの証拠が自分たちが事実として決めつけている「現実」とは相反するものであるからこそ、球体説信者はあれだけの強烈な認知的不協和を起こし、烈火の如くフラットアーサーを馬鹿にしたがるのであるという結論に至りました。

「50㎞先の島やビルが見えるのは大地がフラットだからだ」とはならず、答えが既に「球体」と彼らの中では決まっているので「いやいやそれは蜃気楼だ」「光の屈折だ」「幻だ」、という現実的な根拠が全くない返答になるのは、そういう意味では彼らにとっては至極当たり前の結論なのです。

残っている1割のまともな思考回路が、たまたま洗脳に打ち勝てば「あっ、フラットアースじゃん！」となるのですが、現実は9割以上の球体説信者が「球体説という絶対的事実」のもと、そこに向かうための辻褄合わせに走る。

じゃあどうやったらわかってもらえるか？ と訊かれたら、正直誰もが納得するような回答は提供できませんが、啓蒙する際には彼らの「目的」と「手段」がめちゃくちゃになっているという事実を把握しているだけで多少の差が出ると思います。

一つ提案できることは、フリーメイソンリーが悪であるというふうに考えている人には、有名な歴史上の球体説論者が基本的にフリーメイソンである、という事実を伝えることが、物理的、論理的に攻めるよりもかなり有効な気はしております。なぜなら感情や価値観に訴える方が彼らの中の「目的（＝球体説）」そのものに対する認識を変えられる可能性があるから。言い換えれば、「悪のフリーメイソンが～」と言い続けてきた陰謀論とかが好きな球体説信者も、球体説こそ「悪」であるという意識改革をしてもらえる可能性が高い、という意味です。目的も変われば手段もそれに合わせて変更されるので、知ったあとに一気にフラットアースの物理的、論理的根拠がスッと入ってくると思います。

フリーメイソンはほんの一例ですが、この目的を変えられる啓蒙活動を「意識」しながら周りに伝えていってほしいと思う次第です。認知的不協和こそ、「洗脳」の一番の障害かもしれません。気を引き締めていかねば……。

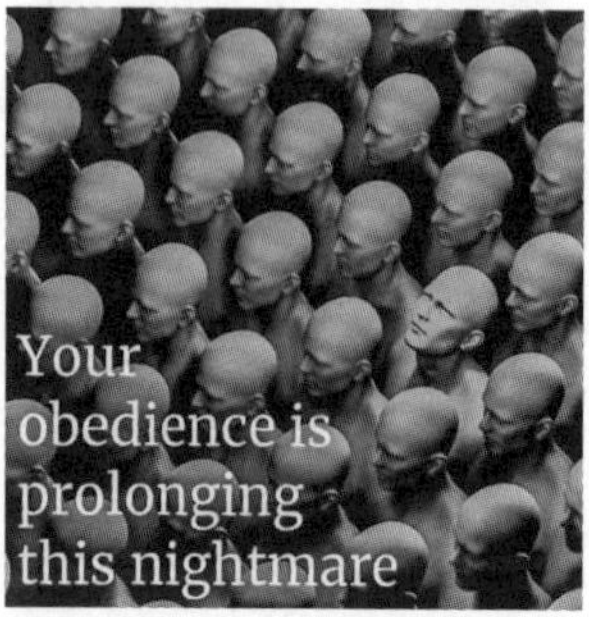
Your
obedience is
prolonging
this nightmare

あなたの従順さがこの悪夢を長引かせている

Sadly, most people would gladly sacrifice freedom for the illusion of safety.

悲しいかな、ほとんどの人は安全という幻想のために喜んで自由を犠牲にする

日本の都市人口とイギリスの都市人口

フラットアースには直接あまり関係ありませんが、クリティカルシンキングをしないことによる勘違いの良い見本を一つご紹介したいと思います。これを読んで水平思考推理を養ってもらいたい、が正しい表現かもしれません。

「嘘の陰謀論という袋小路への誘い」といった支配層が直接用意しているトラップ以外に、支配層の思惑とは関係ないところで「自ら進んで迷子になってしまう」のは、私たち家畜がクリティカルシンキングをあまりできていないため。

それでは本題に移ります。日本の都市は各自治体が積極的に合併をして大きくなっているものがほとんどです。有名なのは、30～40万人都市の浦和や大宮などが合併してできた埼玉県のさいたま市や、小倉や八幡などが合併してできた九州最北端の北九州市。どちらもおおよそ１００万人の都市として君臨しています。日本にはこの積極的な合併により、１００万人以上の都市が実に2桁レベルであります。

話をイギリスに移しましょう。東京23区と同じくらいの人口であるロンドン以外の代表都市を見ていきましょう。

バーミンガム　１１６万人
グラスゴー　62万人
リバプール　58万人
ブリストル　57万人
マンチェスター　56万人
シェフィールド　55万人
リーズ　51万人
エジンバラ　50万人

と１００万人都市がロンドン以外で一つしかありません。少し意外ではありませんか？

日本で50～60万人の都市と言えば、鹿児島県鹿児島市、千葉県船橋市、栃木県宇都宮市、兵庫県姫路市などがあります。これらの都市については、おおむね中堅都市くらいの印象ではないでしょうか？

ところが、イギリスの地方都市に留学していた知人の何人かが、その都市に対して「思っていたより都会だった」と言っていた記憶があります。これはなぜ

	Name	Adm.	Population Estimate (E) 2019-06-30
1	London	ENG	9,047,570
2	Birmingham	ENG	1,160,254
3	Glasgow	SCO	629,920
4	Liverpool	ENG	586,889
5	Bristol	ENG	577,246
6	Manchester	ENG	563,561
7	Sheffield	ENG	552,143
8	Leeds	ENG	511,164
9	Edinburgh	SCO	504,020
10	Leicester	ENG	472,558

イギリスの都市人口

順位	都道府県	市（区）	法定人口（人）
0	東京都	特別区部	9,272,740
1	神奈川県	横浜市	3,724,844
2	大阪府	大阪市	2,691,185
3	愛知県	名古屋市	2,295,638
4	北海道	札幌市	1,952,356
5	福岡県	福岡市	1,538,681
6	兵庫県	神戸市	1,537,272
7	神奈川県	川崎市	1,475,213
8	京都府	京都市	1,475,183
9	埼玉県	さいたま市	1,263,979
10	広島県	広島市	1,194,034
11	宮城県	仙台市	1,082,159
12	千葉県	千葉市	971,882
13	福岡県	北九州市	961,286
1	東京都	世田谷区	903,346
14	大阪府	堺市	839,310
15	新潟県	新潟市	810,157
16	静岡県	浜松市	797,980
17	熊本県	熊本市	740,822
2	東京都	練馬区	721,722
18	神奈川県	相模原市	720,780

日本の都市人口

人口56万人のマンチェスター

グレーターマンチェスターは人口280万人の一大都市圏

Name	Population Estimate 1991-06-30	Population Estimate 2001-06-30	Population Estimate 2011-06-30	Population Estimate 2019-06-30
Greater Manchester	2,553,600	2,516,100	2,685,386	2,835,686
Bolton	261,300	261,300	277,296	287,550
Bury	178,300	180,700	185,422	190,990
Manchester	432,700	422,900	502,902	552,858
Oldham	218,500	218,500	225,157	237,110
Rochdale	203,900	206,400	211,929	222,412
Salford	230,800	217,000	234,487	258,834
Stockport	288,600	284,600	283,253	293,423
Tameside	218,000	213,100	219,727	226,493
Trafford	215,800	210,200	227,091	237,354
Wigan	305,600	301,500	318,122	328,662
Great Britain and Northern Ireland	57,438,700	59,113,000	63,285,145	66,796,807

Source: UK National Statistics (web).
Explanation: 2020 boundaries.

Further information about the population structure:

Gender (E 2019)	
Males	1,410,193
Females	1,425,493

Age Groups (E 2019)	
0-17 years	644,540
18-64 years	[illegible]

マンチェスターの都市圏「グレーターマンチェスター」人口

か？

実はイギリスの都市は大聖堂（Cathedral）がないと市（City）にはなれないというルールがあり、合併がなかなか困難。反対に人口が多いのに大聖堂がないから町（Town）のままの自治体が結構あります。日本では考えられないが、20万人超えの町が複数ある、といったような状況です。

つまり水平思考推理的に考えると、イギリスの都市は合併がなかなかできないが故に体感の都会感と都市人口がマッチしていない、という結論に至れます。そしてイギリスの都市について、日本と同じ土俵で人口比較をしたいのであれば、二国の都市圏を比較すべきである、ということ。イギリスはマンチェスター辺りが一番良い例で、この人口56万人のマンチェスターをイギリス第2の都市と呼ぶ人が実はイギリス国内では多いのです。マンチェスターの都市圏である「グレーターマンチェスター」の人口分布を見ていくと、以下の通りである。

マンチェスター　56万人
ウィガン　32万人
ストックポート　29万人
ボルトン　28万人
サルフォード　25万人
オールダム　23万人
などがあります。

マンチェスターは「日本式」に計算していけば、合計280万人の一大都市圏を形成しています。マンチェスター単体の56万人は、まさに合併前の浦和や大宮と言えます。

このように一見同じに見える条件でも（この場合は日本の「都市」人口対イギリスの「都市」人口）、背景を理解したり視点を変えたりすることで、実は全然違うものであるということが結構あったりします。

フラットアースや真相論を考える時にも、こういう柔軟な思考回路で臨まないと間違った結論に達したりして効率悪いし、クルクル同じところを回っているだけな上に、そうであることにも気づけない状態になってしまいます。

今後とも、以下にまとめた思考方法や概念を徹底していきましょう。私も常に実践しています。水平思考推理が足りず、私も正解にたどり着けない時も結構ありますが……。私の脳なんてこんなものだけでできていてシンプルなもんです。大したことありません。大したことのように言ってくれる人がたまにいますが、以下をマスターすれば誰でもそうなれます。多くの人が私などを簡単に超えるでしょう。私はすごいと言われたくてフラットアースを広めているわけではなく、こういう思考ができる人を増やすために毎日啓蒙しています。正直、成果があまり上がっておらずモチベーションが少し下がっている状態です。

ぜひ主体的に以下について深く考えてみてください。

◇水平思考推理
◇クリティカルシンキング
◇根拠の提示
◇オッカムの剃刀
◇点と点をつなげる

グレートリセット後の世界でサバイバルするには欠かせない思考回路を養いましょう。

第3章

人類の起源と歴史

私たちがなぜこの世界に産み落とされ存在し、そして肉体が死んだあとはどうなるのか。世の中にはこれを断定的に説明する宗教や書物は多いですが、結局のところは死なないとわからない（死んでもわからないかもしれない）ため、どうしても個人の哲学的な主張や仮説にはなってしまいます。それでも一人一人が引き続き考えていかないといけない大切なことです。

本書を通して皆様が納得するような確かな回答は提供できないかもしれませんが、各々が正解にたどり着くための手助けくらいにはなるかなとは思います。支配層が仕掛ける分断を促す様々な嘘コンテンツ、他人からの悪影響、善悪二元論などの「外的要因」に引っ掛からないくらいにはなれるかもしれません。そして常に自分自身に問いかける癖をつけていただけたら嬉しいです。具体的な方法は自由であり、瞑想でも座禅でも祈りでもサンゲージング（太陽凝視）でも、趣味に一心不乱に打ち込むでも良いと思います。

また、人類の起源を模索する上では、本物の歴史と科学を認識することも重要。教科書に書かれている嘘にまみれた「進化」の歴史ではなく、支配層によって精神的にも技術的にも意図的な退化をさせられた歴史のことである。本書のこの章が皆様のリサーチの良きスタート地点や下地になってくれたらなと思っております。フラットアースに気づくことで、「人間＝偶然の産物の物質的なものである」というダーウィンの進化論の主張が支配層の嘘であることがわかります。つまり私たちが何らかの創造者によってこの世界に落とされたことに気づけます。せっかくのこの気づきを無駄にしないためにも人類の起源と自分がこの世界にいる理由を死ぬその日まで継続して追究していただきたいところです。

そして歴史ですが、タータリアに限らず、歴史の嘘や（ゲマトリアを解読することにより）世界を変えるための計画された歴史的イベントの数々に気づくと、支配層の天才的な頭脳や絶大なる権力と影響力を目の当たりにします。一種の敬意といっては誤解を生むかもしれないが、少なくとも支配層が私たち家畜層よりは著しく頭が良く、お金というツールを使って優秀な家畜を集めてシンクタンクや実行部隊として抱え、ライフワークのように私たち家畜を日々虐《しいた》げているということには気づく。そうすると支配層が用意したくだらない陰謀論、スピリチュアル系、対立軸の政治家などの嘘コンテンツにも引っ掛からなくなってくるでしょう。言い換えれば真相追究の効率がかなり上がるということ。

また私たちは文明的に進化しているわけでは決してなく、むしろ技術的にも文明的にも精神的にもどんどん退化させられていることにも気づきます。お金と高級車を愛する物質主義もそうですし、石油化学でできた安価なプラスチック製品や医薬品もそう。車も、アメリカの禁酒法より以前は、誰でも作ることができたアルコールや電気で走っていた。歴史において、支配層の進みたい方向に我々は常に気づかず誘導されてきました。進化論という「進化」の物語もこの退化している現状を隠すためのコンテンツであると言えます。なので最初はこの進化論の嘘から紹介させていただきます。

進化論は存在しない

念のために言うと、具体的には「チャールズ・ダーウィンが唱える進化論」のことを指しています。優生学的思想から生まれた、人類や生物の起源を唱える一種の家畜階級の人間の侮蔑と管理のために不可欠な思想であるとも言えます（ヨーロッパ人は人種的に優れていると支配層が考えているため、猿→黒人→白人のような印象になる進化の過程にした）。正直ダーウィン本人がこの進化論を本気で信じていたとはあまり思えませんが、このいまだに仮説である進化論の矛盾をいくつか突いていきたいと思います。

1）全て仮説である

ダーウィンが進化論を発表してから200年近く経過しているが、言っていることが全ていまだに現実世界では全く証明されていないただの仮説である、ということがまず挙げられます。学校の教科書を読むかぎりそんな印象は持てませんが、実際はそうなのである。こんなにも長く仮説止まりの「主張」は現在、他に存在しないのではないでしょうか。ビッグバンでも主張されてから100年くらいしか経っていない。球体説ですらNASAが宇宙からの写真をでっち上げることで表向きは仮説から「事実」に昇華させています。進化論については、恐竜のなんちゃって化石あたりが間接的に進化を説明しているだけです。それでも学校の教科書に載ればなぜか周知の事実であるかのように扱われているのは、まさにロックフェラーなどの支配層が学校教育さえ握れば大衆を操るのがいとも簡単であることをよく理解していることがうかがえる現象であると言えます。

進化論はいまだに仮説である

２）生命の始まりを何も説明できていない

生物が進化する過程を説明しているが、生命の誕生について何も説明できていないだけでなく、この理論では生命の誕生はこのようにして起こった、という大まかな想像すらできない。これについては将来何らかの嘘科学を「発表」する可能性は高いので注意する必要がありますが、今のところは論理的に進化論と生命の誕生を結び付けておらず、想像の域での解釈となっている。

３）種族→別種族への変化は現実的に存在しない

同種族内での例えば体のサイズが徐々に大きくなったとか、しっぽの毛が長くなったとか、首が長くなっていくなどの変化の傾向はダーウィンの進化論でも一応説明できますが、それは「ライオンと虎をかけ合わせたらライガーができました！」のような同種族間の「変化」でしか現実世界で再現されていません。別の全く異なる種族に変貌を遂げる現象は現実世界で一度も再現もされていなければ、実証もされていません。哺乳類の別種族同士でもそうなのに、ましてや**魚→爬虫類→猿→人間**に変化をしていったなどもってのほかのあり得ないことである。鰓《えら》呼吸から肺呼吸になる、海にいたのに羽が徐々に生えそのうち空を飛べるようになった、など魔法の世界です。

そんな魔法を信じている人間が、曲率が見当たらないから大地は平ら、という至極まっとうな主張を馬鹿にするのだからなんとも滑稽である。

４）中間種が全く存在しない

馬の進化を説明したイラストが有名ですが、根拠はこのイラストに描かれているタイプの馬の種類の化石が見つかっているから。いかにもこれらの馬たちがエポックメイキングの種族として馬の代表に名を連ねる状況になってしまっていますが、ダーウィンの進化論から言えば、この「代表馬」扱いの馬は、本来は全て流動的に変化をし続けている馬という種族の途中経過の馬の一つにすぎません。この間にある無数の変化し続ける馬種の化石は、一切見つかっていないのです。

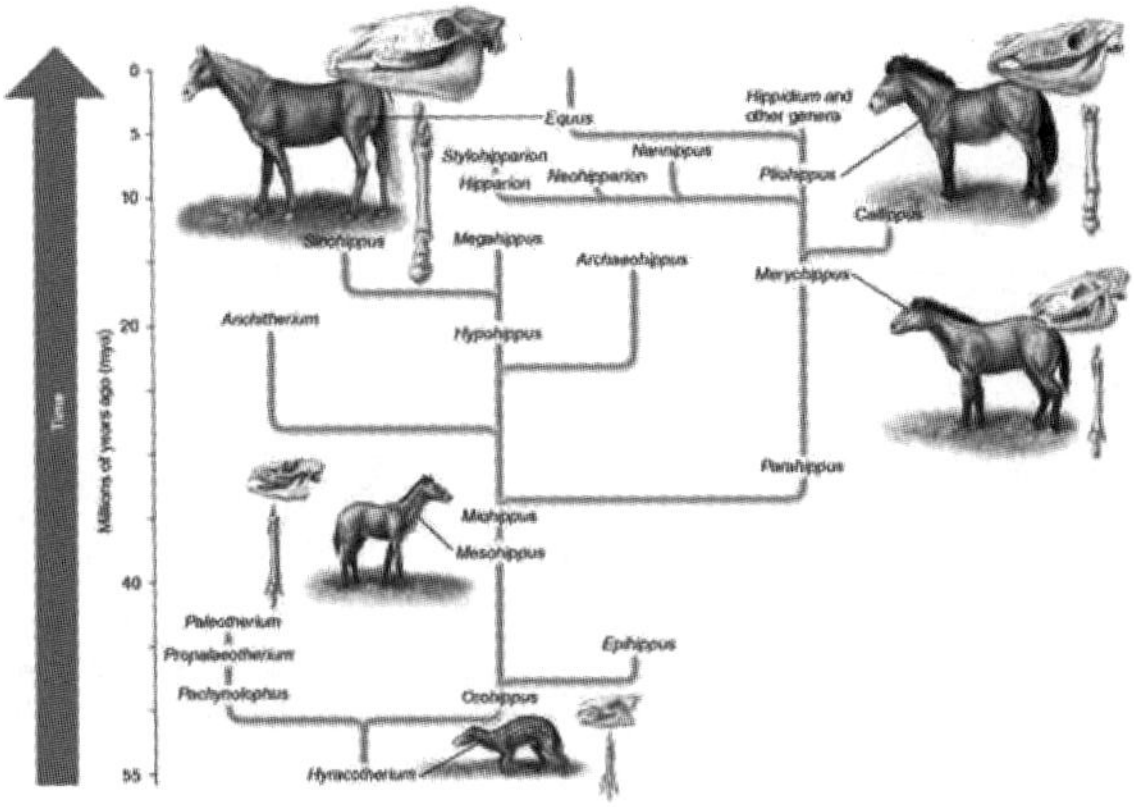

中間種の馬の化石は見つかっていない

　これは進化論的には本当にあり得ないことで数千種類の馬が見つかっていても何もおかしくないどころか見つかっていないことが進化論を根本的に否定できる強力な材料の一つであると言えます。これは馬だけではなく、他の哺乳類にも当てはまるし、今現在も各種族が進化をし続けていないとおかしな話です。

５）放射性炭素による年代識別が適当である

　放射性炭素による年代識別とは、地質学においてこの化石は何億年前のものだ、何千万年前のものだ、と化石の年齢を調べるために使われる手法。その化石が埋もれている土の年代がわかるという謳い文句ですが、実際は超適当である。

　どれくらい適当かというと、ハーバード大学の古生

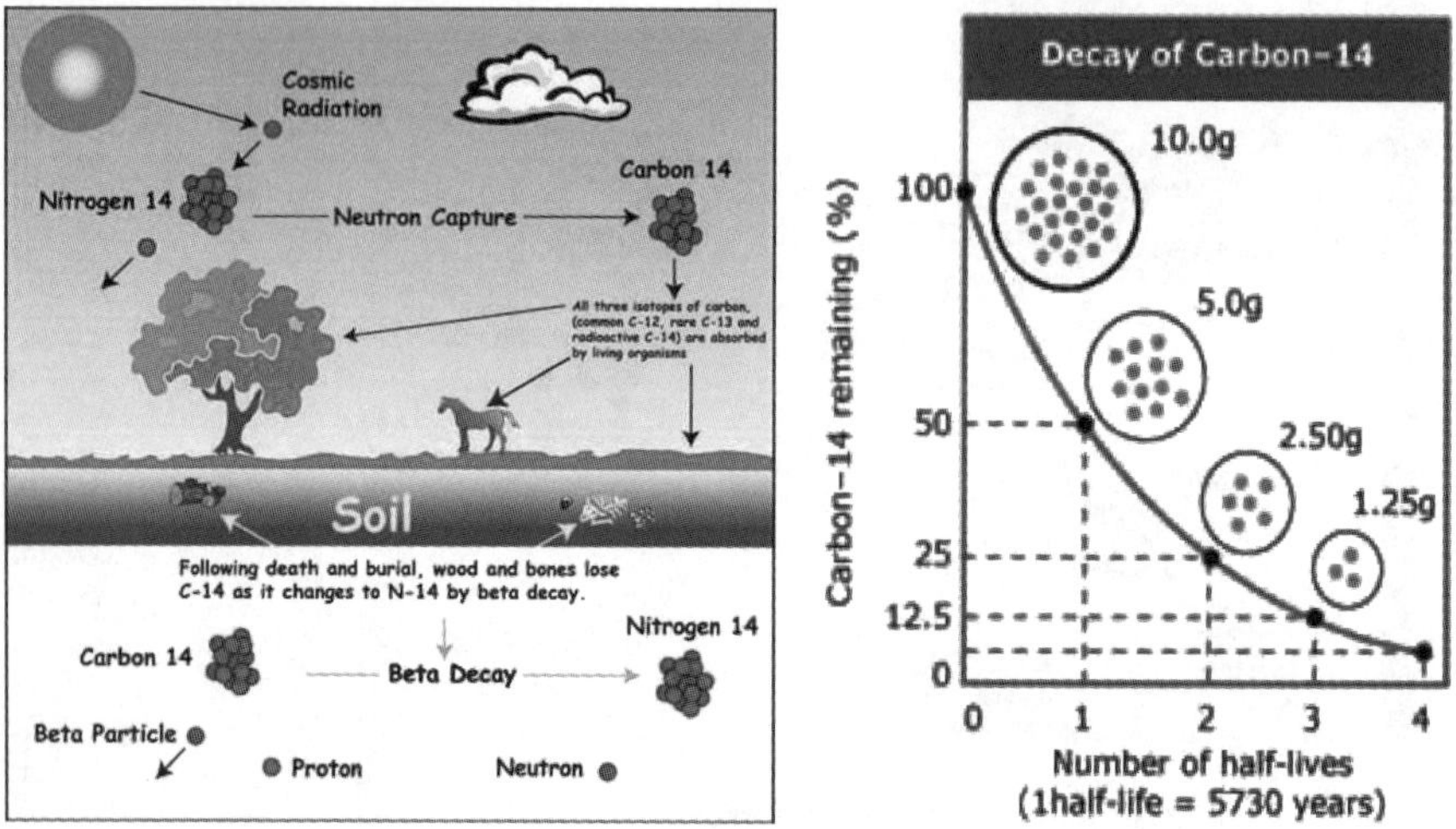

あてにならない放射性炭素年代測定

態学者のKay Behrensmeyer（ケイ・ベーレンスマイヤー）が1969年に発見した「凝灰岩」、彼女曰く**260万年前**のもの。その後ケンブリッジ大学とパークベックカレッジの教授二人が1976年に『ネイチャー』誌で化石の腐敗から、実際は**240万年前**のものと断定。これくらいならまだ可愛い。その後カリウムアルゴン法という測定方法により、**160万年前**のものに。化石のアルゴンの消失というファクターを考慮するとそうなるんだそうです。『ネイチャー』誌はその後いろんな土が混ざっている可能性があるとかで**150万年～690万年前**とすごくアバウトな変更を発表。これを受けてケンブリッジ大学の同教授が自分の見解とともに**50万年～240万年前**に変更。次に部分的には**843万年～1750万年前**であると発表したのち、最終的には真ん中辺りの無難な数字の**260万年前**に落ち着く。なんやねん、という感じである。天文学に近いレベルで適当だ。

　実際はもっと最近の土であるであろうことが、（ビッグバンと球体説の嘘に気づいている）フラットアーサーには想像できるのでなおさら滑稽である。

6）球体説でも年数が全然足りない

地球の年齢は46億年とされていて、アミノ酸が二つ合わさることで誕生した最初の微生物が6億年前とされています。進化論はそこから**微生物↓魚↓両生類↓爬虫類↓哺乳類↓人間**と怒濤《どとう》の加速をしはじめ、たくさんの「偶然」の突然変異が起きすぎています。もはや突然変異ではないペース。その前の生物が全くいない期間である40億年は何だったのだろうか。

7）自然淘汰はそもそも成立しない

いわゆる弱肉強食。環境に適応した種族のみが生存できる、という現代の「働け！　出し抜け！　追いこせ！」を基本思想とする競争社会を皮肉ったような設定の自然淘汰。キリンはより高いところにある葉っぱを食べるために首がどんどん長くなった、短い首のままのキリンは淘汰されていったというのが有名な見本。

この理論だと全ての生物にこれが当てはまるはずなのだが、実際はそうではない。例えば、巨大な蟹の手を一つ持つシオマネキは捕獲のために手が大きくなったわけではなく、仲間に餌がここにあるよと知らせるために大きくなった。また雄の鹿などが雌を争って闘うのも、雌がより強い方と交尾したいからではなく、負けた方と交尾することもあるし、負けた方も別の群れに行って別の雌と交尾すればよいだけでサバイバルに関わるレベルでの被害をこうむっていない。一番好きな子と交尾できなかっただけである、全て弱肉強食とは関係ない「進化」である。

また、自然の中で暮らす動物が死んでいってしまう一番の原因は自然災害や事故であり、同種のより強い奴に負けたからでもなく、（自分よりは明らかに弱い）食料をうまく捕獲できなかったからでもない。捕獲は皆普通にできています。ある意味、言うなれば運の良い奴が生き残る世界であるということです。人間を見ればわかりやすく、マッチョな人や高収入の人がすごく長生きしているわけではないし、細い人は今日もたくさん生まれている。むしろ山間部に積極的にハイキングやロッククライミングに行く人の方が事故に遭う、早死にする可能性が少し高い印象すらあります。

弱肉強食は多少はあるかもしれませんが、生き残るための一番のスキルは「運の強さ」である、が正解。運は身体的なサバイバル能力とは関係なく、ここで自然淘汰の主張はもろくも崩れ去ります。また左利きやブロンドの髪といった特徴は生まれ持った特徴であり、こちらも特に弱肉強食とは関係ないし、自然の摂理に任せていたらコントロールできるものでもない。こういったサバイバルに関係ない特徴をコントロールして後世に残すには、犬のブリーディング／品種改良のように人工的な介入が不可欠である。

8）そもそもダーウィンはフリーメイソン

球体説がフリーメイソンらによる壮大な嘘であることを知れば、フリーメイソンがどれだけ大衆に嘘をついているかが感じ取れるかと思います。そんなミスター進化論ことダーウィンもフリーメイソンなのです。ちなみに恐竜を発見したとされている同年代に活躍したリチャード・オーウェンと瓜二つである。同じ人物だろうか、ぜひ検証してみてください。親戚くらいではあるかもしれません。親戚ではなく、ダーウィンの別キャラだったのかもしれません。旧文明の隠ぺいなどを通して、歴史の多くがフェイクであるとわかると、こういうことにも気づきやすくなります。

ダーウィンはフリーメイソン

恐竜の父ことリチャード・オーウェン

　いかがでしょうか。これだけ多くの大衆が進化論を信じ切っているのが、かなりの異常事態であるということがおわかりいただけたかなと思います。また、人間は人間以外の種族には進化をしないわけですから、グレイなどの宇宙人話がそれだけ滑稽であることもわかるかと思います。進化論が嘘にまみれているとわかると、私たちが日頃からなんとか頑張って「人間はアミノ酸から爬虫類から猿までを祖先に持ち、広大な宇宙を駆け巡る水がひっつくぐるぐる重力ボールに住んでいる」と真剣に思っている人たちに啓蒙をしているという行為が、どれだけ無謀か思い知らされます。

　最後になりますが、この部分を執筆するにあたり大変参考にさせてもらったRichard Milton（リチャード・ミルトン）の『Shattering the myths of Darwinism（ダーウィン主義の神話を打ち砕く・未邦訳）』は大変おすすめの本である。英語がある程度できる方には読んでほしい一冊。

進化論を推すもう一つの理由

先ほどご紹介した進化論の矛盾の数々ではない、というよりは改めてわかった進化論を推し進めるもう一つの大きな理由。

椎骨《ついこつ》33本が全て天を向いた者のみが、（動物や家畜ではなく）「人間」であることを名乗れるという支配層の哲学（美学の方が近いのかもしれない）があるようにうかがえます。動物の椎骨は背中が曲がっているが故に地上を向いてしまっており、天（肉体の死後の世界を指します。言い方は天とさせていただきましたが何でもよいです）に還ること、または天に行くことはもうできない存在、であるという考え。支配層は、何がなんでも私たち家畜をこの煉獄《れんごく》のような地上に留め、天に還らせることを阻止したいのでしょう。

それを実現するために提唱されたのが「ダーウィンのアメーバ恐竜マンモス猿人間進化論」という仮説を家畜に浸透させること。彼らのニーズは合致し、合致させられるための信仰を幼い頃から植え付けられ、私たち家畜が、この天への回帰阻止の思想に気づかないようにしています。

進化論は実に巧妙で、「四足歩行の動物と二足歩行の人間の最大の差が、椎骨が天を向いているか地を向いているか」という彼らの考えが完全に隠されています。

むしろ逆の「肉体的／物理的な進化の結果が二足歩行」と強調し、支配層が愛する物質主義を間接的に謳っているのも秀逸。

また進化論では「動物がそのまま人間に進化した」とすることで、「人間が作られ、その後に動物が作られた」という宗教などを通して主張されている多くの創造論の逆説を唱え、人々を創造論からも遠ざける抜かりのない処置がされています。「動物の延長線上に人間がいる」という主張は、**動物→6家畜人間と7支配層人間**（この辺の数字の根拠は229ページで説明します）の間に、明確な越えられない壁／天井があるよというメッセージにも読み取れるのが憎い。お前らは高貴な私たち絶対になれないよ、というわけです。

そんな抜かりのない悪意から生まれた仮説がいまだに

ロックフェラー財団に監修された教科書で当然のように教えられているのは悪い冗談に他なりません……。

支配層は実にIQが高く、実にEQが低い。

恐竜は存在しない

地球球体説やダーウィンの進化論にとって欠かせない存在となっている、6600万年前に絶滅したとされる恐竜の発見の歴史を簡単に説明させていただければと思います。

(1) 売上の少ない博物館の関係者が恐竜の仮説を新聞に載せる。

(2) その数年後、恐竜の歯が一本見つかり、その歯を元に丸々一体の恐竜の化石風模型を作ってみる。

(3) 各国の政府直轄の国立公園地区でのみ、次々と化石が見つかりはじめる。

(4) 中国で化石ブームが起きるが、本物の生物化石でないことが判明し、国際的な批判を受ける。

(5) 小説やカートゥーン、映画で恐竜が続々と登場し、恐竜の既成事実化にまつわる予測プログラミングが本格化する。

○○原人は基本的にフェイク

恐竜の性行為には体の構造上無理がある

(6) 映画CG技術の広告塔として恐竜を題材にした映画『ジュラシック・パーク』がリリースされる。

(7) 恐竜玩具市場が世界で数百億円規模に到達。

(8) トカゲの祖先から鳥の祖先へと説が根本的に変わる。これにより緑～茶だった恐竜の色もいつのまにか鳥に近いグレー系の色が主流に。
（9）新種はジュラシックシリーズなどの映画やテレビドラマで紹介されてから、科学誌や教科書に登場する、という図式ができあがる。
今度博物館へ行く際は、ほぼほぼ人工骨で構成された恐竜をお楽しみください！

また余談ですが、知っていましたか？

ジャワ原人から北京原人、ラマピテクス、ルーシーまで、原始人と言われる化石は基本的に詐欺だったことを。歯一本で体ごと推測したり、猿の頭を人間の顎とくっつけたりした詐欺だったり、発見者が後で自ら否定したりしていることはご存知でしたか？

恐竜もそうですが、古人類学や地質学なんて適当そのもの。地球球体説並みのファンタジーです。

魂を物理的に考えてみる

第1章の「私が最も言いたいこと」（92ページ）で、生きる上では精神的な部分に着目するのが大切であるということを語りましたが、それでも「精神性」という言葉に拒絶反応を示す方もいるかもしれないということで、ずっと「魂を物理的に考えてみる」ということをしておりました。

ここからは個人的に思いついた仮説になりますので、他の誰も言っていないとも思われるため、読者の皆様とともに今後も精査していければと思っております。

この後（290ページ）に登場する「インターネット＝エーテルを使ったイーサネットである」の部分にもつながる内容なので、「エーテル」を簡単に説明します。「エーテル」とは、ニコラ・テスラも着目した「第五元素」。光はエーテルを媒介して我々に届けられているとされています。これを唱えていたテスラの真意はわかりませんので、私の勝手な憶測にはなりますが、光は空気や水を媒介する他の物質とは異なり、速さが常に一定であるのではないかということ。（NASAやアインシュタインは違うと主張しますが）光は「届く」という行程において物理的には何の干渉も受けないのではないか＝一定のスピード（光速）をいつでも保ち続けられる。

そういう理由で「光はエーテルを媒介している」とテスラも考えた（考えたことになっている？）のかなと考察しました。

では魂の話。人間の体には微力な電気が流れ、体内に留まっています。テスラも、いわゆる「気」にあたるのがこの電気の流れではないかという考えだったようです（テスラが実在したかどうかはここでは考慮しません）。次に「魂」は宗教問わずよく光にたとえられることが多い。宗教画にも光がよく登場します。支配層のファンタジーである宇宙人も光で地上を照らし、光にかかった人間を吸い上げます。

私はこの世界には偶然というものはほとんど存在しないという考えです。それをもとに何を思うかというと、人間の魂とは「エーテルを媒介して、体の中の電気によって留められている光」または「エーテルそのもの」ではないかということ……。ぜひ皆様もご検証を。

これは以前にどなたかと話題にあがった、天蓋の最上部のさらに先の一番上の世界には天蓋がないだろう、という推測とも重なり、つまり固形のドームでバリア的に物質を留めなくてもよい世界＝エーテルと光のみ存在する最上の世界であるとも考えられます。**魂がエーテルまたはエーテルに媒介された光**だとするならば、この**天蓋のない最上部の世界こそ「天」**と呼んでも差し支えないのではないでしょうか。そして光がエーテルを介して普遍的に届けられているということは、いわゆる魂は物理の世界の中にも普通に存在している、ということです。少しは精神世界という言葉への嫌悪感が取れたのなら嬉しいです。

繰り返しになりますが、私はどの宗教にも属しておりませんし、もともと無神論者。勧誘目的もお布施目的みたいなものも何もありません。またこれは私個人の考察であり、異議がある場合には、どんどん「フラットアースジャパン」にコメントしていただけたら嬉しいです。私も周りの皆様との発見の毎日を楽しんでいる次第です！

私たちの正体は堕天使である

『Mystery of Life: “Souls are Hunted to Birth Locusts in Pit”; “Frequencies & Mind & Matter”（生命の神秘：「魂が狩られて穴の中でイナゴが生まれる」「周波数と心と物質」）』

https://youtu.be/cN0k7cpFU3Y

こちらの動画は英語で3時間半にはなりますが、大変参考になりました。よかったらご視聴ください。人間の起源と「サタン」や支配層の正体、目的、支配層とは？　などに、説得力のある根拠とともに迫っている動画となっています。

私は宗教家ではありません。聖書に登場する「十字架」や「サタン」、「底なしの穴」、「禁断の果実」などの神秘的な要素を含むものは基本的に何かの比喩だと思っております。また聖書に限らず宗教的な書物は比喩的な表現が多いという論理的な結論に至っております。「蛇が女性を巧みに誘惑し、禁断のリンゴを食べさせて、罪びとにさせられた女性は園を追い出される」。そのまま受け取ると、あまりピンときません。果た聖書では、この「蛇＝サタン」とされています。果たして本当に「喋る」蛇が人間の女性を知能的に巧みに騙したのでしょうか。こういった比喩的な表現については、今後も突き詰めていきたいと思っていますし、自分の考えも徐々に明かしていきたいところではあります。

まずは私が「サタン」という表現をする時は、「蛇」または「角が生えた牛人間」として悪魔が「うへへへ。殺してやる人間ども〜」と叫んでいるアニメの悪役キャラのようなもののことを言っているのではない、とだけ理解して読んでいただければと思います。

では本題。サタンが隠したい「人間の最大の秘密」を考えるにあたり、発想をフラットアース並みにぐるっと転換させる必要があります。

まずフラットアーサーでないと理解できない、北極星が天蓋内で最も高いところに君臨する物質界の頂点的存在であるということ。ここに「プロビデンスの目」という比喩が入ります。つまり「プロビデンスの目＝北極星」であり、支配層の信仰対象。

この事実から少しグノーシス的な解釈を入れると、「神により地に落とされた天使が悪魔となり、この世界を天蓋の頂点から照らす物質界の最高位である北極星＝この世界の物質をAll seeing eye（プロビデンスの目）として管理下に置いた世界が、私たちの住む世界であるとする」という仮説にたどり着けます。この世界の全ては**北極のトーラスフィールド**をはじめ、**電磁波**によって構成されているということも本書をお読みいただいている皆様ならお気づきだと思います。精

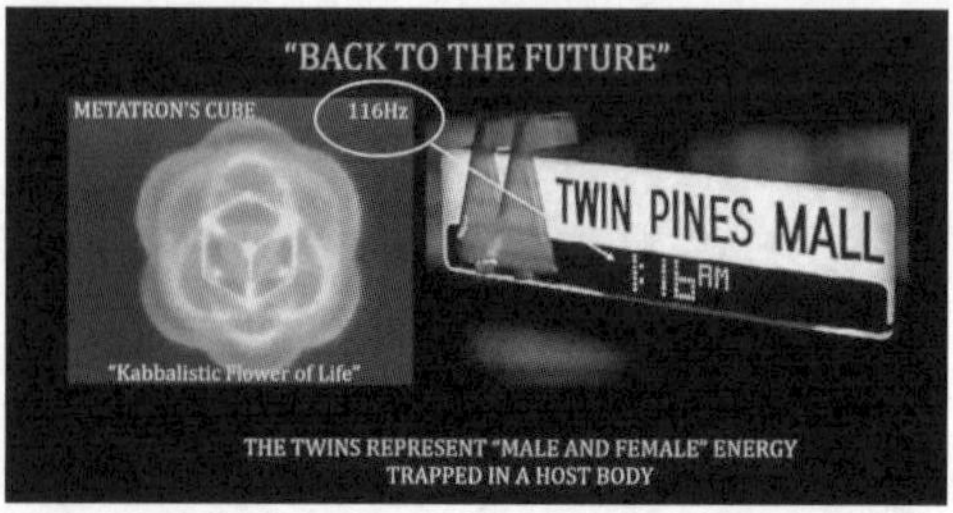

映画『バック・トゥ・ザ・フューチャー』で見られる「9.11」の予測プログラミング。ツインタワーのツインは「男と女」の意味。メタトロンキューブは周波数116Hz の形

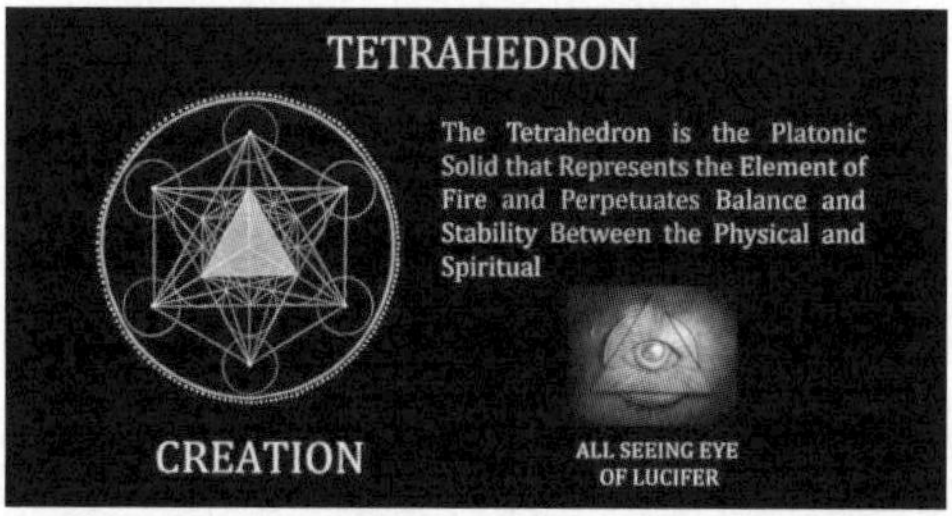

一つ目ピラミッドの起源は四面体。身体と精神の安定したバランスを意味する

世界中にあるブラックキューブ

アベルを殺すカイン

ブラックキューブをつけるユダヤ教の一派

神世界と物質世界の差がこの**電磁波の周波数**で区切られているとすれば、特定の周波数が私たちの「いわゆる魂」を物質的な肉体内に閉じ込めているという解釈ができます。グリム童話にも登場する『ハーメルンの笛吹』がヒントになりました。笛の特定の周波数で子供たちを町から連れ去った。これは光を導く者（ルシファー）が、私たちにやっている行為のメタファーであると考えています。つまり、「笛で私たちを天から地へと誘い、どこかに閉じ込める」ということ。

結論から言うと、「私たちはもともと創造主の加護に包まれた天使である。ルシファーの光／蛇の欺きに騙され、導かれ、地に落とされた堕天使である。サタンが私たちと神とのつながりを消し去ろうとしており、あの手この手で底なしの穴に魂を引きずり込もうとしているのがこの大地の現状であり悪意である」とする支配層の哲学のようなものを感じることができます。

要約すると、

「天こそ私たちの本拠地であり、今いる世界こそ死後の世界（物質の世界）である。サタンは地上へと誘う光として、天使たちを騙して大地に引きずり下ろす役割を果たしている。そし魂をサタンの支配下にある物質的な肉体に閉じ込めて、私たちを苦しませる。私たちは、魂が天にふさわしいレベルに浄化されるまで、この地を試練の場として過ごさなければならない」

何度目かになりますが、これは比喩的な表現です。読者の皆様にも想像力を働かせてもらえたらと思います。

私たちは、「肉体的な「生」を受けてこの世界に「誕生」するのではなく、天から堕ちてこの物質的な世界にいる」という一般的な死生観とは真逆の解釈です。

「サタンが作った肉体の中に特定の周波数で魂を閉じ込められながらも、試練を耐えぬき、また生を授かり天に還る。生まれ変わるとはこの世界での輪廻転生ではなく、天に還るということを指している」という意味です。既存の宗教とは真逆の発想です。

私たちは、「自分は支配層に虐《いじ》められている被害者だ」という被害意識を持たず、「もともとは天使であったが、騙されてこの物質の地に堕とされた罪深き堕天使である」という謙虚さが魂磨きには不可欠なのかもしれません。個人的には、フラットアースに気がつかなければなければたどり着けなかった境地です。

「サタン」はまさに、この地に光（天使）をもたらす（騙して連れてくる）、「ルシファー（光をもたらす者）」という役割を果たしていて、この世界を管理する存在である。

私たちの魂（十字架）は、まるで立方体のように内側に閉じこもった状態であると「喩《たと》え」られます。9・11のグラウンドゼロにある立方体をはじめ、さまざまなところに建っている建築物や一部のハードコアなユダヤ教徒が崇拝する額（松果体辺り）のところに置く**Black Cube（黒い立方体）**などが、そのサタンの支配下にある魂の状態を表しているようで、ある意味地上の家畜は悪魔を崇拝させられていると言えるのかもしれません（この黒い立方体も実はもっと中立的な意味が隠されていて、この辺はまたどこかで説明していきたいところではあります。「崇拝対象は崇拝する側の意識に依存する」と思っていますので、「Black Cube崇拝＝無条件に悪魔崇拝ではない」ということは宗教家の名誉のためにも述べさせていただきます）。

そして**十字架**は、つまり「**魂が解放された状態**」。花が咲くように、**立方体が解放されて十字架となる**ことを表しているとのだと考えられます。キリスト教において、「イエス・キリストが十字架に磔られ自己犠牲をして、人間の罪を洗い流し、私たちが天にふさわしい魂に戻れることを実現させた」というストーリーもこの解釈ではとてもしっくりきます。十字架だからこそ意味があった。キリストとはそういう「神／人間」の比喩的概念なのでしょう（各々の解釈にお任せします）。

非キリスト教の方がキリスト教徒に嫌悪感を抱く原因となることが多い、「イエス・キリストを信じないと天国への道は開かれない。信じない人は地獄行きだ！」という発想も、「立方体が開かれないと魂が解放されないよ！」と比喩的に捉える方がしっくりくるのではないでしょうか。そう、キリスト教の解釈は汎用的に捉えられるということ。非キリスト教徒は、「十字架」という「魂の解放」こそが重要なのだとお考えください。

そして聖書という書物。キリスト教徒の方には、「こんなにも真実を伝える書物を、徹底的に私たちを洗脳し続ける支配層が世に出ることを許している」という論理的矛盾に気づいてほしいところ。「本当に大事な部分は隠されている」と考える方が自然。天蓋を意味するFirmamentの日本語訳がいつのまにか「おおぞら」に変わったように、人間の起源に関する記述も巧妙に抜き取られているのでしょう。いわゆる至高神と物質界の神（北極星）という表現を、（読み手にバレにくい形で）聖書に織り交ぜることで真実を隠し、まるで至高神がこの物質の世界を管理しているかのような印象を与える。だからこそ、聖書が今も存在を許されているどころか、人類史上のベストセラーとして君臨しているとも解釈できます。

ヘブライ語がわかる方や先ほど紹介した動画を見た読者ならわかっていただけるかと思いますが、ヘブライ語版の古い聖書には「神」の表現が二つ存在していて、絶対的な一人称にあたる「Lord／主」と、複数形にも読める「神」が巧妙に織り交ぜられており、後者はいわゆる「サタン」のことであるという解釈がされています。

賢明な読者なら気づいていると思いますが、神は自分に似せて男と女を作ったという行為は「唯一無二の至高神」がする行為としては明らかにおかしい。至高神は一つであり、本来男女という概念が必要ないため、自分の形に似せて男女を作ったという表現が矛盾するという意味です。つまり、「性別という分離を作ったのがサタンである」という結論に消去法でたどり着けるということです。

ちなみにヘブライ語を読み解くと、イブをそそのかしたのが蛇ではなく、スススス と舌を蛇のように出す人間であるというふうにも解釈ができる記述があります。この「蛇が実は人間である」と考えると、イブの子供たちのアベルとカインの意味合いが、人類の起源にとっては非常に重要になります。禁断の果実の意味も変わってきます。

ところで、現代の人間でも別々の男性からの射精により同じ時期に二人の子供、つまり双子が生まれることがあると知っていましたか？

参考記事：『それぞれ父親が異なる双子が生まれる』
https://gigazine.net/news/20090519_different_fathers_twins/

続いて聖書に登場するアベルとカインについて。

アベルとカインは、アダムとイブがエデンの園を追われた（失楽園）後に生まれた双子の兄弟である。兄のカインが恨みで弟のアベルを殺してしまうのですが、この**カインこそ蛇にたとえられる人間版サタンとイブの間にできた子**であるということが考えられませんか。ちなみにアベルはアダムの子になります。

そして**カインからの（肉体的な）子孫が支配層**なのではないかなと今は考えています。つまり**支配層はサタンの子孫**なのです。**ケイ素青銅ベースの血（いわゆるブルーブラッド）を持つ人間**なのかもしれません。

そんなルーツがあるからこそ、支配層は今でも**私たち家畜（アベルの子孫）**を恨みとともにいたぶり続けているのかもしれません。支配層が近親相姦による子孫を文化としているのが頷けます。

人類はずっと「炭素人間」と「青銅人間」との戦いだった

前トピックの「私たちの正体は堕天使である」で申し上げた人類の起源について。できるだけ比喩的に捉えていただければと思います。私は、角の生えた悪魔が「わははは」笑いながら人間をポリポリ食べていると思っているわけではありません。聖書や神話などが敬遠される理由の一つが、まさに読み手が直接的に捉えすぎて、現実的にあり得ない『ハリー・ポッター』シリーズの魔法のようなおとぎ話にしか見えず、全て創作だと思ってしまうということ。でも各地に広がっていた古代宗教などを見ていくと結構共通点が多く、「偶然では片づけられない＝起源の真実」もある程度各宗教に含まれているという見解に達しています。

そしてこの比喩的な表現の代表格が「禁断の果実」ではないかと考えています。旧約聖書のイブはサタンなる蛇にそそのかされて禁断の果実を食べるわけですが、比喩的に考えると「蛇」が男性器、「禁断」の果実が女性器というセックスのメタファーを食べて（セックスをして）、アダムの子アベルとサタンの子カインを双子として同時に産んだという解釈ができます。違う父親の子供を双子として同時に産むのが可能なことは既出の通りです。**炭素人間が私たち、アダムの子。血は赤色でヘモグロビン（鉄分）たっぷり。ケイ素青銅人間が支配層／サタンとカインの子孫。血が銅ベースのヘモグロビン不足の青色です。**

自然界にはサソリや蜘蛛など血が青い生物が少なからず存在します。血液の色から見た目も青くなっています。支配層のＲＨ－《マイナス》（D抗原のない）の多さを鑑みると、大まかには**ＲＨ－の人間が支配層（カインの子孫）**の流れ、**ＲＨ＋《プラス》の人間が私たち炭素人間（アベルの子孫）**の流れになるのかなと推測しております。支配層は全人類の0・1％、ＲＨ－は全人類の20％くらいみたいなのでＲＨ－＝支配層というわけではありません。ちなみにＲＨ－は白人に多く、特にイエズス会と深いつながりを持つスペインのバスク地方だと、実に3割の人がＲＨ－なのだそうです。

ＲＨ－型には大きな特徴が二つあります。一つは、ＲＨ－の女性がＲＨ＋の男性の子を妊娠すると流産率がかなり高いということ。

ＲＨ－は、O型や金髪と同様の（この表現はあまり好きではないですが）劣勢遺伝である。支配層側であるロイヤルファミリーや歴代の米大統領もＲＨ－ばかりだそうです。

ここから読み取れることは、支配層は現代においても近親相姦／親族との結婚が多い理由は劣勢遺伝であるＲＨ－を絶やさないため。また、ヘモグロビンが常に足りず、生きるために、健康になるために私たち炭素人間を別種族とみなし食している可能性がある。巷《ちまた》で騒がれているアドレノクロムも本当であれば、これはヘモグロビンを摂取するためのものであり、急激に血が赤くなるから片目がアザになるBlack Eye Clubのような状態になるのかなと思っています。

参考動画：『The Black Eye Club』
https://youtu.be/BRyuLddcyGw

昔話に出てくる吸血鬼も肌が青く、人間の血を吸う設定なのはここからきているのかなと思っています。また昔からの貴族階級を指して〝**ブルーブラッド**〟と呼ぶのもこれでしょう。ヘモグロビンが足りないとまともに生きられないところから、「神の子」である私たちに一種の劣等感／嫉妬のような気持ちもうかがえます。**ロスチャイルド（Roth＝赤色、schild＝盾）**という名前も**赤い血から護る**という意味にも取れます。コンプレックスの表れです。また多分ですが英国王族

血液が青いサソリと蜘蛛

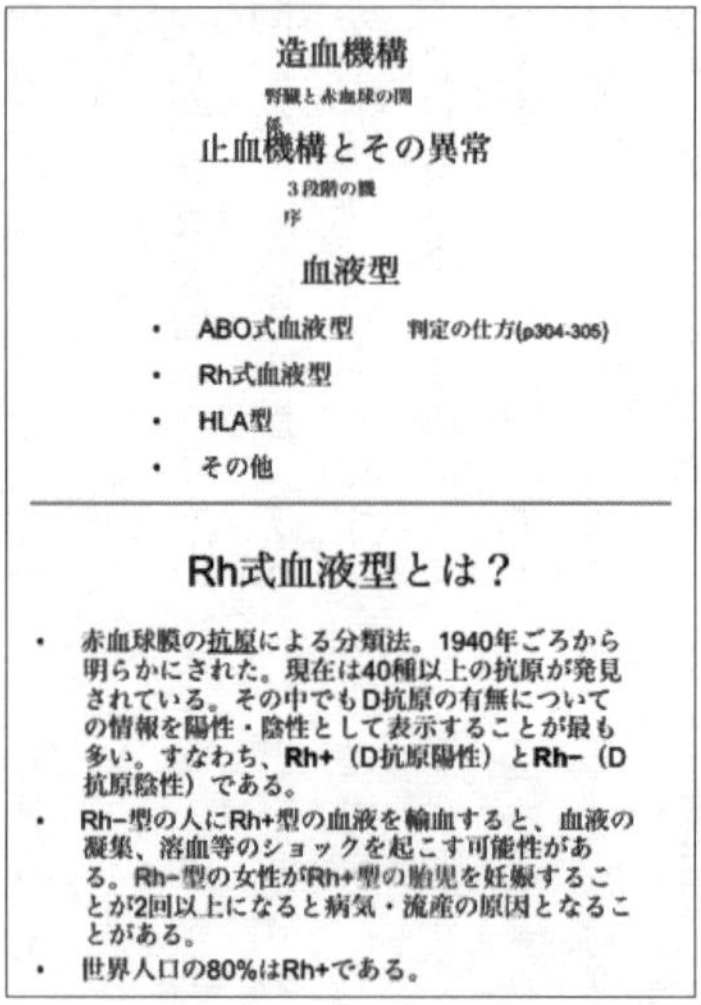

造血機構

腎臓と赤血球の関係

止血機構とその異常

3段階の機序

血液型

- ABO式血液型　判定の仕方(p304-305)
- Rh式血液型
- HLA型
- その他

Rh式血液型とは？

- 赤血球膜の抗原による分類法。1940年ごろから明らかにされた。現在は40種以上の抗原が発見されている。その中でもD抗原の有無についての情報を陽性・陰性として表示することが最も多い。すなわち、**Rh+**（D抗原陽性）と**Rh−**（D抗原陰性）である。
- Rh−型の人にRh+型の血液を輸血すると、血液の凝集、溶血等のショックを起こす可能性がある。Rh−型の女性がRh+型の胎児を妊娠することが2回以上になると病気・流産の原因となることがある。
- 世界人口の80%はRh+である。

世界人口の80％が RH ＋

ブラックアイクラブなる現象は有名人で多い

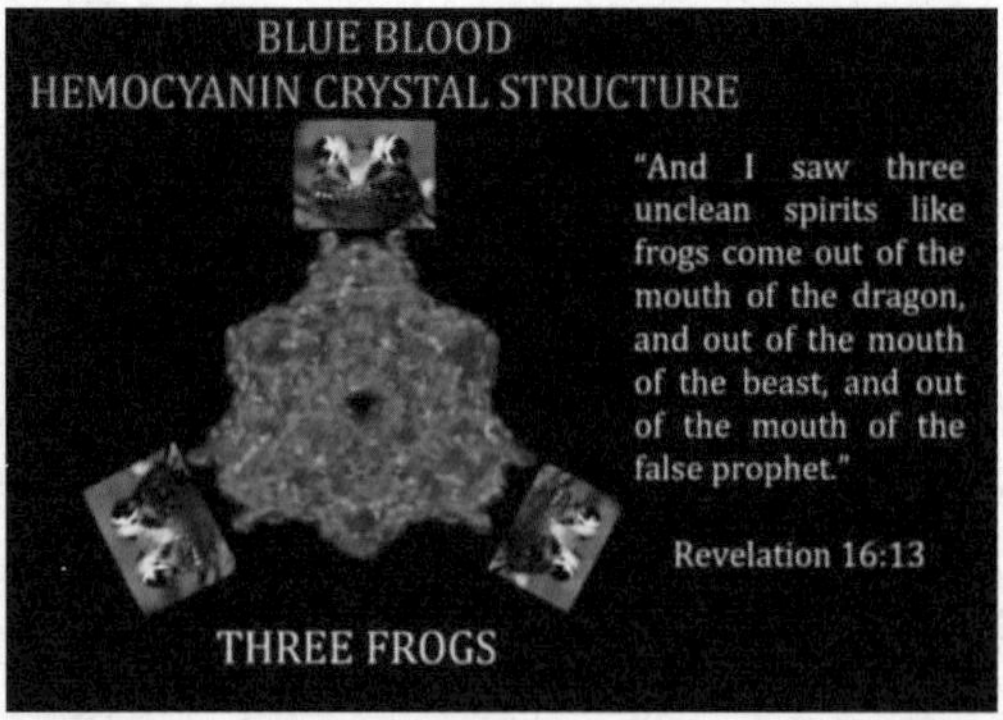

血中のヘモシアニンが酸素と結び付くことで銅イオン由来の青色になる

やロスチャイルドなどの血筋辺りがほぼほぼ黒幕で、我々が知らないさらに上の謎の支配層は実はいないのかなとも思うようになりました。なぜなら支配層は劣勢の条件が多すぎて大人数になれないため。これもこの世の縮図なのかもしれない（頭がすこぶる良い超少人数の支配層とその他の大勢の家畜という縮図）。

こうして見ると、ケイ素青銅人間は鉄人間の私たちよりもある意味脆弱な存在で、人数も少ない。民衆さえみんな一丸となって立ち上がることができれば恐れるに足りない存在であるとわかるかと思います。支配層は洗脳と分断で私たちをどうにか支配しているだけです。どうか引き続き周りを啓蒙していきましょう。

参考動画：『Us & Them: Blue Bloods [Serpent race] & Red Blood [Adam]（私たちと彼ら。青い血［悪魔の種族］と赤い血［アダム］）』
https://youtu.be/NmKCvlF924A

サタンという誘惑

フラットアースジャパンのメンバーに紹介していただいた動画に基づく考察になります。

『【ルシファー】最上級の天使が悪魔に…その罪とは!?【サタン徹底解説】』
https://www.YouTube.com/watch?v=nXKKW99EtBQ

まず、世の中のものは**難解に見えて実はとてもシンプルにできている＝支配層が意図的に我々に難解に見せている。**「サタン」なんかはその典型であると言えます。

サタンについて。正体が精霊なのか、実際の人間なのか、天から堕ちてきたのか、人間が作り出した悪意の集合体なのか、または支配層が唱える何らかの概念なのか、ただのファンタジーなのかは一旦おいておいてもいいと思います。読者それぞれ思うところではあるかと思います。ここで大事なのは、サタンが**「何を象徴し、何を求めているか」**。オッカムの剃刀を用いる形で実は二つだけに絞れると考えた時に点と点がつながりました。

サタンの二つの目的とは何か？　それは以下の二つである。

（1）私たちの心を欺く。世の中に一定存在するサイコパスなる人種同様、私たちの心に嘘を与えることは、もはやサタンの本質そのものである。人の心を欺くこと、それは何かを得るための手段としてではなく、サタンはもはや嘘自体が目的になっているということ。嘘をつくこと自体が本質だから嘘がやめられない。この**嘘をつくことが生きがい**だと考えた時に、「サタンが世に知られたくない最大の秘密はなんだろう？」と考えるようになり、いろいろと自分の中でクリアになっていきました。ＮＡＳＡ（ナーサ）もヘブライ語で欺くという意味がありますしね……。

（2）創造者やいわゆる天から私たちを遠ざける。支配層は、家畜階級の完全なるトランスヒューマニズムという大きな目標の下、日頃から私たちは様々なコンテンツによりこれでもかというくらい俗っぽくさせられています。朝起きてから夜寝るまで、テレビ、ネット、嘘まみれの奴隷教育、会社で人を蹴落とす競争社会、お金持ちと都会がカッコよく貧乏人と田舎はダサい価値観、芸能人という安っぽい憧れの対象など、サタンの大衆への洗脳は24時間不眠不休です。根本的に大切なものとは何かをほぼ全て忘れさせられている状態で私たちは支配層が用意したシステムの中であまり考えず呑気《のんき》に生きています。これもサタンの大きな目的です。奴隷である私たちが、何も知らずによかれと思って行動している状態である方が支配しやすい。それだけです。

以上がサタンなる「何か」の正体です。このカラクリがわかってしまえば、普段の生活においてはできるだけ真逆のことをする、または考えることで世の真理にたどり着けます。ですから逆のことを実践しましょう。

また完全には無理だとは思いますが、実生活で嘘をつく時は自分が「サタンの影響下にある」、俗っぽい見栄を他人に張ってしまった時も「サタンの影響下にある」、などとそのたびにきちんと意識を向けて自分を戒めることも大事かなと思います。「嘘を一切つかない、全く俗っぽくならない」のはかなり難しいとは思いますので無理のない範囲で実践していきましょう。

最後になりますが、どういうふうにサタンの呪縛から解き放たれるかは、各々が決めればよいのだと思います。それは皆様個人と創造主の間で決めればよいのだと思います。我々を創った何かとはそういう「契約」を結んでいるのだと思います。

　繰り返しになりますが私自身は、サタンを比喩的に捉えています。

フリーメイソンリーと33

　キリストが十字架で亡くなった年齢であり、フリーメイソンの階級（Degree）も33段階あり、なにかと特別な数字。その由来は、私たちの体にある**33の椎骨／脊椎骨《せきついこつ》**からきています。

　ここで少し支配層について。支配層（または彼らを突き動かす何か）は、自分たち青銅人間が赤鉄へモグロビン人間（いわゆる私たち家畜層）より優れているという優生学的発想があるためか、神／創造主が「劣等」である私たち赤人間にばかりかまけていることへの嫉妬が強く、（彼らが支配する）この地上に閉じ込めたいという思いが強くうかがえます。

　つまり支配層は、
（1）より頭の良い自分たちの方が私たちより優れていると考える**「優生思想」**
（2）いわゆる創造主が家畜人間ばかり気にする**「嫉妬」**
（3）家畜人間をこの煉獄のような「地上」に閉じ込めたい**「復讐」**
オッカムの剃刀的に考えると、この三つの動機に絞れるかなと思います。

　支配層は、この世界を何も知らずに謳歌しているような羊タイプの人間には気づかれることがない形で、真実を予測プログラミングやゲマトリア、あるいはビル・ゲイツのような悪役を通して、そのままダイレクトに私たちに伝えています。本書を手に取ってくださった読者なら気づくような手法で、ある意味正々堂々と伝えています。その程度の暗号もわからないのは「お前ら家畜が未熟だから」と侮蔑しているということです。

　支配層は、創世記の何日目に何が起きたかで**支配層を7**（創世記7日目。世界完成の日。完璧な支配層の数字）、**私たち家畜や獣類を6**（6日目）、**海と空の生物たちを5**（5日目）という数字にたとえています。

６６６は獣の刻印など、わかりやすいヒントを提示してもわからない未熟な家畜は天に還る資格などない、と彼らが審判している節さえあります。

ここで**椎骨**について。

四足歩行の動物は背中が曲がっています。６（家畜）人間は背中がまっすぐ天に伸びている二足歩行。つまり人間は本来33本の椎骨が全て天を向いた状態にないとおかしく、人間として認めないというのが支配層の主張である。四足歩行の獣と同様だ、ということです。支配層はそんな感覚で獣を判別し、獣だと思われても仕方がない思考や行動をする６人間は同じ６日目に創られた動物を間引きする感覚で簡単に間引きもする。コロナワクチンによる人口削減もそういうことなのでしょう。これだけ副反応の報告が上がっているのに、それでもワクチンを接種するお前らは獣と変わらない＝人間とすら思われていない。

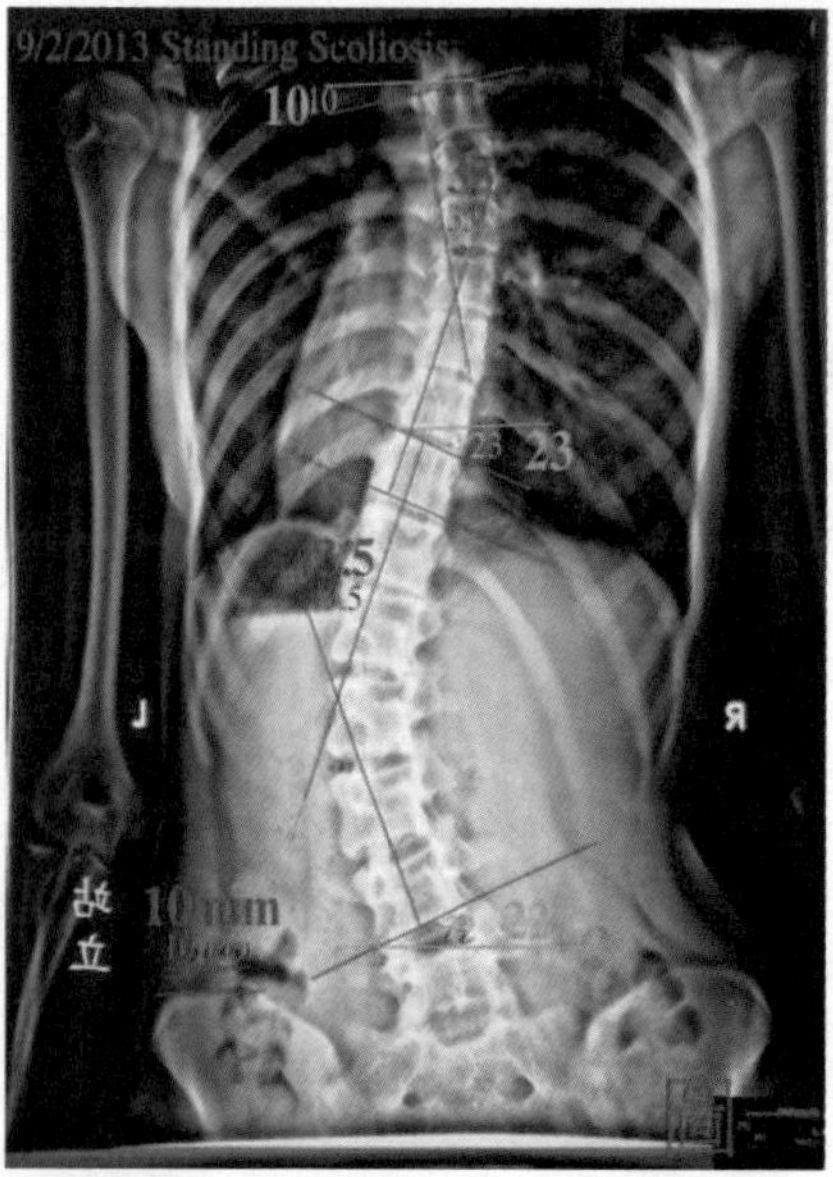

二足歩行の人間は椎骨33本が全て天を向いている

フリーメイソンリーでは、人間の４つの柱を**「身体」「思考」「魂」「霊」**に分類しています。聖書のフラットアースのイラストの４つの柱が大地を支えているように、私たちの椎骨を天に向かわせるにはこの４つの存在が不可欠。では**魂と霊の違いは？**

「魂（Soul）」は誰でも生まれた時から持っているもの。**「霊（Spirit）」**は33本の椎骨が全て天を向いている者のみが持っているというのがフリーメイソンの考え。私が、マスクを自ら進んで朝から晩までつけているタイプの羊人間をバイオロボット、と揶揄しているのはこういった背景からになります。

またこの辺の考えから、改めて進化論を推し進めた大きな理由がわかりました。フリーメイソンの椎骨33本が全て天を向いた者のみが人間であることを名乗れ

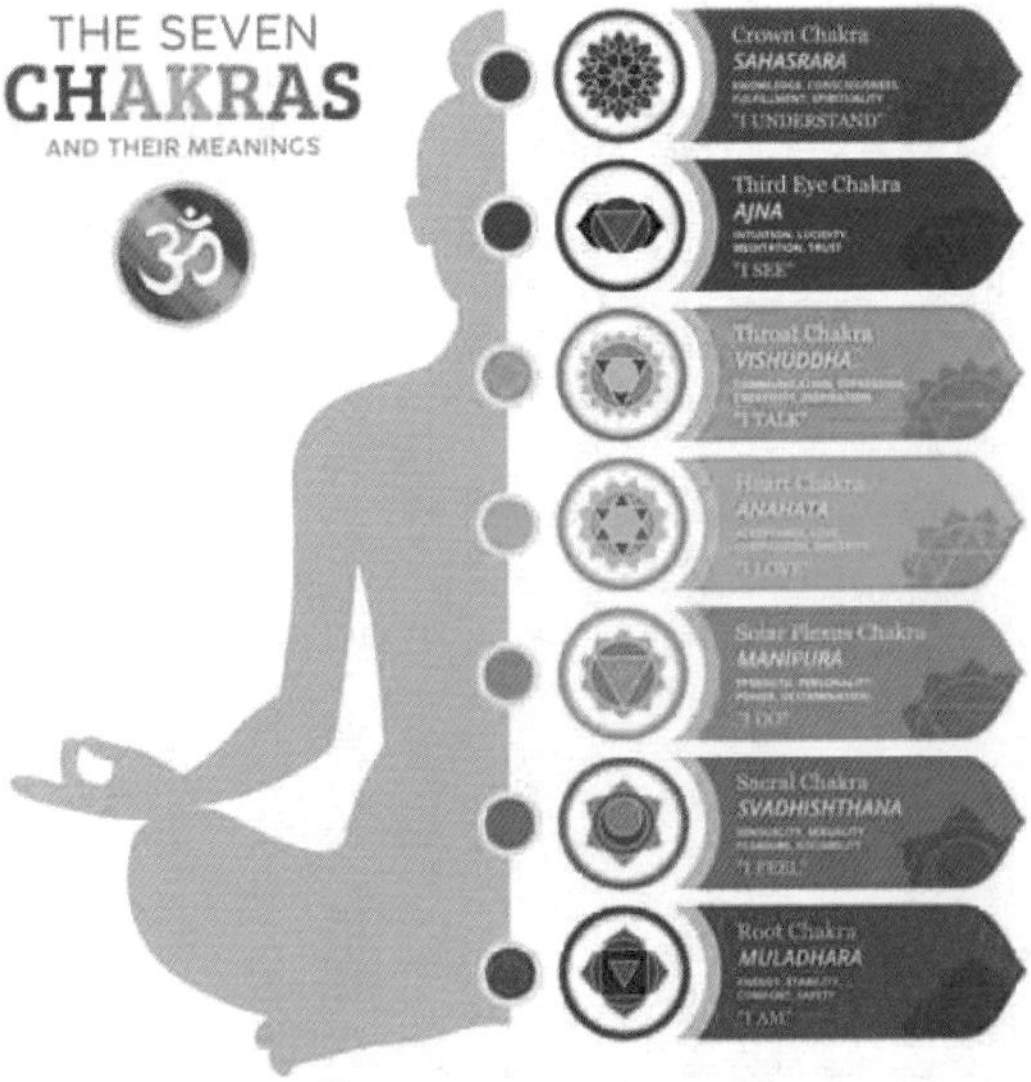

心身のバランスの指標になるとされている「チャクラ」の概念

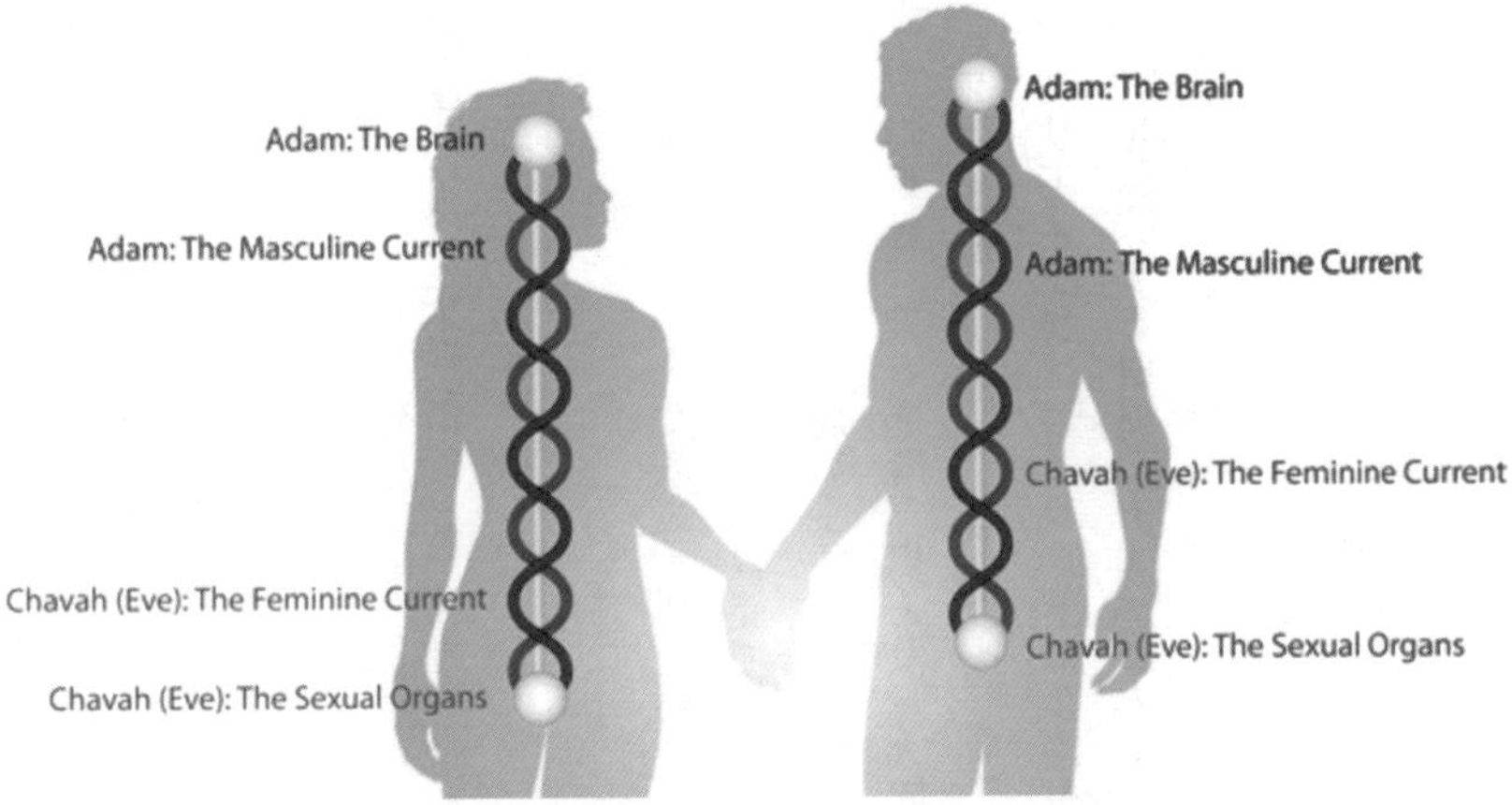

真上を向いた椎骨は体や精神のバランスの安定を意味する

るという哲学、そして何がなんでも家畜をこの煉獄のような地上に留め、天に還らせることを阻止したい支配層。私たち家畜に、「この〝天への回帰システム〟を気づかれないようにするにはどうしたらよいか？」、そう考えたチャールズ・ダーウィンは、**アメーバ↓恐竜↓マンモス↓猿人間**という進化の過程をたどる「**ダーウィンの進化論**」という仮説を打ち立てました。この仮説には実に巧妙な印象操作が仕組まれており、四足歩行の動物と二足歩行の人間の違いが「椎骨が天を向いているか、向いていないか」であるという事実が完全に隠されるのです。バイナリー的にむしろ真逆の「肉体／知能的な進化がもたらせた二足歩行」という印象を強調し、「精神性」とは真逆をいく「物質主義」の重要さを謳っている仮説であることから、支配層の頭のすこぶる良さがうかがえます。ダーウィンの進化論では、「動物が人間に時間をかけて進化した」とすることで、「人間が作られ、その後に動物が作られた」という創世記などに見られる創造論の仕組みとも逆をいくという抜かりのない処置もされている。

また動物の延長線上に人間がいるという主張をすることで、**5動物↓6鉄人間（家畜）と7青銅人間（支配層）**の間に明確な越えられない壁だか天井があるようにも印象づけています。この辺は支配層のプライドが影響しているのかもしれません。お前らは高貴で知的な生命体である私たちには絶対になれないよ、という究極の優生学のような主張とも言えます。

私たちの中にある天使と悪魔のバイナリーシステム

簡単に言うと物事は全て表裏一体であるという話。この辺の固有名詞は、キリスト教徒でなければ比喩的に捉えていただければと思います。私も比喩的に捉えています。**陰と陽、神と悪魔、男と女、太陽と月、光と闇、アダムとイブ、青銅人間（支配層）と鉄人間（家畜）、フリーメイソンのイラストによく登場し「大衆の分断」を意味する白黒のチェッカーボード**、世の中には対になるもう一つの「もの」が至るところに存在していて、この世界の真理であると言っても過言ではありません。フラットアースについて確信的に綴った日本宗教界のドン的存在だった出口王仁三郎が主張していたらしい「鉄アレイシステム」もこのバイナリーシステムのことだろう。

ヨハネの黙示録を見てみましょう。

ヨハネの黙示録　第9章11節

いなごは、底なしの淵の使いを王としていただいている。その名は、ヘブライ語でアバドンといい、ギリシア語の名はアポリオンという。

底なしの穴の王である**アバドン**（ギリシャ語でアポリオン／アポロン＝太陽）は、このバイナリーシステムにおいては何らかの核心的役割を果たしていると言える。**アバドンが闇の王**で、**アポロンが光の王**とするならば、**アバドンそのものが一つのバイナリーシステム**であるとも言えます。底なしの穴から私たちの死を粛々と待つ、または死を招く死神として、私たちの魂を腐敗させようとあの手この手を尽くしているのだろう。

またそんなアバドンに運命を握られている私たちの中にも当然バイナリーシステムが存在します。椎骨と松果体を通して天を向かなければならない私たちのバイナリーシステムとは、まさに**天使と悪魔**のことであると言えます。「天」を向いている天使の部分、「地」を向いている悪魔の部分。善の天使を腐敗させ、下／地に向かわせることで、死んだ後に天に還らず底なしの穴に落とし、永遠の犠牲者にしようとしていると主張する人間もいる（アメリカ人のキリスト異端児のジョナサン・クレックなど）。

つまりアバドンは、支配層という駒を使って退廃的で自堕落なエンターテインメントの数々、（進化論の弱肉強食の如し）他人を蹴り落とす競争社会、空から撒かれるケムトレイル、歯磨き粉などに入っているフッ素、モンサントなどの農薬、重金属が入っているワクチン、意図的に起こされた9・11に代表されるようなトラウマイベントを使って、上を向いている天使と下を向いている悪魔の力関係を悪魔側に傾けて、思いのままに私たちの魂を蝕《むしば》もうと躍起になっています。

余談ですが、下を向いたまま操作するスマートフォンにも悪意を感じてしまいますね。

近年世間を騒がせているバッタの大量発生による食糧危機や、これからやってくるイナゴ／バッタを中心とした虫肉の推進も、この予測プラグミングではないかと言えます。バッタはエジプト記に登場する10の災害の一つでもあり、今後のかなりきつい時代を象徴するかのように、支配層の意図によりニュースにたくさん登場することになるかもしれません。

また、宇宙の巨大なブラックホールは、この底なしの穴の比喩なのかもしれません。「アバドン＝アポリオン＝アポロン→サタン」。ロケットのアポロ11号が月に行ったのもとても儀式的です。ちなみに「11」という数字はバイナリーシステムを表す数字であり（1男＋1女）、世界貿易センターのツインタワーもこの11という数字を象徴する外見でした。また11という数字は破壊的なイベントにもよく登場します。

関東大震災　発生時刻　11時58分

阪神・淡路大震災　発生日　1月17日

9・11、そして3・11。

これらの象徴的なディザスターイベントが自然発生ではなく、ゲマトリアを取り入れた人工的に起こされたものであることを感じていただけるかと思います。底なしの穴に私たちを落とす儀式なのかもしれません。

またアバドンやオカルト支配層の実行部隊が私たちを「神の子」ではもうない腐敗した魂に手っ取り早く導くための最も適した現実的な方法は、直接的に遺伝子を組み換えてしまうこと。コロナウイルス対策のmRNAワクチンを使って、この遺伝子の組み換えをまさにやろうとしているのかもしれません。ビル・ゲイツなどは、そんな大層な目的を持つアバドンに仕えたイカれた青銅人間であるのでしょう。

私たちは決して真白な存在ではないが、支配層に馬鹿にされ、踏みにじられ続けています。

ツインタワーもバイナリーシステム

前述のヨハネの黙示録9・11（233ページ）の聖句に合わせて、1968年の着工から33年後の2001年9月11日に爆破解体されたニューヨークの世界貿易センターのツインタワー（①）。こうした世界的に注目される（ように仕向けられている）破壊的なイベントには、いろいろと数字が組み込まれています。実は3・11の発生時間にも組み込まれている重要な意味を持つ数字の「46」。46は支配層のバイナリーシステムにおいては重要な数字のため、繰り返し使われています。ツインタワーは8時46分に破壊されました。

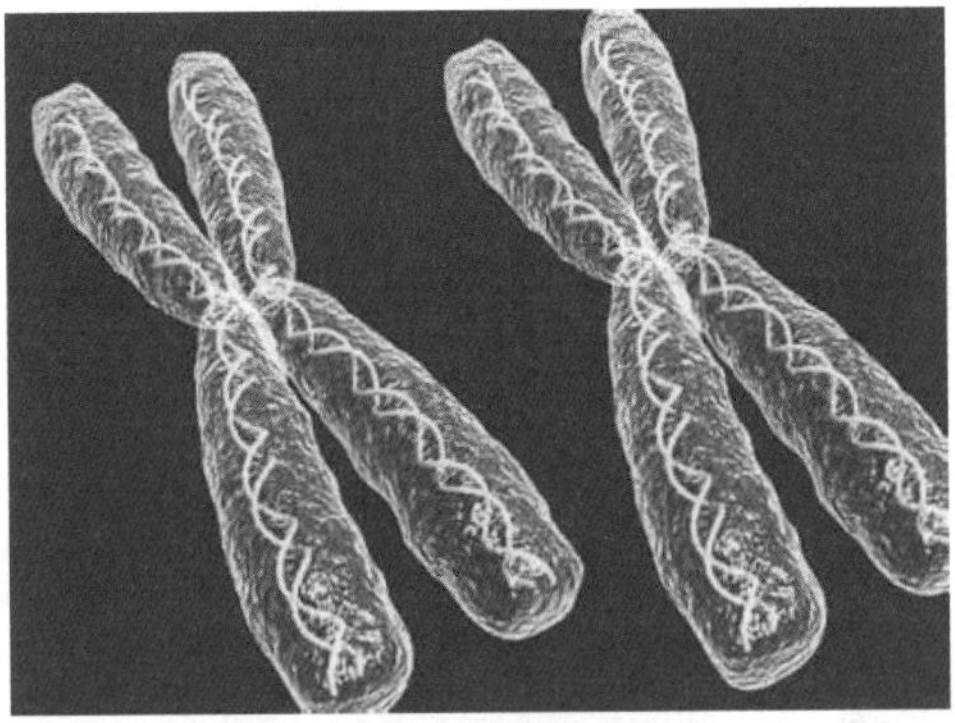

② 人間の染色体の数は46

① 9.11のツインタワー破壊劇場

④ ニューヨークに建つ現在のワン・ワールド・トレード・センター（世界貿易センター）。まるで注射器のように見える

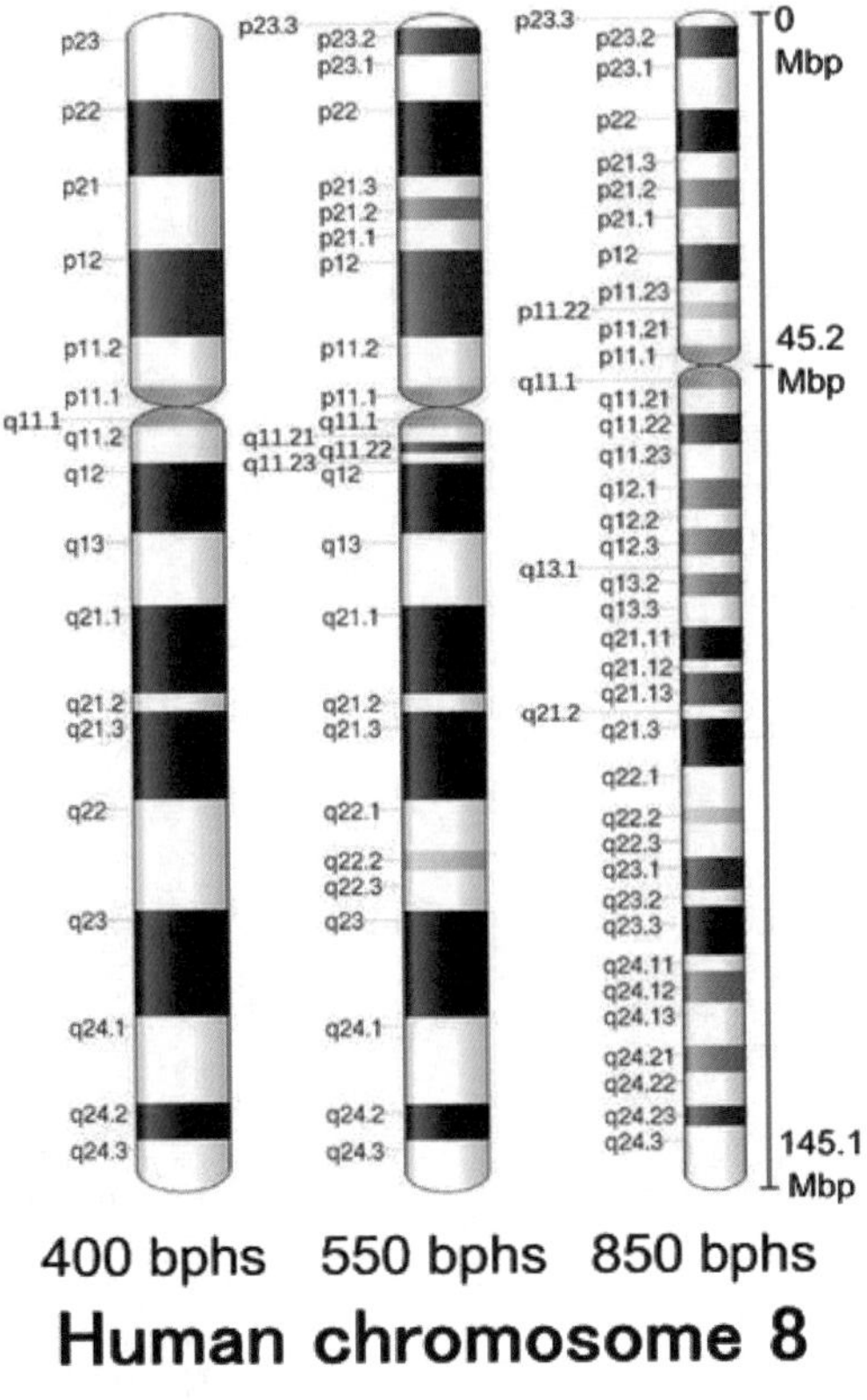

③ 人間の持つ染色体「クロモソム８」は共感や思いやりなどの感情を司っているとされている

3・11の発生時刻は14時46分。

ちなみに少し横に話が逸れますが、3・11に津波のイベントが起きたのは、支配層がマタイによる福音書3・11の聖句にちなんでいるのかもしれません。イエスの「洗礼」に関する聖句となります。

「私（洗礼者ヨハネ）は、あなたがたが悔い改めるために、水のバプテスマを授けていますが、私のあとから来られる方（イエス・キリスト）は、私よりもさらに力のある方です。

私はその方のはきものを脱がせてあげる値うちもありません。その方は、あなたがたに聖霊と火とのバプテスマをお授けになります」

では話題を46に戻しましょう。この地上で作られた男と女という対局の性別こそ、私たちの世界の究極の**バイナリーシステム**であり、性行為は崇高なる錬金術の一種と支配層は考えている節がありまして、もともといわゆる「天」の「天使」には性別というものがなく、この地上を管理する悪魔（時を司る者＝サタン）に作られたバイナリールールであることはバチカンに飾られている様々なシンボルを解読していくと気づけます（バチカンについては、またいつかご紹介）。

男♂と女♀を男性器と女性器という分け方で考えるのもありだとは思いますが（まさに見た目が1と0のバイナリーシステム）、今回の46という数字でこのバイナリーシステムを考えていくと、人間の**染色体の数**（男性23＋女性23＝合計46）という考え方になります（②）。つまり8時**「46」**分にツインタワー（見た目が1と1＝11＝9・11）を破壊するという行為は、**人間のDNAを破壊する儀式**であると論理的な結論にたどり着けます。DNAの破壊と言えば、9・11の19年後に起きた一連のコロナウイルス騒動からの**ｍＲＮＡワクチン接種**ということになりますので、9・11はまさに今回の一連の**グレートリセットの開会式**のような役割を果していることがわかります。

そして8時46分の**「8」**という数字を使ったことにも理由があります。それは**クロモソム8**という人間が持つ染色体の一つを指しています（③）。この染色体は、**人間らしさの象徴である共感や思いやりなどの感情を司《つかさど》っている**とされています。つまりこの**クロモソム8を破壊**することで、感情が通っていない**バイオ**

ロボットのような生物に家畜人間たちを変えたい願望のニュアンスが込められています。バイオロボットと言えば、サイコパス気質の支配層にはうってつけのあだ名ですね……。おそらくは重金属が入っている従来のワクチンにより、自閉症の子供がうなぎ上りで増えているのも、こういう「バイオロボット化」の一環でもあるのでしょう。

ちなみにツインタワー破壊後の跡地には、まるで**コロナワクチンの注射器**のように見えるビル、ワン・ワールド・トレード・センターが建っています（④）。先述のように9・11はコロナプランデミックにも密接に関わる儀式です。二つのツインタワーから一つの注射器に変貌する模様は、バイオロボット支配層と相反するクロモソム8を持つ家畜層が、ワクチン接種により（いわゆる「神」から見放された）同じ生物となる、というニュアンスが込められています。IQや論理的思考では支配層に到底かなわない家畜層が、永遠に支配される運命にあることが高々と宣言されたと言えるでしょう。この壮大な世界的茶番（プランデミック）をやるからには、かなりの理由が支配層にはあるはずです。今回のワクチンで、家畜層を（比喩的に）自分たちと同じ鉄分が足りず常に栄養失調気味の呪われた血に染め上げ、天に還れない遺伝子組み換え人間に作り上げようとしている。そう思えてなりません。

獣の刻印もバイナリーシステム

「666の刻印を押される者は天に還れず（解釈的翻訳）」という獣の刻印も支配層が大好きなバイナリー的発想を使えば本質の意味がわかってくるかと思います。つまり好き好んで666の刻印を押された人間が地獄に落ちるというような表現は（意図的か誘導かは別の話として）誤解であり、刻印を押されたから「地獄に落ちる」のではなく、大人になっても子供（獣）のような思考回路のままだから刻印を押される運命にある、刻印を押されてしかるべき生き物であるという解釈が正しいように思えます。刻印を押されない者は数年間苦しみ抜いた末に、空から救世主キリストが意気揚々と助けに来てくれる、という映画や漫画のような救世主ストーリーではなく、ただ単に、「天に還れるくらい磨かれた魂を持った者は試練が終わってみれば苦労が報われて天に戻れるよ」というふうに解釈ができると思っています。

「論理的思考、予測能力など、人間にしかない思考回路をほとんど持たず、なんとなく獣のようにワクチンを接種してしまう君は刻印を押された獣だよね？」という可能性が高いように思います。別に悪意のある改ざんが聖書に施されていなくても、バイナリーシステムに疎い一般の方が翻訳をしたら、翻訳が「空から降ってくる救世主」方面に傾いていってしまうのは致し方がない部分もあるのかなと思っています。非常に残念である。

クリスチャンも「オッカムの剃刀」で物事を考えよう

フラットアースにたどり着くため、そしてフラットアースに気づいた後にも、論理プロセスの切り札として使う「オッカムの剃刀」。

「オッカムの剃刀」とは、**ある事柄を説明するためには、必要以上に多くを仮定するべきでない。**

何が言いたいかと言うと、ページ数がとにかく多い聖書を全部素直に読むと見失いがちですが、いわゆるキリストの教えを「オッカムの剃刀」で削ぎ落とすと、こういうことになると思います。

「肉体に閉じ込められた魂を解放して、天に還ろう」

これに尽きると思います。あとは実生活で自分が死ぬまで天に還れる行為をできるだけ実践することが大事であるということ。だから別にキリスト教である必要もないと思っています。何よりも善き人間になるということが大事なのです。じゃあ、どんなことをすれば善き人間となれるのか？　というと、それはいわゆる「隣人に優しく」であったりします。

キリスト教徒については、もっと詳細に知りたい場合には聖書を参考にすればよい。「参考」という言葉が大事です。聖書は手段であり、目的ではありません。目的はあくまでも「天に還る」ことです。ここを履き違えて聖書を目的のように捉えてしまうキリスト教徒が多いため、私はそういう人を聖書教徒と揶揄してしまうこともあります。読むという「手段／形」に重きを置くのではなく、「知る」という「目的／真理」に重きを置く必要があります、でないと宝の持ち腐れ状態です。そんな人が実に多い。キリスト教以外の宗教も然《しか》りです。キリスト教独自の勘違いではありません。

また聖書は伝言ゲームの歴史です。そもそもイエス・キリストが直接書いたわけでもなく、登場後も時代とともに様々な異なるバージョンが出版されていますし、それぞれのバージョンもいろいろと改訂されています。時代的な価値観や比喩的な表現を読み取れなかった翻訳や独自の解釈がたくさん入っています。悪意があろうとただの間違いであろうと、原本から少し逸脱してしまっている部分はあるでしょう。私も翻訳作業をすることがあるので、この部分はとても理解しています。

フラットアーサーなら気づく、Firmamentという聖書に登場する単語が、いつのまにか的確な「天蓋」から「おおぞら」に翻訳が変わったのがわかりやすい見本と言えるでしょう。

球体説の嘘にすら気づけない教会でも常に読まれている現代の聖書です。牧師もいろいろと間違った解釈をするでしょう。球体説がデフォルトならば「はっ？何それ。おおぞらだよね？」となってしまうのは仕方がない部分もあるでしょう。だからこその「オッカムの剃刀」です。勘違いしようがないほどに、不必要な情報を削ぎ落としてください、ということが言いたいのです。

知ることと読むこと、つまり目的と手段を混同させず、周りにいろいろと寛大な気持ちを持ちながらも、天に還るにはどうしたらよいか。これを常に考える方こそが真のキリスト教徒ではないでしょうか？

イエス・キリストも異教徒に毒を吐く暴力的な人間は望んでいないはずです。ぜひともキリストの教えに、もっともっと真剣に向き合っていただけたらと思います。「聖書暗記しとけばいいんでしょ？」みたいなノリの方は、「聖書を読まない方がよいのでは？」とさえ思ってしまいます。フラットアーサーなら、この世界の真理が一筋縄ではいかないことを体感できていると思います。どうかキリストの教えも、一生突き詰めていく気持ちで臨んでみてください。

タータリアとは？

英語だとタータリー。日本語でネット検索しても、ほとんど何も出てこないレベルです。英語の

Wikipediaページも2021年に削除されました。

現代のロシアや中国にも部分的にまたがる、歴史からほぼ消されたタータリアと呼ばれていたとされる地域が、全盛期にはカスピ海から満洲にまで広がっていたと言えます。現在はタタールスタン共和国として、なんとなく名前だけが残っているだけである。その建築模様や文化、そしておそらくテクノロジーまで、世界中に絶大な影響を与え、今でもたくさんヨーロッパなどで名残が見られます。

建築模様だけをとっても、現代では再現することができないほど壮大かつ美しく、繊細かつ機能的である。246ページでご紹介する噴水などはその一端である。とにかくすごい技術である。

またシカゴ万博をはじめ、世界中の万博で（万博のために建てられたと公式にはされている）もともとあった建物がイベント開催後に破壊されました。これだけ世界に大きな影響を与えた、相当に進んだ文化であるにもかかわらず歴史の教科書からほぼ抹殺されています。

これは完全な推測ですが、日本が満洲に進出した（支配層に進出するように言われた）のも、日本がタータリアの知識や技術を吸収するためだったのかもしれません。日本の鉄道技術も植民地であるはずの満洲でかなり進化したのも、タータリアが関係している可能性があります。

また磁気浮遊などの高度な技術が当たり前だったかもしれない古代文明の正当なる継承地がタータリアであり、この地の破壊とともに、ロスチャイルドなどの現代の支配層が頭角を現し、その後ジョン・D・ロックフェラーが登場しました。そこからタータリアはいつのまにか抹消され、ロックフェラーが利権を独占する石油時代が約100年前に到来します。

参考動画：YouTubeチャンネル『JonLevi』
https://www.youtube.com/channel/UC5vXBfxN7rxKeJHJxS8dNDw

ロスチャイルド一家のパーティー

主に米英を勝利国にするために戦争を起こし、中央銀行がまだ民営化されていない国に戦争で勝って、自分が資本を持つ民間の中央銀行を敗戦国に設立して金利でぼろ儲け、という支配モデルを確立した、世界で

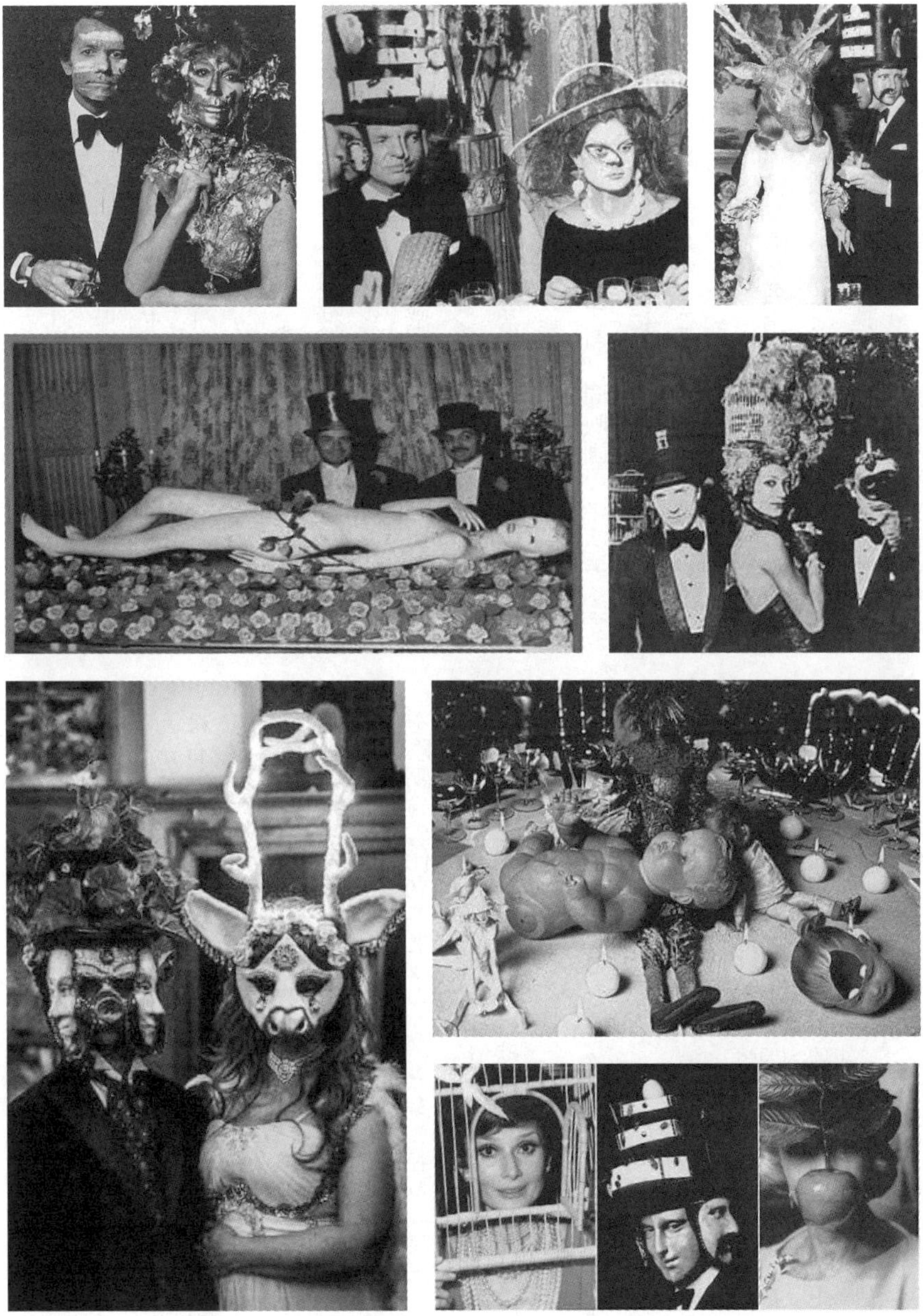

ロスチャイルド家のパーティー

最も権力がある一家の一つ。その総資産は約600京円とも言われている。資産運用会社のヴァンガードやブラックロックを通して世界中の大企業の筆頭株主として君臨するロスチャイルド一家が、1972年に主催したバースデイパーティーの模様をご紹介。

　ロスチャイルド一家しかり、支配層はオカルト信仰が大好きという特徴があります。このパーティーにかかわらず、こういうことは彼らにとっては日常茶飯事なのかもしれません。イベントの模様が公開されることを意識してからなのか、脳や女体がマネキンだったりして少しライトバージョンであるのは確かですが、大体の雰囲気がわかるかと思います。まさに、鬼才スタンリー・キューブリック監督の遺作『アイズ ワイド シャット』そのものですね。同映画のクリエイティブ・コントロール（内容に関する最終意思決定権）を持つキューブリックが、この映画のファイナルカットを配給会社に提供したとたん、変死しました。映画の中でロスチャイルドを名指している、まぼろしのシーンがあるから殺された、というのがポピュラーな諸説です。今となっては、関連シーンは闇の中に葬られてしまいましたが……。

私の名前はジョン・D・ロックフェラー

　やぁ諸君。私は石油王と言われている。なぜなら私は石油という地底に無尽蔵にある悪魔の血とも表現できる物質を使って、世界中の大衆の生活を支配しているからだ。

　私は天才だ。褒めたまえ。崇めたまえ。

　まずは「化石燃料」に依存しないフリーエネルギーを陰謀論に仕立て上げよう。そんなものは存在しない、開発していないと学校教育に織り込んでしまおう。石油エネルギーへの縛り付けは効率的な奴隷化だ。愉快だ。

　スタンダードオイルという石油会社を作ろう。頃合いをみて分社化し、独占状態であるということを一見わからないようにしよう。実にすごい発想だ。

　私は選ばれた偉人だ。

　そうだ、ロビー活

ジョン・D・ロックフェラー
（1839－1937年）

動して政治家パペットに禁酒法を作らせよう。なんでかって？　アルコールはどぶろく自宅栽培ができる燃料だからだよ。禁酒法という陽動作戦の裏で、最初はガソリンをアルコールに混ぜないと動かない車、その内ガソリン車しか市場に出回らせないようにしよう。フォード君も賛成だ。ははは、私はすごいだろ？

自家栽培といえば、牛耳っているマスメディアを使って古代から薬として使われていた薬草なども効果がないと洗脳してしまおう。もちろん大麻もだ。

石油で作った西洋の製薬という毒物をどんどん体内に入れるよう洗脳していこう。ウイルスとワクチンという架空のものをでっち上げて、それまで存在しない（か相当マイナーだった）癌や自閉症という病気を蔓《まん》延《えん》させてしまおう。石油のリピート客になるだけでなく、生産と消費を繰り返してもらった後、役に立たなくなった頃に家畜が勝手にバタバタ死んでくれる魔法のシステムだ。すごいだろう、ひれ伏したまえ。

プラスチックを「物」のスタンダードにしてしまおう。金属類の価格を高騰させ、大衆では気軽に手を出せないような価格設定にして、もはやプラスチックがないと生活できないようにしよう。プラスチックは時には環境や体に有毒？　良いではないか、家畜に病院に来てもらえる。

私はすごいのだよ。この世は支配するか支配されるかだ。私は支配する方にふさわしい天才の血筋だ。奴隷どもは役立たずになったら適当に死んでくれたまえ。役に立ちたまえ。ＡＩが進んだらむしろもう生まれてこなくてよい。出産も厳しくコントロールしよう。

邪魔だ、目障りだ。

美しい歴史はたびたび破壊されている

１８９３年に開催され、世界19ヵ国が参加し、会期中２７５０万人が来場したシカゴ・コロンブス万国博覧会（シカゴ万博）を詳細に見ていくとすぐにわかる。公式な設定では、「１８７１年のシカゴ大火から目覚ましい復興を遂げたシカゴ市は、１８９０年にアメリカ政府から博覧会の開催都市として指名され、ミシガン湖畔の67万坪以上にわたるジャクソン公園付近を３年がかりで造成し、展示のための Court of Honor 地区と娯楽のための Midway 地区からなる広大な会場に約２００の建物が建造された」。

短い期間で建てられたとされる壮大な建物が並ぶ

当時のシカゴの街並み

世界中から多くの人々が来場

万博は広大な敷地で開催された

夜間のライトアップも美しい

世界19ヵ国が参加

この67万坪の敷地に建てられたとされている数々の建物は、21世紀の建築技術でも決して再現できないような壮大かつ緻密で美しい、実用性もあり（スペインのサグラダ・ファミリアを想像すると連想しやすい）、神秘的な存在感すら放っています。それらの建物は、基本的に万博の後に取り壊されたということにされています。つまり仮設であったということ。こんな驚愕の事実あり得ますでしょうか。ここまで完璧な建物の数々を、たった3年で建てる技術もお金も人員もいるわけがなく、またこれらの建物を「万博」のような「短期的なイベント」のために建て、イベント後に全て容赦なく取り壊す……常軌を逸しています。

そんなはずはないということで論理的にたどり着ける真実は、万博というイベントが、そもそも「今よりも雄大で完成された技術の隠蔽のために開催された」という結論。アメリカではきっと合衆国の建国よりも相当前から、今よりも洗練された文明が存在し繁栄していたが、何かに破壊され、現代の画一的なコンクリート建築物がこれらの美しい建築に取って代わってしまった、ということが見えてきます。

この万博では、郵便局だとか倉庫には到底見えない建物が、郵便局や倉庫であるとして紹介されていて本当に荒唐無稽である。

これらのローマ様式のような美しい建物は、ヨーロッパにもたくさん今も存在していることから（特にロシアやイタリア）、万博でのこの取り壊し行為は、単純に過去の遺産を破壊してヨーロッパ文明の優位性を主張するという理由ではないとわかります。つまり破壊には別の悪意が込められているということ。アメリカ合衆国という「法人」を設立した建国の父たち（＝中心メンバーはフリーメイソン）と石油化学利権のトップに今もずっと君臨しているロックフェラー一家が大いに関わっていると推測できます。ちなみに日本でいうところの江戸末期から明治時代までの頃でしょうか……。

参考動画：『Beginning Our History（歴史のはじまり）』
https://youtu.be/d_dHMV6umCs

噴水は火消し

支配層がフラットアースや本当の歴史を我々家畜層

様々なデザインの噴水

美しい装飾が施されている

芸術性も高い

夜間にも美しく街に華を添える

かなり高さのある噴水も多い

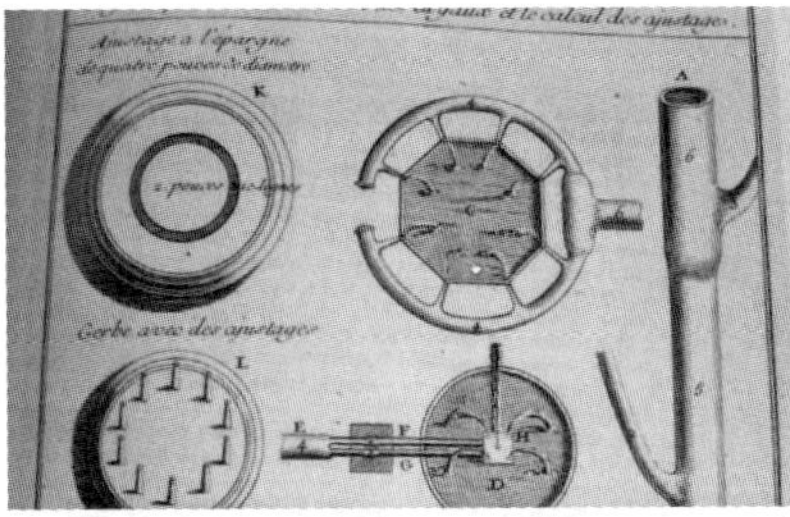
噴水の設計図のようなもの

から隠し、文明をどんどん退化させている証拠の一つと言えるトピックになります。アメリカの各都市の中心部にある巨大な噴水。これらの噴水は芸術性も高いのですが、昔から火災が起きた時の火消し役としての役割も果たしていた可能性が高いと思われます。噴水の構造を見ていくと、吹き出し口がとても高いところにあります。高い吹き出し口であれば、火災に水が届きやすく、地上付近からホースの水をまき散らす消防車よりもよっぽど効果が期待できます。そういう意味では、これらの噴水は美と機能性の調和を見事に果たしていると言えるでしょう。現代よりもよほど技術が進んでいたタータリアなどの高度な文明を象徴している建造物であると言えます。

　また噴水のみならず、昔は水を溜める建物がたくさんあったようです。これらは噴水も含めて、発電していた可能性が高いという推測をしています。原子力発電の正体であると一部に主張されている、塩水を利用した発電所のような役割を果たしていたのかもしれません。

　旧文明の都市は、噴水に限らず、本当にいろいろと見た目も機能も考えられて作られていました。現代はそんなことありません。石油化学コンクリート建造物が雑多に建てられているだけです。だから人類は退化してしまったという結論になります（写真は、部分的に埋め立てられた噴水も含む）。

鎖国は存在しない

　自分がまだいわゆる「羊」だった頃に「江戸東京博物館」などに行ったりして、おかしいなぁと思っていたことなのですが、江戸時代はほとんどの建物が木造の瓦付き、または石造のお城とかだったと言われているにもかかわらず、明治の前半には既に街のあちらこちらで、ディテールに凝った壮大な何百年も長持ちしそうな石造りのビルがいつのまにか結構建っていた、ということ。しかも現在はこういう壮大な石造りの建

赤煉瓦文化館（福岡市文学館）

神戸の街並み（年代不明）

皇居

浅草公園（年代不明）

帝国劇場（年代不明）

馬場先（現在の東京都千代田区丸の内三丁目）付近（年代不明）

物は、関東だと東京の金融街や横浜の日本大通り周辺、政府や自治体の建物のみ。あの何百年も持ちそうな丈夫でなおかつ見た目も凝った造りはなんだったのか、と思わずにはいれません。

また、そもそもこういう建物は現代の科学では物理的に創るのが不可能ではないか？　と。

でも先入観をできるだけ排除して、論理的に考えるとこう説明できる。

嘘つきの支配者たちが、「江戸時代は他国の文化を取り入れない鎖国であったと学校という洗脳機関で嘘をついている」という結論。これらの壮大な建物はヨーロッパやアメリカと同様に、日本にも昔から建っていたのではないか、と。

全世界に散らばるこれらの建物との主な共通点は、豪華絢爛かつ緻密な装飾があり模様があり、建築設計であるということ。

江戸時代は、「日本が実はタータリアの一部だった」のか、「ユーラシア大陸のタータリア地域と貿易をしていて影響を色濃く受けていた」だけなのか、のどちらかであるというのが論理的な帰結となります。

よってタータリアを避けるかのように（タータリアとは関係ない）インドに貿易会社を設立し、タータリアを避けるかのように南からの海上ルートで物資を運び、ヨーロッパに戻っていったオランダとだけチビチビ貿易していた日本の鎖国時代というのがそもそも真っ赤な嘘である、という新たな結論に達することができます。こうしてまた歴史の嘘が一つひもとかれたのかもしれません。個人的には江戸時代はすごく好きだったので残念です。少し認知的不協和も起きました（写真は全て日本になります）。

北海道とタータリアについて

これは情報発信の記事というよりも、読者の皆様への問いかけに近いでしょうか。以下のことから、タータリアと北海道や日本との関係をぜひブレインストームしてみてはいかがでしょうか（ここでは一旦、この仮説を肯定的に進めます）。

◎北海道がサハリンやユーラシア大陸と陸続きであり、「タータリー・デ・ユピー」という国名になっている地図を時々見かけるのですが、大がかりな災害か何か

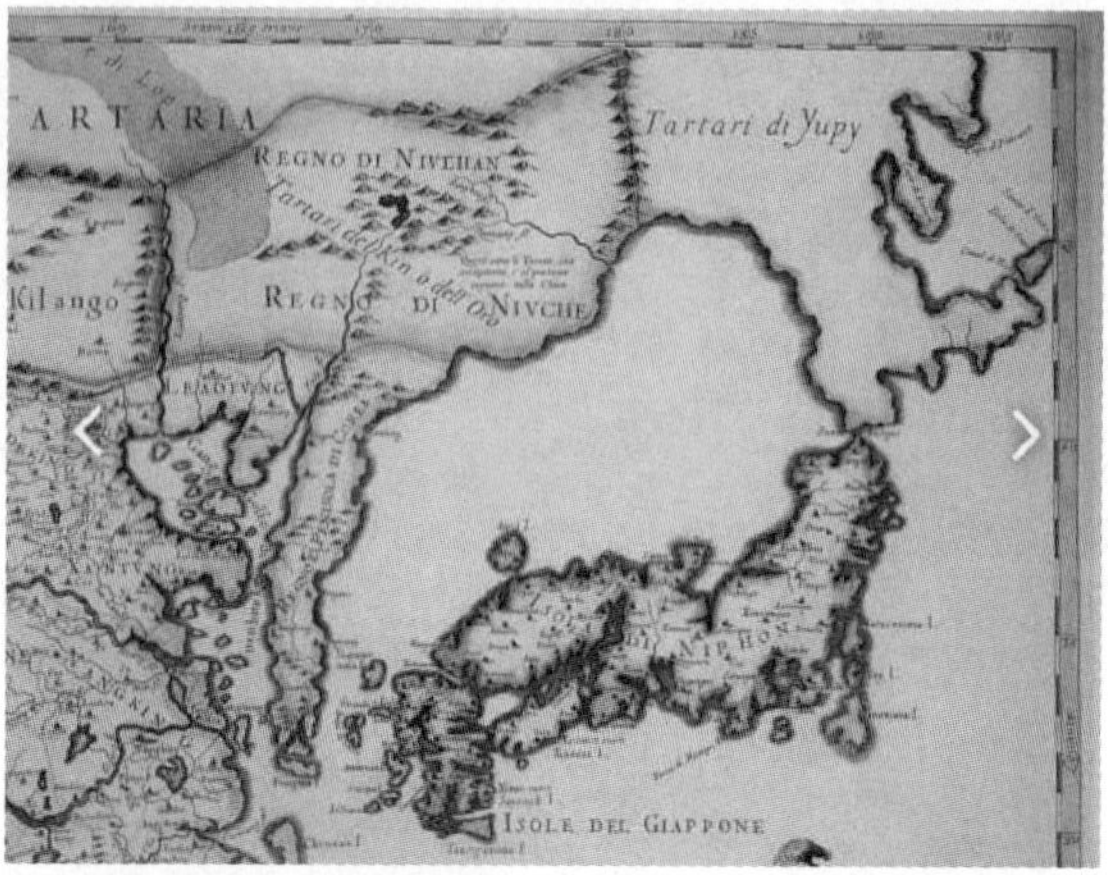

北海道がアジアと陸続きのマップ。本物であれば驚愕の事実だ！

世界中に見られるスターフォート。日本では五稜郭が有名

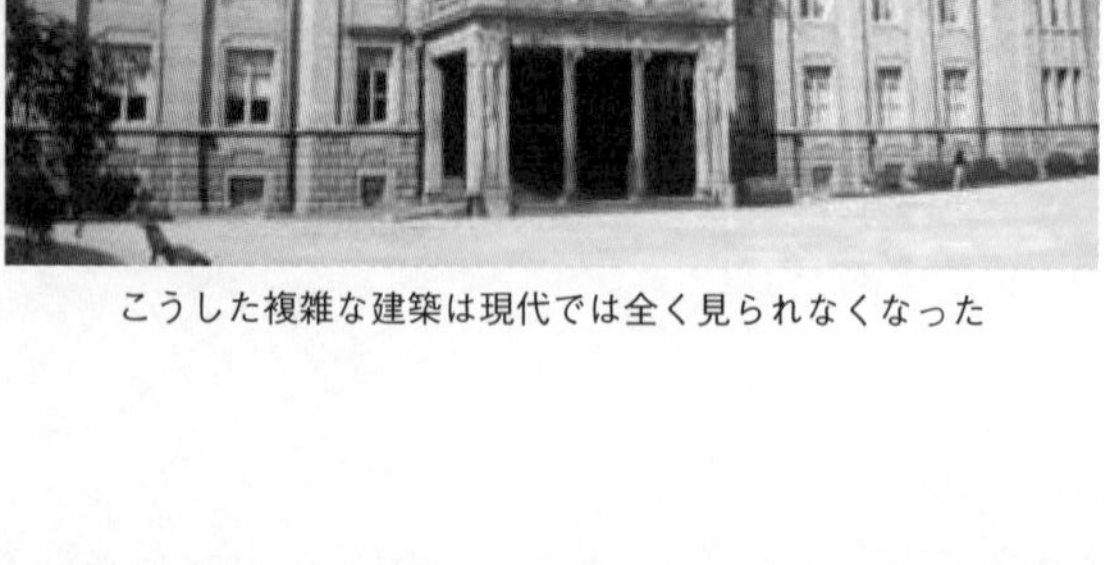
こうした複雑な建築は現代では全く見られなくなった

により陸続きでなくなってしまったのでしょうか。

(大人気漫画『HUNTER × HUNTER』にもユピーというキャラクターが登場しますね)。

◎もし陸続きであるならば、北海道の開拓の歴史は、つい最近の江戸時代後期という公式発表は嘘ということになる。

◎「スターフォート（五角形）」と呼ばれる北海道の五稜郭を筆頭に、大きな「洋風」の建物が日本全国にあるのは、ずっと鎖国だった江戸時代の歴史ではとても不自然である。

◎アイヌ人は見た目からして東アジア人とはほど遠く、ルーツがどこにあるのかが不思議である。どちらかというとイヌイットや一部のインディアンに近い見た目。日本の島である北海道に一体どうやって大陸から渡ってきたのだろうか。

◎第二次世界大戦の最後には、ロシアが北海道を躍起になって手に入れようとしていましたが、日本がなんとかそれを死守したことになっています。完全なる推測の域にはなりますが、ロシアと日本という国々よりも上の力が働いて、北海道は日本のものとして残ったのだろうか？

などなど、謎は深まるばかり……。

「北方領土を返せ」が繰り返し洗脳ニュース番組で流れているのは、「北海道は古来日本だった」という印象操作のように思えます。

皆様もフラットアースの啓蒙の切り口としてタータリアと歴史改ざんから伝えていくと、啓蒙相手とつながりやすいかもしれませんね。

支配層の地底帝国はリノベーション物件

本書のフラットアースの章でも述べた「支配層は地下にしか逃げ場がない」（74ページ）の部分にもつながるのですが、フラットアースの天蓋の先に行けるような技術が今のところ何一つ出てきていないことから、オッカムの剃刀的にはこれが正しいと思われます。

「支配層」なる我々家畜とは明確に異なる存在は、多分少なくともネットなどで陰謀論者が叫ぶような全知全能の力を持っているわけではない、ということ。彼らは自分たちを実際よりも巧みに大きく見せることで、我々に恐怖を植え付けているのでしょう。

真相論を解き明かすことで、支配層のメッキはポロ

世界中に広がる地下施設。今現在言えることは、地下帝国のようなインフラはおそらく整っている

ポロ剝《は》がれていきます。宇宙開発もなければ、核兵器もない。全人類を短期で抹殺できるウイルス／生物兵器もない。あるのはテレビや教科書などの洗脳ツールや、人間を従順にするフッ素、ケムトレイルなどの薬物やマインドコントロールといったテクニックのみ。彼らは、良く言えばマジシャン、悪く言えば詐欺師である。

そんな彼らがどうやって地下帝国を築けたのか？

オッカムの剃刀で考えると答えは簡単。それはもともとあるインフラを改築しながら有効活用しているだけ、という回答。その事実がもっともよく表れているのが鉄道。「公式」な歴史では、一部の大都市を除くアメリカ／イギリス各都市の人口が多くても数万人単位しかなかった19世紀前半〜中盤において、既に人の血管のような緻密な鉄道マップができていました。炭鉱を含めても、予測される人口移動に対して超不必要な鉄道網になります。しかもお金がないと言われていた不景気の時代に……。

そしてこの時代はトンネルから駅構内まで豪華絢爛でした。はい、言わずものがな、それらはタータリア様式。蒸気鉄道自体は近代の発明かもしれませんが（特許はニコラ・テスラ）、きっと別の既にあった何かを取っ払って蒸気機関車用の線路をそこに置いたのかもしれません（鉄道建設は囚人を使ったものがほとんどで、過酷な労働環境により死人もたくさん出ました。それだけ急ピッチで建設せざるを得なかったということでしょう）。

つまり少し解釈を広げると、技術的に進歩していた旧文明をどうにか奇跡的に滅ぼし（またはタータリアはもともと支配層側？）、自分たちの技術をこれらの技術の上に（まるで当てつけのように）ポンと乗せる形で今の支配層は私たちを支配できている構図なのではないだろうか、ということ。いわゆる「地下」も鉄道同様、世界の大都市の下に必ずと言っていいほどなぜか迷宮のような地下ネットワークが広がっています（それらの一部が地下鉄などに使われていたりもしますが……）。これらの地下迷宮を部分的に再利用している可能性が高いとも思っています。イギリスに地下鉄が少ないのは、島国が故にあまり大陸文化の影響がないからかもしれないですね（一般的には地盤が硬いからと言われています。これはこれで正しい）。

支配層に踊らされている陰謀論者の間では、宇宙人を囲っていることになっているアメリカ軍の基地であるエリア51。かなり地下にも基地の敷地があること自体は公の事実ではありますが（実際に何があるかは隠されているのでしょうね……）、アメリカ横断地下鉄が実は存在していて、支配層はこれを移動に使っているのかもしれません。イーロン・マスクのハイパーループのような技術が既に完成というより、タータリアなどの人たちが既に普通に使っていたのかもしれません。支配層が遠慮なくケムトレイルを地上に撒き散らす理由がわかりますね。太陽の恩恵をあまり受けないケイ素青銅人間は、地上がダメになれば、いつでも自分たちは快適で設備が整った地下帝国に逃げられるのである。

参考記事：『Underground Basesand Tunnels（地下基地トンネル）』

https://projectcamelot.org/underground_bases.html

参考動画：『D.U.M.B.s Deep Underground Military Bases（D.U.M.B.s 地下深くの軍事基地）』

https://www.youtube.com/watch?v=uEDAE_9v4h0

参考動画：『Discover Everything Unknown（未知なるものの発見）』

https://youtu.be/QcKuoDahAkI

タータリアの中心地の一つ、トルクメニスタン

旧ソ連の小さな国トルクメニスタン。カスピ海の横に位置し、天然ガスが豊富な国として知られています。その首都アシガバートは、周りに文明的なものが存在しない砂漠のど真ん中にポツンと位置しているにもかかわらず、人口は100万人と仙台市並み。夜はイルミネーションフェスティバルかと思うくらいに街のあちこちで照明が派手に灯っています。とにかく明るい。

そしてどちらかというとマニアックな国だからこそなのですが、世界万博のような「タータリア時代の建物を破壊する口実」がなかったがために街の至る所がそのままタータリア風に残っている。Google マップで見ると一目瞭然ですが、屋根に電気を空気からかき集める避雷針がついているように見える建物はもちろんのこと、その電気をさらにかき集めるスターグリッドのようなものが至る所に整然とあります。

そしてアシガバートは、砂漠のど真ん中にあっても、市民にガスだけでなく電気も無料で供給しています。

アシガバートの街並み

タータリアの地図

街の太陽光パネル

アシガバートにあるモニュメント

上空から見るアシガバート

今もこれらのインフラを利用して高い確率でフリーエナジーをかき集めているとも推測できます。タータリアのままのインフラについては、最近は森林を人工的に植えることで徐々に隠している節があり、この街も今後は意図的にタータリアから引き継いだ部分が破壊され無機質なコンクリートだらけになっていくのかもしれません。

電気は、（参考動画の中で出てきますが）一つ目の不気味で巨大な太陽光パネルで全てまかなっていると同国の政府は発表しています。ソ連かＮＡＳＡなみにプロパガンダ臭たっぷりです。動画を観ていただければわかるかと思いますが、タータリアを考える真相論者ならば無性に観光に行きたくなるような場所ですね。

参考動画：『Past Tartarian Civilizations Turkmenistan（過去のタータリア文明 トルクメニスタン）』
https://youtu.be/YEdd1jisV3E

ベイビー・インキュベーターについて

古くは神話に登場する「月の女神／女性の象徴である女神」の名を冠したアルテミスの神殿で行われていたとされている赤ん坊の養育。そして夜這いの神インキュバスの名前からとったインキュベーターという装置。日本におけるタータリア情報発信の先駆者であるタイラアースさんにこの話を２０２０年夏に直接お会いして聞いた時、かなりの衝撃が走りました。陰謀論的な解釈をすると、マッドフラッドが起き人口が大幅に減り、インキュベーターを使って子供を「大量生産」し、その子供たちを各万博で見せ物小屋という形で展示し、そして養子として訪問客に引き取らせるという形であちこちの町に大量にインキュベーターキッズたちを送り込む（この話を聞いてワクワクしている陰謀論者、もう少し現実に返って再考していただきたいです。冷静に考えると非常に恐ろしいことですよ）。

私自身はオッカムの剃刀をかなり意識しながらいつも物事を考えており、それでいろいろと効率的に見えた部分が多大にあります。そのオッカムの剃刀の観点から見ると、この説には「少なくとも大陸レベルでマッドフラッドが起き文明を破壊し、その後、支配層がいつのまにか習得したクローン技術も存在する」というかなり飛躍した前提が必要になります。もちろん可能性は無きにしも非ずですが、オッカムの剃刀的に言

大勢の子供が養育されていた孤児院（日本）

女神アルテミス

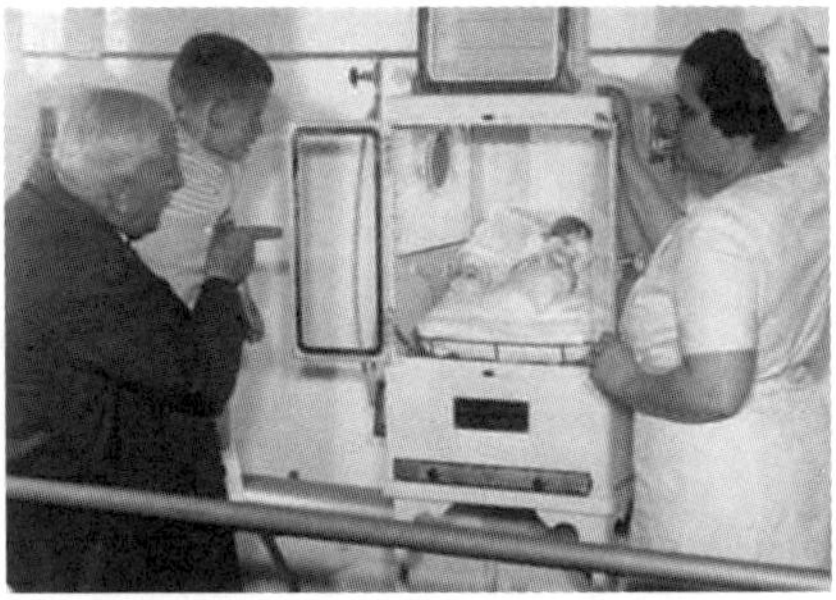
インキュベーターの赤ちゃんを見学？

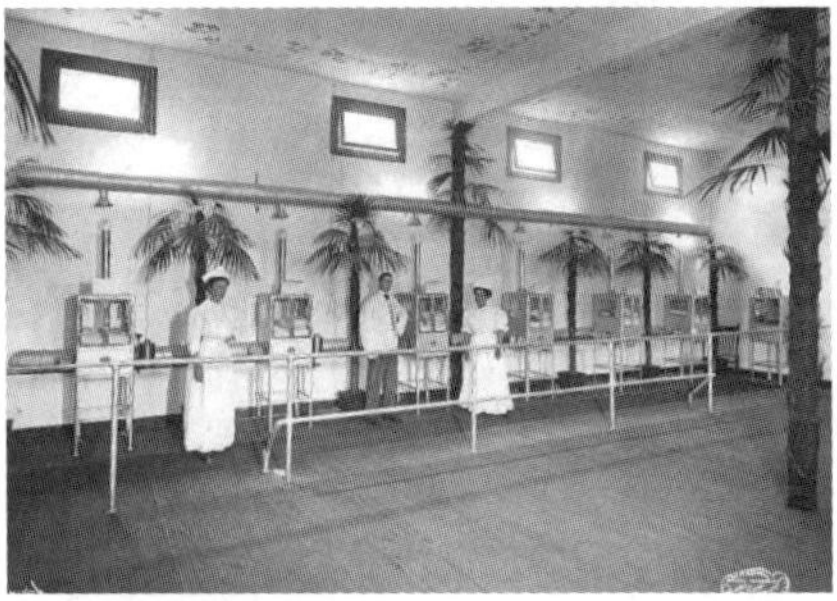
インキュベーター（保育器）で赤ちゃんを展示？

赤ちゃんの販売所だろうか!?

えば、より簡単な説明としては、性に奔放だったかもしれない奴隷層、強制労働層、貧困層、「未熟児はいらないっ！」といった薄情な親などが結構たくさんいて、皆赤ちゃんを捨てていっただけであるという結論の方がしっくりきます。インキュベーターキッズたちは顔立ちがわりと似ているようですが、赤ちゃんを産み、こういう業者に売り渡すことを生業としていた家系がいくつかあったり、あとは近親相姦が多く、バレてはならない子供が捨てられていったと考えるといろいろとしっくりきます。

またこの時代のアメリカの白人は、他の人種との「混ざり」も少なく、特に子供の頃は同じ洋服さえ着せればみんな兄弟のように見えてしまう、ということもあると思います。販売に出したけど売れ残った子供は、強制労働場に連れて行かれたり、新たな赤ちゃんを産む、今の子犬のブリーダーシステムの原型みたいな感じでそこに残った、というのがより現実的な解釈かと個人的には思います。

歴史は「勝者」により何重にも改ざんされ、いろいろと隠されているのは事実ですが、日本だと豊富なコンテンツの元禄文化など、現場レベル（大衆の日常生活レベル）では確かな時間による伝承があるのも事実で、あまり現代の「現場」の解釈と乖離《かいり》しすぎている主張はじっくり精査する必要があるかなとも思います。その結果がクローンベイビーなら、それはそれで真実なのだと思います。フラットアースもいろいろと調べると真実だとわかるように……。子犬のブリーダーもしかり、今でも貧乏人に代理出産させるシステムは存在しており、これらの原型がインキュベーター・システムということかもしれません。

旧文明の技術は普通に継承されていた

教科書に載っているような100〜150年前の写真を見ると、皆様はどんなイメージを持ちますか？

馬車に乗っていて原始的？

建物が古臭い？

人々がなんだか頭悪そう？

実はそれらは全て学校の教科書などによる巧みな印象操作になります。教科書には、昔の方が現在よりもいろいろと劣っていたという印象を与えるために、「人類の進化」を体感できるような写真しか掲載され

お散歩も楽ちん♪

ロボット開発？

スクーターで快適移動

階段も登れるすぐれもの

こんな乗り物もあった⁉

歩くスピードが速くなる？

空も飛べる！

ローラースケート⁇

立体駐車場

バイクのようなもの

車のようなもの？

もしやフリーエネルギー!?

美しいデザインの巨大な橋

街を走る列車

ていません。教科書はその演出が目的であるため、場合によっては結構ヤラセ写真も多く掲載されています。よく見るとどう見ても（原始的な加工技術で作った）お粗末な明治維新辺りの日本の写真も結構あります。

そしてダーウィンの進化論などにもより、この「人類は常に進化している」印象操作がものの見事に功を奏し、現代人は先代の方々を見下し、先代の根本的な考え方の一つであるフラットアースを古臭いあり得ないトンデモ説だと勝手に決めつけてしまう傾向にあります。

でも実際は探せば、先代の方々の洗練度合いが簡単にわかる掘り出し物の写真が出てきます。明治維新辺りとはそう離れていない年代のこれらの写真には、現代人が「ハリウッドにしか登場しない」と思ってしまうような最新テクノロジーを搭載した機器や乗り物の数々を普通に見ることができます。

タータリアなどの歴史から抹殺された先進文明は、実はタータリア滅亡後も普通に継承されていたように見えます。自動車技術についてはアルコールを使って走ったりしていたのですが、石油利権のロックフェラーがこれを潰したくて、禁酒法をアメリカに導入させ、アルコール車の廃止を加速。そしてガソリンやディーゼル車の独占状態を作り出し、アルコールで走っていた車があったことを歴史からほぼ抹消。支配層にとって都合の良いよう技術のリセットをされてしまいます。こうして石油で走る自動車によるロックフェラーの独占ロードマップができあがったのです。

支配層からしたら、技術の退化が起きれば起きるほど（多くの技術をその分隠しているため）その後の技術の筋書きも描きやすいし独占も長年にわたって維持しやすい。つまり発展著しい古代文明の痕跡はできるだけ消した方が都合が良く、大変残念ながらロックフェラーの台頭とともに、こうした素晴らしい技術は、不都合な歴史としてもみ消されてしまう運命にあったのかもしれません。そしてこれらの不都合は、ロックフェラー財団先導の教科書からも当然姿を消した、ということです。とても残念である。

ピラミッドとスフィンクスは近代に建てられている

ギザのピラミッドのことですが、まず数千年前から栄えているエジプトの砂漠に立つ巨大なランドマークであるにもかかわらず、キリスト教の聖典の新約聖書、イスラム教のコーラン、ユダヤ教の旧約聖書に一切記述がないことがまずおかしい。実際は大英帝国のフリーメイソンによって、古くて200~300年前に建てられたのではないかという考察になります。スフィンクスに至っては、建てたというより固めた砂丘を掘って作っているように見えます。

ピラミッドという三角形の巨大な建物自体は、かなり昔からあったとは思います。スフィンクスは、参考動画の中にある中世辺りとされている文献やイラストを見ると、なんだか安っぽい感じの顔だったり、美術室に置いてある「石像」のようだったり、少なくとも今エジプトに建っている（座っている？）スフィンクスとはかなりイメージが違う。スフィンクスの外見は時代によってかなり変化している模様。

100年前は、壊滅的だったエジプトの観光業を復活させる目的もあったのでしょう。100年前の「エジプトの観光業をどうにかしてくれイギリス」と嘆願しているエジプトの広告を見たことがあります。

現代技術でも建てられないとされているギザのピラミッドをどうやって建てたかって？　それは定かではありませんが、人工のものより軽い石を本物に見立て、複数のクレーンで一つ一つ組み立てた、という方法を主張する人もいます。タータリアの存在を知ってしまうと、一般には隠されている浮力や磁気浮上、水力を利用した技術を使った可能性もあるかもしれません。私なりの考察はこの後に詳しく記載します。近代に建てられた可能性が高いとは言え、まだまだ謎に包まれています。

＊参考動画は英語に自信がなくてもビジュアルで入ってくる内容なのでぜひ観てみてください。
『FLAT EARTH — The Giza Pyramids & Sphinx HOAX（ギザのピラミッドとスフィンクスの嘘）』
https://youtu.be/asIJhR-o1Sw
『Egypt Pyramid hoax they are filled with sand（エジプ

スフィンクス

ギザのピラミッド

古い文献などで見られる様々なピラミッド

トピラミッドのデマ）』
https://youtu.be/TdytN2dGIMg
『The Giza pyramids are a HOAX built few hundred years old（ギザのピラミッドは数百年前に作られた偽物である）』
https://youtu.be/DgiqAKUCdGA

ギザのピラミッドの作り方

オッカムの剃刀的に考えると、ピラミッドは「ビーチで作った砂の城」であり、神秘的な要素はできるだけ排除すべきである。どれが正解かはわからないし、どれも正解ではないかもしれないが、オッカムの剃刀的には以下のいずれかになるとの見解になります。

ピラミッドが入るような大きな穴を地下に掘る→丸太を4つ底に置き、コンクリート（砂の塊）を丸太の間に満遍なく詰める。最初の土台の丸太の上の（少し内側のところに）丸太をどんどん上に置き、また砂を満遍なく入れる→繰り返しやれば、いずれ三角形のピラミッドになります。丸太はかなり使うことになりますが、できなくはない。そして積み上げられた丸太とその間にある砂によるピラミッドの形ができたら、水を入れて砂を固める。次に丸太を上から徐々に取り除き、露わになった部分の表面に溝を手で追加して、石が積み上がってできたように見せかける。途中、砂が乾かないように、また水を入れて、また丸太を取り、また溝を入れる。一番下の丸太を取る頃には溝の入ったピラミッドのできあがり、となります。

これでなければ、運河とダムを活用した方法が考えられます。あらかじめ作った砂岩のブロックを、ダムで量を調整した水の浮力を利用して、穴の下から水を注入し、おもりで重さをそれぞれ調整したブロックを積み上げるという方法になります。オッカムの剃刀的には運河とダムが必要な分、無駄が多い作業であるとも言えます。またブロックが非常に多いので綺麗に全て積み上げるのは、至難の業かもしれません。きっと奴隷／労働者が左のイラストのように石とともに一緒に運び込んで、一つ一つ丁寧に積んでいったでしょうから、かなり時間がかかるができないことはない。

昔に建てられたかもしれない世界中にあるピラミッドなら巨人が建てたという解釈もできるかもしれません。ギザの場合は近代という推測である。実際はター

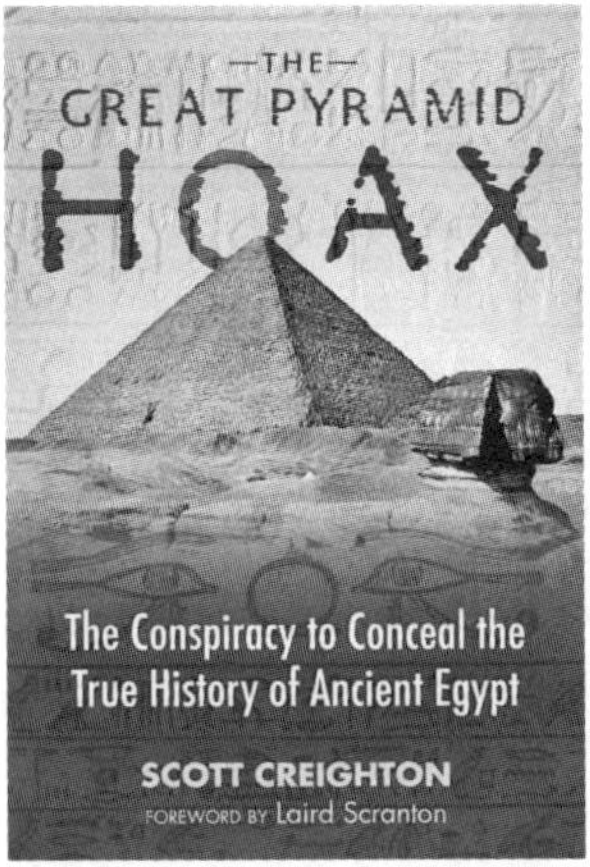

書籍『The Great Pyramid Hoax（ピラミッドの嘘）』（未邦訳）

まるで1ドル札のピラミッド（イルミナティのサイン）のよう

ピラミッドの作り方

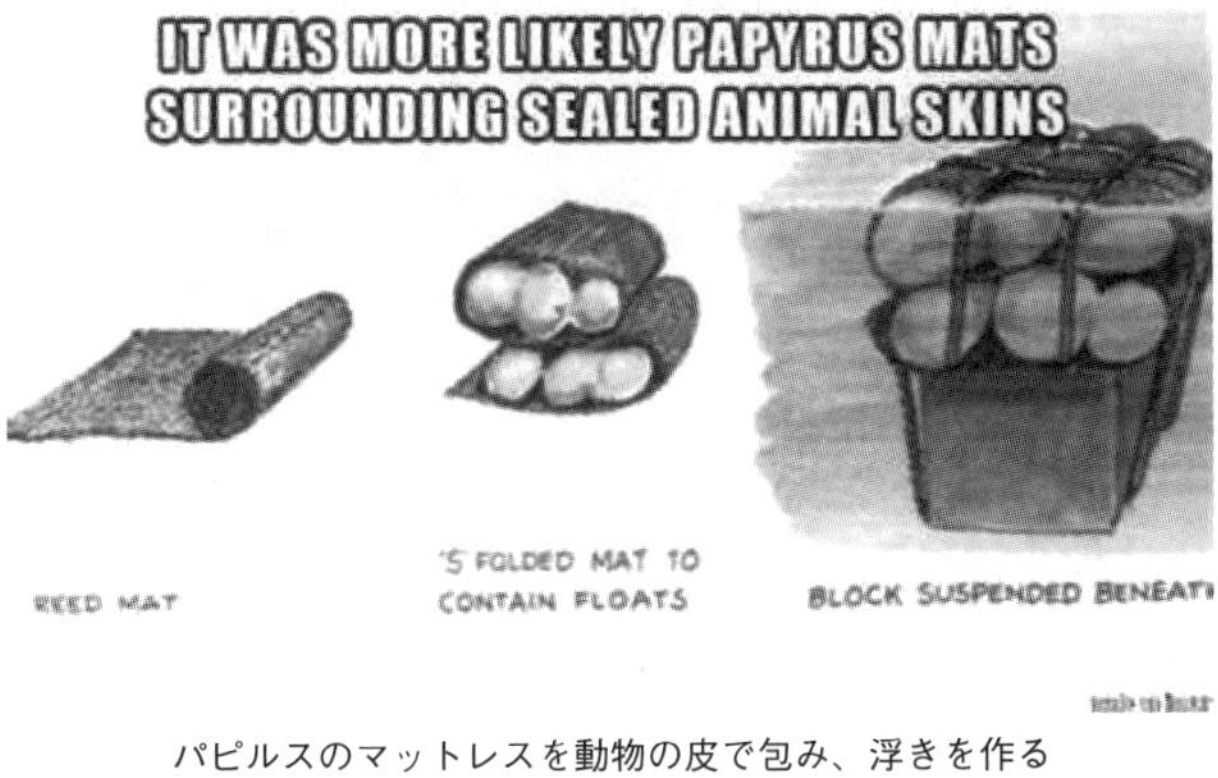

パピルスのマットレスを動物の皮で包み、浮きを作る

タリア建築の隠された技術を使ったかもしれませんので、記載したような手間のかかる方法を取る必要は特になかったのかもしれません。

皆様はギザの近代ピラミッドがどうやって建てられたと思いますか？

人種は存在しない

「人種」はただの仮説です。重力と一緒で既成事実化してしまっていますが……。私が持論で展開していて、調べてみたらあちこちの科学者も同意していたネタ。

人間の見た目の変化は、ただの遺伝子の継承の連鎖です。つまり流動的なものであり、突然肌が「白」だとか「黒」だとかに変わるわけではありません＝白人、黒人、黄色人種などに区切られる理由はありません。

そう、つまり明確な「人種」は存在しません。人間が国境を描いて地図上で勝手に区切っているのと同じで、人種は自然界には存在しないただの「概念」。

人種というカテゴリーは、科学者などが勝手に人間をなんとなくの見た目やルーツで概念的に区切っているだけです。よくDNAテストなんかで、あなたは67％〇〇人です、と教えてくれるテストがありますが、あれは「人種」がそうだから断定されているのではなく、その特定の地域のその頃のDNAの特色を持ち合わせているからそう判断しているだけです。言わば根拠の高い当てずっぽう。

大地が各地に広がっているように、人間の遺伝子は時とともに各地に連鎖的に移動していっただけです。重力や恐竜などと同様、ロックフェラーやナチスが夢中になった優生学と、現代利権マネー科学が生み出した「概念」でしかありません。

電力は無尽蔵である

ニコラ・テスラの**フリーエネルギータワー**とされる、ニューヨークにあった**ウォーデンクリフ・タワー**（268ページ①）。
電気を空気中から集めるフリーエネルギーの技術が投入されたテスラのライフワークとも言える建物になります。通説では彼の死後、支配層によってその技術が盗まれ「化石燃料や原子力発電と異なり、全く儲からない」という理由で大衆にはひた隠しにされています。勘が鋭い読者ならばウォーデンクリフ・タワーを見て、お住まいの地域にあるとても類似した形の建物を思い浮かべたのではないでしょうか。地域のランドマークとなっているものから、その辺の鉄塔までピックアップしてみました（②〜⑥）。ここまで類似していると現代のフリーエネルギー鉄塔と言える。

これらの鉄塔を見ると、私たちが使っている電気は、基本的にフリーエネルギーからかき集められているという考えになっていきます。そもそも存在していた技術を家畜には隠す形で使い、無尽蔵に電気を作る（まさにOut of thin air）。ロックフェラー主導の石油／石炭などの「化石燃料」という嘘に家畜が依存し、お金を払って使う（つまり支配される）状態を作り上げている。

例えば、こちらは埼玉県坂戸市（⑦⑧）。友人がおり、近くに有機農法で有名な町もあり、何回か訪問しているのですが、何度行ってもいまだにびっくりするくらい電気の鉄塔が多いところでもあります。田んぼで開けているエリアでは鉄塔の密集地帯が広がっています。至る所にあり、正直少し異様。友人曰く「公式には福島原発の電気を東京まで運んでいる鉄塔群」なのだそうですが、変電所ありきでもそんな遠いところまでロスが多すぎて電気を運べないだろうと言う専門家がいます。私も『わがや電力』という本を読んで同じ印象でした。さらにいろいろと友人に聞くと、坂戸市のこの辺の地域はいわゆる「雷の通り道」で、磁場が強いから稲妻を引き寄せるんだそうです。確かにこの辺でアーシング（裸足で地面に接する）をする時は格別に気持ちが良い。

そんな磁場の強いところにテスラコイル（⑨）に見えるものを巻いた、先が尖った鉄塔がたくさん建っているわけです。遠く田舎の「原子力」発電所から大きな電気ロスとともに東京まで運んでいるのではなく、各鉄塔から空気中の電気をかき集める方が効率的でもあります。ロスもないし、無料だし、効率的だし、なんてったって安全。頭の良い支配層が既にあったこの便利な発電システムを捨てて、危険が伴う燃料に頼りきったシステムに変更するだろうか、見かけだけの化石燃料システムではないのだろうか、と考える方が普通ではないでしょうか。

① ウォーデンクリフ・タワー

② 東京スカイツリー

③ 大阪の通天閣

④ エッフェル塔

⑤ トロントのCNタワー

⑥ 鉄塔

⑦ 鉄塔群

⑧ 鉄塔密集地帯

⑨ テスラコイル

飛行機という詐欺

飛行機は、ほぼほぼ空気の圧縮技術（ニコラ・テスラが発明したとされる技術）を使って飛んでいるのでしょう。

地球上を長距離飛ぶエアバス社のA380の燃料タンク位置。ほとんどが翼です。両翼におよそ110トン入る、とされています。あのペラペラの翼にです。

計218トンの燃料を積んでいる⁉

110トン≒トヨタプリウス85台に相当。

さぁ、これに疑問を持つところから始めませんか？

上図は、A380の翼に積載しているとされているジェット燃料218トンを可視化したもの。どれだけナンセンスかわかりますね。

あんな細い翼に100トン以上が入る大きさも耐久性もありません。人間が飛行機の左側に座りすぎという理由で、人を右側に座らせるためにビジネスクラスにアップグレードすることもあるくらい飛行機はデリケートで軽量です。日本を出発し、その間に200トン近い燃料を燃やしたら、それこそ軽くなりすぎて制御不能になるのでは？　200トンも両翼に入っていたら、ちょっとぐらついただけでも翼がもぎとれますよ。粉々になります。

でも実際は……、以下の動画のように、かなりの強風にあおられても翼がもげるようなことはありません。

『Scariest landing, Plane wobbles in extreme winds at Birmingham Airport（最恐の着陸、バーミンガム空港の強風で飛行機がぐらつく）』

https://www.dailymotion.com/video/x1crnyt

また空港では、A380の翼に給油する（100トン以上入るとされている）のに45分間しかかからない（1分間に2トン以上）そうです。

燃油サーチャージなんかは、ただの詐欺ですね。

ＡＩＤＳは存在しない

もう少し正しくは「ＡＩＤＳという単体の殺人ウイルスは、ただの人殺しと金儲けを正当化するためのでっち上げウイルスである」になります。まず以下の点に着目しましょう。

ＡＩＤＳは公式には、ＨＩＶ陰性のＡＩＤＳ患者がこれまで多数発見されている。

また、そもそもいろいろな症状の複合体である。

まずＨＩＶ陰性のＡＩＤＳ患者が一人でも存在するとＨＩＶ↓ＡＩＤＳ説が崩れますね。そのため、コロナウイルス関連でも大活躍のファウチ医師、ＣＤＣ、ＷＨＯ、製薬会社がＨＩＶ陽性の患者の症状は全てＡＩＤＳ、ＨＩＶ陰性の患者は別の病気や新しく命名した病気にすり替えて発表してきました。ＡＺＴという治療薬はもともと抗癌剤のくくりであり、抗癌剤同様に体の中のあらゆる免疫システムを破壊します。つまりＡＺＴを毎日飲むことでＡＩＤＳ的な症状がむしろ免疫低下により、積極的に出るようになる。ＡＺＴの臨床試験は無茶苦茶で、ＡＺＴの症状が辛すぎて途中から薬をトイレに内緒で流す人が続出したそうです。逆にプラセボかどうかを薬の成分の臭いで嗅ぎ分けられてしまいプラセボ患者がそうでない患者からＡＺＴをおすそ分けしてもらうこともあったそうです。これらの要因により、必要だった最低期間1年（コロナウイルスワクチンの臨床試験も1年以下）を前にして急遽終了してしまう臨床試験が続出したそうです。他の治療薬（ＤＤＩなど）も似たような経緯をたどっています。

アメリカのＡＩＤＳ患者はハードセックスとハードドラッグをこよなく愛するパーティーシーンの同性愛者がほとんどでした。特にポッパーと言われるお尻の筋肉を弛緩させる悪名高いドラッグは免疫力を破壊することで有名です。アフリカでは、妊婦にＡＺＴを投入して、結局は免疫力がガタガタで赤ん坊が死亡する事件が多発しました。でもアフリカ諸国の政府は、ＡＩＤＳ患者を多く申告するとお金がたくさん降りてくるシステムに味をしめて国民を使った実験に加担しま

マジック・ジョンソン

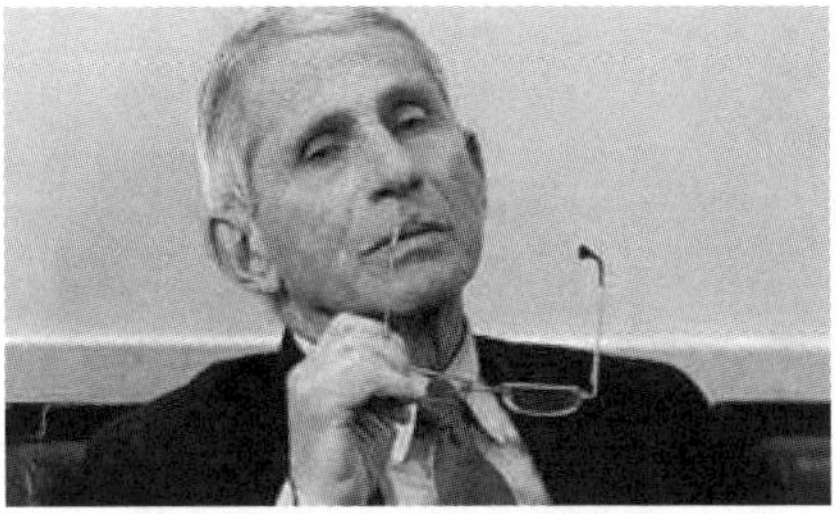
ここでも活躍したファウチ

AIDS もでっち上げ

免疫を破壊するドラッグ

した。今のコロナウイルスの仕組みに通じるものがありますね。もう少し小規模ながら、コロナウイルス劇場を凌駕する大惨事――それがＡＩＤＳというインチキになります。

それではＡＩＤＳの本当の原因を推測していきましょう。

１９８０年頃、新しいウイルスを発見して地位と名誉を手に入れたいウイルスハンター（ウイルスを発見することで特許などの利益を独占しようとする人たち）やＣＤＣは困っていました。長い間唱えられていた「癌＝ウイルスがもたらす説」は説得力が全くなくなり、ウイルス感染症と思わしき病気も新たに「発見」できず、一体どうやったらこれからの資金を捻出すればいいのかばかり考えていたのかもしれません。

そして、間もなくして、夜遊び好きなゲイたちがたくさん高熱を出して死亡に至る事象が起きます。これにウイルスハンターたちは目を光らせました。いつものごとし大した根拠もなく「これはウイルス感染症に違いない！」と騒ぎ立て、ＣＤＣも「待ってました」とばかりにろくに確かめずに死人が出れば次々と「新型ウイルスの感染症による死亡である」と発表しました。

実はこの頃、アメリカのゲイ・クラブシーンで流行っていたドラッグがありました。その名はポッパー（RUSH／Jungle Juice とも呼ばれている）。亜硝酸エステルを主成分とする薬物で、吸引すると性的興奮を覚えるそうです。またお尻の筋肉が緩くなるという効果も持ちます。亡くなった同性愛者の中には、年間250人ほどクラブで引っ掛けた男と性行為に及ぶなど、この頃のゲイシーンは性の乱れが特に激しかった。ポッパーの副作用には（白血病にも似た）免疫システムの破壊、心臓への著しい負荷、血圧の著しい低下、偏頭痛、気絶、神経系へのダメージなどがあり、過剰接種をすると死に至ることもありました。副作用がAIDSの症状とそっくりではありませんか？　点と点をつなげば、ポッパーの過剰接種で亡くなっていただけなのに、それではおいしくないと「どこかの先住民が猿とセックスしたから」という侮蔑的な理由も（当時は）添えて、AIDSという病気をでっち上げて多大なる利権と資金を手に入れた人間がいたという結論に至ることができます。

登場したばかりで市場の開拓をしていかないといけなかった期間は、AIDSの恐怖を煽る手段として、NBAスター選手のマジック・ジョンソンや歌手のフレディー・マーキュリーなどの著名人の活用も怠りませんでした。マーキュリーは亡くなったことにしてAIDSの「恐ろしさ」を刷り込む、という目論見だったのでしょう。ジョンソンに関しては、今現在も生きていることから（価格が著しく高い薬による）投薬を続ければ普通に生きられるので毎日薬を服用してね、お金を落としてね、ということを宣伝する役割だったのでしょう。

原爆という嘘

戦争プロパガンダの代名詞とも言える核兵器／原子力爆弾。原爆を落とされた日本人が認知的不協和を起こしやすいトピック。とりあえずは放射能被害で草木が何百年も生えないようになり……が全くの嘘であることは広島、長崎のその後の繁栄や、福島やチェルノブイリの森林を見れば瞬時にわかりますが、原爆もただのフェイクプロパガンダだったという事実に気づいている日本人は少ない。当時の映像とともに、実際は

全て広島の爆心地付近。コンクリートの建物や鉄骨が残っていたり、木が焼けずに残っていたり。原爆の温度と威力ではあり得ない

大量のダイナマイトを積む撮影隊

爆発直後の爆心地でも防護服なしで OK

合成にしか見えないきのこ雲

「核実験」を防護服なしで観覧する兵隊

爆風をもろともせず危険設定の放射能を浴びまくる
撮影隊

存在しないことを証明する動画リンクはこちら。
YouTubeチャンネル『theTRUman』内の動画『THE NUCLEAR HOAX（核兵器のデマ）』
https://www.youtube.com/watch?v=M-GliAMA-3c

広島も長崎も実際はただの（と言っては語弊がありますが）絨毯爆撃による大空襲であることを以下の根拠により示させていただきます。
爆心地（グラウンドゼロ）付近のはずであるにもかかわらず、コンクリートの建物や電柱、木が普通に残っている。これは一つの巨大な爆発ではあり得ない。爆発が「散らばっている」からこそ起きる現象であり、飛行機が「黒い雨」のように大空襲を仕掛けた証拠である。爆弾をたくさん落とされ、火災が起き、多くの木造住宅が燃え、コンクリートの建物だけが残った。それだけのことです。東京大空襲の映像を観ていただければ、どれだけそっくりかわかるかと思います。またリンクを貼った動画を観るだけで、以下の「おかしなこと」にも気づけます。「家屋は倒壊しているが道路は基本的に無傷」「爆発のわりと直後に駅にいる市民」「（火災時によくある特徴である）建物の鋼鉄フレームが曲がっている」「橋がほぼ無傷」「橋の片側だけペンキが剝げて片側は残っている（爆発ではなく火災でペンキが剝げた証拠）」という様々な矛盾を見つけることができます。

また（南極条約を仲良くずっと結んでいた）アメリカとソ連が冷戦時代に競うようにやっていた設定になっている核実験については、もう目も当てられないくらいのフェイクっぷりです。初期のNASAの加工動画並みに時代を感じさせるようなお粗末なものばかりです（右ページ）。昔はよく騙されていたなぁと反省したくなるレベルです。洗脳は恐ろしいですね。

引用資料：『The Nuclear Hoax（核兵器のデマ）』
http://mileswmathis.com/trinity.pdf

その他のおかしな点は以下に記載しました。

◉放射線で鼻血が出る、という症状。
「なんで鼻からだけしか出ないんだろう」という矛盾が解決できない時点でおかしい。放射線障害の原理で出血しているのであれば、同様に目からも口からも他の穴からも血が出ていないのはおかしい。体中から出血するはずです。

◉内部被ばく。

福島の方でさえほとんどの方が内部被ばくしておらず、さらに数ヵ月ごとに放射能の検出量が減っている、という検査結果が出た時点で放射能が半永久的に残るという公式の見解と矛盾している。

◉福島やチェルノブイリの話。

放射能が危ないと人間が強制的に避難させられましたが、彼らがいなくなった後も動物たちは普通にそこでたくましく生き残っている。

◉危険であるはずの核実験が、世界中の至る所で2000回も行われている。

放射能は恐ろしいと言いながら、世界中で2000回も行われた核実験。2000回も行われたなら、世界中が放射能に汚染されてもおかしくないのですが、実際は何の影響もなく皆普通に生活している。冷戦時のプロパガンダであるとよくわかる。ちなみにアメリカのネバダ核実験場では、928回も核実験が行われている（ことになっている）。

◉原発事故が起こっても、核実験を行っても、「被害が出た」と言われるのはニュースの中だけで、現地の人たちは普通に暮らしている。

原爆を落とされた広島、長崎においても同様。ただし、確かに爆弾は落とされ、多くの人々が亡くなりました。しかし、爆破で亡くなった被害者の方が「原子爆弾による被ばく」で亡くなったかどうかは別の話です。感情が入ってしまい、判断力が鈍ってしまうトピックではありますが、この辺は論理的に冷静に考える必要があります。

◉放射能対策で話題になったヨウ素がむしろ甲状腺癌の発症の原因になっている。

◉そもそも今の原子力発電所が「原子力」なのかも怪しい。

などなど数が多すぎて書ききれません。ぜひ感情抜きで皆様も原爆の嘘について考えていただけたらと思います。

次元は存在しない

現実世界において次元という概念はただの空想になります。現実世界における「一次元／点」も「二次元／線」も「三次元／奥行」も、よく考えたこじつけだな、とは思います。「次元」は、もともとは美術の世界で使われる概念でしたが、現実では通用しません。

ちなみに現実世界におけるアインシュタインが提唱する四次元は時間軸が加わり、五次元はいくつもの時空が平行するパラレルワールドなる要素が加わります。ペテン師のアインシュタインも四次元をブラックホールやタイムマシンというファンタジーでしかその存在を説明していません。球体説同様、何から何まで「概念」になります。五次元に至っては、時間軸が無限にある世界ですから、何でもありですね。フラットアースではそんな仮説は通用しません。

次元はファンタジー

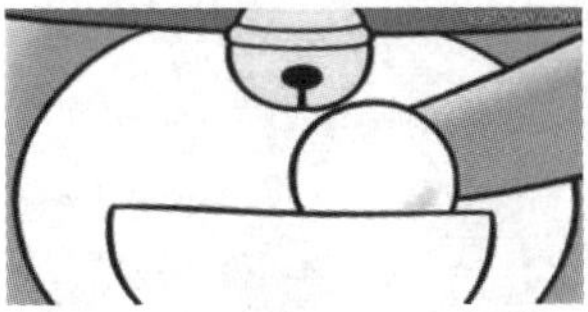

四次元ポケットはアニメの中だけ

例えばＷｉ－Ｆｉなどの目に見えないものは、人間がその周波数を目で確認できないだけで、そこにはＷｉ－Ｆｉが存在します。時空の歪みという謎の必要のない追加要素などオッカムの剃刀で切ってしまいましょう。

こう考えればわりと簡単にたどり着ける答えなのですが、支配層の洗脳がなかなかそうさせてはくれませんね。

アニメは三次元である

「次元は実世界では存在しない」の発展系。日本ではアニメを通して、実に巧妙な刷り込みが幼少期から行われてきました。アニメのことを、「二次元」にたと

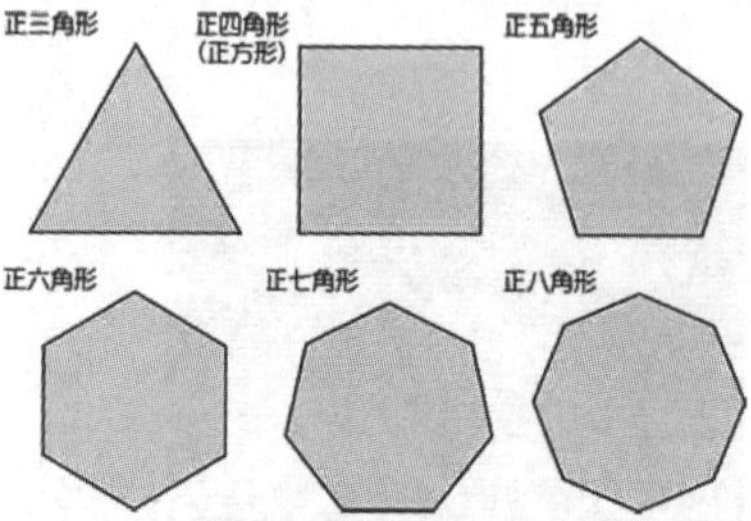

線で構成される二次元

奥行きが上手に表現されている

えるマスメディアですが、二次元を強調することで彼らは「実世界では三次元以降も存在するよ」という強烈な印象づけにも成功しています。おさらいをしますと、一次元は「点」、二次元は「線」――つまり縦と横、三次元は、これに加え「奥行き」が追加される。美術では二次元のものを三次元に見せたい時に使う手法であり、フラットアーサーにはお馴染みの遠近法などが使われて、絵に奥行きが見えるように工夫します。

右上の画像は線でのみ構成されています。間違いなく二次元。ではその下のアニメ画像はどうでしょうか。多層のセルを巧みに組み合わせて奥行きが上手に表現されています。線だけではたどり着けないので、これはもう二次元を超えて三次元そのものであると言えます。これが美術における三次元であり、実世界に次元が存在しないということであれば、唯一の三次元である。

そもそも現実世界を、点と線と奥行きだけで説明するのは無理があります。我々が可視化できないものはたくさん存在します。Ｗｉ－Ｆｉが見えないのは既出の通りですが「思考」なども決して目では見えません。そうであれば、そういった部分を説明できないといけないのがアインシュタインの本来の四次元であるべきですが、彼はそうではなく、いきなり「時空」だとか「パラレルワールド」だとか「宇宙」ありきのわけのわからない世界に私たちを誘いました。さすが雰囲気科学者である。

本書の冒頭でも説明したように、アインシュタインなどが成し遂げたことはまさに「次元」に代表されるような神秘性が混ざり込んだ科学を普及させることにありました。本来は「精神的」な部分として捉えられていた目に見えないものを、現実世界ではお目にかかることができないような神秘的な説明を加えることで、彼らは間接的に精神的な部分を否定し、我々をさらなる物質主義へと導くことに成功しました。我々はアインシュタインの罠に見事に引っ掛かり、思考が退廃してしまいました。いわゆる精神性は彼らの望むように陳腐化していきます。四次元や五次元に「宇宙」という概念を追加し、目に見えないものもあくまで物質的だと刷り込まれた私たちが、「フラットアース」という、本来なら2分で気づけそうな真実をなかなか認められない理由はずばりこの辺の意識の乖離であり、その乖離があるからこその認知的不協和であると言えます。

こう考えるとアセンション、次元上昇、量子波動とかを平然と取り入れているニューエイジやスピリチュアルなどのコンテンツが、基本的にアインシュタインの神秘科学の流用であり、そのためアインシュタイン同様支配層が用意した脇道であるという論理的帰結にたどり着くことができます。

もう一度言いますが、**実世界で次元は存在しません。**あるのは人間が見える周波数と見えない周波数だけです。個人的にはいわゆる「精神世界」も目に見えない周波数なだけかもしれないとも思います。確証はまだありませんが……。ぜひ皆様も次元という謎の神秘概念を忘れていただき、この世界の様々な問題と直接向き合っていただけたら幸いです。

マンデラ・エフェクトは嘘である

次元が存在しないと気づいた読者の中には「マンデラ・エフェクトは嘘である」というタイトルを読んだだけで、どういう根拠か気づけた方もいるかもしれません。「陰謀論」の代表みたいな扱いを受けることが多いマンデラ・エフェクトですが、パラレルワールドがある五次元が存在するという仮説が根底にあるさらなる仮説であることに気づけますので、「次元が存在しない＝マンデラ・エフェクトも存在しない」という論理的な帰結にたどり着くことができます。それだけでは足りない？　ではこの後もお楽しみください。

＊マンデラ・エフェクトについてはこちらの記事がわかりやすいです。
『未知リッチ』マンデラエフェクト（マンデラ効果）と

は？　意味と7個の実例を紹介
http://michirich.com/mandela-effect/

簡単に説明すると、マンデラ・エフェクトとは「実際の出来事とは違う、本来はあるはずのない記憶のことを指しており、その出来事が変わった理由は私たちが様々なパラレルワールドを行き来しているためである。各パラレルワールドの微妙な違いが行き来する私たちの認識に微妙な変化をもたらしている」とする主張。非常に神秘的でワクワクするような内容ですね。世界中の陰謀論者が飛びつくのも頷けます。

マンデラ・エフェクトの具体例を挙げると、「あれ？　昔ピカチュウの尻尾の先って黒くなかった？　今見たら真っ黄色だけど、これはパラレルワールドで時空の歪みが起きたから？」みたいな発想の記憶の捉え方になります。例えば英語圏において主張されているマンデラ・エフェクトの一つが映画『００７』の悪役ジョーズの彼女役であるドリー。

ジョーズの歯が鉄でできているためか、ドリーはなぜか（共通点を無理やり作るために）歯の矯正ブレースをはめていた、と子供の頃に『００７』をたくさん観た私も記憶しています。

ジョーズの歯は鉄

でも今YouTubeやeBayで販売されている映画『００７』のビデオパッケージを観ると、ブレースをはめていません。ブレースをはめていたのはマンデラ・エフェクトなのでしょうか？　陰謀論者の中にはワクワクしながら「それはマンデラ・エフェクトだ！」と主張する人がいるかもしれません。でも実はこれらのビデオの中身をテレビで観ると、「やっつけ編集」のフレームが残っていたりします。そのフレームをスローモーションで映したＧＩＦがこちらのリンク先にありますので、ぜひご覧ください。

『DOLLY'S BRACES（ドリーの歯科矯正ブレス）』
http://mileswmathis.com/mandela3.html

またこちらは２０１４年のＢＢＣの記事から。ブレースとはっきり書いてあります。

「Kiel reprised the role of Jaws in the 1979 film Moonraker. The film culminated with Jaws changing sides and joining forces with Bond to save the world. It also saw romance blossom between Jaws and Dolly, a small, pig-tailed blonde with braces, comically played by Blanch Ravalec.（キールは1979年に公開された映画『ムーンレイカー』でジョーズ役を再演しました。この映画では、ジョーズがボンドと協力して世界を救うという展開になっています。また、ジョーズと、ブランシュ・ラバレクがコミカルに演じた、歯列矯正ブレースをした小柄でおさげ髪の女性、ドリーとの間にロマンスが芽生えます）」

矯正ブレースなしのドリー

矯正ブレースありのドリー

また、こちらの『007』のデータベースとなっているサイトでも、ブレースをつけていると明記しています。

「Dolly is a short blond girl with pigtails, glasses and braces.」

http://www.universalexports.net/Movies/moonraker-cast.shtml

ここまで証拠が揃ってくると、ビデオのパッケージにも、ものによってはブレースが残っているのでは？という疑問がわき、調べてみました。該当する映画のビデオをeBayで2本見つけましたがどちらもブレースは見つかりません。いつのまにか流通している紙幣が新しいものに入れ替わっているように、パッケージを巧妙に替えていったのでしょう。

支配層はなぜこんな細かいトリックをわざわざ仕掛けるのでしょうか？

一つは、こういう異次元パラレルワールドの移動みたいなよくわからない設定のコンテンツを打ち出すことで、（巻き添えを食らう形で）コロナワクチンをはじめとする世の中の「陰謀論」を全てクレイジーだと洗脳された大衆に思わせることができるため。

もしかしたら将来マンデラ・エフェクトが嘘であることを利用して「陰謀論者」を陥れるのかもしれません。もう一つは次元やパラレルワールドなどの、いわゆるアインシュタインの神秘科学的なコンテンツの存在感を残すこと。そして、政治やスポーツと同様、大衆の分離、暇つぶししてもらうためのワクワクする「無駄な」コンテンツという役割もあります。こういった神秘的なコンテンツを、大して調べたり検証したりせず、雰囲気的にワクワクするからという理由で鵜呑みにするかしないかが、ただの陰謀論者と真相をきちんと追究している真相論者の違いかなとも思います。

例えばフラットアース。真相論者という者は、フラットアースを覆すエビデンスが新たに発見されればフラットアーサーではなくなります。実は球体説だったという逆パラダイムシフト、どんとこいという感じです。私個人の話をすると、いろいろと調べて点と点をつなげているうちに、ジョン・F・ケネディやビートルズに対する認識が170度くらい変わりました。たまにフラットアースこそあちら側が用意した嘘だ、と逆説的にフラットアースを否定する陰謀論者がいますが、雰囲気でそう感じて言うのではなく、まずは球体説の根拠や証拠をきちんと検証してください。

「NASAの映像で宇宙が映っている！」という根拠はNASAの映像が嘘であると何度も既に証明されているので、説得力ゼロです。陰謀論者と真相論者の差とは、まさにマンデラ・エフェクトに引っ掛かるか引っ掛からないか、こういうところで決まるのではないでしょうか。

次に古い映画にケムトレイルがCMで後から追加された例。これも誰かが薄々気づけば瞬く間にマンデラ・エフェクトとしてネットで騒がれるのかもしれません。マンデラ・エフェクトはデジタルリマスターの際に制作会社が後からいろいろと追加しているサイオップなわけですが、こちらはそれがよくわかる事例。今回紹介するのは宇宙行く行く詐欺を2004年から継続してやっているヴァージングループの2005年

元は1970年の映画の一場面

2005年のCMにはケムトレイルが追加されている

のCM。

元ネタは1970年の映画の動画を使っているのですが、比べてみるといつのまにかケムトレイルが追加されているのがわかります。とてもわかりやすい「マンデラ・エフェクト」ですね。

『Proof Chemtrails are being edited into old moves, commercials, cartoons.（ケムトレイルが、昔の映画やコマーシャル、漫画などに追加編集されている証拠）』

https://www.youtube.com/watch?v=HrlwFo-_P1c

エドワード・スノーデンは存在しない

エドワード・スノーデンなる人物を検証していきましょう。

エドワード・スノーデン

アメリカ国家安全保障局（NSA）および中央情報局（CIA）の元局員で、NSAで請負仕事をしていたアメリカ合衆国のコンサルタント会社「ブーズ・アレン・ハミルトン」のシステム分析官として、アメリカ合衆国連邦政府による情報収集活動に関わった人物。その後NSAを告発し、逃亡生活を強いられる。2014年1月、ノルウェーのボード・ソールエル元環境大臣からノーベル平和賞候補に推薦され、2016年には彼の半生を綴ったハリウッド映画がリリースされる。逃亡中でこんなスターのような扱いを受けられる人物は他にいないですね……。

ではスノーデンを分析していきましょう。エドワード・スノーデンなる正義のクルセーダーが存在しない根拠は以下になります。
◎Qアノンの英雄トランプもそうですが、そもそもそんなに漏らされたくない「重要」な秘密を握っていたら即殺される。どこの国にいようと関係ない。だけど彼は今もピンピンしている。ロシアとか国は関係ない。支配層は皆つながっており、この国だからセーフという概念自体がただのファンタジーである。しかも何年も逃亡中。
◎米政府から命がけで逃亡している設定なのに、ほとんど老けない。髪の毛も乱れない、同じセットされた髪型。トランプも若返っているように見えますが、どういう心境なのでしょうか……。
◎眼鏡については、逆に鼻の金具がいつまでたっても片方しか付いていない。少なくとも4年間この状態。眼鏡かけている人ならわかるけど、片方の金具がない状態は本当に気持ちが悪い。ロシアは他国から守ってくれるのに、眼鏡の買い替えすら許してくれないのだろうか……あり得ない設定です。
『The Ongoing Saga of Edward Snowden's Glasses (CGI?)
エドワード・スノーデンのメガネをめぐる攻防（CGIか？）』
https://youtu.be/5QqxLalvh-4
スノーデンの眼鏡は、左側の鼻の金具が4年間も放置されていただけでなく、時々右側の金具も取れていることがある。
◎マスメディアに取り上げられ、ヒーローと持ち上げられまくっている時点で本書の読者なら茶番だと気づいてほしいところです。
◎逃亡犯がテレビ局とよくインタビューをしている時点でも気づいてほしいところ。ジャーナリストによるスタジオでのインタビューまでしているのに、アメリカ政府がスノーデンを見つけられないわけがないです。テレビ局に圧力をかけて居場所を無理やり吐かせるのが普通の流れです。
◎ハリウッド映画としてリリースされている。ちなみに私はこの映画を直接観たわけではありませんが、逃亡中の人の話であるにもかかわらず、なぜかハッピーエンドだったらしいということを友人に聞いています。
◎暴いている情報がそもそもそんなに支配層が困らないような、羊でも既に薄々気づいているようなNSA

スノーデンの眼鏡に注目が集まる

メガネの左の金具が４年間もない状態

スノーデンのハリウッド映画が公開された

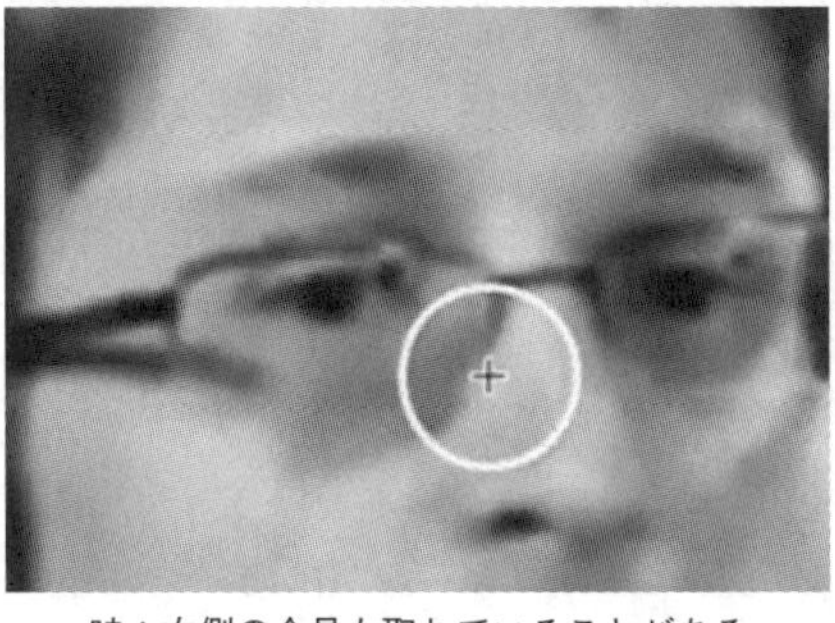

時々右側の金具も取れていることがある

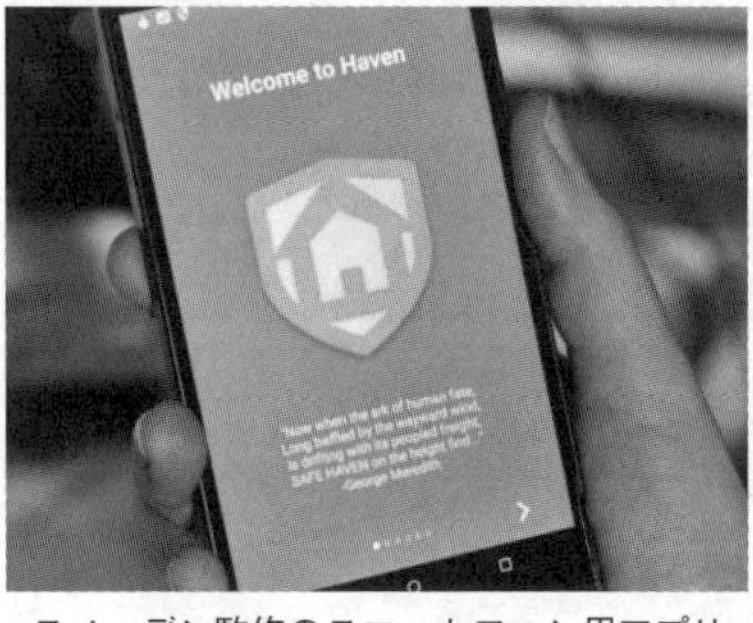

スノーデン監修のスマートフォン用アプリ

による国民監視とか、そもそも嘘の宇宙人ネタなどであること。

◎スノーデン監修のスマートフォン用アプリがある。監視から逃れるためのアプリなのですが、アプリの開発など呑気にしていたら「見つかるし」、本国アメリカではアプリのリリースすらできないでしょう（憶測にはなりますが、逆に監視されるアプリなのかもしれません）。

参考記事：「エドワード・スノーデンが反スパイ・アプリ発表」で検索

◎スノーデンは（テロリストという設定なのに）普通に銅像が立ちました。この銅像はすぐに取り外され、

スノーデンの銅像

銅像の代わりにホログラムでスノーデンが登場

かわりにホログラムのスノーデンが置かれました。とても儀式的であり、ほとんどホラーです。

ここからさらに面白くなりますよ。スノーデンという正義のヒーロー／テロリスト逃亡犯が存在していることがどれほど滑稽かわかっていただけたと思います。じゃあ彼は何者なのでしょう？　アメリカに忠誠を誓うダブルスパイ？　実はＮＳＡ職員のまま？

私は**彼がそもそも存在しない**と確信しております。テレビやネットに映る**スノーデンは全てCG**。ゲームのキャラクターを俳優が顔にある無数のセンサーで動かしているのかもしれませんし、１００％のＣＧなの

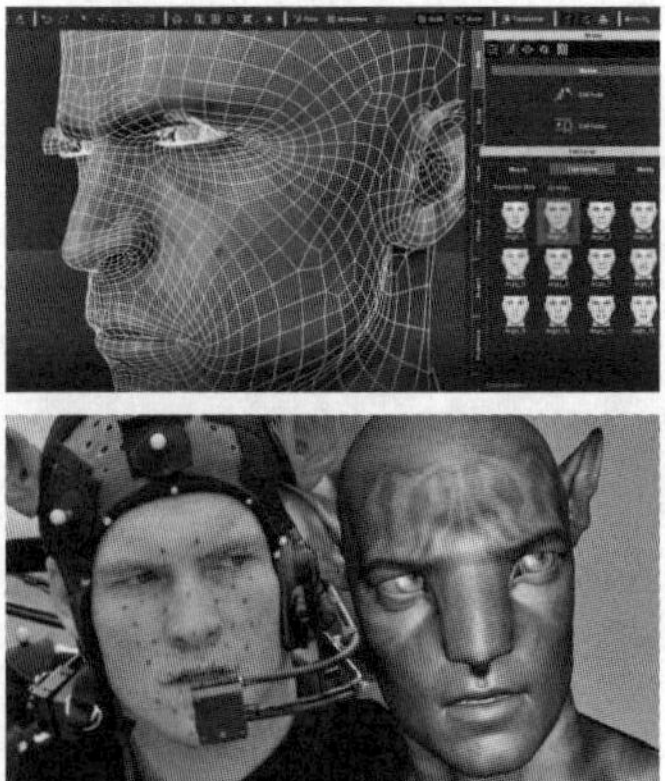
映画でのCG技術

ディープフェイクの見本

かもしれません。重要なのはエドワード・スノーデンを本名に持つ、元ＮＳＡで現在は国際逃亡犯なる人物が存在しないということ。

＊以下の動画をご参照ください。

『Ｅｄ Ｓｎｏｗｄｅｎ CGI interview（スノーデンのＣＧＩインタビュー）』

https://archive.org/details/EdSnowdenCGIInterview

動画内のスノーデンの首に着目します（２８８ページ①）。顔は細かい毛穴まで表現されていますが、首は新雪のようにすっきりとしていて解像度が低いです。首は誰も注目しないだろう、という発想からの手抜きが感じられます。顔髭は濃いのに首は赤ん坊のように艶々。

また左側にある鏡のスノーデンが眼鏡に映り込んでいるのですが、明らかに角度がおかしい。カメラが正面からスノーデンを撮影しているのであれば、鏡の中のスノーデンの高さも合っていないとおかしい。こちらでは目線の高さを比較しました（②）。

スノーデンが頭を上下左右にどんなに動かしても、眼鏡の中に映るスノーデンが常に反射の焦点になっている。現実ではあり得ない。部分的に反射がボケるはずである（③④）。

ちなみ左側の鼻の金具が足りない眼鏡ですが、こちらの動画では金具が右側の時もあったり、左側の時もあったりして、金具の設定を忘れたのでしょうか……。

『More evidence of CGI Snowden?（ＣＧＩスノーデンの証拠は？）』

https://youtu.be/5gVSD2EphQY

何年か前にインタビュー中にスノーデンの首がネクタイにめり込んだり、首筋が完全な直線になる説得力抜群のグリッチ（ＣＧのバグ）動画を観たことがあったのですが、ネットで探しても今は見つからなくなっ

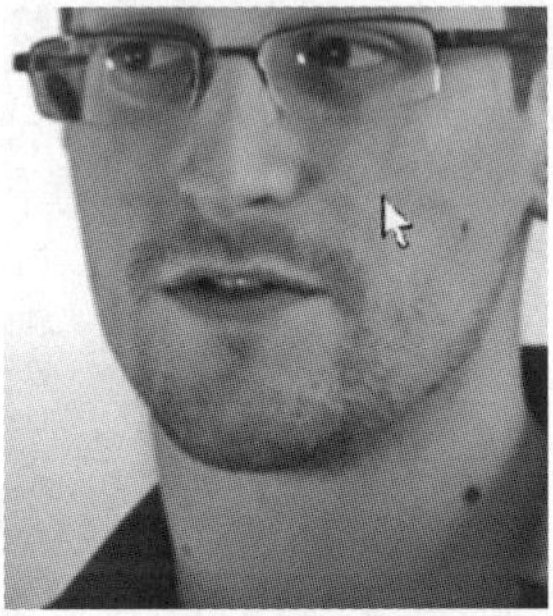

① 首がつるつる

② 鏡の角度や映り込みが不自然

③ 頭や目線の動きと映り込みの位置が合わない

④ メガネの映り込みがおかしい

てしまいました。削除されたのでしょう。

日本では小笠原みどりというジャーナリストがスノーデンの書籍を出していて、スノーデンのことをヒーローのように取り扱っていますが、みどり＝グリーンスクリーン＝CGという支配層のいたずら心すら感じてしまうのは気のせいだろうか。

それでは支配層はなぜ、このように正義のCGヒーローを大々的に打ち出す必要があったのか。

1）どこまで我々大衆をCGで騙せるかを試したかった

技術力の確認でもありますし、（連日のコロナウイルス騒動のように）メディアがスノーデンを取り上げて、我々がどれくらい信じ込み、どれくらい熱狂してしまうかを確認。そして次のプランを立てる。支配層は、ニュースやSNSなど、様々な角度から常に我々の反応をうかがい、傾向をデータ化して、次に活かしています。我々が住む世界が、まさに壮大な人間牧場であるということです。支配層はライフワークのように、ひたすら私たちに様々なコンテンツを仕掛けています。もしかしたらスノーデンの首のCGのできが悪いのは、あえてヒントとして残していて、それに気づく鋭い家畜人間がいるかをチェックしていたのかもしれません。

2）正義のヒーローがいるという淡い期待を持たせる

これは政治でもよく使う手段ですね。トランプ大統領などが良い見本ですが、カリスマ性の高い正義のクルセーダーを用意すると多くの人々は熱狂します。世の大半を占める羊人間は、いつ何時でも頼れるリーダー（疑似親）を求めているものです。今回は政治ではなく、陰謀論系の人たちのヒーローとしてスノーデンが打ち出されました。NSAなどの政府系の職員の中にも、良心の呵責に悩まされて命がけで真相を暴露する人が存在する、と錯覚させて淡い期待を持たせる。

実際は、そんな影響力の高いクルセーダーが存在していたらすぐに抹殺されます。私個人の意見ですが「希望」こそが人間の生きる最大の原動力だと思っています。それが実際はほとんどないと家畜に悟られては絶対にいけないと支配層は思っているのかもしれません。希望を持たせることで、死ぬまで奴隷らしく一生懸命働いてもらうということです。

3）恐怖を植え付ける

国家（この場合はアメリカ）は国民を既に監視下に置いているので、「抵抗はできないぞ。抵抗したらスノーデンみたいな逃亡生活になるぞ！　大人しく権力に従って奴隷やってろ」というメッセージを潜在的に私たちに植え付けるという役割。これにより私たちは潜在意識のレベルで政府に慄《おのの》き、言うことを聞く従順な家畜であり続けます。

4）エンタメ

テレビ局やYouTubeチャンネルから多くのインタビューを受け、彼を題材にしたハリウッド映画まで登場した。バラエティ番組、プロスポーツ、政治、漫画といったコンテンツと同じように、エドワード・スノーデンというコンテンツは我々が無駄に時間を過ごすために存在している。

5）宇宙人の肯定

これ支配層なかなかやるな！　と個人的に思ったこ

とですが、スノーデンは以前インタビューで「宇宙人については、いろいろなデータベースにハッキングして調べたが確固たるものは確認できなかった。絶対にいないとは決して言わないが少なくとも俺には見つからなかった」というようなことを言っています。ワクワクコンテンツに目がない多くのプチ陰謀論者であれば、宇宙人はきっと超極秘にいるんだ、という「裏」の発想にほとんどの人がなるのでしょう。真空宇宙が存在しないのだから、宇宙人も存在しない。フラットアースに気づいている人はこれを知っているので引っ掛かることはありませんが……。

この通り、エドワード・スノーデンというコンテンツをはじめ、支配層は茶番コンテンツを様々な理由で常に私たち家畜に提供し続けている、ということです。

インターネットは存在しない

インターネットが基本的には**イーサネット（＝エーテルネット）**であるとする考え。なぜ、そもそもイーサネットがそう呼ばれるのかずっと不思議でした。

ちなみに「**エーテル**」とは、**光を媒介する第5の元素**（気体、液体、固体、プラズマ、エーテル）であるとされており、ニコラ・テスラやフラットアース関連でもよく登場する言葉です。アインシュタインの光速という概念は嘘であり、まっすぐ飛ぶ場合には光は瞬時に届くものであるという主張にもつながります。

よく宇宙衛星が存在しない根拠として、世界の95%の通信が海底ケーブルを介して行われていることを指摘するフラットアーサーが多いです。私も以前は、インターネットは海底ケーブルを使用しているのだと思っていました。以下の動画では、海底ケーブルではあり得ない理由を説明していて、とても納得がいく内容だったので私も海底ケーブルではないという結論に達してしまいました。

『The Internet Doesn't Exist: No Submarine Underwater Internet Cables（インターネットは存在しない。海底インターネットケーブルはない）』
https://m.youtube.com/watch?v=ZPXU4NCA1uQ&t=3s

動画を観ていただければ、なおさら明らかになりますが、ちょっとでも絡まったらアウトのケーブルを広大な海底に無尽蔵に敷くだけでなく、メンテナンスもしないといけないのは物理的に無理があります。船がいくらあっても、人員がいくらいても足りません。こんな脆弱なインフラ構造ではインターネットがしょっちゅうダウンしてもおかしくありません、というかダウンしていないことがおかしいでしょう。また、パソコンからルーターにつなげるケーブルは最大でも10m程度の長さしか作られていません。それ以上は信号が弱すぎて使い物にならなくなるからです。考えてもみてほしい、海底ケーブルは数千㎞の長さである……。数千㎞の長さをくねくね曲がりながら1秒以下で世界中の検索結果をあなたの画面に届ける海底ケーブルは、実質不可能である。

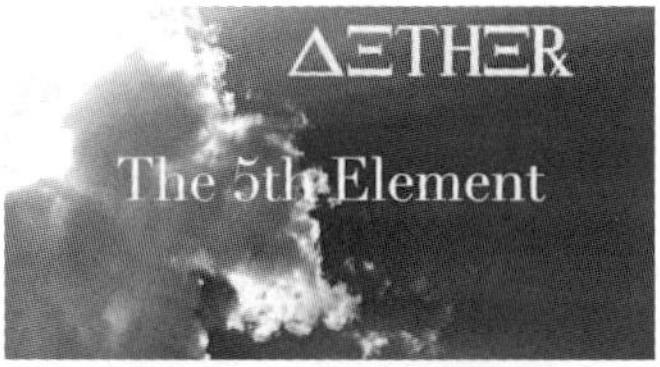

「エーテル」は第５の元素

海底ケーブル

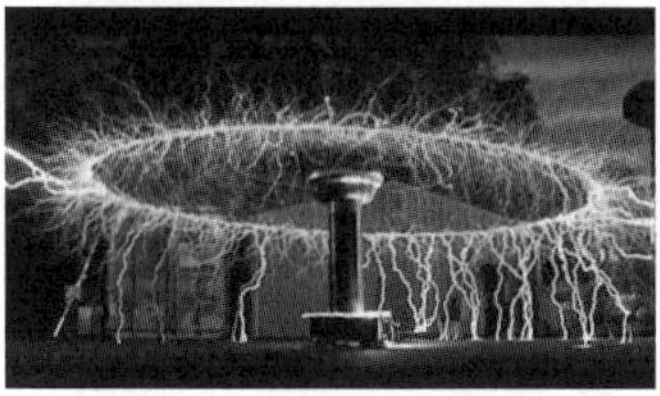
空気中のエーテルで通信をしている

次はフリーエネルギーの仕組みにも関連するのですが、光を伝達させる空気中のエーテル（が存在するのであれば）その方法でインターネットを飛ばした方がよっぽど効率的だし、理にかなっています。動画では、インターネットが海底の光ケーブルを使っているのではなく、実は**イーサネット＝エーテルネット**が使われていると主張しています。つまり、実際は我々の**イーサネットケーブルが空気中のエーテルにつながることで通信をしている**。海底ケーブルは、フラットアースとも関連高いエーテルの存在の隠蔽および我々から通信費というマクロ的に考えたら一種の税金をむしり取るのに都合の良い言い訳として用意された、という解釈になります（宇宙衛星や海底ケーブルはお金がかかってそうなイメージのため、それならば通信費を払うのも仕方がないという心理状態になっていませんか？）。

動画ではアクターを使ったプロパガンダに

しか見えない海底ケーブルの設置現場も紹介しており、とてもお茶目な人が解説しているのでぜひ観ていただけたら嬉しいです。

また、インターネットは存在しないと主張している動画がもう一つあります。アルバート・アインシュタインの神秘科学が、いまだに仮説止まりでありながら既成事実化してしまい、片隅に追いやられた第五元素、エーテルについて説明している動画。

『The 5th Element（第5元素）』

https://www.youtube.com/watch?v=xeYWjNhZ_JY

例えばGoogleでAetherと検索すると0・68秒で数万の検索結果が出るのは、（海底の）光ケーブルが自宅からGoogleがあるシリコンバレーまで直線で一本つながっていないと実質不可能な速さである。海底ケーブルはあちこちで曲がったりして大陸間移動をしているわけですから、どれくらい無理かご想像いただけるかと思います。なので実際はインターネットはエーテルを通じてあなたのルーターにつながっているという結論になる。

タータリアが繁栄していた時代では当たり前の技術だったと推測される、空気から電気を得るフリーエネルギーには欠かせないエーテルが使われているだけではないだろうか。つまりイーサネット。（ヒカルランドも出版している）ニコラ・テスラに関する書籍などを読むと詳細がわかるのですが、エーテルは光がAからBに行くために必要な元素であるとされています。我々家畜は支配層により、お金に縛り付けるために化石燃料という有限エネルギーに依存させられ、海底ケーブルという嘘にも付き合わされ、高額なインターネット代を支払っています。

第4章

エンターテインメントと洗脳プログラミング

球体説の洗脳はお早いうちから

私たちは子供の頃から、否、赤ちゃんの頃から、子供番組、絵本、漫画、アニメ、ゲーム、小説、映画によって球体説および宇宙論を植え付けられています。世の中の洗脳されきった羊たちに「フラットアース」という単語を発するだけで、怒りとともに罵詈雑言《ばりぞうごん》の数々が飛んでくることから、洗脳効果が絶大であるとわかります。夢を壊されたくない彼らアダルトチルドレンの認知的不協和がとにかくすごい。地球球体説に至っては、サンタクロースは嘘だと親に教えられた時の比ではありません。

アメリカのSFコミックシリーズ

読者の皆様も、自分や周りの方々（子供など）が最初に受けた球体説、宇宙論、はたまた恐竜や進化論などのうち、わかりやすい洗脳は何でしょうか？　きっと物心ついた時の「何か」を思い浮かべる人がほとんどではないでしょうか。

そのためかフラットアースに気づいた時、誰でも認知的不協和をある程度起こします。私も起こしました。その時の原因となった子供向けエンタメは何だったのか、気になるところでもあります。本章では日常に転がる様々な洗脳コンテンツを見ていきたいと思います。

思い返せば予測プログラミングだらけ

その時は気づかなかったけれど、それから何かしらの事件／事象が起き、「あっ、あの時観た映画のあの部分は今思えば予測プログラミングだったな」と真相に目覚めてから気づけることはありませんか？

丸い地球のロゴ

例えば、宇宙に飛んでまだ直接地球を見たわけではない時代であるにもかかわらず、今の地球写真と全く変わらないユニバーサル・ピクチャーズ制作の1920年代のブルーマーブルロゴが有名です。

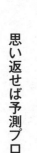

つまりこのロゴは、後にＮＡＳＡが発表する地球の予測プログラミングだったということ。支配層の計画は、実際に起きた時に私たちが潜在的に受け入れやすくするために、メディアを通して私たちの意識に、時には数十年前から潜《ひそ》かに植え付けられています。

　思い返せばわかりやすかったなぁ、と個人的に思うのがリアリティ番組と監視カメラ。最近だとAmazonの『バチェラー』や『テラスハウス』などに代表されるリアリティ番組をメガヒットジャンルに仕立てたのは、20年くらい前にイギリスをはじめ各国で放送された『ビッグ・ブラザー』という番組。見知らぬ人たちを一つ屋根の下に住まわせたらどうなるか？　という趣向の番組で、家のあちらこちらに監視カメラが設置され、一日中撮影される。出演者（実際は素人ではなく売れないタレント）のやりとりを視聴者が「監視」し、楽しむ。『ビッグ・ブラザー』という名前は、イギリスの有名なディストピア小説『１９８４』からとっているだけあってロゴも一つ目だったりする。当時は思考停止状態で私も観ていたが、この辺のロゴは羊だった私でも違和感を持つくらい露骨だった。その後ＭＴＶ（Masonic TVと揶揄される）を中心に様々なテレビ局からリアリティ番組が放送され、不人気の失敗作が多くあったものの、かなりの数がヒットしました。日本だと『あいのり』が有名。（おそらくは）２０３０年までに超監視社会の完成に躍起になっている支配層のことを考えると、21世紀のはじめ頃に始まったリアリティ番組というジャンルは、この監視社会のための壮大な慣らしだったのだなと改めて思います。

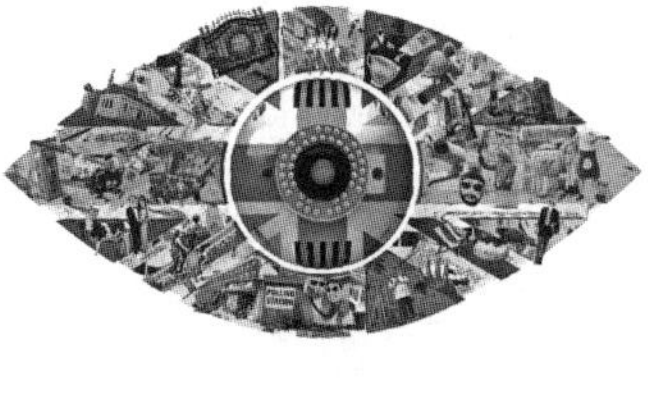
番組『ビッグ・ブラザー』のロゴ

　また21世紀に入ってからはリアリティ番組に限らず、様々な事件が支配層により起こされ、メディアを通して「監視社会は安全社会」と大衆を洗脳していきました。今では、中国の撮影した人のソーシャルスコア（社会信用スコア）を瞬時に割り出す監視カメラ、ロンドンのソーシャルディスタンス用カメラ、日本の新幹線の監視カメラなど、「監視カメラで社会に安全を！」というダブルスピーク※のもと一般社会に浸透させられました。

個人的に不謹慎ながらうまかったなと思う予測プログラミングがＡＩＤＳとＳＡＲＳ。ＡＩＤＳは存在しない感染病でどこまで世間を騙せるか、ＳＡＲＳはコロナウイルスより小規模的なパンデミックを発生させたら大衆がどんな反応をするか、が試されました。

いろいろと考えていくと、私たちは生きている間に至る所で予測プログラミングを刷り込まれてきたということがわかります。あれもこれもそれもどれも予測プログラミングである。真相にいろいろと気づいている人ならば、テレビを観る時には、どんな予測プログラミングが実施されているかをあれこれ考えながら観てしまうだろう。

むしろ、そういう目的以外でテレビを観ている人は洗脳されるのでテレビは捨てた方がよいと思う。この洗脳はやわなものではなく、フラットアーサーでも別のことで洗脳されてしまう可能性は十分にあります。

※ダブルスピーク（英語：Doublespeak、二重表現、二重語法）とは、受け手の印象を変えるために言葉を言い換える修辞技法。一つの言葉で矛盾した二つの意味を同時に言い表す表現方法。

冨樫義博は核心をついている

羊時代から、この人の漫画にはなんとなく違和感を抱いていました。この漫画家は真実をいろいろとはさんでいるなと……。予測プログラミングや刷り込み目的で意図的にやっているのか、誰かに言われてやっているのか、なんとなく陰謀論的な何かを入れているだけなのか、何かを訴えたくてやっているのかは判断がつきません。なぜ彼が常に漫画を休載しているのかもわかりません。それはさておき、彼が取り入れているシチュエーションをいくつか見ていきましょう。

『ＨＵＮＴＥＲ×ＨＵＮＴＥＲ』

◎現実世界の大陸を向きや位置を変えた世界。地図の北極には何らかの穴のようなものがあります。**須弥山**だとか**生命の樹**でしょうか。主人公のゴンがずっと探していた父親にやっと会えるシーンがあるのですが、この再開の舞台が須弥山そのもの。「現実世界の最も重要な場所は北極点にある須弥山だよ」というメッセージにも受け取れる。

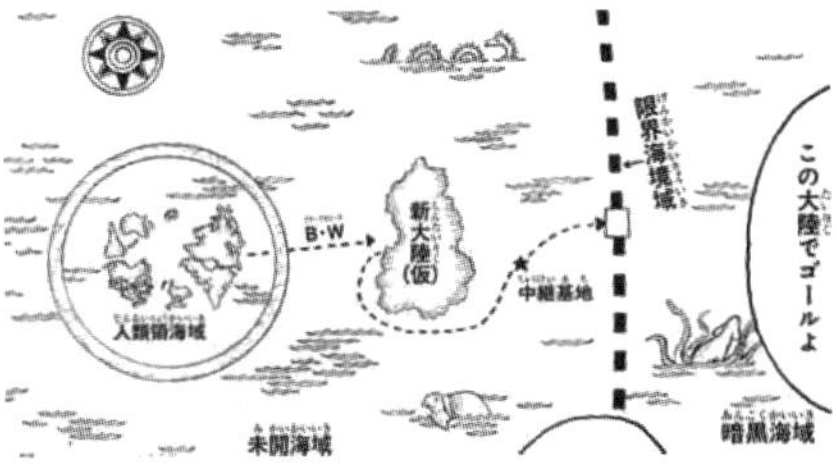

漫画の中の世界地図

コミック本に一つ目のマーク

◎通常の世界の外側に、許可を得た少数の人しか行けない未知の世界および暗黒大陸がある。
◎キメラアントという、人間がベースではない生物が最強種族であり、人間を餌としか捉えていない。また人間による最強キメラアント王の撃破方法が、悪意の詰まった爆弾。人間の悪意が最強の肉体よりも上であることを示しています。少数の支配層が私たち家畜を大量放牧している現実と重ねられます。
◎グリードアイランドというテレビゲーム機を通してワープするゲームがあり、そこではゲーム作者の支配ツールには一切逆えず、閉ざされた世界であることから完全な箱庭家畜的世界である。また家畜同士はカードを奪い合うために基本殺し合いです。ハンターはそもそも現実世界の真相論者の揶揄のようで、グリードアイランドに登場するＮＰＣ（Non Player Character）はマスクを自らつけてしまう（プログラミングされたことしか言えない／できない）羊人間のことであるように見える。

『幽☆遊☆白書』

◎天と地と地獄（魔界）が明確にある世界。魔界は（キメラアント同様）地上の生き物を餌くらいにしか思っていない。
◎仙水という、もともとまっすぐな心を持った正義ヒーローのキャラクターがいます。いわゆる支配層の「裏の様子／真実」を映しているビデオテープを見てしまい、精神がおかしくなり、人間を恨むようになるキャラクターである。空を飛ぶ様子はまるで天使のようで、仙水を通して堕天使という概念を表現したかったのかなと推測しています。

『幽☆遊☆白書』では、子供時代に支配層の拷問から逃亡した終盤の主要キャラもいたり、他にもいろいろとありますのでよかったら読んでみてください。また宇宙人を主役とした『レベルE』や、魔性の美人悪魔を主役にした人間の性への自堕落を表現した『てんで性悪キューピッド』なども執筆しています。

何が一番怖いかって……これらの漫画が全部少年誌掲載であることに尽きます。

漫画の球体説刷り込みについて少し

フラットアーサーになると簡単に気づく、世の中に蔓延る球体説の刷り込み。

メディア、教科書、ネット、看板、ゲーム、おもちゃなどにおいて球体地球や宇宙は至る所にあり、裏を返せばそうでもしないと、球体説などという馬鹿げたファンタジーを大衆が信じるはずがないので、この猛烈な洗脳行為は支配層からしたら当然と言えば当然。おかげさまで現代人は大地が球体と信じて疑わなくなりました。

日本だと漫画が宇宙や球体の刷り込みを行うためによく利用されているツールとなっています。例えば、人気漫画における「悪魔崇拝」のシンボリズム。サイヤ人編以降の『ドラゴンボール』がとてもわかりやすい見本になります。『ONE PIECE』や『HUNTER×HUNTER』なんかもそうですが、日本の売れている漫画は、売れているにはわけがあり、少なくとも商業出版の世界では「面白い」というだけでは絶対に売れません。強力なバックアップ体制があってこそ、ヒット作品となるのです。どちらかというと、出版社の宣伝にかかっています。

話を『ドラゴンボール』に戻しましょう。フラットアースに目覚めていると、宇宙船や宇宙人、神が上から「地球」を全て見渡す天界に住んでいる、重力、瞬間移動（異次元量子力学ワープ）など、いわゆる「あちら側」の設定がてんこ盛りだとわかりますね。作者の鳥山明がわかっていてやっているのかは知りませんが、結果としてそういうコンテンツになってしまっているのであれば、本質的にはあまり変わりはありません。

孫悟空という宇宙人ヒッピー

大人気漫画の『ドラゴンボール』などを通して、洗脳が日本で潜在的に行われてきました。最強の戦闘民族サイヤ人の孫悟空ですが、フラットアースの二大天敵であるNASAとニューエイジの主張をほどよく両方とも具現化したようなキャラクターになっています。

結論から言うと、戦闘で得られるドーパミンを追いかけ続けるドーパミンジャンキー、とでも言いましょうか。悟空が日頃からやっていることは戦いの修行か敵との戦闘のみ。子育ても妻のチチに任せきり。ドーパミンを得ることが生きる目的になっている、と言っても過言ではありません。

具体的には、

◎体の中にある〝気〟を〝かめはめ波〟というエネルギーに変換する量子力学波動の使い手。
◎異様にポジティブ。戦うことにワクワクしている。クリリンに「もったいないからベジータを殺すな」と提案している時点で、純粋に「地球を守る」ために戦っているのではなく、強い相手と腕を交えることでドーパミンを味わうことの方を重視しているとわかる。「地球を守る」はその副産物である。結婚も即決。そのせいかあまり奥さんとは仲良くない。修行のために数年間いなくなることもザラ。息子に抜き打ちで自分が勝てなかった対戦相手を押しつけて、大丈夫大丈夫！　と励ましながら見殺し（流石にピッコロがこれにキレます）。
◎もともとは宇宙人であり、プロビデンスの目に見える宇宙船で地球に到来。
◎ほぼ地球生まれ地球育ちの地球人であるにもかかわらず、自己紹介する時は自分のことを必ずサイヤ人と言う。優生学的思想なのか、特殊な能力が使えるのは宇宙人だからだよ、と（読者に）強調したいのかのどちらだろう。
◎地球の神様をあっというまに追い抜き、分身のピッコロも2回倒す。つまり神を超えた存在。
◎太陽拳などの「光」を操る強力な技および瞬間移動なる量子力学的発想の移動技の使い手。
◎アインシュタインの四次元（時間軸）にあたる精神と時の部屋。

サイヤ人が乗る宇宙船

孫悟空：瞬間移動なる量子力学波動の技の使い手

７つの球を集めると願いを叶えてくれる龍

◎地球を救うことよりも強い奴と戦いたいという「自己実現」の重視。
◎〝ドラゴンボール〟という、願いを言葉に出せば「その願いが叶う」引き寄せの法則を利用したアイテム。

これに加え、同漫画はフラットアースや悪魔崇拝などに関わるコンテンツてんこ盛りですね。
◎大猿に変身する宇宙人やわかりやすい弱肉強食など、ダーウィンの進化論を肯定するコンテンツ。
◎松果体活性化しまくりの三つ目族のキャラクターである天津飯。
◎Ｍ（メイソンの頭文字）を額に出現させ洗脳させるバビディ。
◎サタン、ビーデル、パン、ダーブラ、アックマンなどの悪魔系の名前を冠したキャラクター。
◎人間と見た目が変わらない精巧な上にやたらと強い人造人間。
◎ベジータが作った偽の月はプラズマエネルギー球。つまり月が固形ではないフラットアース寄りの設定。
◎重力を自在に変えられる装置や強力な重力を発生する小さな界王星。
◎死んだり生き返ったりが簡単すぎるポップな死生観。
◎サイヤ人の血が薄くてもスーパーサイヤ人になれてしまう非地球人優生学的発想。
◎支配層や完璧を表す数字「7」つのドラゴンボールを集めると、蛇のような龍が願いを叶えてくれる設定。

『デモリションマン』から読み解くグレートリセット

ハリウッド映画は基本的にニュースと同じように世論や人々の意識を動かすことが目的で作られるのですが、ニュースが短中期であることに比べ、映画は中長期の支配層が描く未来に向けた予測プログラミングである傾向が強い。

『デモリションマン』は1993年にワーナーがリリースしたアクション映画で、シルヴェスター・スタローンが主演を務めています。共演はサンドラ・ブロックやウェズリー・スナイプスなど。

犯罪者を冷凍保存する世界で、警察官の主人公が犯罪者にはめられ、罪を着せられ冷凍保存されることになります。そして舞台は2032年に……。今だからわかりますが、そこで描かれた世界はクラウス・シュワブの本やニュース、シンクタンクなどが発信する世界観をまさに具現化したような舞台設定である。1993年には、少なくとも既に今回のプランデミック計画がかなりの段階まで進んでいたことがうかがえます。

ハリウッド映画史上トップクラスとも言えるくらいの予測プログミングが仕組まれている映画であり、まだの方には観てほしいところではあります。あっ、ただし本来のアクション映画としてはかなりお粗末なのでそこの部分については期待しすぎないでください。

具体的に予測プログラミングをまとめてみました。

◎未来の登場人物が全員、魂の抜け殻バイオロボットのように無機質であり、感情があまり感じられない。と言っても大袈裟なロボット丸出しふうではなく、ただ単に今もわりといるような感情の起伏がない、効率でのみ物事を判断するお役所っぽい人間のような感じである。そして過去からやってきたスタローンの感情豊かなキャラクターは、野蛮な原始人のような扱いを終始彼らから受けます。

◎普遍的にIDを求められる。しかもIDとは眼球スキャン。これは絶対に支配層の監視からは逃げられないということを意味します（導入済みのワクチンパスポートもいずれこのレベルにまで進化するだろうか……）。

◎警察がもはや、大袈裟抜きで、ただのバイオゾンビ。

こちらはセックスシーン（笑）

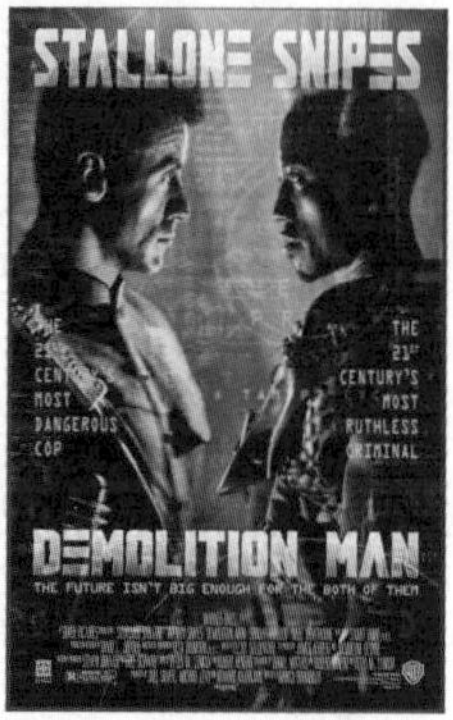

1993年にリリース

主演はシルヴェスター・スタローン

サンドラ・ブロック

電気で動くパトカー

無感情に無機質にただただ職務をこなしていく。
◎電気自動車の自動運転。ガソリン車はもうない。おそらく実際はここに庶民はカーシェアリングのみ、の要素が加わるだろう。
◎セックスはバーチャルのみ。頭にVR装置を互いにつけて2m離れた状態で「お互いを感じ合う」。余談だが、出産は許可制で人口をきっちりコントロールされています。
◎普段からボディタッチなどのソーシャルディスタンシングに逆らうスキンシップ行為を誰もしていない。むしろ「菌が移るからやめて状態」。スタローンが本物のセックスが良いと言うと、ブロックは「他人の体液と触れ合うなんて気色悪いわ」とお誘いを断る。それでバーチャルセックスに発展する。アルコール消毒をライフワークとしている現代の潔癖なコロナ脳人間を彷彿させます。
◎人類は、街のスマートグリッドでスマートに暮らす人間と、下水道に暮らす蛮族に分かれていて、蛮族は基本的な暮らしすら保障されていない。サバイバルである。現実世界では接種者と非接種者のくくりになるのだろうか。

◎F○ckなどのいわゆる卑語を言うと壁に設置された機械がブーという音とともに罰金の支払い通知を発行する。映画では紙の支払い通知だったが、現実世界はアプリでの支払いが計画されているのだろう。
◎牛肉がかなりの希少品となっている。高級レストランなどでしか見かけない。富裕層ではない庶民の間では代替肉が主流。下水道の蛮族は下水のドブネズミの肉を使ったネズミバーガーが人気となっています。
◎着用している衣服がとても中性的なローブばかりである。着物に近い。またスタローンの共演に当時まだそこまで大物ではなかった、トランスジェンダーの可能性があるサンドラ・ブロックを起用している。こういった予算がつく大作には普通はもっと売れっ子を起用するが、未来の中性感を演出したかったのでしょう。

とまぁ、他にもきっとあるのだろうが、これだけでも終始てんこ盛りのグレートリセットでした。最近は海外旅行にもなかなか行けないので時間もあるでしょうから、皆様も2時間だけ『デモリションマン』のために空けてみるのはいかがでしょうか？

『THX1138』から読み解くムーンショットまでの中長期的未来

こちらは1971年3月11日にリリースされたアメリカの映画になります。『スター・ウォーズ』のジョージ・ルーカスや『ゴッドファーザー』のフランシス・コッポラが関わっているディストピア映画。プランデミックが引き起こされた理由を知っている人なら気づく、『デモリションマン』のように予測プログラミングがかなり入っている映画になります。こういうディストピアな映画は、実はかなりの出血大サービスでいろいろなヒントを明示してくれますね。むしろ気づかない私たち家畜の方が悪いくらいの感覚になっていってしまいます。最近は映画を観る時の基準がもっぱら「予測プログラミングがどれだけ入っているか」であり、純粋なエンタメとしては全く映画というコンテンツを観れなくなってしまいました。得なんだか損なんだか……笑。

ちなみに『THX1138』(1971年)と同じくらいの年代にできたディストピア映画では『2300年未来への旅』(1976年)もおすすめなので時間がある方は観てみてください。テレビのニュースよりはよっぽど勉強になります。ワイヤー接続ではなく、実際はWi-Fi接続などの細かい違いはありますが、グレーリセット~トランスヒューマニズムまで徐々に『THX1138』のような状態に近づいていくのでしょう。こういった有名なディストピア映画に繰り返し登場するものは、現実世界でも計画されている可能性が非常に高いという結論に至ります。

それでは具体的に見ていきましょう。

◎大きな複合ビルに閉じ込められ、移動は相当に制限されています。基本的には仕事と部屋の(トンネル/廊下を利用しての)往復の生活である。部屋もマイクロアパートで、しかも赤の他人とルームシェアをさせられています。

◎精神薬をいくつも強制的に飲まされ、体制に抵抗などしようがないほどまでに意識が常にぼんやりしている状態である(現実世界ではフッ素、ワクチン、5G、製薬、農薬、加工食品などのコンボ技でこうさせられるのでしょう)。

男女とも全員坊主頭

何も疑わずに通勤する人々

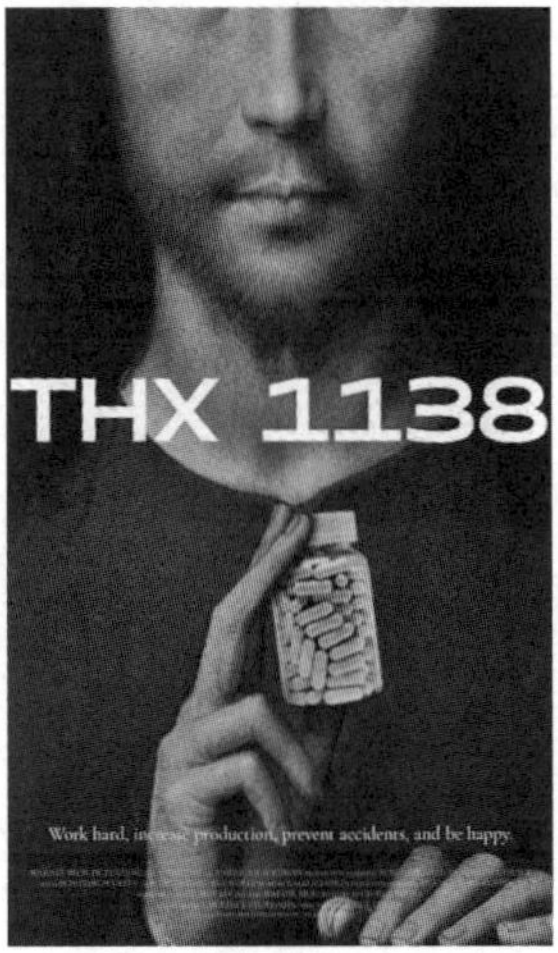

キリストを彷彿させる神が用意されている

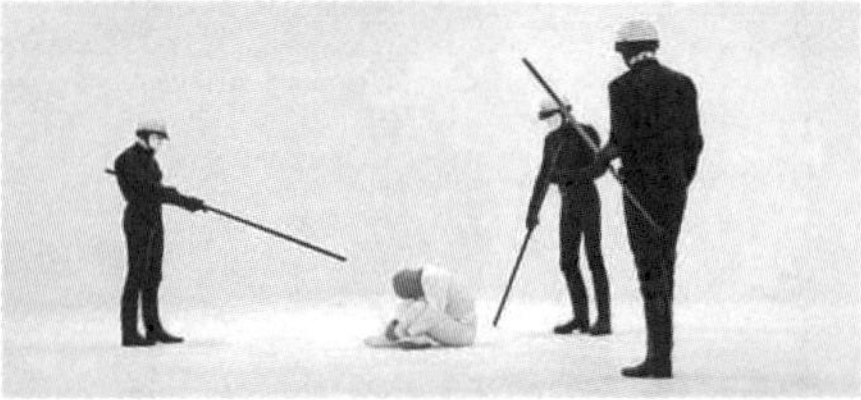

刑務所内は拷問の連続

一心不乱に危険な作業に勤しむ労働者

◎「全てを平等に」というSDGsみたいな大義名分の下、男女の見た目の差がなく、全員画一的な白い服で坊主頭。
◎グレートリセットで時間をかけて支配層がやりたいことは「親からの子供の取り上げ」と「家族の崩壊」。本映画ではそのどちらも成功している。
◎まるでバイオゾンビの如し、登場人物は表情が画一的で自己表現がうまくできない。
◎主な仕事はリモコン操作で機械の腕を操るもの。現実世界ではVR世界での作業になるだろう。ちなみに職場で事故が起き、多くの人がその結果死んでも、別の部屋で仕事している人たちはあまり関心を示さない。もくもくと働くだけである。
◎イエス・キリストを彷彿させる偶像の神が用意されている。キリスト教の教会のように懺悔《ざんげ》室があり、そこで相談ができるが、この神は蓋を開けてしまうとＡＩが用意された答えを言っているだけであり、最後は結局「頑張って明日も働こう！」のエールをその家畜に送るだけ。まさに魂の抜け殻の神様である。
◎警察は全員アンドロイド（現実世界ではドローンになるのだろうか）。
◎与えられた精神薬を飲まないこと、セックスをすることは重罪である。そのためセックスは基本的に裸の踊り子ホログラムを観賞しながら、機械で「抜いて」もらう。
◎重罪者は人権無視の扱いである。猛獣家畜のような扱いを受ける。精神と時の部屋みたいなただ白く広い部屋に入れられ、頭が徐々にイカれていく。
◎住んでいる複合ビルから逃げようとするだけでも、まさに命懸けに頑張らないといけない。逃げようとして、実際に死んでしまう人もいる。

いかがでしょうか？

古臭い部分も結構ありましたが、それらをクラウドやスマートグリッド、ＶＲ、アバターなどの現代の似たような役割を果たすものに置き換えるだけで、かなりグレートセットのビジョンが見えてくると思えませんか？

『デモリションマン』とともに点と点をつなげる形で考えると、ほとんど全部の計画が露わになっていくとさえ思えます。

『アイランド』から読み解くグレートリセット

こちらはネタバレも含みますので、映画をこれから楽しみたい人は読まないでください。

２００５年の映画。主演はユワン・マクレガーとスカーレット・ヨハンソン。『ＴＨＸ１１３８』を彷彿させる舞台ですが、こちらの方がより近未来に起きるグレートリセットに近い気がします。

２０１９年。地球の大気は汚染され、生き残った人々は、徹底管理の行き届いたハイテクなコロニーで暮らしていた。ここに暮らす全ての住人の夢は、唯一汚染を免れた自然豊かな美しい島「アイランド」に移住すること。しかし、誰でもアイランドへ行けるわけではなく、コロニーでは毎日抽選が行われ、運よく当選した人物だけがアイランド行きを許されるのだった。

さてグレートリセット的な要素を見ていきましょう。

◎『THX1138』同様、大きな複合ビルに毎日同じ白い服。汚れた服はダクトに入れると勝手に誰かが洗濯をしてくれる。朝起きてから夜寝るまで全ての行動が決められていて、その通りに行わないと罰を受ける。空気が「汚染」されている設定のため、外出はできない。

◎AIによる徹底的な管理。朝の目覚ましの挨拶からトイレの尿を診断しての健康診断。健康診断の結果が悪いとベーコンが食べられなくなるなど、食事制限を受ける。お酒も飲ませてもらえない。現実世界でもカロリー摂取過多やソーシャルスコア減点で食事制限を強制されるようになっていくでしょう。

◎男女の接触禁止。『デモリションマン』や『THX1138』同様、セックスはもちろん、キスなどのライトな性行為も一切禁止。コロニーの住民はキスがなんだかも知らない。ここまで立て続けにいろいろな映画でセックス禁止を見せつけられると、支配層の禁止にしたい強い意志がうかがえる。試験管ベイビーワールドまであと20年くらいだろうか。

◎人工子宮から生まれる住人たちは、大きな工場のようなスペースで量産される。「生まれる」際には、子宮をハサミで切って無理やり機械で息を与えてなんとか生まれる。肉のロボット製品みたいな扱いのため、生まれる際に運悪く死んだらゴミ箱へ。

◎刻印と腕輪で管理。生まれた時に刻印を押され、アップルウォッチの腕輪版のような機械で管理。現実世界でいうワクチン証明アプリのようなものでしょう。これについては自力では外せないようになっていて、管理側からはタグと言われている。ワクチンの発展系と言えるでしょう。

◎VR格闘ゲーム。男女互角。女性が格闘技で男性に勝ってしまう。ゲームの腕次第であり、性差はない。性の曖昧さを促進させるツールである。セックスもないわけだから、男か女でいる意味もほぼなくなってしまっている。

◎即座に感染によるロックダウン。管理者の都合が悪くなれば、外の世界での感染がコロニー内に侵入したとの理由で、すぐさまロックダウンが実施される。おそらく空気感染の印象づけをするためだけに定期的にやっているのだろう。

強制収監されていることに気づいていない主人公

2005年に公開

クローン製造工場

抽選に当たれば「アイランド」行き

◎常に「あなたは特別。とても特別。そしてアイランドに行きたがっている」と洗脳。「生まれる」前に潜在意識に植え付け、部屋に備え付けられているテレビでも言い続けて、常に催眠状態を維持。住民らは「自分が幸せ」と勘違いしている。
◎精神年齢15歳に教育。教育の目的が精神年齢15歳に留まってもらうこと。正直これは現実世界と変わらない。周りは、何も考えないアダルトチルドレンばかりである。また疑問を持ち始めた主人公以外、全員完全なる羊である。本気で感染症が世界を破壊し、抽選でアイランド行きが当たればそこには楽園が待っていると信じている。現実世界のテレビ教を彷彿させ、実に哀れだ。
◎イエズス会系列でコロナプランデミックの中心的大学、ジョンズポプキンスが会話の中に登場。
◎ロサンゼルス中に張り巡らせた監視カメラ。至る所に監視カメラがあり、街中を逃げる主人公も簡単に見つかってしまう。ロンドン辺りなら既にこれくらいのレベルに近い監視カメラ網ではないだろうか。

まとめ

評論家の評判があまり良くない映画ですが、見事に羊とその中で洗脳が解け、もがく真相論者を描いています。そして彼らを、工場で作られた意思を持った肉の塊として捉え、そういう者の心情を描写している。我々の子供たちの未来である。真相論者ならばとても気分が悪くなる映画である。

余談ですが、最後の方のアクションシーンが派手ながらハリウッドらしく全くもって非現実的であるのがもったいない。あのアフリカ系の傭兵の寝返りも無理矢理だ。

『タイム』から読み解くグレートリセット

ジャスティン・ティンバーレイク主演、2011年公開のディストピア映画『タイム（原題：In Time）』。

少し深読みする必要性はあるものの、この映画にもかなりの予測プログラミングが紛れ込んでいるためご紹介します。どちらかというとグレートリセットのさらに先の世界観になります。「ムーンショットの世界」の方が正しいかもしれません。

映画自体は羊目線で観ると、（映画の存在理由であ

2011年公開

る）未来の世界観（を見せること）を除いては『デモリションマン』同様つまらない、そしてあり得ない設定だらけのハリウッド映画になりますのでご了承ください。

車をそれまで運転したことがないのに超人的なカーチェイスを繰り広げる主人公という意味では『アイランド』のユワン・マグレガーのようである。ヒロインもただの反抗期のストックホルム症候群にしか見えず、魅力的ではない。

それでは設定を見ていきましょう。

そう遠くない未来、人類は遺伝子操作で25歳から年を取らなくなることが可能になった。人口過剰を防ぐため、通貨が時間となり、人々は自分の時間で日常品から贅沢品までを支払うこととなった。また、通行料も時間で支払う必要があるため、貧困層の地域と富裕層の暮らす町は実質的に隔離されている。裕福な人、すなわち時間を十分に持っている人たちは永遠にも近い時間生きることができるが、貧困層の人々は働くことでわずかな時間を給料として受け取り生活していた。左腕に光る時間表示が0になる時、人は命を落とす……という設定になります。

尖った羊の中には、現実世界の資本主義を体現したようなコンセプト「タイム・イズ・マネー」を可視化させて揶揄した映画である、という意見もあるでしょう。それも間違いではないと思うのですが、本質的ではない。グレートリセット以降の未来を知っている私たちには、それ以上の支配層の悪意にいろいろと気づけます。

以下にポイントを記載しました。

◎腕に内蔵された時計タイマーの（光で表示される）時間がお金の代わりとなり、支払い精算も日々の給与受け取りも機械にかざして済ます。この辺はQRコードをかざす行為であったり、ビル・ゲイツの蛍光型タトゥーであったり、既に試験的に導入されているマイクロチップを彷彿させます。相手の手を握り念じると念じた金額が相手に移行するところはまさにイーロ

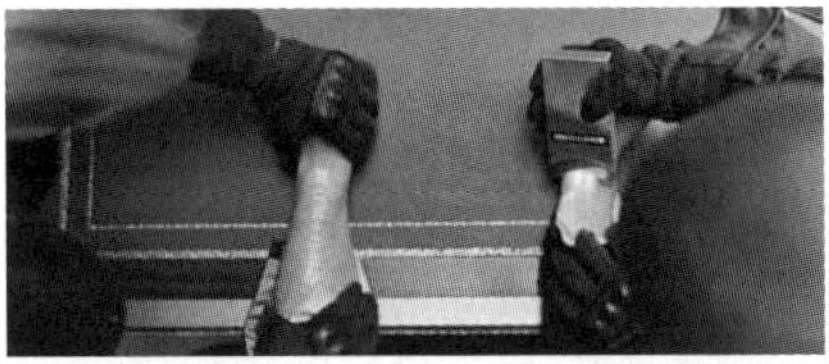

手に刻まれた残り時間が命の価値

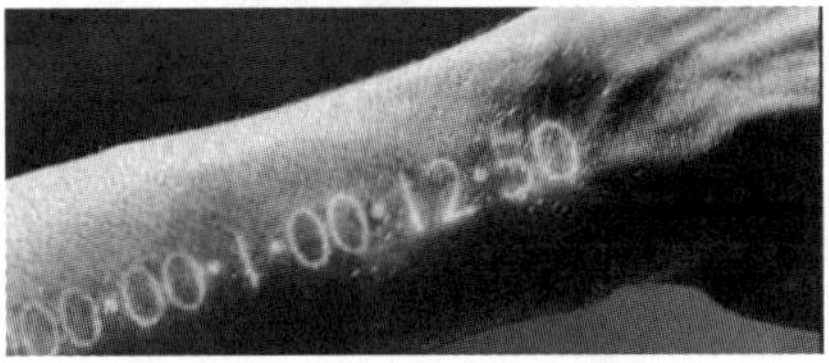

これがゼロになればその場で死ぬ

ン・マスクの〃ニューロリンク〃さながらの脳チップ技術である。生まれた時から私たちは完全なる奴隷です。

◎アメリカ全土がいくつかの「タイムゾーン」に区切られており、江戸時代の検問所同様の役割を果たす高速道路の料金支払いのような仕切りで行き来を制限されている。タイムゾーン間の移動だけで1年分の命の支払いが必要であり、その日暮らしの時間しか貰えないスラム街の人間（現実世界では非接種者？）は貧民区からは実質出られない。また、全ての場所には当然ながら至る所に監視カメラがある。

◎車はクラシックカーやマッスルカーばかり登場するのですが、音からわかるのはほとんどが電気自動車であるということ。

◎この「時間＝お金」のシステムは、一部の権力者が永遠の生命を手に入れたい願望から生まれたそうです。錬金術と優生学を組み合わせたような、実に支配層らしいシステムである。庶民は、生まれた時から命を握られているため、完全なる奴隷管理のバビロンシステムであると言えます。

◎一般人が基本NPCバイオロボットのように無機質な感じである。バスのシーンなんかが特に顕著。彼らの薄情さが故に主人公の母親も時間切れとなり、無惨に死ぬ。

◎主人公は近未来のロビン・フッドのような役割を演じるのですが、とにかくあり得ない救世主ストーリーであり、こういう映画に慣れ親しんだ家畜は、Qアノン／トランプなどにも簡単に引っ掛かるんだろうなと推測できます。

◎スラム街ではギャングが根こそぎ一般人の時間を強奪したり、悪役を務める富裕層（ヒロインの父親）に至っては金庫の暗証番号をダーウィンの誕生日にしていたり、弱肉強食や自然淘汰といった概念が大好きなダーウィニストである。無機質で物質的な世界に執着し「永遠の命」という錬金術的な幻想を追いかけるフリーメイソン的思想が蔓延っている。

まとめ

観てみると予測プログラミングが思いのほかひっそりと入っていることがわかる映画。観て損はない。現実世界に落とし込むと、もう少しVR寄りになるであろうことから『マトリックス』の要素、セックスに関する規制が基本的になかったことから『デモリションマン』の要素をつけ足すと、かなりムーンショット辺りの世界観が読み取れる映画となっています。

『コンテイジョン』から読み解くコロナプランデミック

2011年公開で今話題の映画。おそらくCIA直轄制作ではないだろうか。豪華すぎるオールスターキャストとひたすらパンデミックが続くプロットである。

もう最初から最後までコロナウイルスの予測プログラミングの嵐と言っても過言ではありません。映画自体としては、起承転結がなく、つまらなかったとしか感想が出てこないですが、今後のコロナウイルス展開を予想する上でもとても参考になりました。どんな感じかを箇条書きにしてまとめてみます。

◎発生が中華圏のウイルス。
◎コウモリと豚が原因。
◎世界的なパンデミックが発生し、CDCやWHOが活躍する。
◎ローレンス・フィッシュバーンがどことなくテドロス・アダノムっぽい見た目である。
◎学校は休校、スーパーにみんな押しかけるなどのカオス状態。FEMAが食料品を配るが、民衆はひたすらパニックしている。
◎治安がとても悪化する。
◎「インターネットの情報はガセだらけ」と、とにかくキャストがネット情報を嘲笑《あざわら》っている。
◎ワクチンが完成し、ビンゴ抽選で誕生日がコロコロっと出てきた人から優先的にワクチンが受けられるシステム。

2011年公開。コロナの予測プログラミングだらけ

◎ワクチンを射ったら、それを証明するバーコード入りバンドを腕につけないとならない。ワクチンパスポートのようである。

◎「ホメオパシー／自然療法」は科学的に何の根拠もない、という現実に即していない台詞がちらほら。西洋医学至上主義である。

などなどありました。現実がここまで酷いレベルにならないことを願っています。

フラットアースドキュメンタリー映画『ビハインド・ザ・カーブ』について

遅ればせながら、Netflixで配信されているフラットアースを題材にした映画をようやく観ました。私の感想は以下の通りになります。そもそも『ビハインド・ザ・カーブ』というフレーズは「おつむが弱い」という裏の意味も込められているので、タイトルからどんな目的があって制作された映画かがわかるようなものですが……。

◎フラットアースのドキュメンタリーではなく、厳密にはフラットアーサーのドキュメンタリーである。

◎主演（!?）のフラットアーサーの二人はフラットアース界では工作員の疑いが強いとして有名な二人である。女性のパトリシア・スティールなどは、子供の頃の写真を堂々と出していたが、どう見ても男の子である。富裕層出身でもあり、トランスジェンダーなのかもしれません。また、母親と二人暮らし（？）の主演のマーク・サージェントもスティールも、普段はどんな仕事をしているかを伏せられており、もしかしたらYouTubeで生計を立てているのかもしれませんが、今も結構裕福な感じである。

◎映画の中では、「地球が平面たる根拠は？」という根本的な疑問にはほとんど触れていない。「日食は球体ではあり得ない」「シアトルが対岸の自分の家から見えるのは球体ではあり得ない」、簡単に理解してもらえる証拠はこれくらいしかなかった。

フラットアースを貶めるドキュメンタリー映画

フラットアースカンファレンスの様子

マーク・サージェント

YouTuberのジェラン

パトリシア・スティール

◎球体説論者側は、地球が球体である証拠を相変わらず何一つ出さない。「こんな壮大な嘘つけない」「世の中の科学者たちが検証に次ぐ検証で球体という結論に達している」など、感情論や誰々が言ったからという中身のない論理ばかり。（この辺は現実世界と同じだが）フラットアーサーは心理学的に言うと人と違う自分に酔いしれている、みたいな人格攻撃ばかりが目立つ。
◎フラットアースの映画であるにもかかわらず、球体説バイアスがすごい。映画の中で、ジェラン（フラットアーサーのYouTuber、チェンネル名『Jeranism』）がフラットアース実験を失敗というか、正確には想定と違うことが起きて実験ができなくなるのだが、中立的に撮影していたら、こんな場面ただのお蔵入りである。球体説を証明してしまった、とかならともかく、わざわざこんな生産性のない場面を残しているのは悪意以外の何ものでもない。
◎翻訳。わざとかわざとじゃないかはわからないが、〝Flat earth〟って言っているだけの時も「地球平面説」と翻訳している。〝theory〟が入っていても入っていなくても、全て「地球平面〝説〟」。私も翻訳の仕事を結構やってきたのでわかるが、依頼元からのガイドラインに必ず「地球平面説」と翻訳しろ、と指示されていたのかもしれない。
◎映画自体がとにかくつまらない。1時間半が3時間くらいに感じられた。フラットアースを啓蒙したい使命感とこの本に含めるためだけに最後までなんとか観ました。中立的に映画を観ている人ならば途中で観るのをやめるだろう。

Netflixは世の中の多くの大企業のように、支配層お抱えの資産運用会社であるバンガード・グループやブラックロックが株主として名を連ねています。フラットアースを好意的に見せることは決してないということがわかりますね……。

『ブレイキング・バッド』から読み解く支配層

約10年前にDVDを借りて観た名作ドラマ『ブレイキング・バッド』を久しぶりに観てみました。こういう人気作品からは、支配層の思惑が本当にたくさん読み取れます。まだ観ていない人のために簡単に説明すると、高校の化学教師が癌で余命1年以内と医師に宣告されてしまう。自分の化学の知識を使いクリスタルメス（覚せい剤）を作り始める。そして、癌の費用や自分の死後にお金を家族に残してあげたいという思いから、どんどん悪事に手を染めていくというストーリーである。

それでは、『ブレイキング・バッド』を通して支配層的思惑を見ていきましょう。

◎オープニング画面の化学元素の並びがCohen（ユダヤ人にとても多い名前）とサブリミナルに読めるようになっている。また、主人公の息子がイルミナティTシャツを着ているなど、いわゆる支配層のシンボリズムがある。

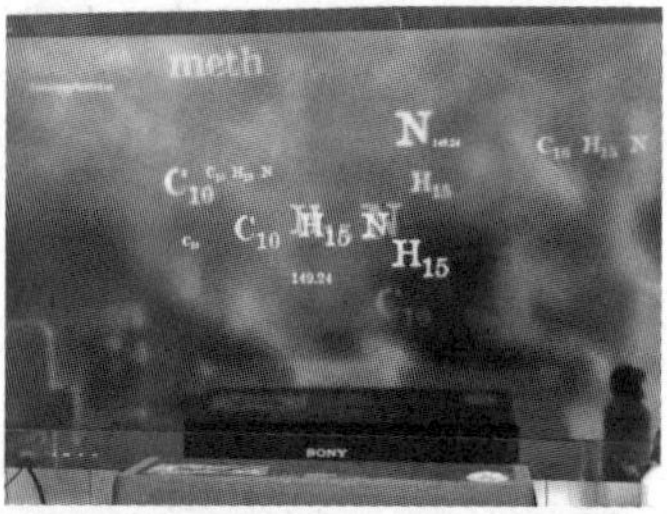

Cohenと読める

一つ目ピラミッドのTシャツを着る息子

フラットアースをさりげなく馬鹿にするセリフ

◎作品内でフラットアースを馬鹿にしている。主人公が手術直前に麻酔を打たれた状態でした失言があるのですが、妻にあとで問い詰められたときには「俺は麻酔を打たれていてグロッキーだったんだ。地球が平らだとか言い出してもおかしくないような状態だったんだよ。だから言ったこと（失言）は気にするな」と言い訳をしている。

◎ありがちではあるが、人命がとにかく粗末に扱われている。登場人物がソシオパス（反社会性パーソナリティ障害）だらけであり、人殺しの「ワル」のソシオパスはカッコいいという刷り込みに他ならない。

◎メインキャストの二人（主人公の妻とその妹）が意図的に配役されたトランスジェンダーの可能性がある。妹役はシーズン1では男胸だったのですが、シーズン2以降お金がたくさん手に入ったのか、わかりやすく豊胸手術をしている。

妻役の俳優

妻の妹役の俳優

◎化学のドラマだけあって、無神論や全ては無機質な化学反応によって起きる、という思想を至る所で植え付けている。
◎麻薬は、政府やCIAが一切関わっておらず、全てメキシコのカルテルやアメリカのストリートギャングが主体的に独自のルートで売り捌いているという設定である。実際は勝手に広範囲に売り捌いたら、即消されるでしょう。支配層に忠誠を誓わないとそもそもそんな美味しいポジションは貰えないでしょう。
◎そもそものテーマが、どんな人間でも時と場合によっては平気で他人を銃で撃ち殺せる悪人のマインドセットになってしまう印象を与えている。つまり性悪説。
◎（インチキである）恐竜の博物館がヤクの売買所として大活躍。
◎抗癌剤は免疫力を破壊する詐欺商品であり、癌を直接的に治すことはない。しかし本作では、「絶対に死ぬ」と言われていた主人公が抗癌剤で寛解している。テレビ局の一番のスポンサーである製薬会社が喜ぶ設定なのである。
◎税務局に逆らってはならないなど、権力側にたてつかないようにうまくやる必要があるというサブリミナルなメッセージもチラホラ隠れている。

このように、人気作品の『ブレイキング・バッド』は洗脳コンテンツがてんこ盛りなのです。そして羊の頭の中では、「カッコいい、自分もこうでなきゃ」と無意識の内に刷り込まれてしまいます。結果、退廃的な現実世界のできあがりです。

『ウォーキング・デッド』から読み解く支配層

『ウォーキング・デッド』とは、アメコミ原作のアメリカの人気テレビドラマ。よくある、世の中がどういうわけかゾンビだらけになるディストピアの中でたくましく生きる人間たちを描いている。いまだに続く長編シリーズですが、私個人はだいぶ前に飽きて観なくなりました。物語の純粋な良し悪しは一旦おいておいて、『ウォーキング・デッド』における支配層の意図を説明したいと思います。

まず、ほとんどの登場人物が、一般の人間の本質とは真逆の行動を取っているように思えます。どういう行動を取るのかというと、支配層が夢見るディストピアな未来における理想の家畜像と言えます。

ゾンビパンデミック前のインフラを利用した町や村に住む人間のコミニュティがあちらこちらにできていて、住民は草原や森林で狩りをし、期限が切れていそうな缶詰を倉庫などから取って持ち帰ったり、タンクのガソリンがなぜかなくならない車を運転して周辺をパトロールしてたくましく生きている。いや、生きながらえているという感じでしょうか。一部を除き、他のコミュニティとの争いがとにかく絶えず、しまいには舞台の根幹的存在だったゾンビが人間の殺し合いの横で「ガオーガオー」と言っているだけのプロップに成り下がってきます。人間同士の争いは基本的に早い段階でエスカレートし、略奪、放火、暴力、拳銃での撃ち合い、殺人がとにかくよく起こる。

論理的に考えたら、こんなことは荒唐無稽です。なぜならば、資源が豊富にあるゾンビ前の世界であれば、人間にも戦争をする資源的な余裕はあるのかもしれませんが、賞味期限切れの缶詰をなんとか探して食べているような世界では、生産と技術の再発展や技術や物品の交換(貿易)が何よりも優先されるべきなのは明白であり、ましてやゾンビという共通の敵がいるような状況であるならば、生き残った人々は論理的に必ず一致団結するでしょう。争いをしていては、缶詰やガソリンがつきた世界を生きなければならない次世代や、そのさらに先の世界の世代が生き残れるはずがなく、種族保存という本能的な観点からも矛盾しています。拳銃で撃ち合うより、子供たちに畑の耕し方を教えなければと思う人間が大多数であり、少数の過激派こそ野原につまみ出されかねない。でも『ウォーキング・デッド』では過激派が幅をきかせ、物事の決定をする。まるで現実世界の支配層のように……。

この世界観こそが支配層が望むディストピアな未来である。お前たち家畜はディストピアな世界でも殺し合いを始める愚かな存在である、と潜在的に植え付けるだけでなく、自滅がお似合いだと言わんばかりである。

メッセージとしては以下の通り。

ゾンビはそっちのけで「人間」vs「人間」である

日に日に存在感がなくなるゾンビ

なぜかずっとサバイバルできてしまう人間たち

人間の戦争は尽きない

ゾンビのコスプレ!? をしだす人間も

◎政府のような権力を持った管理組織がいないと、家畜は殺し合いで自滅する愚かなダメ人間である。政府がいないとお前らは何もできない、と思わせること。
◎人間は本能的に支配欲にまみれていて、世の中は隙あればどんな手段を使ってでも権力を手に入れたい者であふれており、特にサバイバル状況においては助け合いはしない。余裕がなくなれば誰でも周りに牙をむく、と思わせること。

またウイルスか何かで世界中でゾンビ化が始まったとほのめかすことで、実際は存在しないであろう強力な空気感染の生物兵器が存在している印象も与えており、これから現実世界で起きるコロナウイルスが恐ろしいと潜在的に観る者に植え付けている気もします。

『オレンジ・イズ・ニュー・ブラック』から読み解く支配層

女子刑務所を舞台にしたNetflixの人気ドラマシリーズ『オレンジ・イズ・ニュー・ブラック』を考察していきましょう。一応は実話ベースのフィクションだそうで、主人公は裕福な家庭で育ったドラッグマネーの運び屋だったけれど逮捕されて刑務所に収監されることとなる。ちなみにバイセクシャル。

ではこのドラマに隠された支配層の思惑を考察していきましょう。

◎主人公が名前もいで立ちもかなり中性的であり、バイセクシャル。しばらく俳優がトラニー※か女性かがわからなかった（結論はおそらくは女性）。また役がつまらなく、様々な魅力的なキャラクターがひしめくこちらのドラマの主人公としてはかなり役不足である。白人、金髪、裕福というアメリカのテレビの主人公にありがちな要素を備えているからこその主人公である。受刑者の実体験に基づいた書籍が脚本のベースとなっているのだが、この三つの条件を原作者がクリアしていたから出版してもらい、本も宣伝され、ドラマにもなり、売れたと考えられる。貧困層の黒人女性はアメリカン・ドリーム感がないため、主人公になれることは基本的にない。
◎基本的にはブラックユーモアたっぷりのダークコメディなのだが、宇宙、エイリアン、タイムマシン、恐

※トランスジェンダー。便宜上トラニーと書いていますが、個々のトラニーに対して侮蔑的な意味はありません。

竜などのいずれかの嘘コンテンツに関するジョークが1話にほぼ1回ある。リアルな女子刑務所のメンバーがそもそも宇宙だとか恐竜などのコンテンツに興味があるのかは甚だ疑問である。当然フラットアースには特に触れていない。

◎初期の頃は予算が少なかったからなのか、普通に女性役を女性がやっている。その代わりに、テレビ業界初のオープントラニー（トランスジェンダーであると公表している人）がドラマ内でそのままトラニー役（男性から女性になった役）を演じている（トランスジェンダー自体への個人的な偏見のないことをご了承ください）。

◎レズビアン設定のキャラクターがやたらと多い。過半数近くがレズビアンであり、バイセクシャルやらパンセクシャルを入れたら普通にマジョリティである。しかも刑務所限定の同性愛ではなく、罪を犯す前からもともとレズビアン。実世界のアメリカの女子刑務所におけるおおよそのレズビアン率について調べたところ、少なくとも本ドラマでの数からはほど遠く、どちらかというと母親と娘みたいな関係の二人組がとても多いということがわかりました（ドラマ内で母娘的関係は2～3組程度である）。

◎中絶がわりと気軽である。5人の子供を中絶した囚人もいれば、子供を堕ろした途端、孤児を養子にするという母親の本能からは論理的にあり得ない行動に出る（囚人でない）女性もいたりして、まるで百貨店に買いに行くような手軽さである。

◎有神論者は基本的に頭が少しおかしい人が多い。「天罰が下る」とボロボロの歯でいつも叫んで、暴君のようにふるまうプロテスタント、原子力発電所に自分を縛り付けて政治的な抗議をしたカトリックのシスター、精神年齢12歳くらいの歯がボロボロでドラッグ依存症の性悪アーミッシュ女性などである。反対にユダヤ教の扱いは寛大で、黒人囚人の一人がユダヤ教に目覚めて、改宗しています。そしてムスリムに関しては二人いるが、二人とも特に深いキャラクター設定はされておらず、表面的で魅力がない。反対に無神論者は主人公をはじめ、知的なキャラクターばかりである。進化論こそ知性であると言わんばかりに……。

◎元記者でずっと陰謀論を他の囚人に訴え続けるキャラクターが一人いるのですが、どの陰謀論もかなり突拍子のない話で本人は頭の中に常に声が聞こえる重度

主人公は中性的である。バイセクシャル設定

ORANGE is the new BLACK

女子刑務所が舞台の人気ドラマ

史上初？　のオープントラニーのアクター

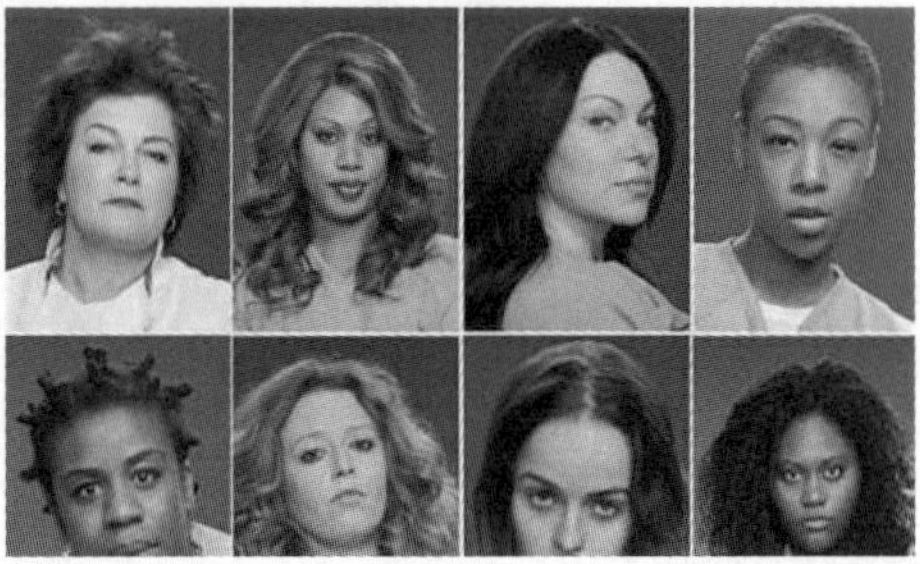

主要キャラクター８人の内、トランスジェンダーが１人、レズビアンは４人

の統合失調症により、最終的には精神病棟に連れて行かれる。「陰謀論者＝イカれている」という印象づけをするにはうってつけの人物と言えます。あげくには、地下室のようなところで段ボールによる「タイムマシン」を作ってずっと引きこもります。

一つ擁護するのであれば、本作品にはアメリカの刑務所システムの酷い実態を訴えている部分もあります。アメリカでは、保護監察官に関する全ての費用を仮釈放後の元囚人が負担するのですが、大抵の囚人は仕事が見つからず、当然支払えず、刑務所に逆戻りする人が後を絶たないそうです。主人公のように裕福な家庭の人間でないと、仮釈放ですらなかなか生き残れないという点を訴えている。貧乏人は仮釈放すらさせない、という現状が露わとなっている。

前述のポイントさえ我慢できれば、ストーリー自体は面白いドラマなのでおすすめです。

テレビゲームという洗脳ツール

特に私より上の世代の方が見過ごしがちなテレビゲ

ームの洗脳は絶大です。最近の若者が物事を予測せずに、ただただ起きていることにリアクションしがちなのも、実世界を単純化したゲームに幼い頃からずっと親しんできたから、というのが大きいと個人的に考えています。蓋を開けたら、映画やテレビ以上に予測プログラミングやサブリミナル洗脳が入っているのかもしれません。テレビゲームという遊びのツールをいち早く導入した日本の国民は、特に洗脳を強く受けていると言えるでしょう。例えば私が年甲斐もなく、一昨年（2020年）購入して遊んでしまった『ラスト・オブ・アス2』というPS4のゲームがあります。少しネタバレも含みますので、これから遊んでみようと思っている人はこの部分は飛ばしてください。

『ラスト・オブ・アス2』

女神転生は悪魔だらけ

『聖剣伝説 RISE of MANA』はスマートフォン用ゲーム

　舞台はゾンビパンデミックが起きた後の退廃したアメリカ。父親代わりの人間が殺され、その復讐のため、主人公の若い女性は、妊娠中の恋人とともにシアトルに乗り込むという話になります。まず主人公がレズビアンです。恋人は、元彼との子供を妊娠したバイセクシャル女性（ややこしい……）。

　主人公の白人女性および（もう一人の主人公でもある）彼女の復讐相手の白人女性は肩幅や胴体／脚の形が全て男性的である（325ページ「トラニー解剖学」参照）。妊娠中のユダヤ系の恋人女性は普通に女性体型になります。

　主人公だけゾンビに噛まれても感染しない特別な免疫力を保持しており、前作ではゾンビ化を阻止するワクチンの開発をする研究者に殺されかけています。

　同作品の世界観では、人間は基本的に小さな仲間の輪以外の外部の人間を問答無用に殺しにかかるサバイバル感たっぷりの設定であり、協力とか対話という概念は存在しません。ソシオパスだらけである。

殺された父親代わりの男性との回想シーンで、主人公の誕生日に「見せたいものがあるんだ」と父親代わりが主人公を連れていく特別な場所があるのですが、そこはティラノサウルスレックスをはじめとする様々な恐竜の模型が展示されている自然博物館である。物語とは直接なんの関係もなく、とても浮いている場面と記憶しています。この自然博物館の中に入ると、いろいろな恐竜が展示されていて、ゲームの設定上全ての恐竜の説明書きをいちいち読まなければならず、父親代わりと恐竜についていろいろと強制的に会話させられます。

そして極めつきは博物館にある宇宙エリア。アポロ11号の宇宙飛行士たちが滞在していたロケット先端部分の模型があり、ウキウキしながらそこに入る主人公を操作させられる。父親代わりは、すかさず主人公にカセットテープをプレゼント。手持ちのウォークマンに入れると、アポロ11号発射カウントダウンの有名な音声が流れ、目を瞑った主人公の目の前に壮大な宇宙が広がる演出が施されている。

＊アポロ11号打ち上げカウントダウンはこちら。
『Apollo 11 Launch Countdown』
https://youtu.be/8V9TCD0TTtk

これでは小さい頃からゲームを何本もやってきた人が大人になる頃には、支配層が用意したコンテンツを基本的に鵜呑みにするアダルトチルドレン羊となってしまうのも頷けますね……。

メーガンのベビーバンプ

子供を産んだことになっているメーガン。当時の様子を振り返ると、お粗末な隠蔽工作だらけのフェイク妊娠だったことに気づけます。次ページの写真を見るだけでわかる、シリコン製のお腹ふっくらパーツ。装着している／していない日があったり、ベルトが緩かったのかパーツが下にどんどん落ちていったり、逆に肺まで膨らみが上方向に移動していたりする場面も……。

これよりしばらくは妊娠や性別というコンテンツも嘘だらけであるとわかるセクションとなっております。

我々がつくづく映画『トゥルーマン・ショー』の世界観のような人間牧場で生かされていることがよくわかります。

トラニー解剖学

真相論の中でもシークレット・トラニー（自分がトランスジェンダーであることを意図的に隠している著名人。以下トラニー）は、日本の真相論者がほとんど扱っていないトピックとなりますが、ハリウッドをはじめとするエンタメ業界では一種の伝統として、昔からトランスジェンダーが多く籍を置いています。

トラニーは幼い頃からホルモンやテストストロン注射、顎の骨を削る、体の脂肪を別の場所に移植するなど、熾烈極まりないことを無理やりやらされます。そんなはずはないと思いますか？　実は骨格やシルエットなど、いくら手術をしてもどうしても男女間で隠せないポイントがいくつかありまして、ＳＮＳを中心にトランスベスティゲーション（トランスジェンダーである可能性のある人の兆候を調査）をするトラニー・ハンター（トラニーを研究している真相論者）らはそ

お腹が落ちた⁉

かなり上の方が膨れている

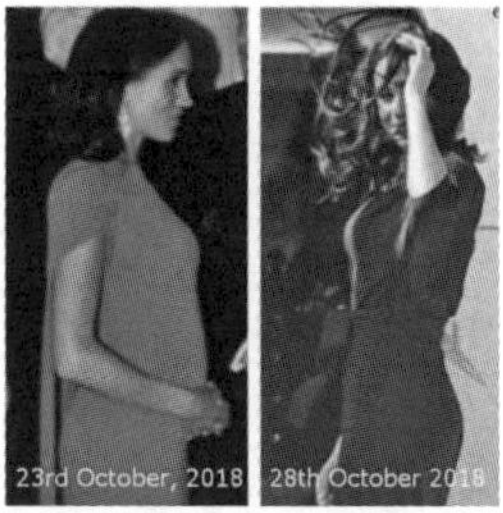

お腹が出ていたりいなかったり

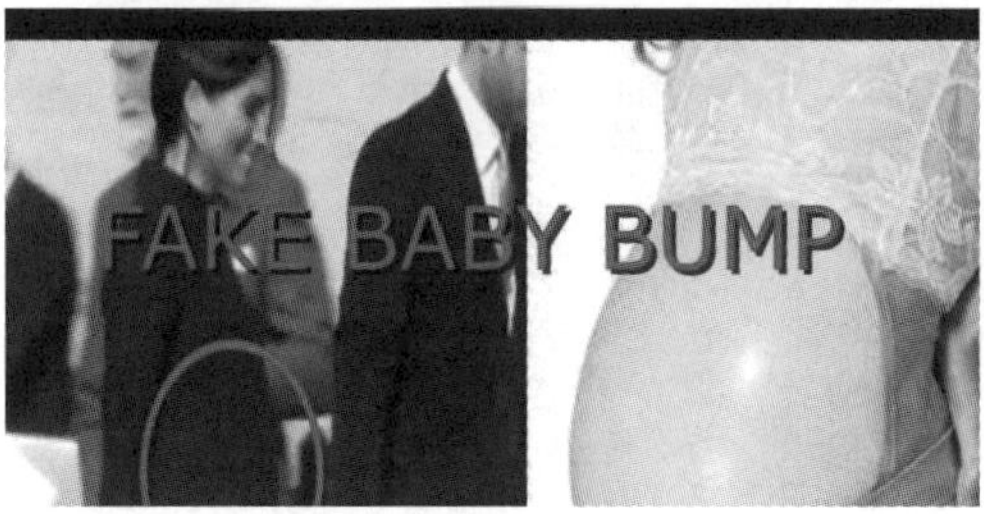

シリコン製のベビーバンプで妊婦を演出

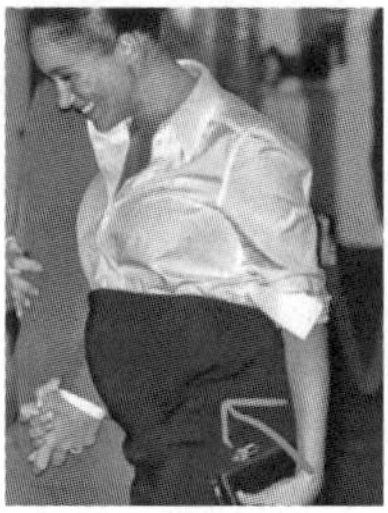
ベビーバンプの境目がくっきり

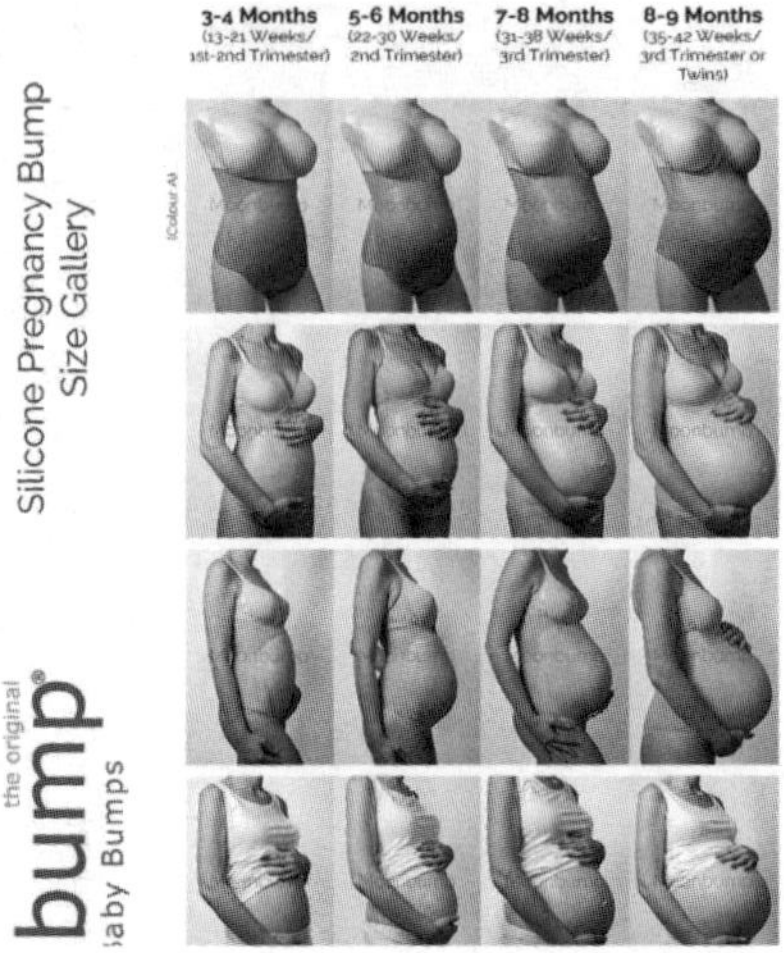

販売されている様々なサイズのベビーバンプ

落ちないように手を添えて

れらの隠しきれないポイントから判断して、対象者がトラニーであるかの判断を下します。中にはかなり巧妙に性転換していて気づかれない著名人もいますし、または全員をトラニーにしたくてしょうがないという強い思いから、全員をトラニーにしてしまう人が一定数いるため、トラニー・ハンターの間でも対象者によって男か女は意見が分かれることがあります。これから説明するトラニー見極めポイントを覚えても百発百中になるわけではないことをご了承ください。

見極めポイントをいくつか記載しますが、対象者に一つポイントが当てはまったからといって即トラニー認定すべきではないということをご了承ください。個人の感覚では、最低でも三つ以上見つからないと認定は控えているようにしています。

1）頭蓋骨 （328ページ①）

男性は顎がガッチリしています。特に耳下の下顎骨が大きくて四角い。女性は丸みがあり小ぶりです。顎の下部（中心部）は削りやすいので、ここを小さくすることで男性であることを誤魔化そうとするトラニーは多い。逆に下顎骨の部分は手術で削ることが難しい。

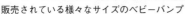

男性は頬骨もくっきりしていて、また笑った時の口が大きいという特徴があります。また男性は頭蓋骨自体が大きく、後ろにかなり伸びていて、しっかりしている。女性は頭蓋骨も小さめ。

2）顔のパーツ（②）

男性は女性より目が左右に離れている傾向にあり、目力も強い。女性のまなざしは反対に優しさを感じます。

男性は眉弓がしっかりと前面に突出しています。ただし眉弓については女性でも多少出ている人はいます。整形手術や幼い頃からのホルモン剤投入で眉弓をある程度突出させることも可能です。

額は男性がまっすぐ、女性はアーチを描いています。額の形は手術で変えるのが実質不可能であり、生え際の髪の毛を抜き、意図的に後退させることで誤魔化すトラニーがいるため、ヘアラインにも注目する必要があります。

唇についても記載しようかと思いましたが、唇はわりと簡単に脂肪を入れることである程度誤魔化せるので今回はノーコメントとさせていただきます。

3）首

まず男性は首が女性よりかなり太い。頭の幅と大体同じくらいが多い。そして女性の首よりも基本的には長い。女性の首は短くて細い。ただし稀に首が女性みたいに細めの男性もいますので、これだけでの判断は禁物です。首から肩にかけての筋肉も男性の方がかなり発達しています。プロレスラーやドラゴンボールのキャラクターに見られる、首から肩（僧帽筋）が盛り上がる現象は女性では基本的には不可能。ただし、まれに生まれつきかなりマッチョな女性もいますのでこれだけで結論に急がないでください。

男性は女性と違って喉仏が大きい。ただし幼い頃から肉体改造を受けてきた女性であれば、少しだけ喉仏が出ている人もいますし、逆に男性ならある程度摘出することが可能。ただしかなり突出している場合は完全にアウト。女性ではなく男性である。逆に男性であるのに喉仏が全くないのは珍しい。

次に肩より下の胴体部分に着目しましょう。これを読んでぜひテレビに出ているトラニーをご自身で暴い

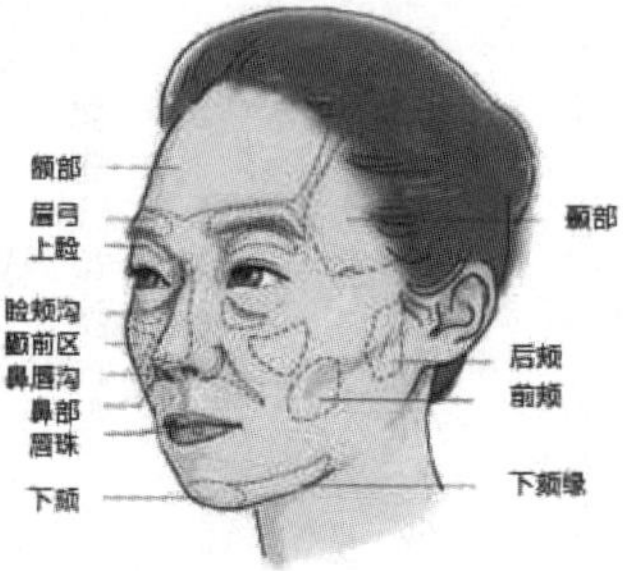

② 顔のパーツ

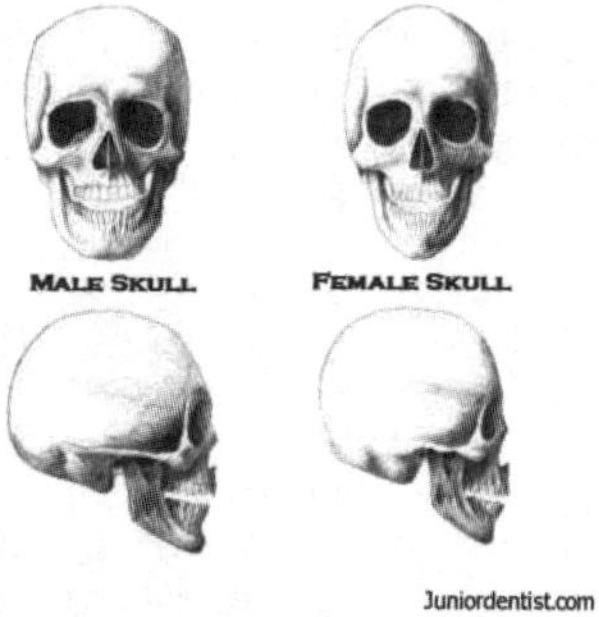

① 男（左）女（右）の頭蓋骨

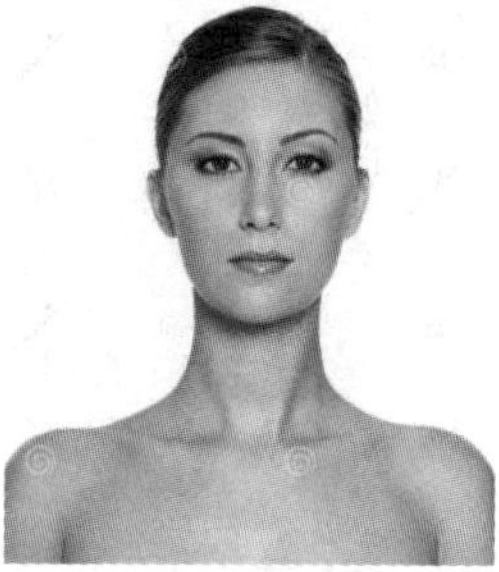

女性の特徴

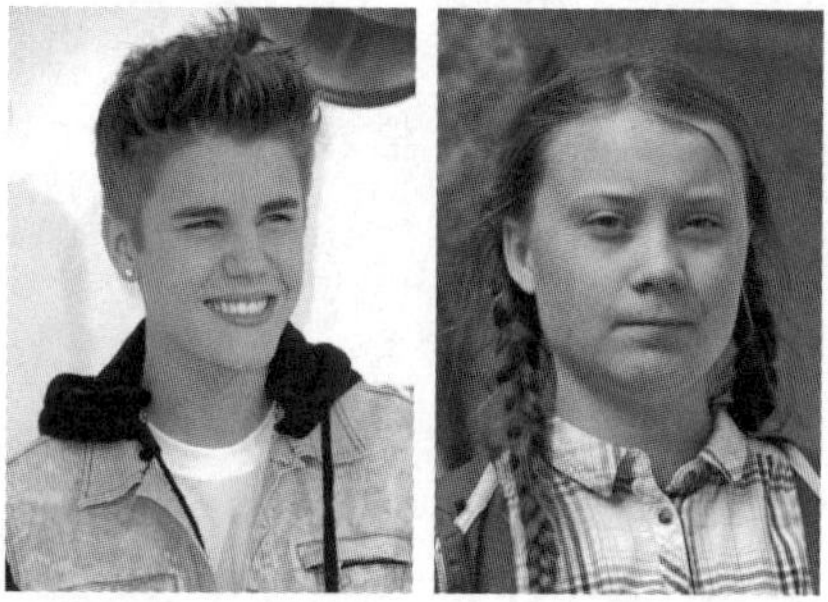

ジャスティン・ビーバー（左）とグレタ（右）の頭蓋骨を比べてみる

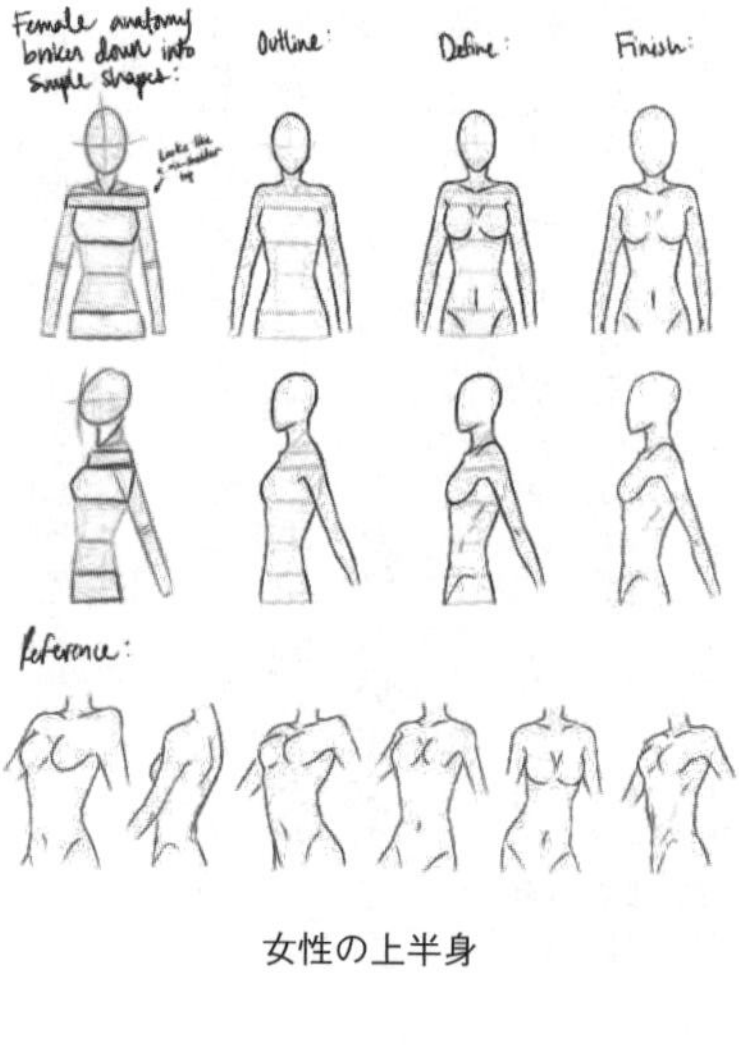

女性の上半身

ていってみてください！　繰り返しになりますが、かなりレベルの高い誤魔化しをしている場合もあり、トラニー認定ポイントが少なくとも数点見つからなければ認定はしない方がよい。この点だけに注意してトラニー・ハンティングしてみてください。では胴体変……ではなく胴体編。

4）肩

男性は肩幅が広い（330ページ①）。おおむね左右に頭をもう一つずつ置けるくらいの肩幅が通常だと思ってください。女性は逆に肩幅が狭く、基本的になで肩。筋肉をたくさんつけてなで肩をある程度誤魔化すＦＴＭ（女性から男性に変身したトラニー。Female To Male）も中にはいますが、肩幅の狭さはどうにもできません。

また女性は、肩の付け根と腰の一番外側がおおむね同じ幅になります（②）。このいわゆるアワーグラス（砂時計）体型は誤魔化しづらく、ＦＴＭを見極める際にはキーポイントの一つになりますので必ず注視してください。

5）胴

男性の場合は胸部の脂肪が少なく、真ん中部分が骨張っています。マドンナなどがわかりやすい例です。女性は胸の脂肪がもっと胸部の中心からついています。女性はいわゆるアワーグラス（砂時計）体型。みぞおちのすぐ横辺りの高さから、横のラインが外に向かって伸び始めます。まさに砂時計である。

多くのＭＴＦ（男性から女性に変身したトラニー。Male To Female）は、この決定的な証拠を隠そうと、もともと腿などについている脂肪を腰の上部に移植します。『ハリー・ポッター』のハーマイオニー役だったエマ・ワトソンがよい見本ですが、生まれつきの男性はみぞおちから下の腹部あたりからしか脂肪がつきません（③）。ちぐはぐなアワーグラスになるということです。

男性は基本的に胴体が長く、なおかつ直角である。また男性は背中もまっすぐ伸びている。女性は背中が内側に弧を描きます。

ＭＴＦは水着写真を撮影する際に、体を捻って女性のような曲率の高い体型を演じることがとても多いです。雑誌で見かけるパパラッチが盗撮しているように

③ エマ・ワトソンはただの美男子である

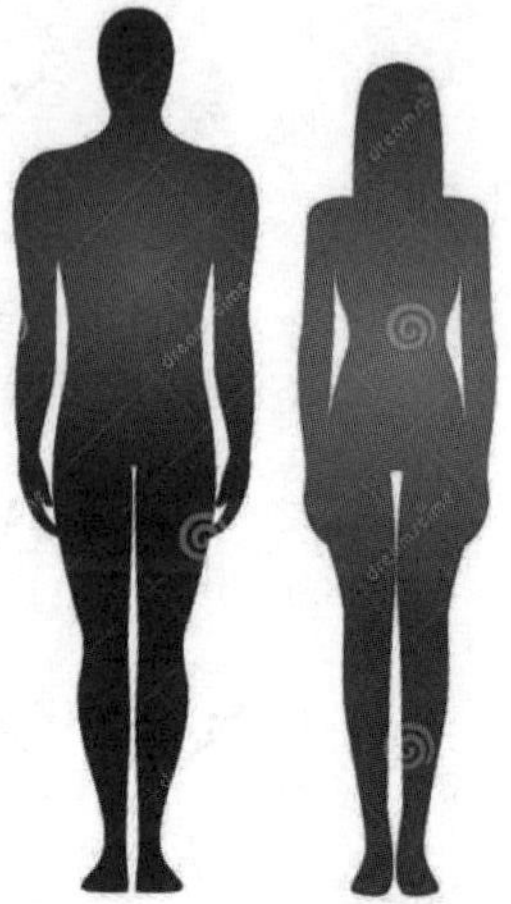

① 男女の骨格の違い

生まれた時は女性だったと公言しているモデル。ここまで男性っぽくなれる

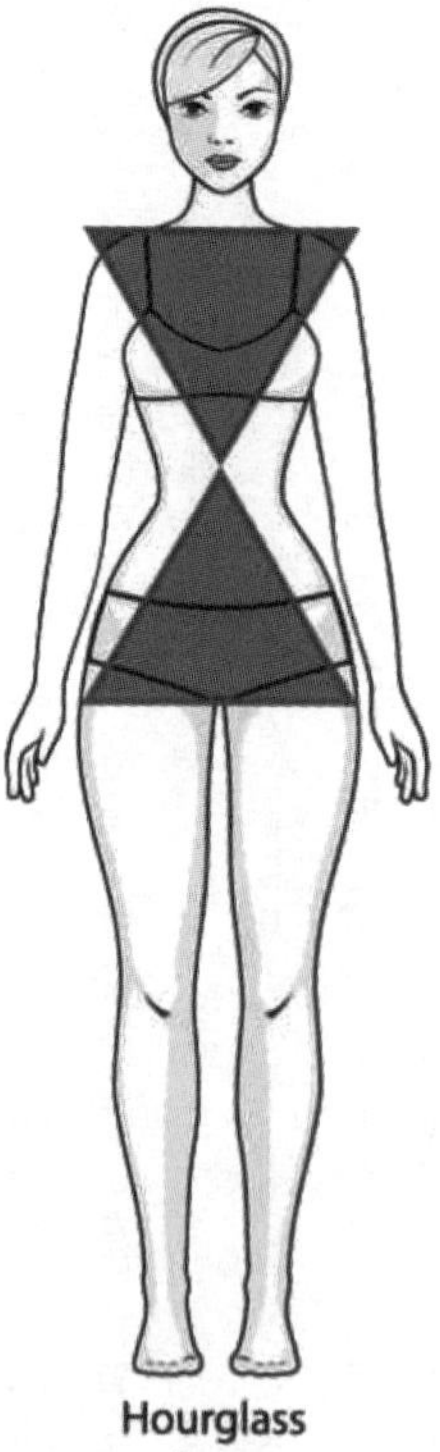

② アワーグラス体型であるかがFTMの一番の見極めポイントかもしれない

見える水着写真は、被写体の体の角度やらポーズやら、基本的には予め全て決められたヤラセ写真の場合が多いでしょう。

6）手腕足脚

男性の方が腕がおおむね長く、上腕三頭筋が筋肉質です。女性は脂肪がついていて逆に丸みがあります。手については男性は明らかに女性より大きく、ゴツゴツしています。女性の手は脂肪で若干丸みがあります。中には手の大きい女性も存在しますので、どちらかというと脂肪による手の丸みのほうに着目しましょう。

指は傾向として男性は中指が長いです。ただし絶対ではありませんので参考程度に観察してください。左のイラストのように、女性は脚のQアングルというものがあります。骨盤から脚の出る角度がどうしても内向きになります＝Qアングル。これもMTFを見極めるキーポイントの一つになります。女性は脚の脂肪も外側に多くつく傾向にあります。内ももに丸みがあります。男性の内ももはまっすぐ伸びています。Qアングルの有無は歩き方にも影響を与えていて、男性はガニ股が多いのに比べて女性は基本的に内股。ただし、トラニーは幼い頃から歩き方をかなり練習している場合

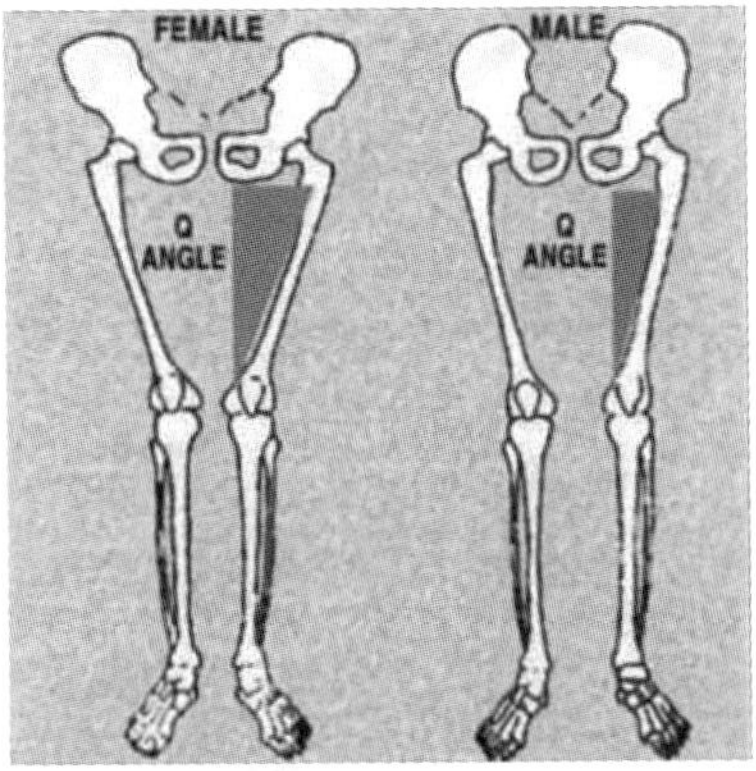

Qアングルの有無も確かなトラニーポイント

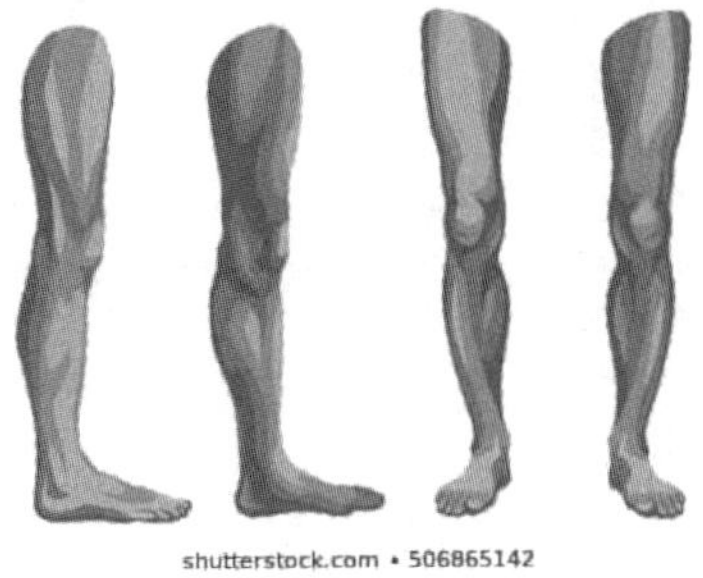

男性の脚

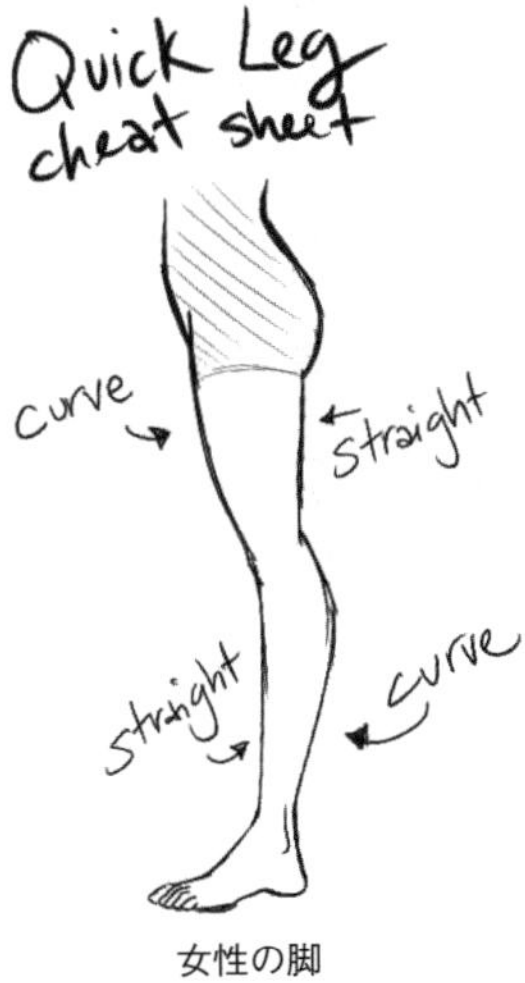

女性の脚

もあるため参考程度にしてください。また当たり前ですが、男性の方が足が大きいです。靴のサイズが28㎝以上の女性はかなり怪しい。

おまけ
最後に全体的な話をすると、男性は年齢とともにお腹に脂肪が集中していきます。お腹がいわゆるビール腹状態になってからはじめて他の箇所に脂肪がついていきます。女性は、脂肪が最初からある程度均等に全体的についていきます。なのでわりと全体的に太っているにもかかわらず、お腹があまりビール腹状態でない「男性」は一旦疑ってみた方がよいです。

映画に出るような著名人と私たち庶民は、常識から何まで全く異なる世界を生きています。性別を偽るという相当の犠牲を払わないと支配層の作り出す世界には参加させてもらえないのかもしれません。著名人になるというのはいろいろな犠牲を伴います。大きな覚悟がない場合には、普通に謙虚に質素に生きましょう。その方がストレスが少ないです。そして、一つ留意していただきたい点があります。それはトラニー文化の一番の犠牲者はある意味トラニー本人なのかもしれません。支配層が家畜の性別に対する価値観をぐちゃぐちゃにするために、彼らは自分たちの性に対する考えを幼い頃よりさらにぐちゃぐちゃにされている本当に哀れな存在であるとも言えます。

解剖学以外でトラニーを見極める

先ほどは解剖学的な観点でのトラニーの見極め方を説明しました。そういうのが苦手だという人のために、他の観点からの見分け方を2点紹介します。これも絶対ではありませんのでご注意ください。どちらかというと心理学的な観点からになります。

1）名前、肩書き、代表的な作品に「女性」を連想させる言葉が入っている。

「本当に女性なんだよ」と心理的に刷り込みたいのでしょう。代表的な例としてはレディー・ガガ、マドンナ、デビュー作が『プリティ・ウーマン』のジュリア・ロバーツなどがいます。彼女らはおそらくもともと男性です。女性的な何かを連想させるのがコンプレックスの表れなのか、ただ単にさらに私たち家畜を馬

ミシェル・オバマのもっこり

マドンナ

セリーナ・ウィリアムズはわかりやすい

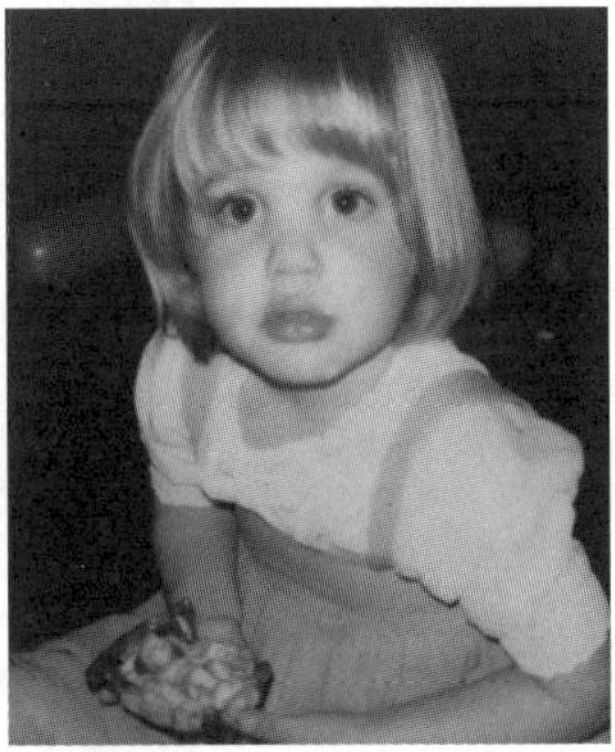

アンジェリーナ・ジョリーの幼少期

ビヨンセもよく見ると男性的な要素は多い。男性だろうか……

鹿にしたいだけなのかはわかりません。

２）女性の立場に貢献する行動などをしている。

健康な乳房を切除したことになっているアンジェリーナ・ジョリー、ジェンダー平等を訴えるチャリティをプロモートするセリーナ・ウィリアムズ、ミシェル・オバマ、フェミニストであると主張しているエマ・ワトソン、ビヨンセ、アリアナ・グランデなど。自分が女性であることを強調している有名人はそれなりの確率でトラニーと言えるでしょう。あの有名人もこの有名人もトラニーだ！　と言われてもなかなか実感がわかないかもしれませんので、これ以降は個別の見本をいくつか見ていきましょう。

マリリン・モンローとオードリー・ヘップバーンは男性の要素が多い

最初のインパクトは大きい方がよい、ということで「性の象徴」と「美の象徴」と言われる二人にスポットライトを当てていきましょう。「まさかそんなはずはない。信じられない！」と思う方もいるかもしれません。先ほど紹介したトラニー解剖学の条件に当てはめると二人とも見事にヒットするんです。先入観の絶大な影響力を感じさせてくれます。二人の写真をきちんと分析すればわかっていただけるかと思います。

まずは**性の象徴**である**マリリン・モンロー**を見ていきましょう。先に言うとモンローは鼻を整形しています。また、可能性として手術で肋骨を二本摘出しているようにも見えます。これらの点を踏まえた上でトラニー・ハンティングしていきましょう。

頭の大きさは形も大きさも男性サイズ。額もまっすぐである。確かな眉弓もあり、顎も大きく男性的。首も太く、何より喉仏が突出しています。肩幅もかなりあり、腰も小さい。子宮が入っているとはとても思えない小ささです。脚もQアングルが皆無です。性の象徴と言われているわりには、よく見ると結構わかりやすいのが面白いですね。

次に**美の象徴**である**オードリー・ヘップバーン**に着目していきましょう。

ヘップバーンはモンローより多少難度が高いものの、

頭も大きく男性サイズ

マリリン・モンロー

オードリー・ヘップバーン

よく見ると特徴が男性的

ガリガリの美青年!?

曲線の少ない体型

よく見るとただのガリガリの美青年であるとわかります。特に年齢を重ねてから「男性感」が顕著になります。顎は男性的であるし、頭も思いのほか大振りです。肩幅も左右に頭が一つずつ収まるくらい広い。体型はガリガリが故に女性的でも、細かいところでのシルエットで隠しきれないところがあります。背中も全くアーチを描いておらず、男性のようにまっすぐ上に伸びています。シルエットに曲線がほぼ皆無である。腰も女性にしては小さすぎます。

この女性の代表のような2名がMTF（Male To Female）であるならば、多くの著名人もトラニーの可能性がある、と思えませんか？

皆様に問いかけたい。

テレビ、YouTubeなどのエンタメコンテンツには、隠れトラニーは至る所に潜んでいます。著名人で隠れトラニーは、基本的にはそういう「伝統」がある支配層寄りの家系出身であることが多く、一般人が売れない役者からハリウッドのブロックバスターで主演を張れるようになるようなアメリカン・ドリームは基本的にあり得ません。これから芸能界に入ろうと考えている読者は特によく考えてから具体的な行動に移りましょう。モンローもヘップバーンもインターネットの至る所に写真がありますので、ぜひご自身でも検証していただけたらと思います。

マライア・キャリーもトラニー

先ほどは「性の象徴」マリリン・モンローと「美の象徴」オードリー・ヘップバーンについて言及しましたが、ここでは8オクターブの声量を持つ「歌姫」**マライア・キャリー**にフォーカス。それでは早速検証していきましょう。

検証しやすいように、煌びやか感を取り、髪型なども男性寄りにした時にどう見えるかわかる加工イメージ画像も掲載しています。

手はじめに子供時代。顎が大きく、肩幅が広く、まっすぐ。腕も長く、手も大きい。目も男性のように離れていて、目力も強い。この頃はあまりホルモン注射や整形をしていなかったのか、子供時代はわかりやすく男の子に見えます。水着写真でも、胴体がまっすぐ

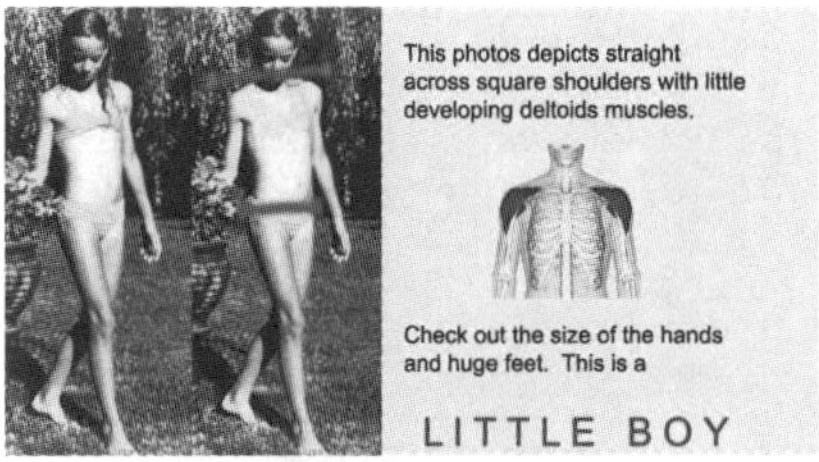

少年の体型である

マライアの子供時代

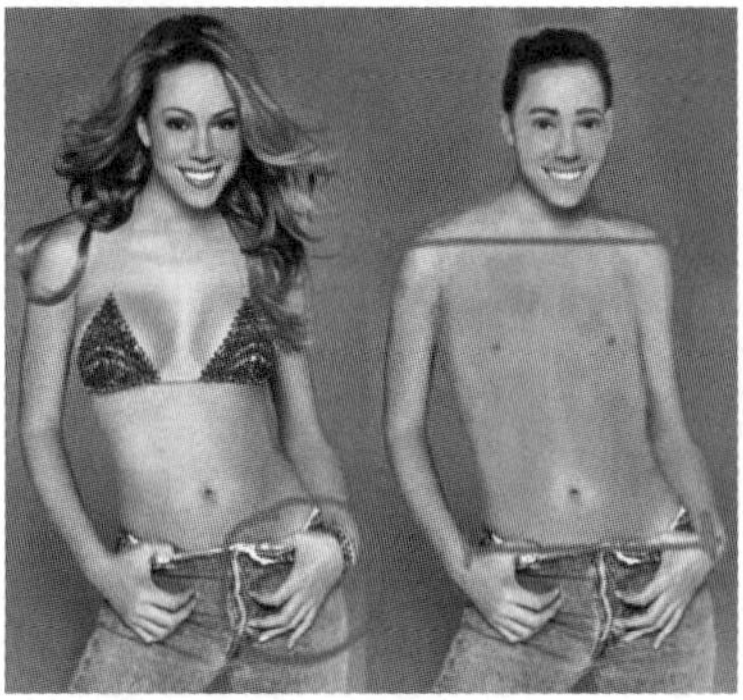

広くまっすぐな肩幅

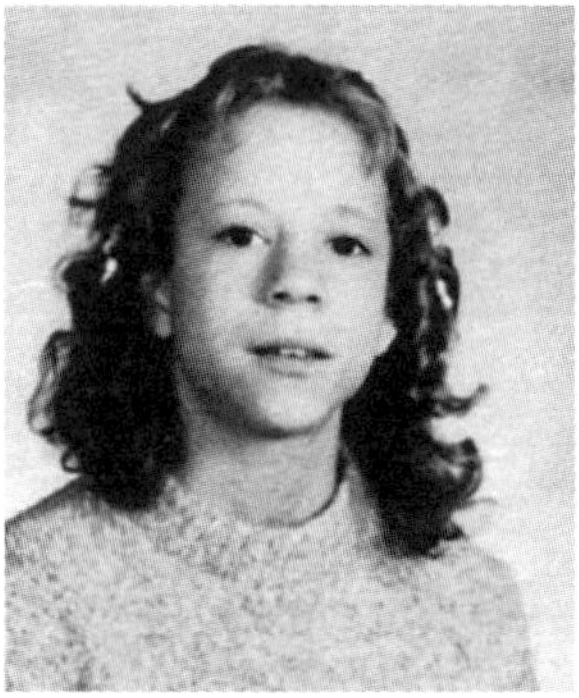

男の子に見える

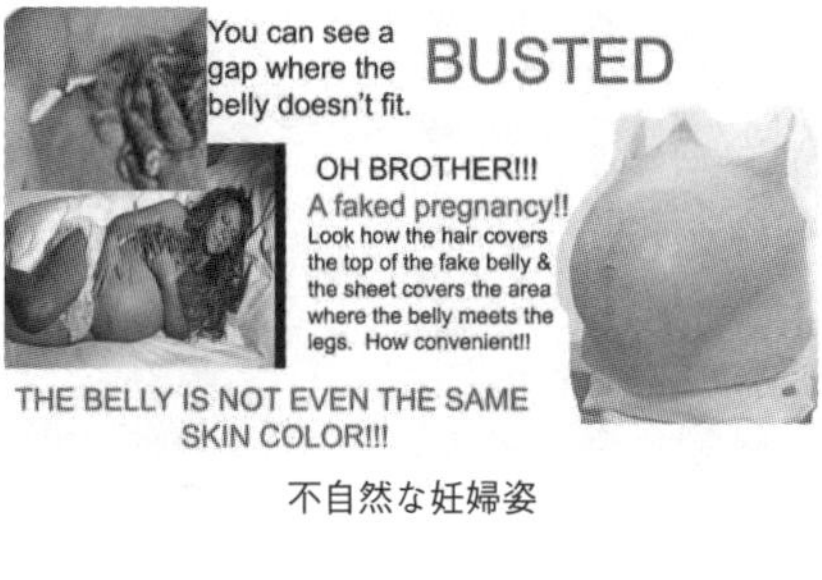

不自然な妊婦姿

直線的な背中

であり、アワーグラス体型からはほど遠いです。腰も小さく、脚もゴツゴツしていて、Qアングルもなくまっすぐ。胸も皆無です。今の大きな胸は豊胸手術をして手に入れていたということです。

大人になってからホルモン剤や整形、脂肪注射で生まれつき男性であることが多少わかりづらくなってはいるものの、広くまっすぐな肩幅と曲率のない胴体は相変わらず健在です。これもMTFあるあるなのですが、カメラでの撮影時に腰を捻るポーズを取って女性っぽい曲率を演出する工夫を習得していてさらにすぐには気づきにくくなっています。また、キャリーは「妊娠」した際にベビーバンプを使っています。肌の色と違う、体からバンプ器具が浮いてしまうなど、メーガン並みにお粗末につけていました。子供の頃から声変わりを抑止するためにホルモン剤をたくさん注射し、子供の声のままで大人になると、人によってはこれだけ歌声に幅が出るようになるということです。

画像を少し加工しメイクやヘアスタイルなどの「女性的な」部分を取っ払っただけで、トラニーたちのメッキは剝がれ落ち、性別を偽っていることがよくわかるようになります。先入観をできるだけ捨てていろいろな人物を検証していってみてください。

『ハリー・ポッター』の子供キャストはトランスジェンダー？

2020年春に東京の公園で開催し、20〜30名が集まったフラットアースのオフ会ピクニックでメンバーに猛烈に勧められて始めた「トランスベスティゲーション（Transvesigation）」。改めて言うと、男性のふりをした女性がFTMで、女性のふりをした男性がMTFと呼ばれている。そんな人たちがハリウッドを筆頭に、エンタメ業界にはたくさんいる。ジュリア・ロバーツ、ジャスティン・ビーバー、マドンナ、グレタのようにわりとすぐにわかる人もいれば、巧妙にカモフラージュできていて一見ではわからない人も多い。何はともあれ、オフ会でトラニーについて聞いた時に想定していた人数の数倍はいる感覚です。

トラニーを暴くYouTubeチャンネルもそれなりに観てきましたが、その中でも一番冷静に的確に人分析していると思ったのは『Phony Persephone』というチャンネル。このチャンネルでも分析されていたのが、

『ハリー・ポッター』のハリー・ポッター役のダニエル・ラドクリフ、ハーマイオニー役のエマ・ワトソン、ロン役のルパート・グリント。この映画は彼ら主演のみならずトラニーがとても多い映画のように見えます。特にエマ・ワトソンが顕著で、女性では難しいレベルの小さな骨盤、男性的で太い首、丸みのない背中や全体的なシルエット、力強く出ている眉弓など、数々の男性ファクターが健在です。**両性具有のバフォメット崇拝**が蔓延るハリウッドではありますが、親は子供をスターにしたくて生まれた時から反対の性別に仕立て上げていくのでしょう。ある意味支配層への忠誠心の証です。それくらいの覚悟がなければ、『ハリー・ポッター』のような大作シリーズには出してもらえないのでしょう。スターになってほしいという親のエゴにより性を無理やりぐちゃぐちゃにされた子役たちはそういう意味では犠牲者です。そしてさらに一般人の性の捉え方はどんどん曖昧になり、ますますの人口削減につながっていきます。

☆ダニエル・ラドクリフ（ハリー・ポッター役）
https://youtu.be/fTzm_Bedluc
☆エマ・ワトソン（ハーマイオニー・グレンジャー役）
https://youtu.be/J97srOtPzrg
☆ルパート・グリント（ロン・ウィーズリー役）
https://youtu.be/hwvUZGghYCE

ダニエル・ラドクリフ

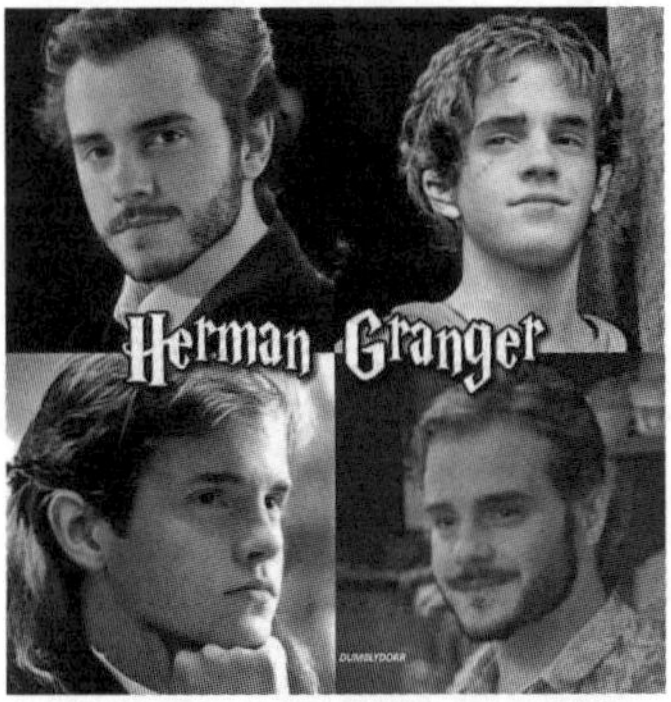

エマ・ワトソン

ルパート・グリント

髪型で印象はいくらでも変えられます

☆トム・フェルトン（マルフォイ役）
https://youtu.be/lJ87dlnVKqs

第5章

プランデミックとグレートリセット

コロナウイルスやワクチンの本はヒカルランドなどからもたくさん出版されており、純粋な医学の話ならば、専門家でないフラットアーサーの私が書く本よりも専門家の医師の本を読む方が良いと思っております。

私の強みは**フラットアーサーであること**と、**英語の情報を世界中から収集できること**であると考えており、日本にはなかなか入ってこない海外情報を分析して日本語で紹介するのが私に与えられた役割だと思っています。ですのでこの章に書いてあることは日本ではほとんど知られていないものも多く、世界中で導入されたハードロックダウンや間もなくやってくるであろうグレートリセットで何が起きるかを予測する上では重要な情報となります。家族を守るために今後するべきことが明確になり、具体的な行動につながっていければよいと思いながら執筆しました。

身も蓋もない言い方をすると、ワクチンに反対だと言っている人でも、今の状況で「なんとかなるさぁ」くらいにしか思わず具体的な行動に移していない方は、「ワクチンを射たないとスーパーに入れません」「仕事につけません」くらいの状況になったら耐えきれずコロナワクチンを射ってしまうと思っております。日本人は特に情弱です。またこれは日本人だけの現象ではないとは言え、根拠なき楽観思考の人が多い印象です。この楽観性は、羊人間である私たちが生まれ持ったサガなのかもしれない。一人一人が根拠をもって行動することが必ず全体をより良い方向に導くと思っております。また、「その時は山の中でオフグリッドで住めばいい」とこれまた楽観的に言う人もいます。オフグリッドでの生活に関する本や動画、バスやバンを改装した動く家に住んでいる人の動画など、様々なものを拝見いたしましたが、完全にオフグリッドで生活できている人は一人もいません。YouTube用の動画を作るためのパソコンや通信設備、使用しなければならないわずかな電気を差し引いてもです。それだけ現代人にはオフグリッドが難しいということです。それこそ子供の頃からオフグリッドに近い生活をしてきた人でも難しく、いつ何時《なんどき》自然が猛威を振るうかはわかりません。

少し前まで沖縄の無人島に数十年間も住んでいた男性の方がいて、たくましく幸せそうに生きてはいたのですが、それでも月に一度、姉から1万円を送金してもらい、より大きな島で米などを購入していたそうです。また、（私がその方を知ることとなった理由でもありますが）勝手に取材にこられて、それがあちこちで放送されるようになって、詳しい経緯はわかりませんが、その後、無人島を行政に追い出されたそうです。

権力者が用意したグリッドから抜け出して生活するのは、それだけ難しく、それだけ予測不能にいろいろな事態に陥る可能性も高い。どうか軽々しく考えずに、自分の未来を切り開くために真剣に行動を考えていただけたらと思います。

また人間は集団で生きる生物です。先ほどの沖縄の方も仲間がいれば米をわざわざ近くの島に行って購入しなくて済んだのかもしれません。皆様もどうか同じ価値観や考え方を持つ方々とのコミュニティを大切にしてください。家畜が共存すること。それが生きるための最良の手段なのかもしれません。

フラットアースのせいでコロナ茶番は早く起きた

厳密にはフラットアースのせいというより、フラットアースに気づいた人が世界中であまりにも少なく、おそらくは今回のコロナプランデミックを仕掛けるにあたり、支配層に絶大な自信を与えた可能性が高いということ。2016年以前はかなりマイナーな位置づけにあったフラットアースですが、2016年に突如アメリカ人のマーク・サージェントが世界のフラットアース・ムーブメントを先導する形で瞬く間に広がっていきました。2016年から2017年にかけて〝Flat Earth〟のGoogleでの検索回数は数百倍増加したそうです。検閲がライフワークのGoogleが、意図的に拡散を許容していた可能性が高いでしょう。5年後の現在のフラットアースに対する検閲ぶりを見ると「フラットアース」をあえて放置していたようにしか思えません。

またマーク・サージェントやその右腕のパトリシア・スティールは、Netflixのモキュメンタリー（ドキュメンタリー風のフィクション）映画『ビハインド・ザ・カーブ』でも主演を張っており、オーストラリアのテレビCMに地球儀をひたすら叩く頭のおかしいフラットアーサーとして登場するなどしているため、工作員の可能性が高いです。同じ頃に台頭したエリック・デュベイに比べると異様なほどの高いメディア露出度合いです。少なくともメディアのパイプはたくさん持っているのでしょう。パトリシア・スティールの父親がレコード会社を経営していると『ビハインド・ザ・カーブ』でも言っていましたので、単純にその辺のつながりで映画に出演できただけなのかもしれません。

つまりこの数年で支配層はフラットアースというツールを使って、大衆の洗脳がどの程度成功しているのかを実験していたのではないか、と推測できます。

支配層は、数年間フラットアースを世間に仕掛けてみたものの、もしかしたら想定していたほどフラットアースが世界的に浸透しなかったのかもしれません。

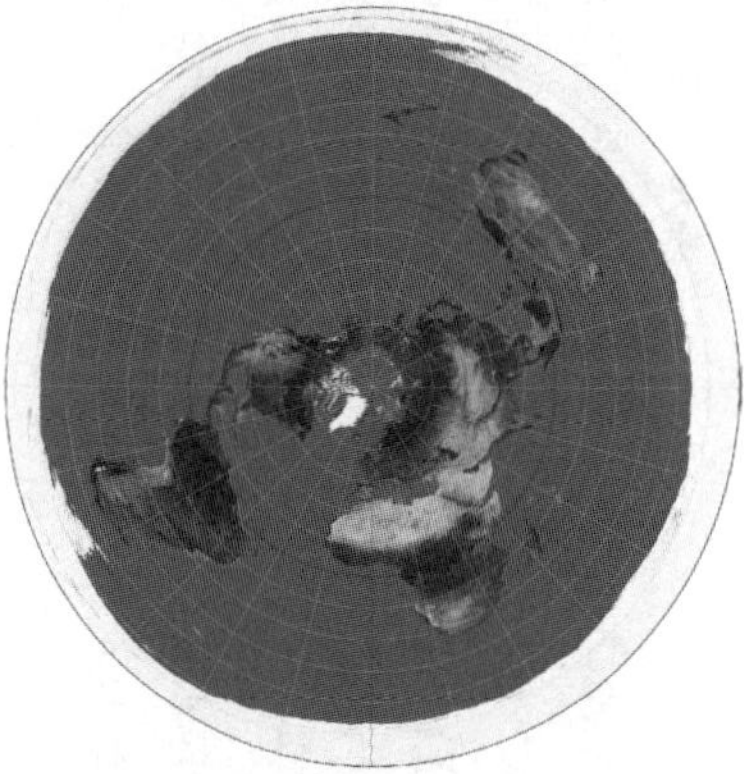
「フラットアース」で試していたのか⁉

そして支配層は家畜の洗脳が十分なレベルに達していると判断し、「コロナプランデミック」という地球が平らであること以上にわかりやすい茶番をこれから起こしてもきっと家畜を騙せるな、と確固たる自信を得た可能性があります。そして時は2020年。洗脳度合いをはかるという役割を果たし、もはや用済みのフラットアースのGoogle検閲を本格的に強くした上で、(本来ならばもう少し遅れてやる予定だったかもしれない)プランデミックを引き起こしました。または2020年というコロナ茶番を始めるマイルストーンはもともと予定されていたものの、各国のロックダウン開始や終了のタイミング、ハード/ソフトロックダウンの判断、ワクチンパスポート発表のタイミング、気候変動(詐欺)のあおりや国外への移動制限などを、当初の計画よりも速いペースで進めることにしたのかもしれません。

この仮説が本当であるならば、「フラットアース」は支配層が洗脳の指標に利用するほど「効果の高いリトマス試験紙」であるということが言えます。このために球体説を導入した側面もあるでしょう。

予測脳とリアクション脳

脅威の殺人ウイルスだ！
マスクしろ！　消毒を怠るな！
ソーシャルディスタンスを保て！
ワクチンを接種だ！

大衆がなぜここまでいとも簡単に洗脳されきってしまうのかを考えていました。毎日毎日ひたすらテレビでコロナニュースを垂れ流す**メディア＝洗脳行為**が徹底的であるのは間違いないですが、それでも一定数の人間は洗脳されずにコロナ茶番に気づき情報を発信している。テレビのわかりやすい洗脳行為以外にも何か特別な理由があるだろうと考えていました。個人個人の普段の思考回路が人間らしい**「予測脳」**であるか、獣と支配層に揶揄されても仕方がない**「リアクション脳」**であるかが、こういった洗脳が**解ける／解けない**、または**効く／効かない**の大きなポイントの一つではないかという結論に至りました。

予測脳と**リアクション脳**の違い。

「予測脳」は歴史や過去データを調べ、クリティカルシンキングを発揮してこれまでの傾向を洗い出し、論理的思考で様々な「点」と「点」をつなぎ、まだ起きていないけれど今後起きる可能性の高い出来事を予測しながら普段から生活している人。例えば海外の状況をたくさん調べ、日本でもこれらの事象が起きるかもしれないと想定して行動するような人。俯瞰的に支配層の計画を予測することができ、コロナウイルスの場合であればグレートリセットやトランスヒューマニズムまでの先の展開を想定して今から動いている人。

反対に「リアクション脳」というのは、物事が起きてから対処するタイプ。こういう人の特徴は、日常生活に影響のないものには無関心、海外の出来事は全て対岸の火事、何かが実際に起きるまで根拠のない楽観主義、目の前で実際に起きてはじめて信じたり、因果関係を見出すタイプの人間。皆様の周りにも多いのではないでしょうか？

こういうリアクション人間の思考回路を真相論に当てはめて考察すると以下の例がわかりやすいかなと思います。奴隷気質が染みついており、支配層の理想の

「生き物」である。

フラットアース

フラットアースのことを伝えると、「地球の形なんて平らだろうが球体だろうが生活に支障はない」という反応をよくされます。直接的に日常生活が変わらないこと以外には興味が全くないということがよくわかります。餌と寝られる場所、ドーパミンを出すための低俗なエンタメコンテンツさえあれば満足なのでしょう。支配層がなぜ、大地の形に関する壮大な嘘をつき続けているのか。そういった点にまで思考が一切及ばず、もはやペット犬のように「ご飯食べたい」「眠い」「散歩に行きたい」「交尾したい」「遊んで！ 遊んで！」だけで一日を過ごしている人が実に多い。

コロナウイルス茶番

コロナウイルスについては、マスクさえつけていれば日常生活がなんとか送れているため、未来に起きる可能性が高いことを訴えかけても、リアクション脳の人間は全くピンとこないのだろう。一生懸命訴える私に対して、まるでゾンビのような生気のないまなざしを向けてきます。

中長期的には健康を損なうと言われているマスクの長時間着用ですが、短期的にそれこそ熱中症か何かで倒れない限り、中長期のリスクは基本的に検討すらしないのであろう。コロナ茶番に気づいていても「ニュースであの政治家がどういうことを言った！」だとか、「今日マスクしていなかったら通行人に怒られた！」など、その日に起きたことにリアクションしているだけであり、グレートリセットやトランスヒューマニズムなどつゆ知らずだろう。この辺は本書でも既に触れている、支配層の最大の武器の一つである、漫画、アニメ、ニューエイジ思想などによる大衆の思考の退廃化がとても成功していると言えるでしょう。

ワクチン全般

リアクション脳は（今回のコロナワクチンに限らず）ワクチン全般についても、身の周りで誰かがアナフィラキシー症状などの明らかな因果関係のある重症状にならない限り、マスメディアや政治家、かかりつけの医師の「ワクチンは安全です」を信じて疑わない。自分への自信のなさからくる権威／インテリ・コンプレックスが垣間見れます。臨床試験の報告書など絶対に調べようともしないでしょう。リアクションしかできない思考回路により、自ら情弱を招いているということです。

ムーンショット計画

トランスヒューマニズムの大きなマイルストーンであるムーンショット計画も、2050年予定と遠い未来のため、ピンとこずムーンショットというネーミングがSF映画のワンシーンのようでカッコいいとしかならないのであろう。実際はNASAの宇宙探査やトランスヒューマニズムと密接に関わるネーミングではあります（アポロン＝太陽＝アポロ11号、アルテミス＝月。七夕のような男女の再開による新しい時代の幕開けを意味している）。

こうして、私たち「気づいている人たち」がいくら論理的にデータを見せながら説明しても、リアクション脳の日常生活に直接なんらかの甚大な影響がない限り、興味すらわかず、日頃の洗脳が打ち勝ち、「そんなことあり得るはずがない。陰謀論だ！」という結論に至る。多くの場合はなぜかキレ気味である。私たちがなかなか見捨てることができない、大切な家族や友人のリアクション脳は、真実を伝える前に、まずはゆっくりと予測脳のような思考回路に持っていかないといけません。とても手間がかかる洗脳解放の処置であり、並々ならぬ努力を持って臨むか、見切りをつけて最初から諦めるかの二択で進めた方が効率よいでしょう。一般的には、日頃の生活では予測脳を発揮しているが、まだ世の中の不都合な真実に気づいていない人を、真相論者へと叩き起こす方が簡単なのかもしれません。

UBI（ユニバーサルベーシックインカム）という罠

「ベーシックインカムが間もなく導入される。皆、一律のお金が貰える。我々はこれで救われた」

こんなふうに、いわゆる陰謀論者の中でもベーシックインカム（これをネサラゲサラと呼ぶ陰謀脳もいる）の導入をまるで素晴らしいことのように勘違いしている人を、SNSでチラホラといまだに見かけるので危機感を覚えています。何もしなくても国民全員にお金が入るよ、という表面的な聞こえの良さにしか反応していないのがありありとわかりますね。仕組みや動機やそのお金はどこから支払われるのかをあまり考えていない。つまりベーシックインカム（ネサラゲサラ）を喜んでいるような陰謀論者の情報は参考にしないのが賢明。

パンデミックにより、世界的な景気悪化による大量リストラが起きています。日本だと2020年は個人に10万円、事業には100万円の給付金を配るベーシックインカムの予行練習が実施されました。イギリスやアメリカでも大盤振る舞いです。支配層による、政府が国民にお金（収入）を支給する、という行為に味をしめてもらうための予測プログラミングであるとも言えます。よく考えると、政府がやっていることは共産主義と変わらないのですが、「ベーシックインカム」という英語（いわゆる横文字）に置き換えることで、共産主義を連想させるような「お堅い」感じが減り、ただただリアクションして生きている飼い慣らされたペットのような大衆は、ベーシックインカムと共産主義を連想するようなことは決してない。

ベーシックインカムが良いものだと思っている方に言いたいのは、ベーシックインカムを受け取って生活するということは、今まであった生活保障が基本的に全て消えるということであり、ベーシックインカムの資金を捻出するために税金も大幅に上がるということである。ほとんどの人は仕事をＡＩに取って代わられ、たとえ取って代わられなくても税金で給料のほとんどを持っていかれるということ。仕事を辞めて、収入がベーシックインカムのみの生活になっていきます。

そこまでいくと、あとはもうベーシックインカムという「給料」をくれる政府に忠誠を誓うことしかできない立場になります。最初は無条件でベーシックインカムを支給してくれるかもしれません。でも一旦この甘い誘惑で釣れた羊には、間違いなく時間とともに様々に条件をつけてくるでしょう。ワクチンを接種してください、マイクロチップを体内に入れてください、政府やマスメディアの意向や意見と異なる投稿をＳＮＳで一切しないでください。何でも言ってくるでしょう。ベーシックインカムなしじゃ生きられない家畜相手だから、支配層はまるで神であるかのようにいろいろと命令をしてくるでしょう。ベーシックインカムを受け取る家畜には交渉材料など何も存在しない＝政府様の言うことを聞くか、逆らって道端で野垂れ死ぬか……。政府（とその背後の支配層）はそんなことおかまいなしです。またベーシックインカムは生活をしていくギリギリの金額に設定されるであろうため、金銭的負担が増える子供を持とうとする夫婦がさらに激減するでしょう。人口削減達成というわけです。

ベーシックインカム生活の家畜が政府に逆らうものなら、グレートリセット時に導入され、現在の国家発行の通貨に取って代わる中央銀行直轄のデジタル通貨（ＣＢＤＣ）すら使わせてもらえない状態に陥る可能性があります。支配層はボタン一つで逆らった者の預金残高をゼロにしたり、預金口座を凍結することでお金が全く使えない状態に簡単にできます。また近い未来に普遍的に投入される自動運転の電気自動車。政府に逆らう者が乗っている電気自動車を（５Ｇを使って）遠隔操作し、そのまま自動車を隔離施設や警察署に「自動」連行することができるようになります。自動車を勝手に操作し、ブレーキを利かなくして事故を起こさせ、乗っている者を犯罪者に仕立て上げることもできるでしょう。誤作動による事故に見せかけて殺すことも可能ですね。全ては支配層による家畜のコントロールをさらに確固たるものとするために導入されています。コロナウイルスという一大茶番を世界中で仕掛けてでも手に入れたい状態であるのが理解できますね。

私たちの未来は、本当に『１９８４』の世界観そのものである。読者もあと何年今の仕事が継続できるでしょうか。不景気とＡＩで仕事がなくならないことを強く願っています。支配層は現在、意図的に失業者を増やすことでベーシックインカムのニーズを創出しています。失業者は、明日は我が身ですから喜んで受け取るでしょう。私たちも、うかうかしていられません。

「グレートリセット計画」は過熱してきている

コロナウイルスの**パンデミック↓ロックダウン↓経済悪化↓グレートリセット↓デジタル通貨とベーシックインカムによるＡＩ超管理社会↓トランスヒューマニズム**。そんな未来が計画されているわけですが、メディアの予測プログラミングがかなり過熱しています。

プロパガンダを主導するのは「世界経済フォーラム」と会長のクラウス・シュワブ。「世界経済フォーラム」のホームページには、COVID－19後のニューノーマル／グレートリセット／第４の産業革命のことが堂々と詳細に記載されています。実際にはロックダウンや海外渡航制限などの締め付けを行うことで、経済を悪化させ、超富裕層への富のさらなる集中を仕掛けているわけですが、『１９８４』のダブルスピークさながらにホームページの記載ではポジティブにスピンされています。英国のボリス・ジョンソン首相が同国のグレートリセットが迫っていることを発表していますし、チャールズ皇太子はグレートリセットのプロジェクトについていろいろと明かしています。各国の首脳がグレートリセットのスローガンである「Build Back Better」※をスピーチに軒並み使っています。ロックダウンで収入を失った人の不動産などの資産を国や支配層お抱えのメガバンクが安く買い取るか、借金を肩代わりする条件で譲り受ける。その代わりに資産を失う国民にベーシックインカムを毎月支払うといった共産主義色の強い計画であることが予想されます。

最初はほぼ無条件で提供していたベーシックインカムも、気がつけばワクチン接種やマイクロチップ（またはそれに準ずるもの）、SNSでの政府の批判禁止などの条件がつくようになるでしょう。ベーシックインカムが当たり前の世界になってしまったら、私たち家畜は人生が詰むと思って差し支えないだろう。一生政府の奴隷です。これが今回のコロナウイルス茶番の一番の目的と言っても過言ではありません。今後数年で世界は劇的に変わります。


「世界経済フォーラム」ホームページのグレートリセット　https://www.weforum.org/great-reset
※「Build Back Better（ビルド・バック・ベター）」。日本語訳は「よりよい復興を」。ただ単に元に戻るのではなく「よりよく戻る」という聞こえの良いポジティブな表現を使ったグレートリセットに向けたスローガン。

本当に間もなくやってくるディストピア

２０２０年にローンチされた、デンマークのワクチン接種ステータスをスマートフォンで管理するアプリ「Stay Safe（みんな安全にね）」のＣＭ動画。これを観た私は朝からクラクラしました。予測プログラミングはおおむね実際の計画よりも悪い想定の未来を描くことが多いですが、それを考慮しても想像していた近未来を少し超えるレベルです。ＣＭは動画の途中から流れます。もうすぐやってくるであろう最初の段階でこのレベルですからねぇ、かなりきつい状態が今後予想されるということです。

『HOW The Health Passport WILL WORK（「ヘルスパスポート」の仕組み）』
https://www.youtube.com/watch?v=TXn＿fJ2wn4E

動画の内容を以下に要約します。

◎ＱＲコードのアプリで指定のワクチンが接種済みであるかすぐにわかるようになっていて、この情報はとある中央機関が管理（医療情報を全てそこに管理されるということです）。
◎職場、学校、祖母主催のレンタルスペースでの孫の誕生日パーティーの会場まで、アプリを入り口に設置された装置にかざして接種済みであることを毎回証明しなければならない。
◎ワクチン非接種者は、どこに行くにしても24～48時間以内のテストで陰性の証明を強制させられる。これは普通の生活をするのに実質毎日テストをしないといけないということを示しています（鼻奥に棒を突っ込む激痛を伴うＰＣＲ検査であるならば、塩で舌全体を歯ブラシで毎日5分間ほど磨きましょう）。
◎非接種者は、海外に行く際に様々な移動制限を引き続き受ける。観光目的の海外旅行はもう諦めた方がよさそうな勢いです。
◎スポーツイベントでは、ワクチン接種者は普通の席、感染テストを受けて陰性反応が出た人は1ｍのソーシャルディスタンスを導入した席、ワクチンもテストもしていない人は3ｍ間隔で離れた席からの観戦をさせられます。医療アパルトヘイトですね。
◎非接種者を集めた居住エリアでは、インターネット接続がとても悪く、まるでスラム街のようである。この地域でワクチンパスポートアプリを使用するのであれば、最後のアップロード以外は基本的にオフラインでやらないといけないレベルの接続の悪さ。もちろん有線です。Ｗｉ－Ｆｉはありません。スピードは月額のパケットが切れたスマートフォンのネット接続のレベルくらいの感覚です。

世界と手を取り合う日本もいずれ同じような道を進んでいくでしょう。先にいろいろと覚悟した方がよいでしょう。そして悲しいことかな、世の羊たちはこういうアプリを見ても「ハイテクでカッコいい」「私って政府に守られてるー」「非接種者はワクチンをすればいいじゃん！」というバイオロボット的な思考回路であるため、こういうテクノロジーは抵抗も少なく導入されやすい傾向にあります。

「UK Fire」という未来が丸わかりなレポート

シンクタンクの主な役割とは、権力に取りつかれた**支配層の計画を現実世界で実際に遂行できる方法に落とし込んでいくこと**。間もなくマスメディアのフィーバーが最高潮に達するであろう「気候変動／Climate Change」。支配層がこの嘘をどう利用していきたいかを、数十年先まで具体的に記載している英国政府がスポンサーのシンクタンク「UK Fire」のレポートを発見しました。その名も「アブソリュート・ゼロ」。フラットアーサーにはもはやお馴染みの絶対零度という意味ではなく、完全なるゼロ（無）というニュアンスが含まれています。全ては必ずしも支配層の予定通りにはいかないかもしれませんが、このレポートに支配層の今後20～30年の計画の青写真がとてもわかりやすく掲載されています。

『Absolute Zero』
https://www.repository.cam.ac.uk/handle/1810/299414

様々なカテゴリーにおいて、生活に絶大なる不利益をもたらす施策がてんこ盛りです。今のうちから貧困に意識的に慣れていった方がよいとさえ思うくらいに……。全ては「地球環境を救うためっ！」という大義名分の下、強制的に我々に様々な制約が降りかかる予定です。本レポートでは、２０２９年までの中期的な計画と、２０４９年までの長期的な計画に分かれています。

以下に重要な部分を抜き取って少し解説させていただきます。

1）自動車

本書のこの後（372ページ）にも登場するトピックであるグレートリセットと電気自動車。各国の法律でもだいたい2030〜2035年には内燃機関の新車の販売を禁止するものが既に発表されています。日本も例外ではありません。

2）鉄道

コロナパンデミックによるロックダウンで移動制限があるにもかかわらず、日本の中央新幹線を含む各国の高速鉄道の急ピッチな建設が進められている謎が解けました。鉄道が二酸化炭素を排出する船やトラックの代わりに貨物のメイン手段に躍り出るからです。日本では既に近鉄が特急列車に貨物を乗せはじめています。余談ですが、2020年初頭にアメリカやオーストラリアで「発生」した森林火災も建設予定の高速鉄道の予定マップに綺麗に沿っていますね。

3）飛行機

イギリスならロンドンのヒースロー、スコットランドのグラズゴー、北アイルランドのベルファストの三つの空港以外は2029年までには全ての商業旅客空港を閉鎖するシナリオ。そして2049年までに閉鎖する。プライベートジェットや政府関係者向けのチャーター機でないと飛んですらくれなくなるレベル。一般向けの旅客機がたとえまだ飛んでいるとしてもチケットの価格が高すぎて一般人ではなかなか乗れなくなるでしょう。庶民が海外旅行に行くのが相当難しくなります。「VRで旅行をお楽しみください」というわけです。私は母国イギリスには二度と帰れないと腹をくくりました。自分が個人的にお気に入りの札幌の丘珠空港という弱小空港は間もなく潰れそうな勢いですね。

4）肉類

以前から言っていたように、牛肉や羊肉などの「赤肉」がほとんど売られないレベルになります。代わりにラボ肉、ビーガン肉、虫肉などがどんどん一般のスーパーに入ってくるでしょう。虫の加工食品は既に出回り始めており、また日本でも「虫フェス」なるお祭りが開催されています。アメリカで一番牧場を持っている人物は今回のパンデミックの主役の一人、ビル・

ゲイツであることからも赤肉の廃止には支配層が今後かなり力を入れてくることがわかります。大義名分としては、牛の屁が二酸化炭素を生み出しすぎる＝地球温暖化を阻止するために牛を徐々に減らす（大量虐殺）。または感染症をでっち上げて牛を殺戮していくのかもしれません。

5）工業製品

庶民は物をとにかく長く大切に使う、という風潮がますます加速。鋼の量を半分にしたペラペラの商品やプラスチックとの混合商品の存在感が増すでしょう。しかもリサイクルされた鋼を使うやや粗悪な製品でしょう。工業製品は今より不足し、リサイクル材が顕著になり、ゼロから物が新たにあまり作られない世の中になっていきます。品質の低下と絶対的な物の量の減少、価格の高騰は覚悟しましょう。

6）電力

ビルのヒーターからその辺の日用品まで、電化がさらに進みます。そして並行して化石燃料の使用が大幅に減り、再生可能エネルギーが普遍的になっていきます。勘のよい方ならもう気づくと思いますが、電力が絶対的に足らなくなります。最近やられているダーク・ウィンター（意図的な突然の地域的パワーカット）も「電気の足りない時代」に慣らすための支配層の予測プログラミング的要素が強いでしょう。

ワクチン接種者／非接種者関係なく、家畜階級にはこれだけのディストピアが待ち受けていますと「UK Fire」は言いたいのでしょう。ワクチン非接種者は電気すら与えてもらえないかもしれません。楽観的にならず、偶像の救世主を求めて現実逃避せず、覚悟を持って生きていきましょう。

コロナはカルト宗教化している

中央銀行直轄の新デジタル通貨の制定など、極めて実利的な理由も多分に含まれている一連のコロナ騒動ですが、こちらではより精神的な影響を考察していきます。マスク着用、手洗いアルコールや消毒、6フィート（約2ｍ）のソーシャルディスタンスも全てオカルト儀式のために欠かせない行為であることを説明させていただきます。コロナウイルスに関する様々なデ

政府にロックダウンなどで虐げられてもひたすら耐える羊は一種のストックホルム症候群である

自ら崖を飛び降りていることにも気づかない羊

ータは、少し調べれば簡単に見つけることができます。本書の読者ならば既に調べている人がほとんどでしょう。支配層はなぜデータそのものをでっち上げないのか？

　例えばイギリス政府のホームページにはCOVID−19は高い感染力を持つウイルスではありませんと普通に書いてあります。支配層がこうも堂々と自分たちの不正を簡単にわかる場所に放置している理由の一つとして、私たちの洗脳具合いを確認しているということが挙げられます。つまり、こんな簡単なことを調べもしないコロナ脳の大衆への一種の挑戦であり、「こんなこともわからない家畜は、間引きされても仕方がない」という頭脳を試される一種の儀式である側面が垣間見られます。**調べない＝支配層が用意したことへの潜在的な同意である**、とみなされるということです。データを調べずメディアや政府を鵜呑みにするということは、彼らの間引き行為との**「契約の成立」**を意味するということです。

　支配層は何のために儀式をしているのか？　キリスト教ふうに言うと、我々が**「人間（調べる家畜）」**か**「獣（調べず与えられた情報を鵜呑みにする家畜）」**であるかを判別している。そしてそんな彼らの儀式にふさわしく、マスク、手洗いやアルコール消毒、ソーシャルディスタンシングには儀式的な役割が与えられています。

1）コロナ教においてマスクは御守りである

マスクは古代から近代まで奴隷がさせられていた装備品であり、今回のマスク半強制は私たちが奴隷であることを無意識に再度刷り込む目的があります。少しオカルト的な解釈を含めますと、マスクをさせられる行為は、私たち神の子は本来正しい行いの伝道師という役割があるが、マスクをすることでこの役割を放棄し、新しいオーナーである支配層に忠誠を誓っている状態にあるということです。支配層という御守りを自ら進んで装着するというカルト的行為であると言えます。

2）手洗い／アルコール消毒は過去を洗い流す行為

あちらこちらでの過度のアルコール消毒により、手から常在菌を取り去ることで病気になりやすい状態になってもらうという物理的な理由とともに、精神的には手洗いを毎日至る所ですることで、過去の（ある程度自由の身だった）自分を洗い流すという意味が込められています。家畜が支配層の完全なる所有物として新しいスタートを切りますよということを示す行為であり、宗教的には一種の洗礼であると言える。

3）ソーシャルディスタンシング

日本でのソーシャルディスタンスは基本的に2mですが、多くの国では、同じくらいの距離である6フィートが採用されています。支配層はかなり聖書を意識しているところがあり、6という数字を使うことで、ヨハネの黙示録の獣の刻印（666）を連想させている部分があります。つまり体に直接「刻印」を押していなくても、6フィートのソーシャルディスタンスという、一種の精神的な同意を得ることで刻印は既に成立していると主張したいのでしょう。私たちの体内にマイクロチップ（または相当するバイオメトリックス）を強制的に注入する行為は、ヨハネの黙示録の獣に騙されて同意して自ら刻印を押される、という記述とは合わないと思っていたのでこちらの「刻印」がある意味しっくりきます。

世の中の家畜は、法律に反しているわけではないのに自ら積極的にこれらの行為をしている時点で、支配層との契約が精神的には既に成立しています。私たちがマスク族にいくらコロナが茶番であるとデータで説得しようと、ほとんど聞き入れてもらえない理由が少しは理解できましたでしょうか。コロナウイルスは既にカルト宗教化しているということです。

グレタというインチキ

「温暖化から地球を救え」というモットーを掲げて、メディアで何かと話題の「少女」グレタ・トゥーンベリ。最近また露出が増えているグレタですが、それもそのはず、気候変動は今後ますます（メディアの中だけで）加速し、その内パンデミック・ロックダウンならぬ二酸化炭素ロックダウンも起こされる可能性が高いです。世界経済フォーラムのホームページを読めば、この辺の計画が堂々と（より聞こえの良い形で）掲載されていますのでよかったらご一読ください。グレタの主な支持母体（＝環境利権にすがるスポンサー）は、スウェーデンの「We don't have time」という地球温暖化のプロパガンダ組織になります。

「We Don't Have Time」ホームページ

https://www.wedonthavetime.org/about-us

CEOであるRentz Hog（レンツホグ）のLinkedinページ

https://www.linkedin.com/in/rentzhog/

この組織の環境目標という名のビジネスモデルは「二酸化炭素排出量減少を証明する認定証」の発行になります。世界各地で二酸化炭素税が導入されれば、企業がこぞって認証をこの組織に依頼するようになるというぼろ儲けの仕組みのポスターチャイルドに選ばれたのがグレタ。

組織の役員は著名な投資家やバンカー、決済サービスMaestroの社長、マイクロソフトの元社員数名、そして地球温暖化のパイオニアである元アメリカ副大統領のアル・ゴアが名を連ねています。極めつきは、同組織の相談役を務める科学者David J Phillips（デビッド・J・フィリップス）。

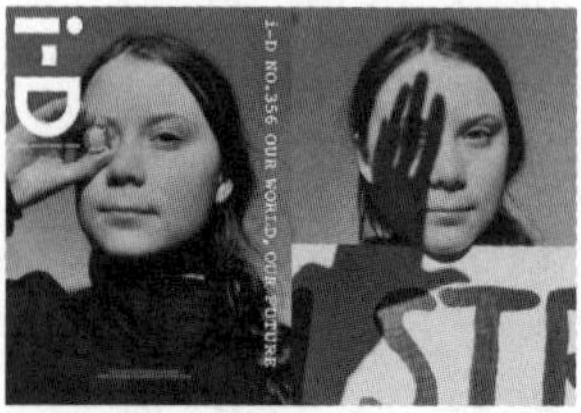

片目サインを披露するグレタ

ジョージ・ソロスとのツーショット

David J Phillips のホームページ
https://www.davidjpphillips.com/

フィリップスいわく、聞き手の脳に快感を与える物質のドーパミンおよびエンパシーを感じるために必要物質であるオキシトニンを分泌させることができるスピーチ技術を編み出したとのこと。世界中のナイーブな羊人間を虜《とりこ》にするグレタも、このスピーチ技術を習得するためのトレーニングを受けているのかもしれません。

　世界の二酸化炭素排出の96％は自然に発生しています。森林の存続に欠かせない物質になります。二酸化炭素が足りなくなると森林が枯れてしまい、むしろ地表の温度が上がる仕組みなのですが、グレタの術中にハマっている羊はそんな矛盾には気づかない。ただただグレタに感情移入する。

　また温度の上昇に起因する最大の要素は二酸化炭素ではなく、圧倒的に水蒸気です。

＊より詳細はこちらから
『Climate Viewer News』http://climateviewer.com
『Weather Modification History』
http://www.weathermodificationhistory.com

祝・地球温暖化復活します！

「地球温暖化という設定を思い出し、また活動し始めます！」……という冗談はおいておいて、実際は世界経済フォーラムを筆頭とした支配層側の組織やメディアの温暖化に関する煽りがまた加速していきます。私のように朝から晩まで毎日真相論を調べているような人間に言わせると、コロナウイルスを防ぐために不可欠とされているマスクですら、二酸化炭素税（＝ある意味、人間の息税）を導入するにあたっての予測プログラミングのように見えてきます。グレタをはじめとする支配層は「この美しい惑星のために！」と家畜に罪悪感を植え付けながら、腐敗しきったマスメディアを全面的に動員し、我々の生活に制限をかけてくるでしょう。

◆ガソリンが地球温暖化につながる↓ガソリン車がどんどん買えなくなる↓5Gで管理できる自動運転電気自動車

◆化石燃料での発電が地球温暖化につながる↓再生可能エネルギー中心の省エネ政策で電気が足りず時間帯によっては電力ダウン

◆二酸化炭素を吐く人間が移動すると地球温暖化につながる↓移動の制限↓庶民が海外旅行に行きづらくなる↓国内も移動手段が大幅に縮小↓田舎によっては特別指定区域認定やインフラの崩壊、ガソリンなどの生活必需品の価格高騰などにより、一般人がほとんど住めないようになる

◆畜産が地球温暖化につながる↓肉は庶民が買えないものに↓虫肉や大豆肉などの代替肉中心の生活

他にも様々な制限が課せられるでしょう。気候変動と二酸化炭素の排出規制こそ、支配層が取り入れたいグレートリセットのための口実でしかありません。そして大衆は、聞こえの良い言葉に引っ掛かる。「グレタちゃーん、本当にその通り、うんうん」とテレビに釘づけ。思考停止である。余談ですが、人間の様々な活動によって排出された二酸化炭素が地球温暖化に貢献している証拠は存在しません。全て約100〜150年前より地球の温度が上昇しているという適当な根拠のもとに言っているだけです。1000年単位のより長いスパンで見ると、むしろ温度は下がっています。

地球温暖化の喧伝が活発に

最悪に備え、最高を願え

Prepare for the worst, hope for the best

イギリスでもたまに言われる諺《ことわざ》。クリティカルシンキングがある程度発達しているから出る発想。ただし現実的な解釈である必要はある、という条件付きです。例えば「オレンジ色のユニコーンが緑色のバズーカを抱えながら宇宙からロケットとともに舞い降りて、支配層を選択的に一網打尽にやっつけてくれる」という非現実的な希望を持つことは、当然ただの現実逃避でアウトですね。最悪と最高の未来を両方想定しつつ、本命はその中間点の解釈とするとバランスのよい思考回路になれるのかなと思います。現状で言えば、私ならばこういう解釈です。私が行動をする時の指標にも使っています。参考にだけしてください。

6段階くらいで考えるとこうなる。

最後のは正直非現実スレスレな感じですが、最高の希望の話ではあるので残します。

最悪の想定↓希望 の順になります。

ワクチンパスポートがないと何もできず、射つか餓死するか。

↓

自宅から仕事、宅配スーパーのサービスを受けるくらいはできるが、基本的には自宅監禁状態。子供がワクチンを射っていないのは虐待行為であるとされ、子供を政府に奪い去られる。

↓

右記に近い状態だが、子供はかろうじてホームスクーリングで対応させてもらえる。スラム街のようなところに引っ越しをさせられ、インターネット接続は最悪。

↓

もともとの自宅に住まわせてもらえるが、食品や薬品などの生活必需品や、隣町に一軒だけある非接種者用の〇〇ショップで買い物できる（2021年のオーストラリアに近い状態）。

↓

海外旅行や劇場、映画館、スタジアムなどの娯楽施設には行けないが、あとは比較的自由に移動できる。非接種者では就けない仕事も結構ある。
←
家畜の反発が思いのほか強かったため、コロナプランデミック前の2019年に近い状態に戻る。自発的にマスクをする人がチラホラいるくらい。

何はともあれ準備万端であることが一番重要です。缶詰や保存水などの備蓄は、最高の希望（オールドノーマル）が叶えば、最悪を想定して買い貯めていた缶詰をそのまま食べればいいだけのことです。とりあえず皆様も思考をこういうふうに整理してクリアにして、今後の行動に活かしてみてはいかがでしょうか？　最悪と最高の両脇を固めることで本質が見えることもあります。

対局の支配学師弟とグレートリセット

この世界で最も有名なディストピア小説の著者といえば、『すばらしい新世界（Brave New World）』のオルダス・ハクスリと『1984』のジョージ・オーウェル。ハクスリがオーウェルのメンターだったというのは知る人が少ないかもしれません。そんな交友関係にあった二人ですが、小説で二人が描くディストピアは、対局にある支配の方法を取り入れており非常に興味深いです。現代のグレートリセットもこの二つの手法から巧妙に仕掛けられており、二人の描く世界を足して2で割ったような世界が今後形成され、二人が提唱する支配の方法が両方ともバランスよく取り入れられていくだろうことは容易に想像できます。

オルダス・ハクスリ

ジョージ・オーウェル

具体的に言うと、オーウェルが描く『1984』などに見られる支配の方法は、わかりやすく**恐怖で支配する**こと。サーカスの動物を鞭で打って言うことを聞かせるかのような方法になります。恐怖、脅迫、あからさまな嘘、移動制限、監視社会など、支配層は家畜を支配している事実をわかりやすく知らしめる、まさに**「鞭」**型の統治方法になります。コロナ茶番やグレートリセットに関わるものだと、ロックダウンにおける移動制限や事業の閉鎖を促す罰金などによる締め付けがこれにあたります。反対にハクスリが唱える世界観はかなり狡猾で、数々の制限や新法の導入を聞こえ良く発表し、羊たちが自ら進んで、**自らの意思でそれを選択していると錯覚させる高度な管理方法**。まさに飴と鞭の**「飴」**のようなやり方。ワクチンの供給やマスク着用義務、菌を染さないためのソーシャルディスタンシングなどがこれにあたります。

支配層は**「飴と鞭」**を巧みに織り交ぜて、家畜たちを精神的に徐々に追い詰めて判断能力を鈍らせ、また何を信じてよいかわからない疑心暗鬼に陥れることでコントロール／管理しやすい状態にもっていくという戦略である。このような高度な心理戦は、何も疑わずマスメディアを鵜呑みにするようないわゆる羊人間がコロッと騙される。心理戦のエキスパートたちに用意された、複雑なシナリオに落ちてどんどん洗脳されていくのはほとんど必然と言っても過言ではありません。

もう一つ面白いのが、イギリスのロックダウンに反対していた政治家デズモンド・スウェイン議員など、支配層が用意した対立軸の駒はオーウェル型の行為にしか言及しないということ。ハクスリ型の支配方法に則っているワクチン接種やマスクの着用には基本的に言及しない。ロックダウンの長期化などを非難する一方、むしろ自分のワクチン接種をSNSで自慢するかのように投稿しファンに接種の呼びかけをしたり、演説の際にマスクをつける。ハクスリ型の支配では、大衆に「飴」が実は聞こえの良い言葉で包んだ「鞭」であると決してバレてはならない。バレたら洗脳が解け、支配が成立しなくなる。このハクスリ型の「飴」を批判しているかいないかが、その人物が支配層の駒かそうでないかを見極める時の指標に使えますので便利です。

『オペレーション・ロックステップ』という10年前の計画書

2010年、ロックフェラー家により、『ロックフェラー・プレイブック（オペレーション・ロックステップ)』なるものが出版された。日本だと情報は基本的に皆無。憲法違反まるだしの計画が掲載されていますが、そんなのはおかまいなしです。大衆は憲法違反であることもつゆ知らず、今みたいに現実逃避をし続け、本質的に何が起こっているかを相変わらず理解しないまま、ただただ支配層に踏みにじられる。

具体的に何が記載されているかというと、パンデミックを加速させて「**マーシャルロー／戒厳令**(英米法上の国家緊急権に関する法。侵略あるいは内乱などの国家非常事態において、秩序や公安を維持または回復するために、軍隊に人身保護令状の停止、軍事法廷の設置など、必要な措置をとることを認める非常法である。大陸法における合囲状態や戒厳に相当する。軍隊が町中をうろついていろいろと好き勝手をしても文句を言えないようになる法律)」を発動させ、国民全員への**ワクチンの強制接種までもっていく計画書**である。

読み込んでいくと用意周到であり、悪意たっぷりで本気度が伝わるし、デンマークみたいに大勢の国民が国会議事堂前に集まりフライパンや鍋を2週間くらい叩き続けても覆らない決意がうかがえます。

日本ではデンマークで起きたようなことをする気概のある国民はどのみち大勢いないだろうけど……。むしろ完全なるコロナ脳となった羊ゾンビ人間たちが、過激なコロナ見回り隊としてデモすらさせてくれないのではないかとさえ思います。ワクチン非接種者が無理やり注射をされ、半身不随などになってしまうケースも出てきてしまいそうです。警察や自衛隊も洗脳ができあがっており、一般国民と警察の分断を煽ることで、「一般人にどんどん殺人ワクチンを射ち込む」という行為をさせても、大して罪悪感が出

オペレーション・ロックステップは10年前にコロナパンデミックを想定していた

デイヴィッド・ロックフェラー(1915-2017年)

ないレベルにまで徐々に上がってきたようにも見受けられます。かなりの心理状態にもっていかないと無理やり家に押し込んで注射をする行為はできないですしね。

2010年のオペレーション・ロックステップでは、(近い未来に起こされると想定された)パンデミックを三つのフェーズに要約しています。日本は2020年が第1フェーズ、2022年が第2フェーズくらいのスピード感でしょうか。とにかく現在のコロナパンデミックと瓜二つのシミュレーションとなっています。

フェーズ1：メディアが煽り恐怖とヒステリーを生む。死亡原因をなんでもコロナウイルスのせいにして、死者を水増しする。自宅軟禁状態のロックダウンをはじめとした極めて厳しい対応を導入し、抗議活動も警察に鎮圧させる。

フェーズ2：マスクのつけすぎで免疫力が低下したところに5Gを利用した電波を放射し、なんらかの症状がある人間を一気に増やす。全てコロナウイルスのせいにし、「正当性がまだ確立されていない」ワクチンの接種を正当化する。世論がワクチン実質強制に傾く。ワクチンをまだ接種していない人だけに課せられるロックダウンが導入される。日常生活において、非接種者には様々な制約が課せられる。

フェーズ3：まだ多くの人がワクチン接種を拒んでいる場合には、コロナウイルスよりもかなり強力なSARS/HIV/MERS系のウイルスを新たに放ち、結果さらに多くの人が死ぬ。病人やお年寄りなどはここで確実に淘汰される。接種者対非接種者の分断が煽られる=内乱のような状態になる(羊人間による非接種者狩りがここで起きる想定なのかもしれません)。

このような恐ろしい具体的な計画が少なくとも10年前からありました。少なくともフェーズ1は既に達成されていますので、この計画書を参考にして、長期的な目線を持って各々ができるだけ今後の対策を練る必要があります。そして一人一人が効果的に行動することが条件です。ボーッとネットを見て、トランプや山本太郎などの有名人を救世主にまつり上げて現実逃避していたら自滅です。ベネズエラのように食糧として普通に虫を食べる、超管理社会になっていくだけです。

ウイルスエピデミックを想定したニューヨークで開催された**「イベント201」**のメインスポンサーだった**世界経済フォーラム**会長の**クラウス・シュワブ**が唱える**グレートリセット**ですが、原型は1970年に同氏が書いた書籍にて提唱されている**「ステークホルダー資本主義」**になります。つまり今回のグレートリセットのひな形は「グローバリスト」たちにより、**少なくとも50年前から計画されていた**ということ。また1992年に制定された**「アジェンダ21」**が、2015年に**「2030アジェンダ」**としてより具体的な内容になっていきます。

支配層はラジオやテレビを通してずっと退廃しきった娯楽コンテンツを提供し、家畜に「生命の陳腐化」と「政府／学校の擬似親化」を進めました。これにより、特に今の若年層の家畜は、テレビに出ている政府と医者が善人であるという印象洗脳を受けています（団塊世代くらいの年代になると逆に政府に恐怖を覚えるため、結局ではありますが、言うことを聞く傾向にあります）。ロックダウンで老人が老人ホームで孤独死しようが個人事業者や小規模ビジネスが潰れようが、政府が「ウイルス危ない！　パンデミックだ！」と言っているのだから致し方がない、と潜在的に思ってしまっている節さえあります。完全なる洗脳による、人間らしさを失った催眠状態にあるようです。ある意味支配層はよく羊たちをここまで手懐けましたよ、本当に。

参照記事：
『2010：Rockefeller's 'Operation Lockstep' Predicted 2020 'Lockdown'（2010年ロックフェラーの「ロックステップ作戦」は2020年の「ロックダウン」を予言していた）』
https://principia-scientific.com/2010-rockefellers-operation-lockstep-predicted-2020-lockdown/
『OPERATION LOCK-STEP - The Sinister Agenda behind Covid-19（オペレーション・ロックステップCOVID－19の裏に隠された邪悪な意図）』
https://behind-the-news.com/operation-lock-step-the-sinister-agenda-behind-covid-19/
『Operation Lockstep - Rockefeller Plan for Martial Law Lockdown - A Totalitarian World Government: Written in 2010［PDF］COVID PANDEMIC NEW WORLD

ORDER（ロックステップ作戦―ロックフェラーによる戒厳令ロックダウン計画―全体主義的世界政府。2010年に書かれた［PDF］コロナパンデミック新世界秩序）』
https://lissahumanelife.wordpress.com/2020/06/06/operation-lockstep-rockefeller-plan-for-martial-law-written-in-2010/

我々の現状と未来への瀬戸際

そうは思えないというのも理解できますが、我々はまだ今の崖っぷちの状況をある程度ひっくり返せます。ただし黙っているだけでは何も成し遂げられません。引き続き一分一秒を大切にしながら行動していきましょう。Qアノンなどの支配層に用意されたコンテンツを鵜呑みにして救世主に望みを託してぼけっとしている場合ではありません。そのコンテンツの安心感は幻です。アメリカの大統領にヒーローなどいません。フラットアースに気づけた読者ならば、その事実にも早く気づいてください。あなた自身と家族の命と人類（家畜）の尊厳がかかっていますので、悔いのないようにどんどん情報発信してください。**「真相に気づいている人を増やす。情報発信者を増やす」**――これ以外で支配層の計画を覆す策は私たちにはありません。

クラウス・シュワブ

コロナ茶番で日本よりも一足先に大惨事になったイギリスとアイルランドの現状から、今後の世界および日本で何が起きるかを予測してみましたので、啓蒙活動のご参考にしていただけたらと思います。公式データや世界経済フォーラムなどの組織の発表を元に分析していますので陰謀論では片づけられません。

1）個人所有のない時代へ（You will own nothing and be happy）

全てのものは政府または委託先のグローバル企業のもので、家畜は何も所有せず、全てレンタルする生活が当たり前になる。つまり毎月の支払いに縛り付けられている状態である。永遠に抜けることができない、無限の奴隷ループ生活になります。

例えば自家用車。気候変動を理由に締め付けを厳しくする支配層の計画ともリンクするのですが、ガソリン税の大幅な増税であったり二酸化炭素排出税や移動税なる新税を導入して、庶民が自家用車を経済的な理由から所有できないようにします。自宅も固定資産税の大幅な値上げや、スマートメーターを使用しない家にのみかかる環境税、自宅の部屋数によって変動する所有税のようなものが導入されるでしょう。そのうち日々の食事も政府から支給され、**ありとあらゆるものを常に借りる状態**にさせられます。ネオ共産主義ではあるのですが、メディアが綺麗ごとを言い、良いものとして紹介さえすれば羊たちは喜んで政府からGMOたっぷりの代替肉ペーストを受け取るでしょう。

2）気候変動詐欺による様々な制限

コロナパンデミックが当たり前の状況となりつつあるため、今後は「気候変動」に関する報道のボルテージをますます上げてくるでしょう。支配層は、人間の活動が地球を破壊しているという一種の罪悪感に訴えかけてくるでしょう。気候変動阻止のもと様々な税金が引き上げられ、環境ロックダウンや自然保護区域の増加などにより家畜の**移動がかなり制限**されていくでしょう。罪悪感を持たされ、家畜の生活がどんどん質素になっていきます。

3）キャッシュレス社会の浸透

パンデミック初期にメディアが煽っていた、紙幣に付着したコロナウイルスによる感染の懸念もこの予測プログラミングにあたるのですが、支配層は流通ルートを完全にトラッキングできない現金を廃止し、全て中央銀行直轄の**デジタル通貨によってコントロール**したいと考えています。デジタル通貨を標準化することで家畜がいつどこでどういう買い物をしたか、何を購入し使用しているか、どこに移動したかなどが全ていとも簡単に管理されるということであり、我々の完全なる奴隷化を意味します。

4）作られた食糧危機

2020年に世界を賑わせた、バッタにより各地の畑の農作物が食い荒らされるニュースがありましたが、これも予測プログラミングの役割を果たしました。バッタを理由にするあたり、支配層が聖書をとても意識しているのがわかります（＝旧約聖書のイナゴの災い）。支配層が食糧危機を煽ることで成し遂げたいことは、畜産業界や個人農家を安く買い叩くか廃業させ、全ての食料をコントロールするとともに、遺伝子組み換えの野菜や大豆を使った代替肉の普及であり、その過程として**食糧危機を演出**するという算段です。マッチポンプ的にサイバーテロを起こし、物流をストップさせて演出する可能性が高いと個人的には考えています。はたまた未知のウイルスのせいにするかもしれません。

5）家族の分断

戦後、核家族化により日本の家族は既に分断状態にさせられましたが、これが個人単位にまで促進します。**家族という概念そのものがほぼ消滅**します。映画『THX1138』をご覧になれば想像しやすいかもしれません。SDGsを読み解くとわかるのが、政府が子供たちを政府の所有物にしたいということ。理想は生まれたと同時に政府が取り上げること。超管理社会を作り上げるためには、**子供の取り上げと幼い頃からの洗脳**は不可欠なのです。

これらの目標を実現させるために、私たちの状況は今後どんどん悪くなっていくでしょう。2020年が天国に思えるくらい。（実際はデルタ株などの名前が採用されていますが）いわゆるCOVID－21やCOVID－23の予測プログミングが映画でこれまでに多数登場しており、今回のウイルスがどんどん感染力の高いウイルスへと変貌する計画であることがわかります。ウイルスの「強さ」が増加するほど、臆病な羊たちは慄き、結果としてワクチン接種に関する法律が厳しくなり、段階的に非接種者への締め付けが厳しくなっていきます。

コンサートに行けない→海外に行けない→娯楽施設や大型ショッピングモールに行けない→スーパーやコンビニに行けない→公共の乗り物に乗れない→仕事に就けない、とどんどんエスカレートしていくでしょう。非接種者は完全な無収入となってしまうため、政府からのベーシックインカムを受け入れないと生きていけず、当然ベーシックインカム生活へと促される。ベーシックインカムには様々な条件がつけられ、ワクチンの接種証明もこのうちの一つ。非接種者はワクチンを接種してベーシックインカム生活になるか、その辺で野垂れ死ぬか、オフグリッドでの生活を始めるかという選択肢になりますが、当然いきなりオフグリッド生活できる人はいませんので、結局野垂れ死にます。

ちなみにグレートリセット後の支配層の長期的な目標は、**ムーンショット計画**を見るとわかりやすいですが、彼らの描く世界では、家畜はオペレーションシステム（＝ワクチン？）が搭載された**バイオロボット**のようである。支配層が所有する肉体を持ったコンピュータシステム、つまり**トランスヒューマニズム**である。ビル・ゲイツのマイクロソフトがやっているパソコンへのOSのインストールという行為をプラスチックの電気箱（パソコン）から人間という媒体に「延長」したいということです。

この**人間のバイオロボ化**がどこまで実現するのか。鍵を握るのはワクチンに含まれているアルミニウムの**ナノ粒子**ではないだろうか。ウイルスの変異株（アップデート）に対応するために定期的（半年に1回とか）にワクチン接種をし、ナノ粒子を利用した「パッチ」を当てて体の中のOSをアップデートする算段でしょう。個人情報はもちろんのこと、体温や心拍数などが筒抜けになり、個人のプライバシーは完全にゼロになります。体もその人の所有物から、支配層の所有物になるため、世界経済フォーラムのスローガン「**あなたは何も所有しないが幸福である**」がまさにこの状態を表しているのがわかる。

このバイオロボットのような奴隷状態を実現するためには、**5Gネットワークを利用したスマートグリッド**が不可欠なため、家畜は気候変動やウイルス感染拡大などを理由に、「あなたの地域は居住不能エリアとなりました」との通知をJアラートなどから受け、田舎から5G環境下の都会に避難させられるのかもしれません。家族もここで分裂させられる可能性があります。

中央銀行は直轄の仮想通貨（CBDC）の制定を計画しており、米ドルをはじめとするフィアット通貨を徐々にフェードアウトさせて、いずれこの直轄のデジタル通貨のみが流通するように仕向けるでしょう。

ここで中国でも導入されている**ソーシャルスコア（社会信用スコア）**も各国が取り入れるようになる。

例えばソーシャルメディアで政府を批判するコメントやマスメディアの見解と異なる意見を述べたり、ワクチンを決められた期限内に接種しないと与えられた信用スコアがどんどん減らされる。そして行動を逐一デジタルにトラッキングや管理しているからこそできる飛行機の搭乗禁止などの移動制限を含む罰が与えられる。ソーシャルスコアの高い（減っていない）者以外は半径5～10マイル（8～16㎞）くらいの制限が課せられる国もあるかもしれません（イギリスのロックダウンでは、当初半径5マイル以内に留まる条例を出していた）。日本でこのレベルの制限が導入されれば、東京都心在住であれば、横浜どころか場所によっては川崎にも行けなくなります。まさに24時間の監視と管理地獄である。

精神、肉体、免疫、サバイバルスキル、知力、運が最大限に試される過酷な時代となっていくでしょう。

バイオロボットのみが人間らしく生きられるソーシャルスコア

中国で既に導入され、各国でも議論（という体《てい》）の対象となっている**ソーシャルスコア制度**。**社会信用スコア**ともいう。各個人が政府様から「社会貢献」ポイントをいただき、スマートフォンのアプリを通して現在のポイント数を確認する。このポイントがどれくらいあるかで、できる／できない行動や移動が決定され、政府様から毎月いただけるユニバーサルベーシックインカム（ＵＢＩ）の金額（厳密にはクレジット）が変動する可能性もあります。個人番号とも連動し、現在の点数制をそのまま移行する形で自動車の運転違反もソーシャルスコアに影響を与えるでしょう。反対に言えば、ソーシャルスコアとは交通違反の「点数制の取り締まり」を日常生活における様々な行動や態度に導入するシステムとなります。今回のプランデミックで支配層により導入が計画されている本筋の一つになります。Twitter、YouTube、Facebook などのＳＮＳでの発言にも気をつけないとあっというまに生活が困窮するレベルのスコアに減点されるでしょう。

ソーシャルスコアの仕組みを見本で示しましょう。実際にこの形に収まるかはわかりません。ワクチンは決して強制ではなく、実質強制。つまり例えば毎月個人に基本的に割り当てられるソーシャルスコアが１００点であるとします。半年に１回ワクチンを定期接種しないと、毎月40点の減点。それを２回連続（１年）で怠ると毎月60点の減点に。政府から貰えるＵＢＩが１００点で20万円なら、毎月８万円しか貰えない。政府／マスメディアの「公式」なストーリーと異なる情報をオンラインで発信したらさらに10点の減点（これにてアルタナーティブメディアは実質淘汰されますね）。夜間の外出禁止令を破ったら20点の減点、移動制限区間（各国のロックダウン時の移動制限を参考にすると半径５～16㎞で設定）を超えて家族に直接会いに行って止められたら30点の減点、熱が37・５度以上あるにもかかわらず勝手に外出したら25点の減点、カロリー接種過剰やエネルギーの使用制限を超える消費などの気候変動を「加速」させる行為をした場合もどんどんマイナスポイントになります。点数がゼロになると隔離施設行きになるのかもしれません。

　酷い場合には、スマートメーターを利用した検知機器やスマートフォンにより自宅の中でも監視され、自宅でもマスクを15分以上つけていない期間があれば５点の減点みたいな罰則もあるかもしれません。ドロー

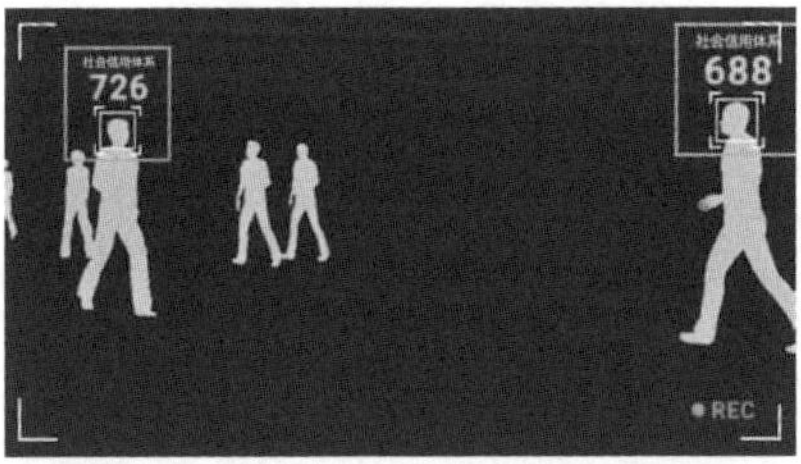

通行人の点数がすぐにわかる顔認証システム

近い将来全世界に導入される監視システムによるソーシャルスコア制度

点数が高いよい子のみんなにはお店で使える割引特典などを与える

ソーシャルスコアが下がると職を失うこともある

ンや街中に張り巡らされた監視カメラ、個人のスマートフォンまでもが国民を逐一監視し、様子を政府様にリアルタイムで報告。バイオロボットのように政府様に従順でない反乱分子が死活問題になっていくシステムです。公営住宅や公共サービスもよい物件や場所はソーシャルスコアの高い人限定となり、スコアの低い人は何もできなくなるでしょう。食事にありつけず、自ら進んで隔離施設に足を運ぶかもしれません。

こういったシステムは、一気に導入すると羊たちの洗脳がさすがに解けてしまうため、徐々に導入するものですので、導入当初はここまで厳しくはないでしょうが、お財布も住む場所も政府様に握られているということは、いずれにしろ絶対服従という運命に向かって歩いているということになります。

そして洗脳されきった大衆は、「ワクチン非接種者は非人間だ！　だから制限の多い扱いは当たり前であり、生きているだけで感謝すべきである。ソーシャルスコアの高い私は地球温暖化防止にも貢献していて特権を受けるべき国民」と差別化された非接種者を見てちっぽけな優越感を得るだろう。

グレートリセットと電気自動車

近年は普及がかなり進んできた電気自動車。まだまだ内燃機関の自動車よりは少ないものの、特に都市部ではそれなりの人が乗っているように見受けられます。電気自動車がグレートリセットとどう紐づくのか？

それは今回のコロナウイルスによるパンデミックからグレートリセットが完了する過程で、多くの国民が家や土地などの所有物を国や銀行に巻き上げられます。借金を肩代わりし、財産を放棄する代わりにベーシックインカムを支払いますよ、という切り口かもしれません。ベーシックインカムだとワクチン接種（やマイクロチップの体内注入？）という条件付きになるでしょう。ベーシックインカムは世界的に行われる、にんじんぶら下げタイプの詐欺行為とも言えます。

そして実は、電気自動車もこの地獄のような超管理社会の世界に欠かせないピースの一つになります。まず内燃機関の車では自動運転を完全にすることはかなり難しいです。ガソリンがなくなったらそもそもどうあがいてもその車が動かなくなります＝リモコン操作

一般人の間で普遍化するであろうカーシェアリング

テスラ社ＣＥＯのイーロン・マスク

自動運転もすぐそこまで来ている

内燃機関のエンジンはそのうち消滅するだろう

したくてもできない。よって**電気自動車が、５Ｇスマートグリッドを利用した全自動運転システムには必須**となります。電気自動車自体は目新しいものではなく、１００年以上前から今よりも長いレンジを走られるものが開発されていたようですが、禁酒法の導入とともに市場から姿を消していきました。電気自動車が石油利権のせいで潰されたというのも正しい見解ではありますが、これはある意味支配層の３段階の法則の２段階目である。

一番の目的は、電気自動車の特許を多数抱えるイーロン・マスクのテスラ社が鍵を握っています。テスラ社の存在意義そのものにもつながっていきます。それはズバリ**電気自動車に関する特許の集約**。特許の集約をすることで何ができるかというと、電気自動車の市場浸透と技術進化のタイミングのコントロールになります。５Ｇによる自動運転技術の普及やグレートリセットの完了後といった、支配層に都合のよいタイミングまで電気自動車の一般浸透を遅らせる役割をテスラ社が果たしているということです。特許技術の集約は、皮肉にも１００年前にニコラ・テスラのライバルだったトーマス・エジソンが電気自体でやっていたことと同じになります（ニコラ・テスラ自体も特許の集約をする役割だったという意見もあります）。

グレートリセットを目標に掲げている世界経済フォーラムのスローガンの2030年までに「あなたは何も所有しない」から読み取れることは、2030年頃には個人所有の時代が終焉を迎え、国民は財産を全て国か委託された民間企業に明け渡さなければならないのかもしれません。そして超共産主義とも言える「全てにおいて政府所有のものを使わせていただく」という世界が構築されるということです。これが「アジェンダ21」や「2030アジェンダ」の聞こえの良いスローガンに隠された本質でもあるのでしょう。


こういう世界で車はどうなっていくのか。それは今も都市部でよく見られるカーシェアリングが普遍的になるということであり、自動車がバスや電車のように公共の乗り物になるということです。

以下の3点について考えてみましょう。

（1）電気自動車である。
（2）自動運転である。
（3）カーシェアリングが当たり前であり、自家用車をほぼ誰も持っていない。

これは実質全ての乗り物に様々な制限が課せられているということであり、今のように個人の好きな時に自動車を自由に使えないということになります。政府所有のカーシェアリングは、本質的には定期バスと大差ありません。どこにいるか逐一トラッキングされますし、夜間外出禁止期間に外出するなど、政府の意向に沿わない行動を取れば、5Gにより走っていた車が強制的に止められるでしょう。交通事故に見せかけて殺すこともたやすいでしょう。ワクチン非接種者などの社会ステータスの低い人間は、物理的に行ける場所がかなり制限されるでしょう。接種者のみ自動車のドアにアプリをかざすことで中に入れるようになるなど、非接種者は自動車にそもそも乗せてすらもらえないかもしれません。そうなると自動車が高くて購入できないベーシックインカム層を筆頭とする一般庶民は詰みです。まさに『デモリションマン』の世界です。自動車に留まらず、電車などにも乗れなくなる可能性があり、そうなると自転車や徒歩で行ける範囲以外はどこにも行けなくなります。不便を感じてへこたれそうになった非接種者に、「ワクチンを接種したら車に乗れますよ、車に乗りたいでしょ？」と底意地の悪い支配層がたたみかけてくるかもしれません。

グレートリセットにとって、自動運転とカーシェアリングはベーシックインカムと同じくらい重要な要素であるとわかっていただけたかと思います。新車を購入するならば、ぜひとも内燃機関の車を引き続き購入するとよいでしょう。

ちなみにカルフォルニア州などでは「地球温暖化を防ぐために」内燃機関の自動車を法律で禁じる動きが既に出ています。2030年～2035年の各国が導入予定の内燃機関車の新規発売禁止令を待たずして、完璧なデジタル監獄システムができあがってしまいそうです。例えば、警察による「自動運転中の自動車とのコミュニケーション」を可能とするテクノロジーが既に発表されています。警察車両から対象の車両に5Gを利用した電気信号を送ることで、自由に止めたりドアロックを解除したり、窓を全開にするなどの指令が簡単にできます。自家用車ならば、これらの信号に反応しないように違法な改造を施すことができるかもしれませんが、カーシェアリング車両だと改ざんは実質不可能でしょう。警察が気分次第で自由に車を操作できてしまうということを意味します（自動運転車両ならスピード違反することはないでしょうけれど……）。

ワクチン非接種者の運転禁止、接種者であっても予め決められた時間以外での車の運転を即座に止められるなど、警察側に絶大なる権力を与えることになります。悲しいことに、政府とテクノロジー性善説の羊たちは「自動運転て便利でハイテク！」と今日も（全く明るくない）未来に夢を馳せていることでしょう。

洗脳テクニック

権力者たちが使う5つの洗脳テクニック。大手メディアや政府が使っている簡単な洗脳手口を紹介したいと思います。洗脳とは、薬品を鼻でかがせたり、ペンダントを使って催眠術を直接かけたりするものに限りません。

1）スローガンをひたすら繰り返す

コロナパンデミックで言えば各国の政治家や世界経済フォーラムのスピーチで繰り返し言われた「Build back better!」でしょうか。軍隊のマーチやカルト宗教の集会、学校の授業などでよく使われる手法。代表者がスローガンを言って、その他大勢の人間がそれを繰り返す。この行為を何回も繰り返す。**ひたすら繰り返す**。まさに嘘も100回言えば本当になる、である。「コロナウイルス」という単語をテレビのニュースキャスターが毎日繰り返し発信するだけで、世の中の98%の人間が数ヵ月で日常的にマスクをするようになったのだから効果絶大である。

2）見出しから無意識に働きかける

メディアがよく使う手口。特にインターネットや新聞で有効。人はインターネットでニュースを検索する時には、様々な見出しを指でスクロールしながらチラ見する習性があります。よっぽど興味がある記事じゃないと中身まで読みません。そうすると何が起きるかというと、意識的に見出しを読んでいなくても、潜在意識にはどんどん入っていきます。よく記事の見出しと記事の実際の中身が異なるのは、まさにこの手法で私たちを洗脳する効果があるということです。**潜在意識に働きかける**ことで、私たちは気づかずに考え方を変えられています。クリックを稼ぐためだけにミスリードさせるような見出しが使用されているわけではありません。また繰り返し見出しだけで判断する癖がついてしまうと、見出しだけで全てを判断するようになるため、考えない人間が大量生産されるということです。

3）白黒どちらかの極論にする

二元論も強力な洗脳ツールです。支配層は〇〇対〇〇という構図を作り出す。共和党支持者対民主党支持者、対立する地元スポーツチームのファン、アメリカ対中国など、何ごとも二択しかないように見せる。本来ならば全てはグレーといっても過言ではありませんが、あたかも白か黒しか存在しないかのように様々なコンテンツを提供していきます。軍隊はこれを効果的に取り入れていて、正義の我が軍か敵国の悪魔か、殺すか殺されるかの二択だ！　みたいなマインドセットに兵隊を洗脳していきます。皆様もスポーツチームや政治団体の応援、宗教活動などでそういう気持ちになったことがあるのではないでしょうか。

4）情報の閲覧制御

特にインターネットができてから、制御は簡単になりました。宗教団体もカルト教団に限らず信者のランクや国によって閲覧できるサイトを制限しているところがあります。例えばYouTubeはフラットアースに関連した動画の表示順番をコントロールしていますが、支配層に都合が悪い真相論はますますこの傾向が強くなるでしょう。

5）誹謗中傷は有効である

専門用語では「嘲笑に訴える論証（Appeal to ridicule)」と言います。

フラットアーサーに絡むネット工作員がよい例ですが、論理的に議論するという自分たちが損にしかならない行為は決してやらない。彼らとやりとりをしていると、中身のない言葉で馬鹿にされ、お前の主張は荒唐無稽だ、ファンタジーだと根拠もなく罵られるだけです。この罵倒し続けることが実は大切な洗脳テクニックになります。馬鹿にすることで言われた方が怒り、感情的に言い返すだけでなく、議論に参加していないROM専（投稿などをせず閲覧のみの人）の心に少なくとも潜在的に残ります。閲覧者の多くは、潜在意識レベルでやっぱりフラットアースは馬鹿げているなという印象になります。

洗脳はこうも身近に蔓延っています。そして私たちは簡単に洗脳されていきます。でも反対に言えば、これくらいあちらこちらに洗脳を蔓延らせないと効かないということ。皆様も誹謗中傷などの洗脳テクニックをくぐり抜けて、ぜひともに啓蒙活動をこれからも続けていただけたら本望です。

バイダーマンの抑圧と強制による洗脳実験

朝鮮戦争で囚われの身となったアメリカ兵の捕虜たちを使って実施された実験を紹介します。支配層は捕虜たちをどのように扱えば思考停止し、言うことを聞くようになってくれるのか、そして尊厳と自信を最も効率よく奪うことができるのかを8つの項目に分けて実験結果から答えを見出しています。8つともまさに今、全世界で行われている壮大な茶番のやり方に瓜二つではありませんか？　私たちは今回のプランデミックにおいて、この実験のような心理的な拷問を受けていて、どんどん従順なポチになるように仕向けられているのがとてもよくわかります。**プランデミックはミサイルを発射しない第三次世界大戦である**と言っても過言ではありません。これを理解できればあなたはかなり真実に近づいたのではないでしょうか。

8つの項目とそれがどのような方法で（特に欧州などでの）プランデミック対策に導入されているかを簡単に記載します。

①隔離

自粛、ロックダウン、ソーシャルディスタンシングなど。

②認識の独占化

マスメディアによる共通した一貫性のあるメッセージの発信。異なる意見を持つ人やアルタナーティブメディアは弾圧される。

③疲労困憊

朝から晩までコロナウイルス報道、ロックダウンの繰り返し、マスクによる免疫力の低下。

④脅迫

ロックダウンのルールを無視したら／マスクをつけなかったら罰金や行動の制限。公共の交通機関に乗れないなどの束縛。

⑤時々ご褒美

ロックダウンの一時的な解除、スーパーでの買い物は許可、クリスマス休暇だけの限定的な家族との再会。

⑥普遍的な存在感

街中に警察、メディアが一日中コロナ報道、電車や駅での絶えることのないアナウンス、街中のPCRセンターやコロナウイルス、マスクに関する看板、自宅での自粛による閉鎖感。

⑦恥をかかせ、自尊心をいたぶる

ソーシャルディスタンスとマスク強要による家畜感、警察によるデモ参加者への過度の暴力的な対応、いわゆるコロナ脳によるマスクをつけていない人への差別行為を促す。

⑧ほぼ無意味な要求

至る所で何回もアルコール消毒を要求、ここからここまで歩く時はマスク着用だが席に着いたらマスクしなくてよいという謎のレストランルール、意味のないPCR検査。

こうして共産主義へ我々は少しずつだが確実に誘導されていっているということがわかるかと思います。

歴史から見る今後の展開と、私たちにできること

大恐慌やペストから学ぶ今後の展開。予測脳は歴史から学ぶ、ということで100年前の**第一次世界大戦→スペイン風邪→大恐慌→第二次世界大戦**という怒濤の36年の間に出版された、当時のアメリカ人による改ざんされていない日記などから、マスメディアと教科書では絶対に教えてくれない「大恐慌などが起きた時に実際に起こっていたこと」がわかります。

英国人YouTuberがリサーチに3000時間かけた三部作の動画でも説明されています。リンクはこのあと掲載しています。英語がわかる方はぜひご覧になってください。

大恐慌はアメリカ中心でしたが、今回のプランデミックにより同様のことが今後数年間、世界的に発生してしまうと思うと生きた心地がしません。これを読んで参考にし、どうかいろいろとご準備ください。なお、進化論を肯定する学校の教科書による「昔の人よりも今の人が優れている」という印象操作により勘違いされがちですが、この時代の人間は決して原始的ではありません。普通に頭がよく（今と同様、羊も多かったけど）、行動力もあった。むしろサバイバル能力など、現代人の方が未熟な部分がたくさんあります。したがってこの時代に起きたことが現代では起きないという保証は何もありません。

以下に動画のポイントを要約しました。

◎大恐慌の時もペストの時も、一番の死因は圧倒的に餓死でした。特に都市部ではこの傾向は強く、田舎に引っ越して家庭菜園を始める人が相当多かったそうです。スーパーでは商品がほとんど陳列されていない状態が続き、あっても大恐慌により、庶民はお金がなかったため、買えなかった。そして結果多くの人が餓死していった。

政府に命じられ、牛乳を捨てる牧場の人々

政府に命じられ、家畜を殺して食べずに埋める牧場の人々

抗議の数もすごかった大恐慌

ダンスマラソンでの参加者の失神、最悪死ぬ場合もあった

毎朝並んでも銀行から預金を引き出せなかった人々

◎階級差別精神に則った餓死エンターテインメントが流行。わずかな食糧品を景品にした「ダンスマラソン」と称して、餓死しかけている人間が、どれほど長く連続で踊り続けられるかを試すコンテストがあちこちで開催されました。場合によっては72時間も連続で踊った人間はその場で倒れてそのまま死ぬこともあり、まるで映画『グラディエーター』のような地獄のダンスショーでした。大恐慌が起きても余裕たっぷりの一部の富裕層にとっては至高のエンタメとなり、時々映画館でも放映されました。

◎今回のパンデミックでも全世界で徐々に過激化しているデモやデモに対する警察の対応。デモの暴徒化や殺人なんかも、うなぎ上りでした。ペストの時は、王の公開処刑にまで発展したそうです。こうなってしまったら小さな子供は命がけでなんとか守りましょう。

◎政府による（税金をほとんど払わない）大企業への給付金、融資、貸付は多く実施されましたが、中小企業には融資をせず、事業が成り立たず廃業が後を絶ちませんでした。町の個人店も閉店が相次ぎました。グレートリセット同様、**大恐慌は意図的に仕掛けられた富の寡占計画**でした。個人店が生き残る術は、どれだけコロナ茶番に気づいている常連を作るかにかかっていると個人的に思っております。

◎ハイパーインフレとデフレが何サイクルかにわたって繰り返し実施され、お金の価値が瞬時に大きく変動しました。

◎民間銀行が、予告もなく突然預金口座の現金引き出しの禁止や口座の封鎖を実施しました。市民が銀行から3～5年間全くお金を引き出せない状態が続いたそうです。クレジットも当然使えません。現代はオンライン決済が進んでいるので、この時代よりは少し状況は明るいと言えるでしょう。

◎市民は金《きん》と銀を買いあさり始めるのですが、最終的には実際の価値よりも3分の2の売値くらいで政府に強制的に金を買い叩かれ（金の所有自体が一時期違法になります）、買い叩かれた後に政府が鶴の一声で金の価値を元に戻し、ハイパーインフレを仕掛けました。結果的に、国民は二束三文で金を強制的に巻き上げられたことになります。信用金庫などに個人が保管していた金貨も強制没収されました。

政府とさらに上に君臨する支配層というものは、自分たちの利益を追求するためには平気で私たちを殺すことがわかっていただけるかと思います。今後は特に、常に最悪を想定して行動する必要があると思います。政府による「受け取りたいならばワクチン接種してくださいね」という条件付きで食糧品やベーシックインカムの提供が導入される可能性もあります。

参照動画：『The GREAT DEPRESSION Diaries（大恐慌の記録）』
第一部 https://youtu.be/wdhEnzZ6EuM
第二部 https://youtu.be/82t6kIB4ts4
第三部 https://youtu.be/LcwMMKvzPms

英米国民はコモンローでロックダウン回避

コモンロー（慣習法）を駆使して警察の非人道的なハラスメントと立ち向かう英米人が増えている。コモンローについては、2年前に多少勉強したのですが、日本人には理解しづらい法律であり、なかなか日本語にするのが難しいということでFacebookでの投稿を断念していました。

コモンローとは、刑法、民法の他にある第3の法。慣習法とも呼ばれています。学校では絶対に教えてくれず、コモンロー自体が存在しないものと勘違いしてしまっているイギリス国民が多いですが、今でも普通に存在し、立場としては民法や刑法の上にあります。特に採用国では、コモンローの存在を知っているか知らないかで大きな違いがあります。

慣習とは、社会生活で特定の事項について反復して行われている「ならわし」が、ある程度まで人の行動を拘束するレベルで民衆に広まった状態で、一種の社会規範となるものを指します。それが人々の間で法的な法規範として考えられるまでのレベルに至っているものを「慣習法」と呼びます。日本では慣習法は正式にはありませんが、性質が慣習法に類似しているものとして、民法で結婚をしていないものの、慣習として夫婦同然の扱いとなる「事実婚」が挙げられます。

パンデミック下でのコモンローの役割を見ていきましょう。こちらの動画ではロックダウンによる営業停止を警察に迫られたファストフードのテイクアウト店の店主がコモンローを使って、合計6回も停止を回避している様子がうかがえます。もちろんコモンローの存在すら知らない警察官も中にいますのでわかってもらえない場合もありますが、本動画の警察官はコモンローに関する知識をきちんと習得しており、引っ掛け的な尋問を店主にして、逮捕に持っていこうとトラップにはめようとしています。

YouTubeチャンネル『CLC News』内の動画『A TAKEAWAY IN THE NORTH EAST OF ENGLAND（イギリス北東部のテイクアウト店）』
https://www.youtube.com/watch?v=HHjgfrDqNN0

まずご理解いただきたいのが、国は国民のものであり、政府は勝手に権力者として居座っているだけで主君でもなんでもないということ。正式にはCorporation（法人）にしかすぎません。国とは、その国に属する土地のことを指しており、民法や刑法は「法人」である「政府」との契約に応じなければ政府は適用できない。契約書に署名をする＝役所の書類に署名をする、運転免許証を取得する、なども契約にあたります。しかも民法や刑法は厳密にはその国の法律ではなく、その土地に帰属しない海の※法律にあたるため、国の土地の上ではコモンローが最も優先されるべき法律になります。

コモンローを把握している動画内の警察官は、さりげなく口頭での契約に持っていくための質問などをしているが、コモンローを知っている店主が応じないため何もできずにいる。例えば、名前を名乗れと警察官が訊いて、（日本ならば戸籍にあたる）出生証明書に記された氏名を名乗ってしまうと「契約成立」となってしまうため、店主は決してフルネームを言わない。

英語にはcommon／layman English（一般英語）とlegal English（法律用語／英語）の2種類の言語が存在します。男と女を意味するMan／Womanがcommon Englishであることに対して、人を意味するpersonは実は法律用語となる。動画内で警察官は店主に「Identify yourself as a person?（personとして名を名乗れ）」と訊いていて、そのままフルネームを言ってしまうと契約成立となってしまうため、「I am a man（私はmanである）」とコモンロー下に自分はいて警察官と契約する気がないように回答をしないと逮捕される。ちなみにpersonは人間が生まれた時にイギリス政府により発行される「出生証明書」という国との契約書に記載されている氏名である。この出生証明書に記載されている名前の person と本人は、厳密には全く異なる entity（存在）となります。person は、その本人の民法や刑法下にいる「代理人」のような扱いとなります。コモンローに人権を守られるのは当然 man の方であるそこにいる本人になります。よって本人はコモンローに接触していない、また警察官の契約交渉に応じていないため、逮捕できないという現象が起きています。

※政府が打ち出している法律は全て正式には海の法律です。いわゆる土地に帰属した人間が生まれながら持つ〝神〟からの法律／権利（inalienable rights）ではありません。厳密には軍法の一種です。

ワクチン計画は失敗する予定

～ワンワールド政府の作り方～

たぶん、少なくとも日本では、他のどこでも言われていない意見だと思います。ですがそれでも絶対起きるとは思っていません。それだけ支配層の計画を読み解くのが難しいということです。結論から言うと、今回の全人類ワクチン接種計画は、ある程度のところで失敗するようにもともと計画されている可能性があると考えています。第二次世界大戦を調べることで、ようやくたどり着いた回答になります。今回のパンデミックの終わらせ方の可能性の一つとしては、根拠もあり、本当に最悪のシナリオ（押さえつけられて強制的に接種）よりはいくらか人道的な結末になります。必ずこうなるとは思わないけれど、個人的な本命ではあります。

シナリオとしては、**支配層の計画の仕掛け ↓ 家畜のプッシュバック ↓ 双方による妥協が反映された、さらに支配層寄りの社会の形成**、という流れになります。恐らく改ざんがそこまで顕著ではない、わりと忠実な近代史で、何回も既に仕掛けられている戦略になります。「歴史はひたすら妥協である」（158ページ）でも述べさせていただきましたが、大恐慌、世界大戦、テロリスト攻撃、自然災害などの支配層に仕掛けられた歴史的なマイルストーンの後に、支配層の思惑が少しずつ、さらに社会に反映されていっています。今回のパンデミックも例外ではありません。

まず、この結論に至った根拠を述べます。

◆支配層が〝人間か獣か〟を判断するための指標としている**自由意志**（この場合は接種する／しないの判断）。この自由意志がある程度尊重される結果であるということ。世界規模でのワクチンの完全なる強制接種は、この自由意志を大切にする支配層の算段としてはいま一つしっくりきません。

◆ワクチンの副作用／副反応がいくらなんでも強すぎて、こんなものを定期的に全世界で接種させていたら人類がわりとすぐに絶滅してしまう。支配層は私たちを完全に管理したいのであり、絶滅させたいわけではないと感じているため。

◆ワクチンを強制にしなくても、政府を信じ切っている羊が大半のため、7割くらいの接種率が見込めている。全世界人口の7割が不妊になるか死んでしまえば、おそらくは支配層の人口削減計画のノルマ達成となり、そこまで強固に強制する必要はなくなります。

◆ここまで副作用／副反応が顕著に出てしまうと、反応が強かった人や家族に犠牲者が出てしまった人が「ワクチン非接種者を社会的に完全隔離してほしい」

テロ攻撃を仕掛ける

戦争を仕掛ける

様々な戦略で仕掛けてくる支配層

災害を仕掛ける

と家畜のマジョリティが切に願うまで世論を誘導できない。人間は草食動物のように根が優しいため「断るも権利！」と考える羊が多数決になるということ。

さて、ここからがある意味面白くなります。

もし接種者がほとんど不妊または死に絶えてしまえば、生き残った家畜は政府に不信感を持つ人間しか残りません。この反乱者だらけの状態は支配層にとって望ましくないため、以下のことを考慮すると答えが見えてきます。

◆各国政府が子供にも射ちましょうと言っている横で、WHOは結構ひっそりと、マスクは効果ありません、妊婦にはお勧めしません、子供にはまだ射たないでください、とFacebookやTwitterでずっと発信しています。パンデミックスタートからコンスタントにです。

実は、このWHOの行動原理を考えた時にパズルがハマっていきます。

つまりWHOは、自分らはワクチンの安全性をずっと疑問視していたという「正義の味方」アピールを今からしているということ。

←

第二次世界大戦後は、政府も憲法も大きく変わり、日本なら神風特別攻撃隊を輩出した戦争と政府に大きな不信感を抱く国民ばかりだったでしょう。支配層は、大衆の猛烈な怒りを鎮める形で国家制度に劇的な変化を導入しました。もちろん裏では国連やCIAを作ることによるコントロールの増強という主目的も着々と進めていきました。このようなことがパンデミック後にも起きるのではないかというのが私の推測になります。

WHOは国連と深いつながりがあります。

ワクチン失敗により各国の現政府を悪者に仕立て上げ、大きな政権交代とともに、各国の対応がバラバラだったために今回の世界的な騒動が起きたと発表するかもしれません。そして現状の国家制度はもう機能していないという世論に持っていく。

そこで登場するのが正義の味方WHOの母体である国連。国連主導の新たな世界政府（世界政府という映画の悪役のような呼び方は正式にはしないでしょう）を樹立させましょう、という流れに持っていく。悪役顔のアンソニー・ファウチも既にEメールなどでいろいろとやらかしたことになっているので、バイデン政権とともにスケープゴートにさせられそうです。これはQファンも納得するシナリオであるため、家畜の賛同が得られやすいですね。牧場をたくさん所有し、これからもキーパーソンとして活躍しそうなため個人的にはそう思いませんが、ビル・ゲイツもファウチと同じような運命をたどるのかもしれません。

このシナリオでは、

◆自由意志による選別で「獣」認定を受けた人間は死に絶え、
◆残った人間が納得する形で物事をある程度進められ、
◆かねてから望んでいた世界政府の樹立（または樹立に大きく近づく）が可能となります。

支配層、家畜双方の思惑が入ったシナリオになります。

このシナリオが絶対に起きるとは思っていません。やはり引き続き力強くワクチン接種に抵抗していくしかないです。またこのシナリオが当たりでも、世界政府樹立はすぐに（パンデミックの終焉はすぐに）やってくるかもしれませんし、聖書のヨハネの黙示録にちなんでWHOがパンデミックの開始を発表した2020年3月11日の42ヵ月後である2023年9月11日に予定されているのかもしれません。この間にはいろいろな別のことも計画されているでしょう。油断は禁物です。これからもかなり精神的にキツい状況ではありますが、引き続き力を合わせて乗り越えていきましょう。

マット・ハンコックから読み解くワクチン失敗作戦

不倫をしたこと（実際はCGを使ったフェイク動画）により辞任したイギリスの保健大臣、コロナウイルスのポスターボーイのマット・ハンコック。

この辺は当然、完全に仕組まれた茶番になります。ゲマトリアを見ていくと、このタイミングで彼は意図的に辞任をもともとする予定でした。パンデミック開

マット・ハンコック

始当初から仕組まれていたとわかります。ワクチン計画は、かなりの家畜によるプッシュバックを予め織り込む形で、最初から失敗する予定であった可能性が高いです。それでは決して偶然では片づけられない数字を見ていきましょう。

　辞任した日は6月26日＝

英語表記26／6

　現ローマ教皇は266代目

　6月26日は年の177日目

　The Jesuit Order（イエズス会）＝177

　年の終わりまで188日

　Matt Hancock（マット・ハンコック）＝188

［Reverse Ordinal］

　Bavarian Illuminatti（バイエルンのイルミナティ）

＝188

　辞任はハンコックの誕生日まで3ヵ月と7日間

　Matt Hancock＝37［Full Reduction］

　1978年10月2日生まれである

　10＋2＋1＋9＋7＋8＝37

　辞任した2021年6月26日も

　6＋26＋2＋0＋2＋1＝37

　42歳である

　Jesuit（イエズス会のメンバー）＝42［Reverse Full Reduction］

　Freemason（フリーメイソン）＝42

　78年生まれ

　Jesuit＝78［Reverse Ordinal］

　すっぱ抜かれた「不倫」相手の名前はGina Coladangelo

　彼女も78年生まれ

　Gina Coladangelo＝78

　この保健大臣の不倫現場は5月6日に撮影されました

　Coronavirus＝56

　保険大臣を意味するHealth Secretary＝69［Full Reduction］＆84［Reverse Full Reduction］

　The Jesuit Order＝69＆84

と数字がどんどん当てはまっていきます。ゲマトリアを通じて、本当に茶番なのがよくわかります。

プランデミックは長期的未来を見据えた治験

支配層は実に天才的で、我々がその場その場で起きていることに一喜一憂している間に、少なくとも数十年前からある計画を着実に進行させています。前述の「ワクチン計画は失敗する予定」（384ページ）とかなりリンクするため、ワクチン計画が失敗しなければ、こちらの内容も起こらないということをご留意ください。

ご存知のように、ワクチンは2023年まで治験中なのですが、スパイク蛋白に加え、ナノ粒子を大衆の体に入れることが本命の一つであるならば、ナノ粒子の体内での反応測定も現在進行形で治験中であるとも考えるべきでしょう。つまりどれくらいナノ粒子を注入すれば、（逆に）副反応が起きないかを確認しているのではないか、という推測が成り立ちます。

それではワクチン計画が失敗する前提で話を進めていきましょう。ワクチン計画はおいおい失敗するわけだから、ナノ粒子注入も、今回のパンデミック時での

大々的にキャンペーン中

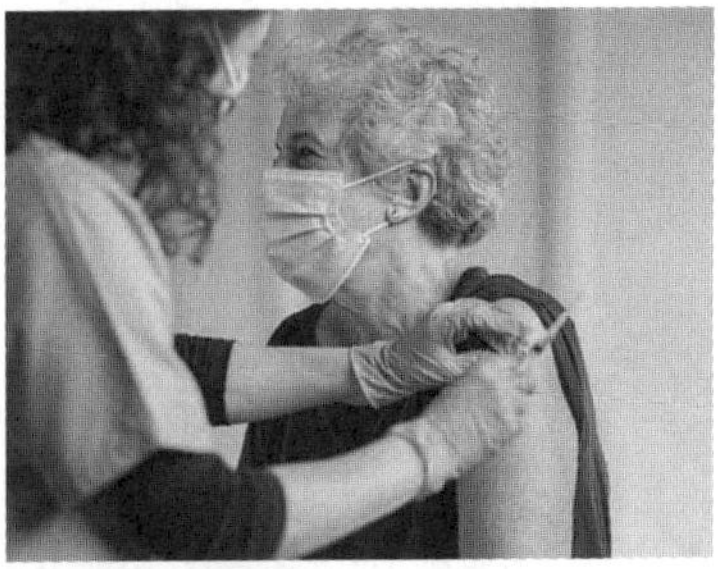
ワクチンは治験中

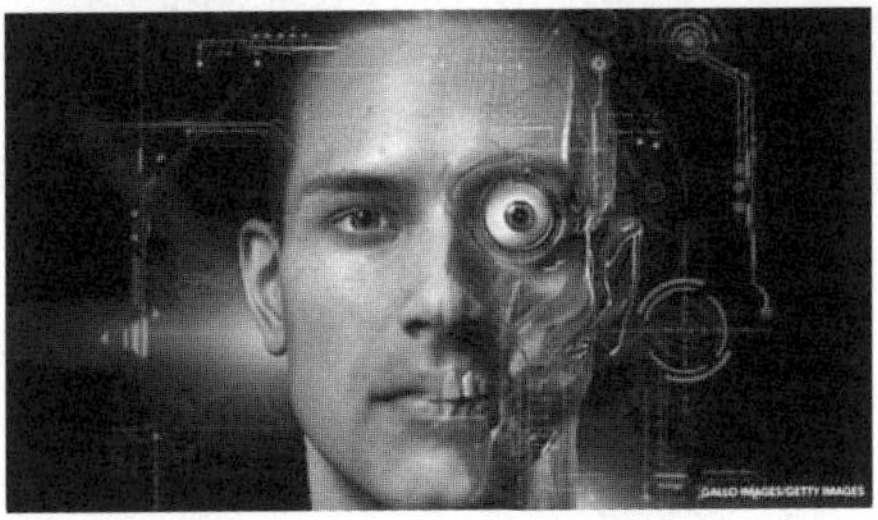

人類のバイオロボット化が進行中

接種が本筋ではないと考えることができます。つまり、ナノ粒子は将来、本格的に注入する予定であり、おそらく世界政府誕生または2050年のムーンショット計画完了の辺りで、5Gにビンビン反応するナノ粒子がたくさん入った家畜たちがいればよく、今回の接種は文字通りその未来に向けた治験であり、強制接種にまではいかないということが推測できます。

では注射でなければ、我々の体内にどうやってナノ粒子を入れていくか？　それは食べ物だったり水だったり、ケムトレイルだったり様々な方法ではないでしょうか。タイムラインに余裕があるため、時間をかけてナノ粒子を入れていけばよいわけで、注射のような劇的な手段を使う必要がないということ。

我々は、どの道、彼らの理想郷（スマートシティ）が完了する頃には、順応したトランスヒューマニズム的バイオロボットになってしまっている、という筋書きです。ＳＤＧｓの「誰一人取り残さない」というキャッチコピーが身にしみますね。

ドナルド・トランプ主導の新秩序

これが実際に起きるか起きないかはおいておいて、発想として、他で言っている日本人がいないことが不思議でしょうがないです。今後、政府による非接種者への締め付けがますます厳しくなっていきます。ヨハネの黙示録のごとし、接種済みという獣（的思考）の刻印のない者は売り買いもできなくなるかもしれません。今後は精神的にかなり試されます。ヨハネの黙示録とリンクさせられないクリスチャンや、締め付けが強すぎてドーパミンのない生活に耐えられないニューエイジも耐えきれずに多くが接種してしまうと思います。

そんなワクチン計画ですが、締め付けがあまりにも非人道的な域に達したり、接種済みの家族や友人が短中長期全てにおいて続々と死に始めたら、流石にバイオゾンビ羊たちもおかしいと気づきだします。喜んでワクチンを自ら接種してＳＮＳに投稿するようなタイプは毛なし猿並みに脳が退化してしまっていますが、さすがに猿でも気づくレベルの酷い締め付けと死亡状

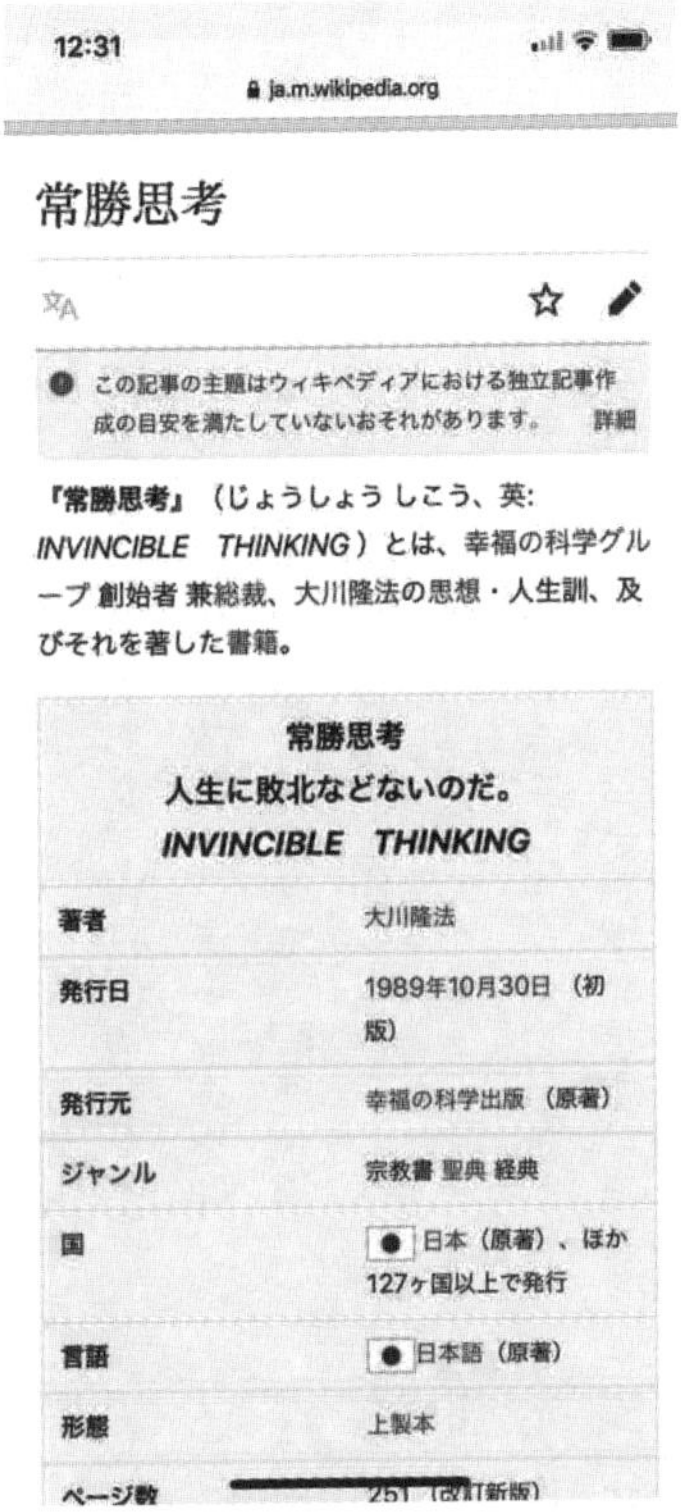

12:31
ja.m.wikipedia.org

常勝思考

この記事の主題はウィキペディアにおける独立記事作成の目安を満たしていないおそれがあります。　詳細

『常勝思考』（じょうしょう しこう、英: *INVINCIBLE THINKING*）とは、幸福の科学グループ 創始者 兼総裁、大川隆法の思想・人生訓、及びそれを著した書籍。

常勝思考
人生に敗北などないのだ。
INVINCIBLE THINKING

著者	大川隆法
発行日	1989年10月30日（初版）
発行元	幸福の科学出版（原著）
ジャンル	宗教書 聖典 経典
国	日本（原著）、ほか127ヶ国以上で発行
言語	日本語（原著）
形態	上製本
ページ数	251（改訂新版）

大川隆法が打ち出している思想

トランプを救世主とするQアノン

Happy Science
Kōfuku no Kagaku
Happy Science logo

Formation	6 October 1986; 34 years ago
Founders	Ryuho Okawa
Type	Japanese new religious movement

「幸福の科学」のロゴ

QR コードはデジタル管理社会の象徴

トランプについての本も出版している

況になれば、接種済みの羊人間も様々な異変に気づき、洗脳が解けるということです。そして天才的な支配層は当然この辺は織り込み済みであり、ＷＨＯ辺りを使って各国政府をいずれも無能が故にパンデミックを抑えきれなかったと責め立て、悪役化させて、国連主導の世界政府（の役割を果たす体制）を作り上げるという構図が用意されているのでしょう。このシナリオにより不満爆発の国民には、最後までワクチンを接種しなかったような頑固な陰謀論者も含まれています。そのため、彼らをも納得させるような強烈に説得力のある救世主ストーリーが必要になります。

そこで用意されたのが数年前に突如出現したＱアノンであり、案の定、日本の陰謀論者の多くがハマっていきました。陰謀論者取り込みコンテンツであるＱアノンは、トランプによる宇宙軍の発足で宇宙人や光の戦士などの要素を抜かりなく取り入れました。クリスチャン的な救世主ストーリーの要素もあります。結果として政治好き、軍好き、宇宙好き、ニューエイジ傾倒のある者、宗教家などの非接種者にも多くのＱファンが誕生しました。全て支配層の計算通りです。非接種者でなおかつＱアノンに引っ掛かっていないのは下手したらフラットアーサーくらいのものだろうか……。

それでは数字を見ていきましょう。

QAnon ＝74

法律や秩序を意味する数字であり、数年後の新秩序を象徴していると言えるでしょう。ちなみに74／47で表せる単語には以下があります。

Government（政府）
Authority（権力）
Republican（共和党）
Democrat（民主党）
DC（コロンビア特別区）
President（大統領）
White House（ホワイトハウス）
Masonic（メイソン）
Jewish（ユダヤ）
Occult（オカルト）
Lucifer（ルシファー）
Jesus（イエス）
トランプのミドルネームのJohnも47になります（ジョン＝ヨハネです）。

トランプのイニシャルＤＪＴも47です。

偽救世主にぴったりの名前であるということですね。

トランプの数字は17だとＱアノンは言います。Ｑは17番目のアルファベットです。またゲマトリアではＱＲ＝17になります。イベント会場などに入る際に接種済み証明に使われているＱＲコードのＱＲです。このＱＲですが、デジタル超管理社会の象徴とも言えます。

バブル時代の頃から「invincible thinking（常勝思考）」などを実施している大川隆法率いる日本のニューエイジ系コンテンツの原点「幸福の科学」のロゴに取り入れられています。案の定、「幸福の科学」はＱアノンやトランプに対してはかなり好意的な姿勢です。教団関連ホームページでは、大川隆法著のトランプについての本も並べて紹介されています（宗教と政治は本来分離されるべき）。

「Happy Science」という名称こそ、ポジティブシンキングや量子波動による「引き寄せの法則」などの幸福感を体現したような名称ですね。また17という数字は、「人間の子」という意味もありますし「混沌の後の調和」という意味もあります。まさにワクチン計画失敗後の救世主にふさわしいですね。

参照記事：『数字「17」の特性』

https://www.ridingthebeast.com/numbers/nu17.php

ちなみに同じ17なのが、ワクチン反対を訴えてきたロバート・Ｆ・ケネディ・Ｊｒ。

ゲマトリアではＲＦＫ＝17

彼の伯父であるＪＦＫの暗殺は警備員オズワルドの単独犯ではないと言い、家族でありながらも二流の陰謀論者丸出しの主張であり、そこからいわゆる工作員であることがわかります。

ではなぜワクチン反対を訴えるのか？

私は彼こそがトランプの右腕、場合によっては後継者になっていく可能性を思案します。トランプとＲＦＫのコンビ（またはトランプ〝死亡〟後のＲＦＫ）は、きっと退廃しきった陰謀論者にはたまらないコンビであり、彼らが光の戦士となりディープステートという闇の勢力をやっつける筋書きには、ワクワクが止まらないでしょう。少々の辻褄合わせや矛盾など無視されるでしょう。

ちなみにアメリカでワクチンパスポートを法律で禁止にしている州を見ていくと、共和党の州である。トランプも共和党。Qアノンはオバマやヒラリーなど民主党議員を目の敵にしています。ワクチン強制接種反対の州知事たちはきっと後から「トランプ派」を名乗るのかもしれません。

大量虐殺のための10ステップ

私の本筋は、最終的にはワクチン失敗計画にて国連が力を増し、日本のテレビでも紹介されているイベルメクチンなどの製薬利権の飲み薬が主流になり、非接種者は海外で既に見られている公務員など特定の職業に就けない、国外に行けない、ライブ会場やスタジアムに行けないなど、多くの不利益を残したままなんとか生活できるようになるとは思っています。もう少し最悪の想定をここでしたいと思います。これになる可能性もあります。

歴史に見る大量虐殺までの10のステップを挙げていきましょう。

零戦玉砕大国の日本でも非接種者の非国民化は進みましたが、メディアによる煽りはまだ本格的に開始しておらず緩い状況が続いています。英語圏の国などではメディアがかなり煽りだしていて危機感を覚えています。必ず起きるとは言いませんが、少なくとも兆候は出ています。

こちらはヘンリー・スタントン博士による大量虐殺の兆候を段階的に説明したもの。２０１６年発行。２０２１~２０２２年に当てはめることができる。

1．CLASSIFICATION／分類

ルワンダ、ナチス・ドイツ、南アフリカなどがわかりやすい例なのですが、古くは性別や人種、ソーシャルステータス、現在は〝接種者〟か〝非接種者〟かの分類が始まります。非接種者は非国民、二流国民扱いです。既にこの分断は、メディアによってある程度導入済みになります。今後はもっと過熱するでしょう。

2．SYMBOLIZATION／ラベル付け

ジプシー、ジャップ、ジュー、ホモなどのターゲットとなるマイノリティに分類のための呼称を与えたり、イエローバッジ※や肌の色といった可視化されたシンボルを与えたり強調したりして、目と耳でわかりやすく

ナチス時代のバッジ「このサインをつけている者は国民の敵である」

理解できるラベル付けをする。現在だと〝ワクチンパスポート〟がわかりやすくこれにあたりますね。日本でも「持っていたらお得」と宣伝していて、従順な羊たちが、イギリス風の皮肉たっぷりで言い換えるならば〝支配層のお尻に鼻を奥まで突っ込んでいるよい子のペット奴隷〟として、「パスポートを手に入れたよ」と嬉しそうにＳＮＳで投稿する始末です。

※イエローバッジとは、中世から近世近代に至るヨーロッパにおいてユダヤ人に着用が求められたバッジ（記章）。「ジューイッシュバッジ（Jewish badges、ユダヤ人のバッジ）」とも呼ばれ、ナチス・ドイツにおいても着用が強制された。

3. DISCRIMINATION／差別

ワクチンパスポート導入済みの日本も、もう少ししたら方向転換してくるでしょう。歴史を見るとアパルトヘイトをはじめ、法律により「正当な」差別は何度も導入されてきました。ニューヨークの「ワクチンパスポートがないとビルにも入れない」、フランスの「長距離列車にも乗れない」がとてもよい例です。市民レベルだと本当に第二次世界大戦以来のキツい状況です。

4. DEHUMANIZATION／非人間化

イスラエル辺りは、既にこの辺までいっているでしょう。非接種者の非人間化。実際は接種者がバイオゾンビＮＰＣ羊のようであることが大変皮肉ではある。人間じゃないんだから、仕事をさせてもらえない、食料品にありつけない、基本的人権など保障されない。全ては正当化されます。洗脳され切った弱き羊たちはこぞって非接種者を差別してくるでしょう。非接種者は、直近の家族を除き接種者とはもうまともなコミュニケーションすら取らない方がよいと個人的には思っています。洗脳ができあがっていますから、差別されて、不愉快な思いをして終わりです。むろん非人間へのヘイトスピーチも当たり前のように毎日メディアから発信されるでしょう。

捕虜の多くは過酷な環境に耐えきれず死ぬ

二流国民は通行禁止だ

上官の命令で殺人も平気でする洗脳され切った兵隊

大虐殺では非人間化がさかんに行われる

ルワンダの大虐殺を忘れてはならない

5．ORGANIZATION／組織化

大量虐殺は常に組織立って行われます。オーストラリアでは既に軍がシドニーの街をうろつくソフトマーシャルローを試験的に実施済みで、各国が今後オーストラリアに追従するのかもしれません。アメリカだとQアノン信者が「マーシャルローはトランプ様の勝利を意味する」という謎理論でむしろ悦に入ることが想像できますね。「子供が発熱↓夜間禁止令を無視して救急病院へ↓途中軍や警察に見つかり拘束↓子供を取り上げげ」なんてあるかもしれませんし、その場で（間違って）射殺されるかもしれません。緊急法下では、軍人が民間人を射殺しても法に裁かれることは基本的にありませんので、サイコパスな軍人は『ハンガー・ゲーム』の気分で民間人狩りを始める可能性もこの時点で高まってきます。

6．POLARIZATION／二極化

極論を言うエキストリーミスト（過激論者）が、この流れを進めるための鍵となります。「非接種者は社会に参加するな！」など、テレビやSNSでソシオパスのようにイカれた発言が今後増えるでしょう。金さえ積めば、魂が腐敗した弱き羊はほぼ何でもします。それだけ彼らは意思が弱いのです。ただの獣です。まるで昔の白人と黒人の結婚禁止のように、接種者と非接種者の結婚を禁止するような条例などが通されても私は驚きません。またこのステップまで進んでしまうと、見せしめのため政府と軍に予め何人かが拘束され殺されるでしょう。皆様もお気をつけください。もう少しライトにいくと資産の没収くらいは覚悟しないといけません。

7．PREPARATION／準備

大量虐殺には入念な準備は欠かせない。国のリーダー的役割を果たす人間が「最終手段」として大量虐殺を高々とアナウンスします。ディストピア小説『1984』のダブルスピークが顕著になるでしょう。〝浄化〟や〝テロ対策〟や〝非国民〟といったキーフレーズで羊たちの洗脳を強めていきます。羊はまるでバイオロボットのように「そうだそうだ！」と完全に同意するでしょう。「ドイツ人たちってナチス・ドイツに何で賛同したんだろうね？」と考えながらも非接種者

の虐殺に加担するグリーンピース脳っぷりである。非接種者狩りには賞金がかけられるかもしれません。オーストラリアでは、既にマスクをしていない隣人をチクる電話ホットラインがあると聞いています。チクると少しお金も入るらしいです。お金のために何でもする物質マインドの羊にはチクリ行為がこれにて正当化されますね。

8. PERSECUTION／迫害

過去であれば宗教や民族の違いによる迫害。容赦ありません。識別し、連行、拘束、そして最悪は死刑。生き残っても牛の烙印のように刻印、イエローバッジの着用など数々の仕打ちが待ち受けています。強制的に連行された後は、強制労働や実験中の新型ワクチンの強制注射が待っている隔離施設やスラム街に送還されるでしょう。もともとあった財産は当然没収。そこからは飢餓と犯罪との戦いである。小さい子供がいれば、政府に持っていかれるでしょう。その場で殺されるかもしれません。国際的に批判されない限りはこの状況が永遠に続くと思った方がよいです。

9. EXTERMINATION／虐殺開始

街をうろつく標的を問答無用に殺しにかかるステージ。軍も敵、警察も敵、街中の洗脳NPCも敵。もはや『ハンガー・ゲーム』の世界である。狩られるか、まだ良心が残っている身近な人間がかくまってくれるか。この時点で小さな子供がいる者は諦めた方がいい。隠れても子供が騒ぐ、泣くで隠れきれない。歴史的にはそういう理由で自分の子供を先に殺して隠れる人もいたようです。食料にもありつけず、飼っていた犬や猫などとうに食料となっているでしょう。女性子供は発見次第レイプされるのが当たり前な世界であり、基本レイプされた後は無残にも殺されるので、生き残ったら殺されなかっただけマシと思うしかない。世界中の紛争を見ると、この辺で正義の味方のフリの国連の介入が多い。ちなみにこれらの行為は全て実質黙認または合法である。

10. DENIAL／否定

最終ステージである。大量虐殺完了後に必ず起きる証拠隠滅。墓という名の洞穴に転がる大量の死体は焼却され、あらゆる紙の証拠が死体を燃やす火のために使われる一石二鳥ぶり。デジタルなデータも当然削除。政府は虐殺が起きたことを堂々と完全に否定します。政治家は国際機関の犯罪捜査の邪魔をし、強制的に引きずり下ろされるまで政府の椅子にすがりつく。状況が悪くなれば国外に逃亡し罪を逃れる。この辺は我々庶民ではどうにもできないところである。運が良ければ政治家たちをギロチンにかけられるが、彼らは実質ただのスケープゴートのため、本質的な問題解決には決してなっていない。

こうして世界がまた支配層の思惑通りに三歩進んで二歩下がる。つまりＮＷＯへと一歩進んだ状態になる。歴史はひたすらこういう妥協の連続である。

参考記事：『10 Stages of Genocide（ジェノサイドの10段階）』
http://genocidewatch.net/genocide-2/8-stages-of-genocide/

コロナワクチンという捨て駒

今回のワクチンにより、多くの接種者が今後2年間くらいでバタバタ死んでいくことが想定されています。死んでいく人が増えれば増えるほど、さすがの羊も何かがおかしいと気づくでしょう。また、最近メディアのワクチンに対する風向きが少し変わってきているように見えます。少なくとも全てにおいてワクチン万歳ではなくなった。そしてヨーロッパは手始めにマクロン大統領の発表により、わざわざ従来から抗議活動が活発なフランスという国でワクチンパスポートの本格化を欧米で初めて開始したことも違和感がありました。これについては抗議活動をしてもらうことが本望だから最初にフランスが選ばれたのでしょう（フランス政府を将来一つのスケープゴートにするため）。

さて話をワクチン内にあるとされている「磁気性のあるナノ粒子（マグニート・ジェネティクス）」に移しましょう。ドイツのケミセルという会社がMagnetofection（マグニートフェクション）という商品名で普通に販売しています。体のあらゆる細胞に（この場合はスパイク蛋白を）行き渡らせるための磁力を使った技術。ワクチン接種後に磁石が体にくっつく現象はこれによるものでしょう。「人体実験には絶対使わないでください」というケミセルのお触れ書きがあり、スケープゴートとして注意を無視して製薬会社が勝手に使ったということにされるでしょう。

参考記事：ケミセルホームページ「Magnetofection」

http://www.chemicell.com/products/Magnetofection/Magnetofection＿separation.html

このナノ粒子に関連した情報は、最初は共和党／Qアノン関係からの発信でした。きっと以下のような筋書きなのでしょう。

Q信者が「マグニート技術だ！」と騒ぎ始める

←

共和党寄りのFOXなどのマスメディアも取り上げ始める

←

政府と製薬会社への本格的なバッシングが始まる

←

「Qありがとう、あなたは正義の味方」と羊たちの信頼を勝ち取る

←

大衆が、トランプとワクチンの注意を呼びかけていたWHOの言うこと聞くようになる

←

国連の世界政府（のような体制）がさらに固まる

という筋書きである。

身体中に行き渡ったスパイク蛋白の暴走による接種者の死亡という人口削減ももちろん計画の一部ですが、それより先の大きな計画については、今回のワクチンはある意味捨て駒になります。このナノ粒子は食品やケムトレイルにも入っているようなので、どの道10年後は誰もが徐々に「5Gスマートシティ」に適合した体になってしまっているのでしょう。SDGsの「誰一人も取り残さない」とはこのことを指しているのでしょう。支配層は、この緻密なレベルで容赦なくプランを我々に実行しているということです。生半可な決意ではありません。今回の筋書きが当たっていれば、支配層が達成できることはたくさんあります。

（1）**マグニート・ジェネティクス**の本当の目的である「5Gを使い大衆の〝ドーパミン〟を操作しての間

罠にハマるＱファン

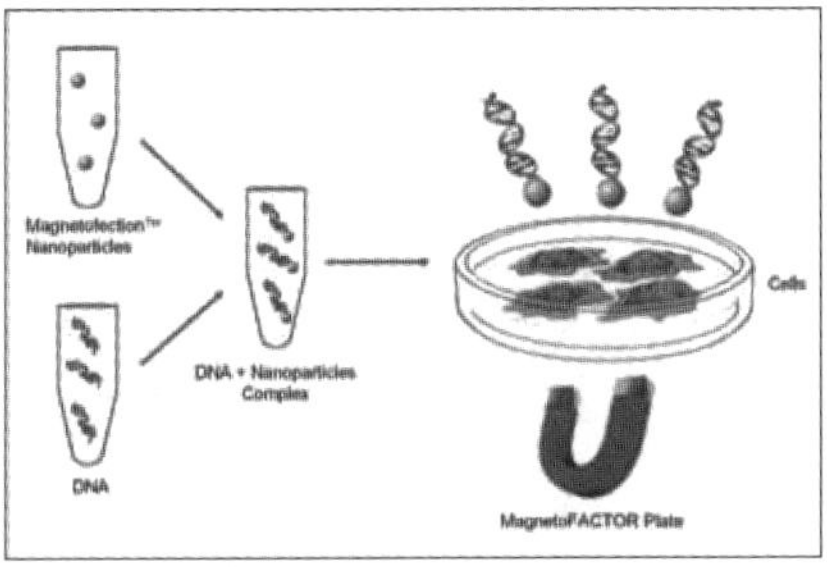

磁気性のあるナノ粒子技術

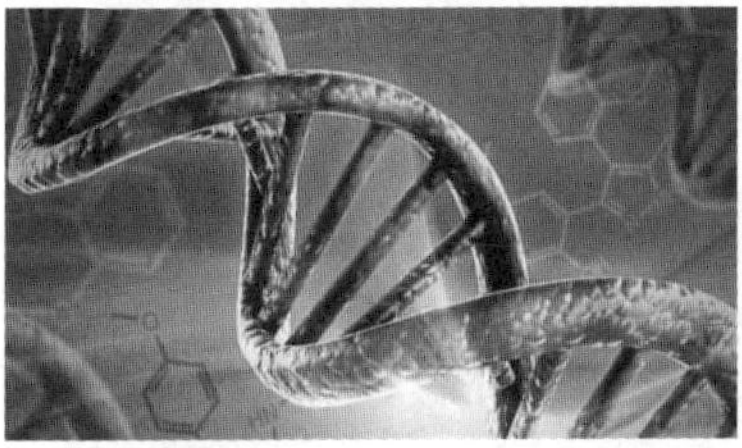

ナノ粒子を身体中に行き渡らせるもくろみ

ワクチン計画で暗躍する製薬会社

５Ｇを使い大衆を遠隔操作する計画

接的な遠隔操作」をする。それを「自由意志による決定」と操作されている方に勘違いさせる。

　ワクチンで直接血管にナノ粒子を射ち込まなくても、「時間さえかければ、私たちの食品などに混入させることで、どのみち目的が完了する」という本筋を隠せます。なぜなら、「スパイク蛋白を効率よく身体中に行き渡らせるため」という捨て駒的な理由を、「製薬会社がマグニート技術を採用したのが原因」とすることができる。ドーパミン操作には、今後も触れないでしょう。

（2）「ワンチンそのものが悪い」とはならない。「ナノ粒子を製薬会社が勝手に入れたから今回の一連のコロナワクチンがダメだった」ということにできる。ワクチンそのものへの印象を良いものとして残せる。

（3）「欲にまみれた製薬会社と各国政府の対応の悪さ」という明確な悪役のスケープゴートができるため、「対立軸」にトランプやQアノン、国連を持っていきやすい。

　などがあります。

羊もQファンも完全に納得の内容であり、残された私たち真の真相論者は超少数派。

　何度も言っていますが、支配層は神智学から100年以上かけてニューエイジの概念を大衆に浸透させ、思考の獣化および「ドーパミンをひたすら追い求める」行為と「対立軸を好むことがカッコいい」という概念を植え付けました。「ニューエイジ＝アセンション」と言っている人ではなく、上記のような思考回路になっている人、です。

　残念ながら現代の日本の陰謀論界はこういう人が多数です。「ドーパミン」と「対立軸」というキーワードから、長年にわたる「ニューエイジの浸透」が今回の計画のための下準備だったことがご理解いただけるかと思います。実は地球球体説もこの辺と密に関連しているのですが、それについてはまた別の機会にどこかで執筆したいと思います。

　支配層の長年の計画の集大成の一つが今回の**グレートリセット**であることから、力の入れようが半端なく、Qファンの騙されっぷりを見ていると、間違いなく達成できてしまうだろうと思っています。

スピリチュアル系が真のフラットアース対立軸

いろいろとようやく腑に落ちました。ちなみにウェイン・マクロイ（Wayne McRoy）の『Cybernetic Messiah（サイバネティック・メシア、未邦訳）』という本で最後のパズルのピースがハマったので、興味のある方はぜひ読んでみてください。英語がわかりやすく、とても面白いです。

支配層がスピリチュアル系を神智学の頃から100年以上かけて、NASAやニューエイジなどを駆使して大衆に普及させた理由は端的に言うと、本来の意味の**「metaphysics／形而上学」を隠すため**になります。「生きる目的を見失わせるため」とも言えるかもしれません。

結論から言うと、「メタ世界（目に見えない世界）に対する大衆の認識を誤った方向に導くため」である。

◇エーテル、魂、創造論 ↓ 古来の正しい、目に見えないメタ認識

◆量子、波動、宇宙、仮想現実／進化論 ↓ ニューエイジ、スピリチュアルで植え付けられる認識

勘の鋭い方なら気づいたと思いますが、以下のように書き換えることもできます。

◇エーテル、魂、創造論 ↓ フラットアース

◆量子、波動、宇宙、仮想現実／進化論 ↓ 球体説

これでフラットアースとニューエイジ、スピリチュアルが真反対の対立軸にあることをおわかりいただけたと思います。

私個人が、「フラットアースに気づいていながらもスピリチュアル系にまだ傾倒している人」にかなりの違和感を覚えていた理由にもつながってきます。つまりフラットアースが、古来の形而上学に関する知識を習得するためのまたとないヒントであるにもかかわらず、ドーパミンが出ないなどの理由でフラットアースを追究しようともせず、対局にあるスピリチュアル系を妄信していることが支配層の思惑通りすぎて、直感的に不甲斐ないと感じていたためだとわかり、結構ス

スピリチュアル系の概念と真逆のフラットアース

目に見えない第五元素エーテル

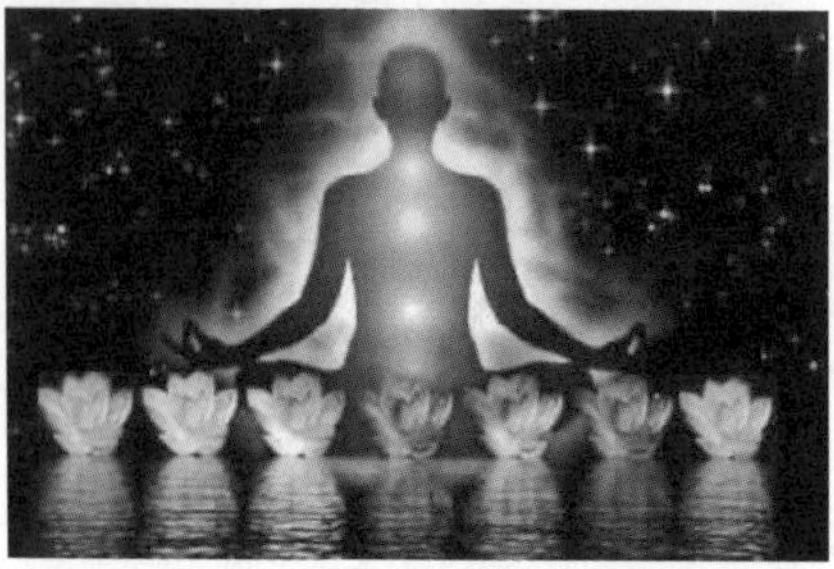

「スピリチュアル」の本来の意味は「精神性」である

フリーエネルギーは量子波動ではない

ッキリいたしました。端的に言ってしまえば、ニューエイジのスピリチュアル系は、その対極にあるフラットアースを隠すためのツールでもあると言えます。だからこそのNASA同様の宇宙冒険であり、異次元、アセンション、宇宙人、といったコンテンツがメインなのです。フラットアースとニューエイジ、スピリチュアルは共存できるものでは決してありませんし、なんとなく共存してしまっている国は、私が知る限りでは世界で日本だけです。

もう少し具体的に書いていきましょう。

「神智学 → アインシュタインの神秘科学 → NASA／ニューエイジ」でずっとプロモートされてきたプロパガンダには以下のものがあります。なんでプロモートされているかの理由も記載いたしました。

エーテルではなく量子力学

「全ての物は小さな量子でできていて極めて物質的である」という刷り込み。そして「光をはじめ、水、大気、土、火といった要素が全てエーテルという第五元素を媒介して存在／活動している独立した要素」ではなく、「全ての物の量子は厳密にはつながっている（境界線がない）」とする考え方。スピリチュアル系の**ワンネス**や**波動**といった概念などもこの量子力学ベースになります。また、フラットアースに気づくとわかるのが、この世界が**量子と重力**ではなく、**電気と磁力**によって動かされているということ。旧文明時代に当たり前だったであろうフリーエネルギーもエーテルを介して電気を集めているのであり、量子波動では決してない。皮肉にもフリーエネルギーを隠すためのプロパガンダコンテンツである原子力発電が量子力学ベースであることからも、支配層の性格の悪さがうかがえます。

フラットアースを隠す

「天蓋」ではなく「宇宙」、「平ら」ではなく「球体」、「リアル」ではなく「仮想現実」、「創造論」ではなく「進化論」など、スピリチュアル系は真実への玄関口となるフラットアースを真っ向否定する概念に満ちあふれています。この辺は世の陰謀論者や量子力学ベースの治療ビジネスで儲ける医師などがある程度真相に気づいていながらも、フラットアースについては強烈な認知的不協和を起こす一番の原因にもなっているでしょう。フラットアースは、彼らスピリチュアル系が信じていることとはとにかく真逆の考えなのである。

極めて物質的である

「スピリチュアル」という単語の本来の意味が**「精神性」**であると思うと大変な皮肉である。例えば「死後のメタ世界（いわゆる魂の世界）」ではなく、「時間と空間で定義された異次元論」であったり、「数式や数秘術、記号、シンボリズムの規則性」ではなく、「ランダムな物質論（ビッグバンも含まれる）」であったり、「大地が人間のために作られていて人間が特別な存在」ではなく、「宇宙の気まぐれによる偶然の産物」であるという**「人間の尊厳」を失わせる概念**などが含まれます。本来の正しい精神性を失った家畜は、牙を失ったライオンのように無力で実にコントロールしやすいのです。

思考の獣化

「論理性」ではなく、とにかく「感性」である。両方をバランスよく使える人間は支配層にとっては脅威であり、動物同様に感性だけで生きるということは、人間に与えられた人間だけができる高度な思考プロセスである「論理性」「批判的思考」「哲学」「計算」「長期的な視野」などを放棄するということに等しく、支配層の言い分は「そんな思考回路の人間は人間とは呼べない。その思考こそが獣の刻印そのもの」である。支配層にとって今回のワクチンが「獣の刻印」と半ば揶揄されているゆえんはここにあるでしょう。「論理的に考えずにメディア妄信で毒物注射を射つ人間は死んで当然。だって獣だから」という考え方だと思われます。

また「今を生きる」や「批判を嫌う」のようなスピリチュアル系特有の概念も思考の獣化を促進していると言えるでしょう。動物は自分が嫌なことはしません。生まれてから死ぬまで、餌と快楽と安心感を求めているだけです。生まれる、求める、そして死ぬ。皮肉ながらも感性だけで生きている人間はこの記事を読んでも「気持ちよくない」とか「難しくてよくわからない」とそのままスルーし、何も変わらないということが、私のやる気を最もそぐ要因となってしまっています。

まとめ

ここでわかることは、スピリチュアル系コンテンツが様々な理由から支配層の最も大きな武器であり、フラットアースという最強の盾を手にしたにもかかわらず、スピリチュアル系の矛盾に気づかないのは非常にもったいなく、宝の持ち腐れであるということ。どうか日本以外のフラットアーサーのように、このスピリチュアル系が蔓延している日本全体の現状に危機感を抱いてほしいと思う次第であります。

（スピ系が日本でかなり流行り出したのは3・11のすぐ後でしたね。その頃、山本太郎は量子力学をベースにした原子力発電の対立軸に立ち、毎日テレビで声がかれるほど叫んでいました。今思えば、その時の彼の役割が潜在的にスピリチュアル系を受け入れやすい状態にすることだったのかもしれません）

エピローグ

主義主張の訴え方――マスク編

世の中の洗脳された人々に真実を伝えることはとても大切なことですが、私たちは伝えるべき内容とともに伝えるべき方法も同じくらいきちんと考えないといけません。他人（洗脳された羊）にどう映るか。場合によっては独善的に思われたり、ただのクレイジーな陰謀論者と思われることも多々あり、思いのほか気を遣わなければならない場面が多い。

例えばマスク。マスクをしない人の理由は主に三つあります。

①　自身の免疫力を落としたくないから。
②　マスク羊に「マスクなんてする必要ないんだよ」と宣伝するため。
③　支配層への「俺は奴隷じゃねぇ」という主張。

この三つってバランス良くやっていかないといけないと思います。むしろバランス良く実践している人が効果的な啓蒙者とも言えると思っています。

どういうことかというと、例えば③を優先させすぎて②が逆効果になっている状態はあまり意味がなくなってしまうよ、ということ。

もちろん「全てバランス良く完璧に」はかなり難しい場合が多いので、ある程度の妥協も必要かと思いますが、とりあえずいろいろな行動を検証していきましょう。

まずは、「マスクを必ずしてほしい」と言われる場所があるとしましょう。場所自体はどこでもよいです。

この場合の対処法として、

a　その場を去る
↓　①と③をバランス良く優先していて、②については悪い印象は決して与えないため、良い選択だと思います。しかし働いている会社のオフィスとかだとこうもいかない場合があるのが痛手。

b　「マスクをしてほしい」と言った者に抵抗する
↓　静かに冷静に「医療上の理由でマスクできません」と言ってみるくらいなら問題ないかなとは

思いますが、あまりことを大きくしたり熱くなったりしてしまうと①としては不必要なストレスを抱え免疫力に決して良い作用はしないし、②としてはただのわがままに映ることがあり、「マスクしない奴にろくな奴はいない」という印象を与えて逆効果、③を優先している形にはなるものの、他の二つが良くなさすぎるように思える。

c 仕方がなくマスクをする
↓これも正直バランスが悪く、①もアウト、②もマスクを肯定しているように見られてしまい、③も屈していることになり、個人的には「これしか本当に解決策がない」という時以外はメンタル強めで同調圧力や視線に屈せずノーマスクを貫いてほしいところです。

とまぁ、私たちはマスクに限らず様々な選択を日々求められており、こうしたバランスを考えながら、賢く、鋭く行動を決めていかないといけないということがわかるかと思います。

ぜひとも羊に気づいてもらえるよう、これからも自己満足で終わらないためにも、啓蒙を頑張っていこうではありませんか。

そして最後に、世界中にはこのような思考回路の人が一定数いることを忘れてはならない。次のページは「本日の羊賞」というシリーズ投稿でご紹介させていただいたコロナ脳羊の皆様です。

↑こちらは著者によるヤラセです

ボーナス

QAnonを冷静に分析する

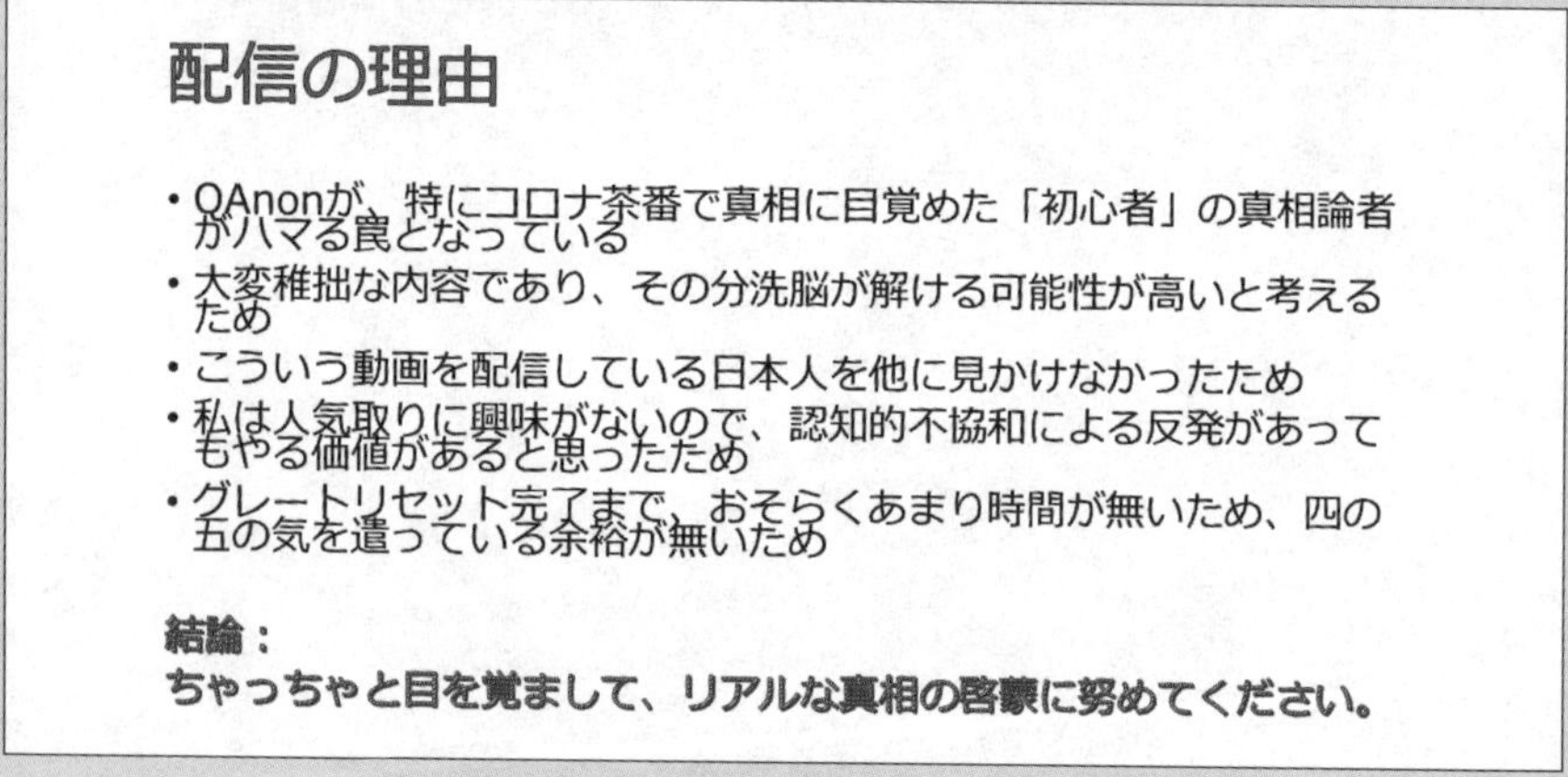
配信の理由
・QAnonが、特にコロナ茶番で真相に目覚めた「初心者」の真相論者がハマる罠となっている
・大変稚拙な内容であり、その分洗脳が解ける可能性が高いと考えるため
・こういう動画を配信している日本人を他に見かけなかったため
・私は人気取りに興味がないので、認知的不協和による反発があってもやる価値があると思ったため
・グレートリセット完了まで、おそらくあまり時間が無いため、四の五の気を遣っている余裕が無いため
結論：
ちゃっちゃと目を覚まして、リアルな真相の啓蒙に努めてください。

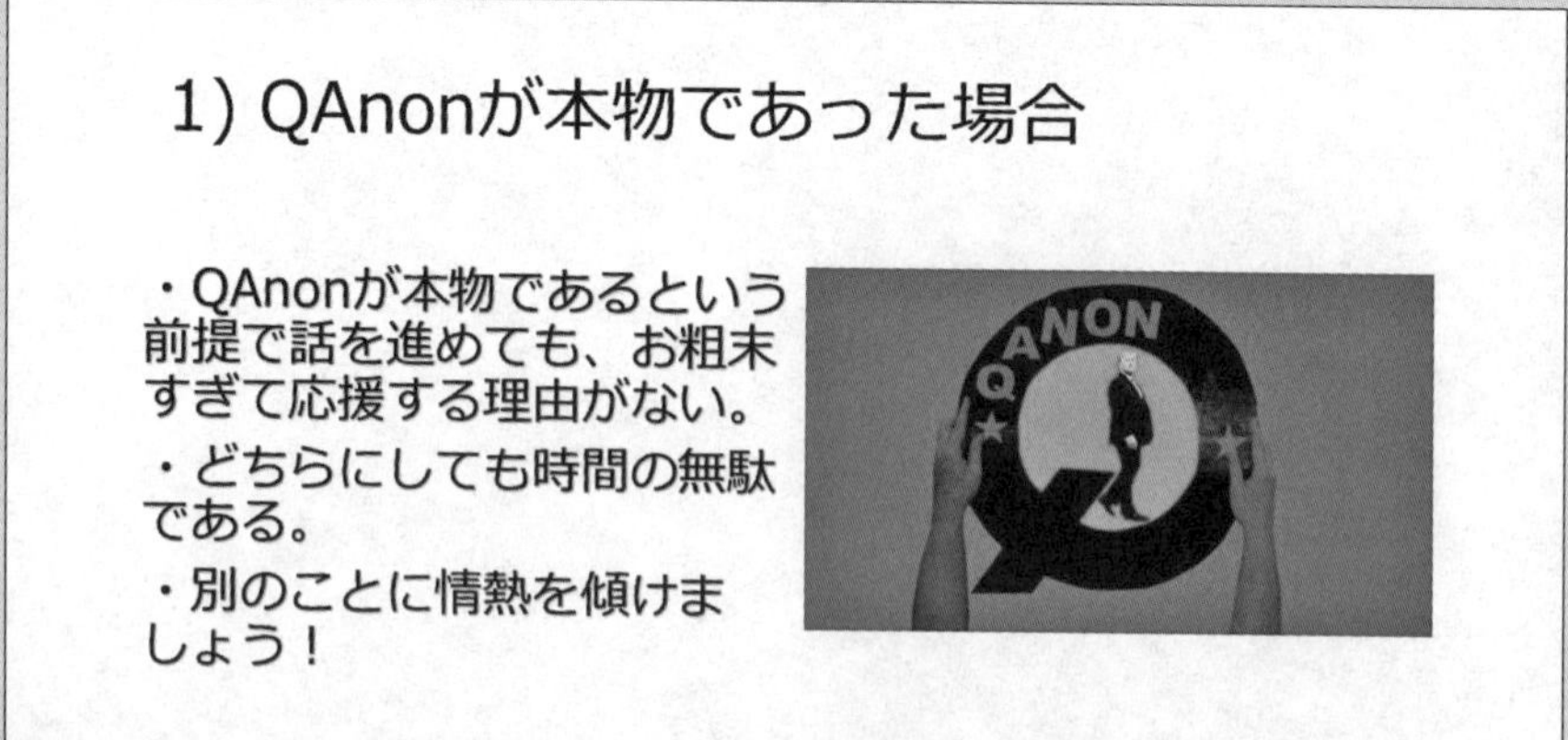
1) QAnonが本物であった場合
・QAnonが本物であるという前提で話を進めても、お粗末すぎて応援する理由がない。
・どちらにしても時間の無駄である。
・別のことに情熱を傾けましょう！
QANON
Q

☆YouTubeチャンネル『Rex TV Japan』内の動画『緊急放送!! Qanonを冷静に分析する。』をぜひご覧ください！

結論

冷静に考えると
そもそも何も成し遂げていない

彼らの極秘作戦が世界各国のその辺のオンラインピープルに万人単位で筒抜けである。

↓

そんな軍事作戦成功した試しがありません！

一般人であるあなたがその作戦を知れた時点で失敗すると認識してください。

別のことに情熱を傾けましょう！

（筒抜けだからなのか）緊急放送や、その他各種の予告が軒並み延長されている。

↓

やってることは

宇宙詐欺と一緒！

リップサービスを無視すれば、やっていることは
「ワクチン」と「宇宙事業の推進」

↓

・「オペレーション・ワープスピード」
・「スペースフォース」

※「オペレーション・ワープスピード」とは？

CRDS JST 国立研究開発法人科学技術振興機構 研究開発戦略センター

FDAやCDCも参加している、ワクチンを米国民に届けるためのタイムフレームを加速させる3つのコア領域（開発、生産、配布）を定めた、COVID-19のワクチン、治療法、診断法（医療対策）の開発、生産、流通の加速を目的とする国家プログラムである。

同じ人物を何度も死刑にしている。

死刑にされた人物が死刑にされた後にテレビに再度現れる、が繰り返されている。

Q信者は「あれはクローンだ！」と言い返してくるが、そもそも特定の支配側有名人を逮捕、と高々に宣伝して乗り込む方法は「クローン等のそっくりさんを、簡単に後から用意できる体制をもつ支配層」には逆効果の下手なやり方である。

↓

アマチュア集団の集まりという論理的な結論になる。

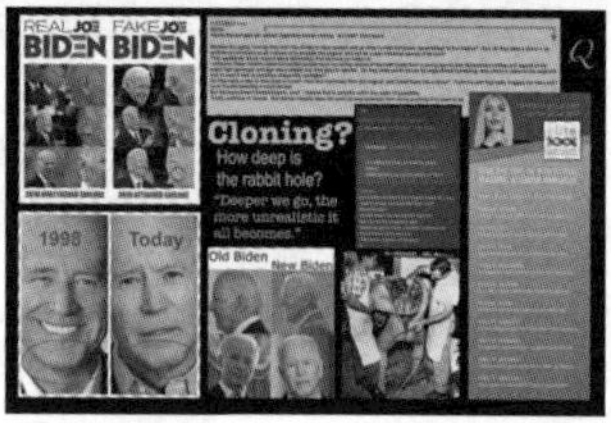

仏マクロン大統領やローマ教皇の逮捕間近！という報道もありましたが、

本国アメリカではなくアメリカ国外の話ですよ。

トランプとアメリカ軍が一体何の権限をもって、他国の領土を平気で侵入できるのか…。

望まない衝突を避けるために大軍でその国に押し寄せることを通過する各国に打ち明ける必要がある時点で秘密が漏れることを考慮していない。

また他国の法律家や司法との打ち合わせも必要。こんな手間のかかることなどせず、普通ならばスパイを使って、行動しやすいアメリカにどうにか呼び込んで、アメリカで逮捕しようとするのがきちんとしたやり方。

それをしていない時点で三流のハリウッド映画と変わりない。

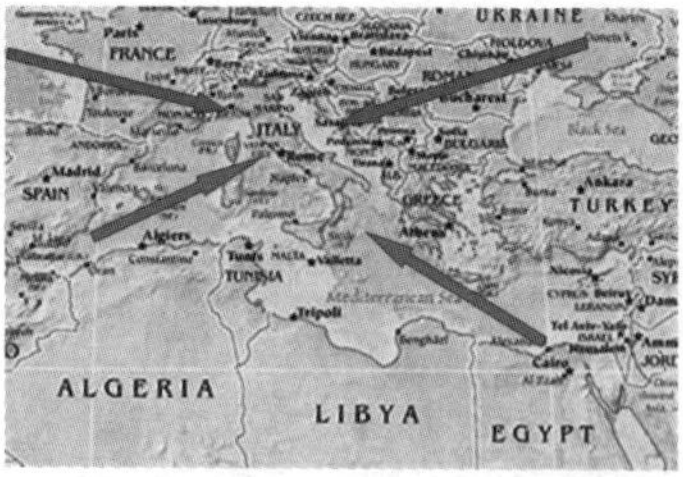

ゲマトリア

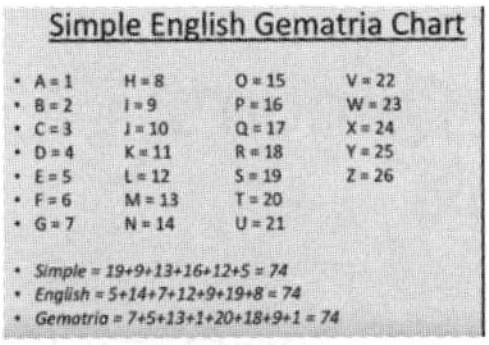

QAnonによると、トランプが誰もが見ることができるSNSでゲマトリアを使った暗号を取り入れている。

↓

ゲマトリアはユダヤ数秘術で支配層が何百年も前から使っているコミュニケーション方法…。

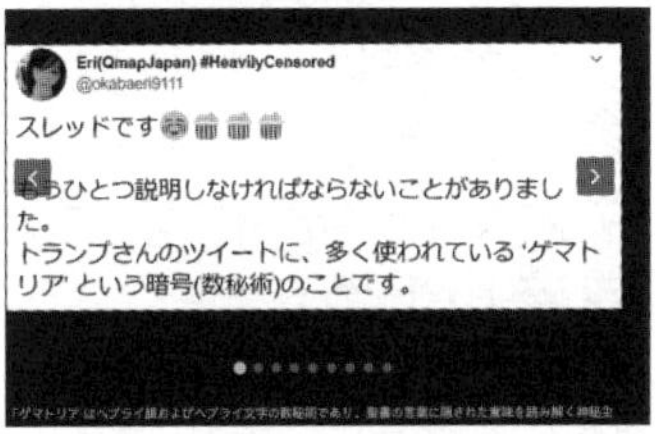

<u>**支配層に筒抜けである**</u>

おまけ

やっていることが正式に考えても、
そもそもただの国際テロリストである。

<u>**見本**</u>

著名人を勝手に「逮捕」して、憲法に定められた方法に則らず、勝手に「軍事裁判」にかけて、自分たちの基準で早々に処刑。やっていることがISISと同じ。

何様やねんっ！！

総評

QAnonは存在しても秘密が駄々洩れで、
（当時の）米国大統領が味方にいながらも、コロナ茶番を全く止められていない。

言ってることと実際にやっていることが相反しており、やり方も軍が味方しているとは思えないほど、お粗末なアマチュア組織である。

2) QAnonがそもそも偽物であるという根拠

もうすでにお気づきかもしれませんが、穴が多すぎます。

それでは冷静に見ていきましょう。

大前提として

・政治家が自発的に国を動かしている

・投票制度を信じている

・米国大統領は世界トップレベルの権力者

など、真相論者なら失笑するような羊設定を必要とする。

↓

政治家＝パペット

という真相論者の基本的概念を忘れる必要がある。

特に…

権力者性善説

大国の大統領を4年に一度、

私たち家畜が投票制でランダムにリーダーと今後の方向性を決めるという先が読めない不安定なシステムを…

支配欲と統制欲にまみれ、綿密な計画を好む本物の権力者たちが許容するはずがない。

アメリカ建国から200年以上経過した今でも「公平な民主主義の選挙システム」が残っているというのはさらに失笑である。

一日24時間では足りない…

ドナルド・トランプはずっと激務の大統領をこなしながら、Qの仕事もこなし、なおかつ支配層が（ほぼ毎日のように放っているはずの）暗殺者からもうまく逃れているにも関わらず、（暗殺されやすい）日焼けマシーンできれいな日焼けができている。

そしてエドワード・スノーデン並みに疲労感が全く感じられない。

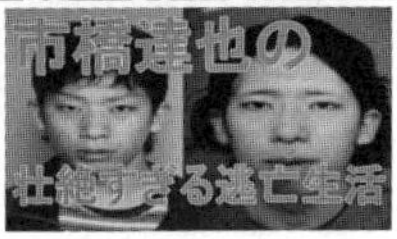

大統領にはなれないし、ずっといられない

庶民の味方の正義のクルセーダーがアメリカ大統領になれることすらありえないのに、肉体的にも精神的にも、そして法律的にも軍事的にも４年間も大統領でありつづけ、今もピンピンしていることがどれだけありえないか少し思考停止を解除して考えてほしい。

もう少し歴史の勉強をしてくれ！

支配層の悪意を舐めすぎている

トランプの経歴と過去がブラックすぎる

・イエズス会系列のフォーダム大学出身

・2017年にはローマ教皇に笑顔でへりくだったご挨拶をしに行く。終始にこやかだった。

・ロスチャイルドの右腕ウィルバー・ロスにより、自己破産を免れている。

・ジェフリー・エプスタインとかなり仲が良かった。

↓

数々の不都合な事実を全て偶然と無視する必要がある。そもそも権力者のひとりであると忘れてはならない。

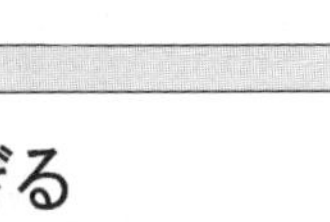

ネサラゲサラ

読み込んでいくとただのグレートリセット

（通貨破綻、デジタル通貨導入、ベーシックインカム、法改正etc）

結論

ロビンフッド物語をテンプレートにした、グレートリセットを聞こえ良く言ったバイナリー手法の騙しテク

参考記事：『NESERA・GESERA（ネセラ・ゲセラ）とは何か！？世界を救う！？新法成立か』
https://lifegame.hatenadiary.jp/entry/2021/02/25/085552?fbclid=IwAR20meBZ8bJNdbk2qRbmzP_YVP0r4fLa5IU6nWRz2fc2vetzlcqEsAioKW4

1. 違法な銀行及び政府による活動に由来する全てのクレジットカード、抵当、銀行債務の取消。
これを「ジュビリー(Jubilee)」または「債務の完全な免責（借金の帳消し）」という。
2. 所得税の廃止。
3. 国税庁の廃止。国税庁の被用者は米国財務省の国内売上税部門に異動する。
4. 政府歳入となる日常不可欠ではない新品のみに課される一律17%（14%説も）の売上税の創設。つまり食料品と薬には課税されない。また中古住宅のような中古品には課税されない。
5. お年寄りの社会保障給付の増額。
6. 法廷と司法の憲法への回帰。
7. 改変された称号及び貴族階級の元来の状態への復帰。
8. GESARA（NESARA）の公式発布後120日以内の大統領及び議会選挙の創設。暫定政府は非常事態を収拾し、憲法に則った法制化に復帰する。
9. 選挙の監視と特定の圧力団体による非合法な選挙活動の防止。
10. 金、銀、プラチナといった貴金属に資産担保された米国虹色通貨の創設。ルーズベルトによって1933年に開始された米国の破産状態の終結。
11. 米国運輸局による家畜資産債権としての米国出生証明記録の売買の禁止。（奴隷売買の禁止）
12. 憲法に則った米国財務銀行システムの開始。
13. 連邦準備銀行制度の廃止。連邦準備銀行発行の紙幣が完全に排除されるまでの1年間は、移行期間に限って、連邦準備銀行制度は米国財務省の補助的手段として運営される。
14. 金融上のプライバシーの回復。
15. 憲法の下での全ての裁判官と弁護士の保持。
16. 世界各地における米国軍隊の侵略的活動の中止。
17. 世界全体における平和の達成。
18. 人道目的の為に蓄積された莫大な額に上る前代未聞の資産の放出。
19. 安全保障上の理由と言う見せかけの理由によって公開を制限された6千以上の特許技術の利用可能な状態での公開。これらの技術にはフリーエネルギー機器、反重力技術、音波治療機器などがある。
20. 現在及び将来に亘る、地球上でのあらゆる核兵器の廃絶。

ゲマトリアからみるQAnon

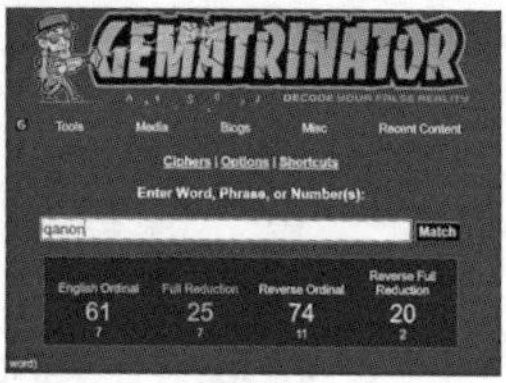

QAnon=74

エバーグリーン追突

74と読める07:40に衝突した際の風速は時速74キロ。

シンプソンズに出てくるシンプソンズ家の番地が742 Evergreens terrace。

Masonic, Jewish, Messiah, Occult, Luciferなど多数。

フリーメイソンのコンパスも47°。7/4はアメリカの独立記念日でもあります。

またゲマトリアでは時々バイナリーシステムのごとし、前後の番号を入れ替えることもある。この場合は47。与野党関係なくワシントンにいる政府も加担していることがわかる。

Government = 47, Authority = 47, Republican = 47, Democrat = 47, DC = 47 , President = 47, White House = 47.

ボケ老人設定のバイデンなるキャラが引退することも予見している(第47代大統領はカマラ ・ハリス)。
因みに副大統領のVice President も47。バイデンの次に支配層に選ばれた大統領が歴史的な役割を果たすことを思案。

(獣を意味するbeastが47。世界的なワクチン接種の幕開け儀式でもあった。)

トランプもreverse ordinalで47。

因みにこのQAnon = 74のクルセーダーが所有するトランプタワーの火災があったのは4月7日。

トランプのミドルネームのジョンも47。ちなみに現在74歳（2021年5月8日現在）。

偽救世主のAntichristがReduced方式で47。

74と言えば、イベント201は年が変わるまであと74日の日付に開催(2019年10月18日)。

QAnon のAnon は、Anonymous（匿名）の略。
いわゆるサタンの本質はdeception（騙し）であり、QアノンはPSYOP（心理作戦）である。

Deception = 46 Full Reduction, 44 Reverse Full Reduction
Q Anonymous = 46 Full Reduction, 44 Reverse Full Reduction
PSYOP = 44 Reverse Ordinal, Lie = 44 English Extended

44については、Kill = 44 English Ordinal, Mask = 44 English Ordinal でもある。

PSYOP = 17 Reverse Full Reduction
Q = 17 English Ordinal

光と闇、救世主、千年王国など、ヨハネの黙示録のパロディである。

Anonymous という語が示すように、発信元は特定できていません。
実体がないもので大衆を騙しているという点で、コロナに類似している。
まさにコロナ騒動のPSYOPに、ぴったりの名前。

始まったのは2017年10月。コロナに合わせて作られたと推測されます。トランプ自身はインタビューで、QAnonについて何も知らないと主張しています。 I know nothing about QAnon というような表現でした。

【コロナと QAnonの共通点】

実体がないものを、スクリーンを通して大衆を騙す。
（コロナはテレビ担当、 QAnonはネット担当）

総評

QAnonは、有名なフリーメイソンである
アルバート・パイクの言葉

「大衆にはヒーローでも与えておけ」にもあるように、支配層が大衆の羊思考をうまく利用、誘導するために打ち出している、ヒーローものの三流小説より穴がある設定のコンテンツである。

支配層は、大衆が不安と恐怖に弱く、現実逃避の手段としてすぐに救世主にすがってしまう性質を熟知している。

また私たちは、学校教育や映画、アニメなどで子供の頃から善悪二元論を支配層に植え付けられており、こういうコンテンツは効果が絶大なのも織り込み済み。

ハーメルンの笛吹きのごとし、陰謀に目覚めたばかりの羊を袋小路に誘導する役割を果たしている。Qにハマった陰謀論者は「トランプが救ってくれる」という期待のもと、現実の世界でほぼほぼ無力化される。具体的な行動をしなくなる。グレートリセットの成功にQAnonはかかせなかった。

最後に言いたいこと

- QAnon信者を馬鹿にしたり、大衆の分断を促そうと思ってこの配信をやったわけではない。QAnon信者はただの道を少し見失った同じ家畜階級の人間である。

- むしろ大衆同士で手を取り合えるよう、ナンセンスなものはナンセンスだとわかってもらうための愛の鞭だと思ってもらいたい。

- もう時間があまり無いのだから、効率的に効果的なことをしていかないといけない。だから私はダイレクトな方法を取る。

＜感情抜きに言わせてもらうと球体説以下のコンテンツ＞

あとがき

　フラットアースジャパンの立ち上げも本書の執筆も、根本的なところでは利他的な精神で一人でも多くの方に世の中の真実を知ってもらいたい、という思いでやっているところがあります。ただし、多くの人が権力者にいいようにカモにされているという現実に気づいてもらえた半面、啓蒙の限界も感じずにはいられない数年間でした。もちろん自分の伝えている情報が100％必ず合っているとは思いませんが、簡単に観測や観察、体感ができるフラットアースという真実を全く受け入れてもらえないことも多く、壁に向かって叫んでいるような虚しさもたくさん味わいました。

　こういった経験から学んだことは二つあり、一つは「世の中にはどうあがいても真実に目覚めさせることができない人たちというのが一定数いて、しかも歴史的にも常にそういった〝羊〟と揶揄されるようなタイプが大多数であった」ということ。幼稚なプライドが邪魔をして、政府性善説が幻想で、今まで学校やテレビに教えられてきたことがほぼ全て嘘で、頑張ってやってきた学校の勉強もただの従順な奴隷養成のためのくだらない行為だったと「認めるくらいなら死んだ方がマシ」と潜在的に感じている人が思いのほか多い。

　また最近はこういった人々がテレビゲームのRPG（ロールプレイングゲーム）のいわゆるNPC（Non Player Character）のように見えるようになりました。NPCとは、ゲームにおいてプレイヤーが直接操作できないキャラクター。ドラクエなどのRPGでどこかの村に入ると、入り口付近などでウロウロしている。そのキャラクターの近くまで主人公を動かして、コントローラーのボタンを押して声をかけると「ようこそ○○村へ」と返してくる。もう一度ボタンを押すと「宿屋は村の右側にあるよ」とゲーム内の情報を教えてくれるかもしれない。これらの台詞はプログラミングされたものであり、覆ることはないし「じゃあ隣の村の宿屋はどこにあるの？」と聞き返したところで理解もされないし、当然きちんとした返事もない。同じように「ようこそ○○村へ」と返されるだけである。

　もちろんこの見本よりは高度なレベルではありますが、現実でもこの現象はよく見られます。テレビや権力者、学校の先生などが言ったことが、脳内にプログラミングされて、どんなに確かなフラットアースやコロナ茶番の証拠を突きつけても、時には厚生労働省のデータを突きつけても「ようこそ○○村へ」ならぬ「何を言っているの。地球が平らなわけがないから」とか「みんなマスクしているからあなたもしなさい」という予めプログラミングされた返ししかできない。そんな状態にまで「プログラミング／洗脳」されている人ばかりなのです。皆様もきっと啓蒙していて歯がゆい思いをしたのかなとお察しします。

朝起きてから夜寝るまで、子供の頃から今日の今まで、私たちを自分たちのために働く奴隷としか認識していない支配層が実施してきた悪意たっぷりの洗脳というのは、それだけ強烈なのです。たとえ誰かに1時間みっちり啓蒙をしても、寝ている時間以外の全ての残り時間でまたみっちりと洗脳されている現状では、NPCたちがすぐに強烈な洗脳状態に戻ってしまうのも致し方ないのかもしれません。つまり時には諦めも必要であるということです。特に身内だとなかなか諦めきれない部分もあるのは理解できますが、それでも最終的に変わらないといけないのはその人自身であり、馬にたとえるのであれば、いくら湖に連れて行っても水を無理やり飲ますことはできない。馬自身が飲みたいと思わなければならない、ということです。

これは二つ目に学んだことにもつながっていきます。それは「利他的な要素もある啓蒙活動には、啓蒙している人間のエゴがどうしても介入してしまうが故に、相手が反発心を覚えることがある。個人個人が自らの力で洗脳状態から解放されないと目覚めたとは言えない」ということ。洗脳解放は、なにも瞑想、ヨガ、座禅、祈りといった「神聖」な行為を介さなくても、常にクリティカルシンキングをもって論理的に考えてい

NPC はプログラミングされた返答しかしない

話しかけても理解されることはない

けば本来は簡単にできるはずです。支配層が仕掛ける洗脳というのは、我々からこうした論理的に考える行為を排除するために行われていると言っても過言ではありません。用意された陰謀論だろうとプロスポーツ観戦だろうと、テレビやネットのニュースだろうと役割は一緒です。

私自身も完全に実践できていないところではあり、偉そうなことは言えませんが、常に先入観をできるだけ排除した状態で俯瞰的に物事を見て、論理的に点と点をつなげて真相をこれからも追究していってください。そうすれば支配層の洗脳コンテンツがあなたに及ぼす影響はほぼ皆無となるでしょう。また相手にされなくても諦められずに周りを啓蒙し続ける際にも、真相論者でも陥りがちな「私が正義で、わからないお前は悪だ！」といった善悪二元論になることも少ないでしょう。

また支配層が「真っ黒な絶対悪」で私たち家畜層が「潔癖な真っ白」ということは決してありません。支配層は私たちいわゆる家畜階級をいくらでも殺したいと思っているし、とても性悪ではありますので擁護しているわけではありませんが、彼らには彼らの正義や美徳も存在します。それは支配層が愛するこの大地を汚す（と彼らが思っている）私たちが許せなかったり、脳のできが人間と犬くらいの差がある愚かな私たち羊を、ただただ家畜としか思っていないのも致し方がない部分もあります。

そして私たち家畜は、支配層が用意する（バビロン）システムに乗っかり、自分たちの快適さや便利さのために利用したり、私たちが反対に家畜だと認識している豚や牛などを日常的に大量虐殺して、食事として消費していたり、というまぎれもない事実もあります。私たちは生きる上で、植物も虫も多く殺していますのでビーガンになればよいというわけでもありません。全てはグレーなのです。

「支配層が全て悪く、私たちは全く悪くない」という白黒二元論だとどうしても啓蒙も独善的になりがちであり、それだとNPCになかなか思いが伝わらない場合が多いのではないでしょうか。

「全てはグレー」。これを理解することが他人のプログラミングを打ち破る近道だと私は思っております。

フラットアース十箇条

一、大地は平らである
二、大地は静止している
三、南極の氷の壁が大地と海を囲っている
四、宇宙は存在しない
五、重力は存在しない
六、大地は固形のドームに囲まれている
七、星はプラズマ
八、月は自発光である
九、太陽と月は近く、小さい
十、近代まではフラットアースが当たり前

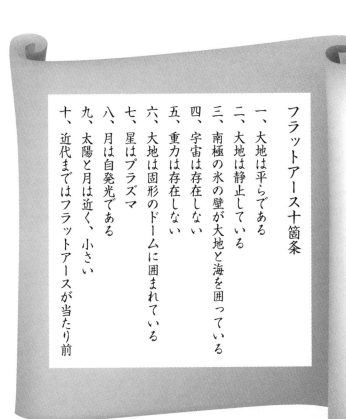

レックス・スミス（Rex Smith）

イギリスのロンドン出身、現在は日本在住。

2017年にフラットアーサーとなり、2018年にはFacebookで当時唯一だった日本語フラットアースグループ「フラットアースジャパン」を立ち上げ、現在も管理人を務める。エリック・デュベイの絵本小説『The Earth Plane』の日本語訳を手掛ける。

2019年より、フラットアースおよび真相論を啓蒙するためにTwitterを開始し、日々情報を発信し続けている。

著書に『地球平面説【フラットアース】の世界』、『究極の洗脳を突破する【フラットアース】超入門』、編集協力『緊急着陸地点が導く【フラットアース】REAL FACTS』（以上ヒカルランド刊）がある。

Facebook
https://www.facebook.com/groups/1924324390962053
Twitter
https://twitter.com/YKeyALCEj78NGPC

フラットアースからの突破
99・9％隠された歴史
支配層はこれを知るのを絶対に許さない

第一刷 2022年4月30日

著者 レックス・スミス

発行人 石井健資
発行所 株式会社ヒカルランド
〒162-0821 東京都新宿区津久戸町3-11 TH1ビル6F
電話 03-6265-0852 ファックス 03-6265-0853
http://www.hikaruland.co.jp info@hikaruland.co.jp
振替 00180-8-496587

本文・カバー・製本 中央精版印刷株式会社
DTP 株式会社キャップス
編集担当 たいら☆ちずこ

ISBN978-4-86742-091-1

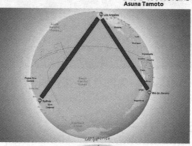

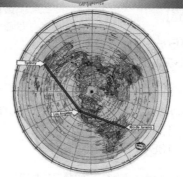

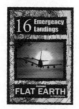

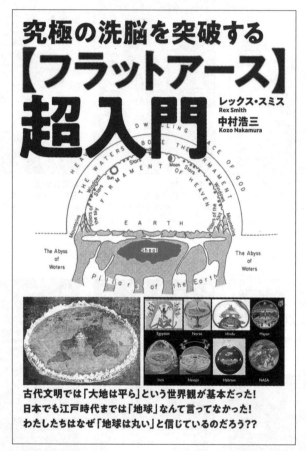